LA RÈGLE
ET
LE MODÈLE

DU MÊME AUTEUR

AUX MÊMES ÉDITIONS

L'Urbanisme, utopies et réalités
1965

Le Sens de la ville
ouvrage collectif, 1972

CHEZ D'AUTRES ÉDITEURS

Le Corbusier
New York, Braziller, 1960

City planning in the XIXth Century
New York, Braziller, 1970

FRANÇOISE CHOAY

LA RÈGLE
ET
LE MODÈLE

SUR LA THÉORIE
DE L'ARCHITECTURE
ET DE L'URBANISME

ÉDITIONS DU SEUIL
27, rue Jacob, Paris VIᵉ

ISBN 2-02-005463-9

Pour Jean Choay

La Règle et le Modèle a pour point de départ ma thèse de doctorat d'État, soutenue en mars 1978. Je dois une reconnaissance particulière à André Chastel, professeur au Collège de France, président du jury, qui m'a convaincue d'approfondir le travail initial et qui m'a donné les conseils de la science et de l'érudition. Les remarques et les critiques des autres membres du jury, Jean-Toussaint Desanti, Mikel Dufrenne, Pierre Kaufmann et Pierre Merlin m'ont également été précieuses. Que tous soient ici remerciés, ainsi que Jean Choay, qui m'a apporté une aide constante, et François Wahl, qui a relu ce livre en éditeur et en ami.

F. C.

Le parti pris des mots

Ce livre est consacré à l'espace édifié et à la ville. Mais il ne fait pas référence au monde concret de l'urbain. Il met entre parenthèses les édifices effectivement construits, pour ne traiter que de l'espace et de la ville écrits. Son objet appartient à l'ordre du texte.

Paradoxe, sans doute, si l'on évoque l'urgence des problèmes aujourd'hui soulevés par une urbanisation sans précédent de la planète. Nécessité, si l'on songe au volume de la littérature qui contribue directement à cette urbanisation en prétendant la fonder en raison.

Il s'agira donc ici des textes, dits de théorie, qui, dans le cadre d'un champ disciplinaire propre, s'assignent de déterminer les modalités selon lesquelles concevoir édifices ou villes à venir.

Qu'ils concernent l'architecture des édifices ou les rapports que ceux-ci entretiennent entre eux et avec leur environnement, ces écrits sont, aujourd'hui, soumis à l'hégémonie de la discipline nommée urbanisme. Ils sont devenus, en apparence, banals et transparents. Ils font, pour tout un chacun, partie de ces discours scientifiques, ou moins scientifiques, que produisent les disciplines constituées. Considérés comme inoffensifs et relevant de la compétence des spécialistes, ils n'intéressent guère, inquiètent encore moins. Leur efficacité est occultée. Paradoxalement, seuls leurs effets alarment et provoquent un questionnement au nom de l'hygiène mentale, des traditions culturelles, de l'esthétique. Seuls sont mis en question les ensembles d'habitation et les villes, pudiquement désignés du même qualificatif de « nouveaux », qu'ils contribuent à multiplier à travers le monde.

En réalité, comme devrait le laisser pressentir leur formidable pouvoir de frappe et d'erreur, ces écrits ne sont pas banals. Ce livre veut montrer, pour la première fois, l'étrangeté de leur projet et la singularité de leurs démarches. La crise de l'architecture et de l'urbain y gagnera une dimension insoupçonnée.

Dans un travail antérieur[1], il y a quinze ans, je m'étais déjà atta-

---

1. *L'Urbanisme, utopies et réalités*, Paris, Seuil, 1965.

9

chée à signaler une anomalie des textes produits par l'urbanisme. Je montrais qu'ils s'attribuent un statut scientifique auquel ils n'ont pas droit, que leurs propositions sont, en fait, sous-tendues par des idéologies non dites et non assumées. L'enjeu de ma démonstration était alors polémique : dénoncer l'imposture d'une discipline qui, dans une période de construction fiévreuse, imposait son autorité sans conditions. Depuis, cette mise en garde a porté quelques fruits, du moins au plan de la réflexion. On tiendra ici pour acquis qu'en dépit de ses prétentions, le discours de l'urbanisme demeure normatif et ne peut ressortir que médiatement à une quelconque pratique scientifique : son recours licite et justifié aux sciences de la nature et de « l'homme » est subordonné à des choix éthiques et politiques, à des finalités qui n'appartiennent pas seulement à l'ordre du savoir [1].

Je me propose aujourd'hui d'autres objectifs. Il ne s'agit plus de chercher ce que les écrits de l'urbanisme ne sont pas, en repérant leurs écarts et leurs dérives par rapport à un type discursif connu, le discours scientifique. Il s'agit de découvrir ce qu'ils sont, les intentions secrètes que masquent identiquement leurs prétentions explicites et leurs idéologies tacites, et de définir leur statut véritable. Ce nouveau travail n'est pas né, comme le précédent, d'une indignation, mais d'un étonnement réfléchi.

Pour pouvoir lire l'étrangeté des écrits de l'urbanisme, il faut commencer par vouloir et savoir reconnaître le caractère insolite et improbable de leur projet au regard des procédures qui, dans l'ensemble des diverses cultures et à travers l'histoire, ont servi aux humains à organiser et construire leur établissement. Attribuer à l'édification de l'espace une discipline spécifique et autonome est une entreprise dont la diffusion planétaire et la banalité actuelles nous font méconnaître la singularité et l'audace.

Nous oublions que le sacré et la religion ont, traditionnellement, été les grands ordonnateurs de l'espace humain, par le jeu de la parole ou celui de l'écriture qui, aux temps archaïques, déroulait sur les monuments les prescriptions des dieux. Nous oublions que, dans les sociétés sans écriture, l'organisation de l'espace bâti ressortit concurremment à l'ensemble des pratiques et des représentations sociales, sans même qu'un mot désigne à la réflexion l'idée d'aménagement spatial. Nous oublions aussi que la culture arabe n'a jamais disposé d'un seul texte spécialisé pour structurer ses espaces urbains, dont la complexité émerveille aujourd'hui architectes et urbanistes occidentaux. Autrement dit, nous ignorons ou nous méconnaissons le

---

1. *Ibid.*, p. 74.

fait que la constitution et l'autonomisation d'un discours fondateur d'espace est d'origine récente et occidentale. Sa dissémination était inévitable dès lors qu'à la faveur de la révolution industrielle le patron culturel occidental s'imposait, de gré ou de force. Car c'est seulement à partir de la deuxième moitié du XIXe siècle que le discours fondateur d'espace a énoncé ses prétentions scientifiques et désigné son champ d'application sous le terme d'urbanisme : ce terme fut en effet créé, et la vocation de la « nouvelle science urbanisatrice » définie, en 1867, par I. Cerda [1].

Mais il ne s'agit cependant pas là d'un vrai commencement. Pour saisir la force de transgression et de rupture qui anime les écrits théoriques de l'urbanisme, il faut aller appréhender leur projet fondateur avant les dates convenues, en son surgissement véritable et ignoré, au matin de la première Renaissance italienne. En l'occurrence, comme dans bien d'autres cas, une formation discursive et une pratique dont on attribue la paternité au XIXe siècle, et qu'on localise dans une configuration épistémique qui aurait commencé de se dessiner à la charnière des XVIIIe et XIXe siècles, ne font que consacrer des ruptures déjà opérées et organiser des domaines déjà définis au *Quattrocento*.

C'est alors, en effet, que les traités d'architecture italiens ont établi avec l'espace édifié une relation inaugurale. L'acte de naissance de ce rapport nouveau est précisément daté par le premier et le plus magistral d'entre eux, le *De re aedificatoria* que Léon Baptiste Alberti présenta au pape Nicolas V en 1452 [2] et dont, jusqu'à sa mort (1472), il ne cessa de remanier le manuscrit, imprimé pour la première fois, par Politien, à Florence, en 1485 [3]. Cet ouvrage se donne pour fin exclusive la conception, à l'aide d'un ensemble de principes et de règles, du domaine construit dans sa totalité, de la maison à la ville et aux établissements ruraux. En même temps qu'un genre discursif original, le *traité d'architecture* qui, d'Italie, se répandra dans toute l'Europe pour trouver en France, aux XVIIe et XVIIIe siècles, sa terre d'élection et de perdition, le *De re aedificatoria* crée son propre champ théorique et pratique. Il désigne à l'architecte une tâche qui va changer son statut social : il implique la formation d'une nouvelle caté-

1. Dans sa *Teoria general de la urbanizacion*. Cf., *infra*, chap. VI, p. 285 sq.
2. Telle est la datation à laquelle se range F. Borsi dans sa monographie, *Leon Battista Alberti*, Milan, Electra Editrice, 1975, à laquelle nous renvoyons pour le dernier état des questions albertiennes.
3. Pour les diverses éditions et traductions successives du *De re aedificatoria*, cf., *infra*, p. 12, n. 1 * et Corpus, p. 343.

gorie professionnelle[1], irréductible à celle des anciens bâtisseurs.

Le traité d'Alberti utilise les acquis des mathématiques, de la théorie de la perspective et de la « physique » contemporaines. Il prend en considération et se réfère à l'ensemble des activités et conduites sociales. Il ne se laisse cependant réduire ou subordonner à aucun savoir extérieur, ni à aucune pratique politique, économique, juridique ou technique. Pour asseoir son autorité, il ne recourt pas davantage aux représentations et aux rites religieux, aux valeurs transcendantes de la cité. En donnant une méthode rationnelle pour concevoir et réaliser des édifices et des villes, il se fixe pour tâche et parvient à établir avec le monde bâti une relation que l'Antiquité et le Moyen Age ignorèrent et que seule la culture européenne aura désormais la témérité de promouvoir.

L'événement est d'autant plus important à signaler qu'il a été occulté par les historiens, au profit d'autres ruptures et d'autres émergences survenues dans le même temps. Le rôle créateur des Bruni, Poggio, Guarino, Ghiberti, Valla est reconnu : on a analysé comment une nouvelle relation avec les documents et monuments du passé, avec les œuvres et les institutions du présent, leur a fait constituer les champs de la philologie, de l'archéologie, de l'histoire et de la philosophie politiques ainsi que de l'histoire de l'art. Semblablement, le *De pictura* du même Alberti est considéré, ainsi qu'il l'était déjà à l'époque, si l'on en croit le témoignage de Filarète ou de Ghiberti, comme porteur d'une innovation radicale, et constitutif de la première théorie de l'espace iconique. Mais, en dépit de la conviction de son auteur, le traité *De l'édification*[2], qui a introduit à l'égard de

---

1. Alberti en précise les privilèges dès le prologue du *De re aedificatoria* : « car je ne convoquerai pas un charpentier pour l'égaler aux plus grands maîtres des autres disciplines : la main de l'ouvrier n'est qu'un outil » (p. 7 *). Tant en ce qui concerne le statut social de l'architecte que le statut discursif du bâti, il ne saurait être question de nier ce que leur élaboration par la Renaissance doit à l'Antiquité. Le cadre de ce travail ne permet pas d'aborder l'histoire complexe des concepts d'architecture et d'architecte, encore moins celle de leur référent professionnel. La portée novatrice du *De re aedificatoria* pourra néanmoins être mesurée à la faveur de la comparaison qui l'opposera plus loin (chap. II, p. 137 *sq.*) au célèbre traité de Vitruve dont Alberti s'est inspiré.

* Toutes nos citations renvoient à l'édition critique la plus récente du *De re aedificatoria*, *L'Architettura* [*De re aedificatoria*] (texte latin et traduction italienne parallèles, établis par G. Orlandi, introduction et notes de P. Portoghesi), Milan, Il Polifilo, 1966. La version en français est celle de la traduction due à P. Bourgain, à paraître aux Éditions du Seuil.

2. C'est à tort qu'on traduit *De re aedificatoria* par *De l'architecture*. Si telle avait été la signification de son livre, Alberti l'aurait, comme Vitruve, intitulé *De architectura*. Le titre qu'il a adopté marque bien l'ambition de son entre-

l'espace tridimensionnel une innovation analogue, d'une portée sans précédent, n'a jamais été reconnu comme tel et continue de passer pour une version améliorée du livre de Vitruve.

S'il faut donc restituer au *De re aedificatoria* sa valeur inaugurale, celle-ci ne prend sa signification que située dans la configuration épistémique à laquelle appartient le traité d'Alberti. En dépit de sa spécificité, ce livre n'est pas un phénomène isolé. On ne peut en prendre la mesure, qu'à le replacer d'abord parmi les recherches sur l'espace menées par les architectes, peintres et sculpteurs de l'époque, ensuite à le réinsérer, avec les travaux de Brunelleschi, Donatello, Piero della Francesca, dans la « révolution culturelle [1] » à l'issue de laquelle on voit s'imposer un nouvel idéal d'emprise sur le monde et se transformer les rapports qu'entretenait l'homme européen avec ses productions.

Tandis que se relâche le théocentrisme médiéval, les comportements sociaux, discursifs ou non, prennent aux yeux des clercs une dignité et un intérêt nouveaux. Ils sont dorénavant connotés par le concept de création, qu'on a pu justement désigner comme le mot clé de la Renaissance [2]. Mais ils cessent aussi d'être vécus dans l'immédiateté, pour acquérir la dimension de l'altérité et de l'énigme, pour être mis à distance, critiqués et constitués en objet de savoir par des formations discursives qui préfigurent une partie des sciences dites « humaines » et forment constellation. Pour employer une terminologie en vigueur, nous dirons que ces formations introduisent, par rapport aux textes antérieurs, une *coupure*.

Quelle que soit leur dette à l'égard de la tradition savante héritée de Vitruve ou de la tradition éditaire mise au point par les communes italiennes au cours des XIIIe et XIVe siècles, c'est de ce même « déplacement d'attention [3] » et de cette coupure que sont issus les premiers traités d'architecture italiens. Alberti théoricien du bâti emprunte la même démarche réflexive qu'Alberti théoricien de la vie civile et politique dans le *Momus* [4] ou le *De iciarchia* [5]. Le projet du *De re*

---

prise et l'étendue de son objet, dont l'architecture au sens strict, en tant qu'art, n'est qu'une partie. C'est pourquoi nous avons toujours désigné l'ouvrage d'Alberti par son titre original latin.

1. Terme emprunté à E. Garin.
2. E. Garin, *Moyen Age et Renaissance*, Paris, Gallimard, 1969, p. 76.
3. *Ibid.*, p. 75.
4. Écrit après 1450. Cf. *Momus o Del Principe*, édition critique avec texte, traduction en italien et notes par G. Martini, Bologne, 1942.
5. 1468. Cf. *Opere volgari*, édition critique par C. Grayson, t. II, Bari, Laterza, 1966.

aedificatoria est l'homologue de celui qui conduit les grands humanistes du XVe siècle à mettre les travaux et les actions des hommes en perspective et en système.

De même que les écrits de ceux-ci ont ouvert le champ de disciplines qui ont commencé d'élaborer leurs fondements théoriques à la fin du XVIIIe siècle, de même, le livre d'Alberti ouvre le champ de la discipline que les théoriciens du XIXe siècle ont nommée urbanisme et dont ils ont voulu et cru faire une science. Du XVe siècle des traités au XXe siècle des écrits urbanistiques, de nouveaux problèmes n'ont cessé d'être posés en termes différents. Ils demeurent cependant circonscrits et définis dans le cadre d'une même approche, née au *Quattrocento*, sans équivalent antérieur dans aucune autre culture [1], et qui consiste à assigner à l'organisation de l'espace édifié une formation discursive autonome. Cette autonomisation, l'idée que la structure d'un bâtiment ou d'une ville puisse dépendre d'un ensemble de considérations rationnelles ayant leur logique propre, marque la coupure décisive qui commande de faire passer l'étude des écrits de l'urbanisme contemporain par celle des traités d'architecture, et de considérer ces deux catégories de textes comme partie d'un même ensemble relevant d'une dénomination commune.

Je me propose d'appeler instaurateurs ces écrits qui se donnent pour objectif explicite la constitution d'un appareil conceptuel autonome permettant de concevoir et de réaliser des espaces neufs et non avenus. Cette désignation ne doit cependant pas prêter à confusion avec l'usage que fait l'épistémologie de la notion d'instauration. Il ne s'agit pas, en l'occurrence, de marquer la fondation d'un champ scientifique. Faisant retour à l'étymologie et à la valeur concrète originelle du terme (*stauros* en grec signifie d'abord le pieu de fondation et le soubassement), j'ai voulu, d'une part, lui faire souligner, par métaphore, la position des textes instaurateurs qui se proposent de soustendre et d'étayer en théorie les espaces bâtis et à bâtir, d'en constituer comme le fondement ou le soubassement, et d'autre part, lui faire évoquer, par métonymie, la relation qui lie ces textes aux rites de fondation des villes.

Allons-nous considérer que l'ensemble des textes instaurateurs d'espace est exclusivement formé par les traités d'architecture et les théories de l'urbanisme? Il apparaît nécessaire d'y inclure une autre catégorie d'écrits, les utopies. A première vue cette décision semble choquante et contestable. L'utopie appartient à l'univers de la fiction, elle est cantonnée dans l'imaginaire, à l'écart de toute visée

1. Cf. chap. I.

pratique et, à plus forte raison, de tout contexte professionnel. On peut arguer qu'elle n'est pas pour autant privée d'efficace : la multiplication des Icaries dans l'Amérique du XIXe siècle le montre assez. Quoi qu'il en soit, l'édification du monde bâti n'est pas la vocation de l'utopie, qui se propose, au moyen d'une réflexion critique sur la société, l'élaboration imaginaire d'une contre-société. Si j'estime pourtant que l'utopie, comme genre littéraire, est un texte instaurateur à part entière, c'est qu'elle est partie intégrante des théories d'urbanisme auxquelles elle est antérieure et dont elle a marqué la forme d'un sceau indélébile.

Cette affirmation est déjà implicitement contenue dans mon travail [1] sur les rapports de l'urbanisme et des utopies, à condition qu'on observe ces dernières dans une autre perspective que celle qui était alors la mienne. Me bornant aux utopies du XIXe siècle, je les classais d'après leurs systèmes de valeurs, en deux groupes, que je qualifiais de progressiste (Fourier, Owen) et de culturaliste (Morris) et que je rangeais sous la dénomination commune de pré-urbanisme : avec leurs valeurs et leurs modèles, ils préfiguraient les deux groupes homologues découverts dans les écrits de l'urbanisme. C'est ainsi que je fus conduite à définir l'urbanisme progressiste, illustré par Le Corbusier, et l'urbanisme culturaliste, dont Sitte est le représentant le plus marquant. Ma démonstration était alors fondée sur une analyse de contenu. Il s'agissait de préciser la spécificité des valeurs et des figures d'espaces proposées par chacun des deux courants antagonistes. La démarche utopique intéressait, en tant que support et véhicule de valeurs bien datées (ici, progrès et rationalité; là, organicité culturelle) dont l'apparition renvoyait à un processus historique, la révolution industrielle.

Au lieu de se limiter à l'influence *des* utopies particulières, on peut s'intéresser à l'impact éventuel de *l'*utopie en général sur les écrits urbanistiques. On peut considérer celle-ci non plus du point de vue de son contenu, mais de sa forme, déplacer la question du plan de l'histoire proche à celui de la longue durée. On s'aperçoit alors que l'utopie, en tant que catégorie littéraire créée par Thomas More, comporte deux traits communs à tous les écrits de l'urbanisme : l'approche critique d'une réalité présente et la modélisation spatiale d'une réalité à venir. Elle offre, au niveau de l'imaginaire, un instrument de conception *a priori* de l'espace bâti, le modèle.

Dès lors que les écrits urbanistiques cessent d'être interrogés d'un point de vue épistémologique qui met en cause leur validité, dès lors qu'il ne s'agit plus d'évaluer la légitimité de leurs prétentions scienti-

1. *Op. cit.*

fiques, mais d'analyser leur organisation en tant que textes instaurateurs d'espaces[1], leur rapport avec la forme littéraire de l'utopie s'impose à l'attention. Autrement dit, si au lieu de s'intéresser aux options axiologiques opposées et non reconnues, sous-jacentes aux livres de Le Corbusier et de Howard, on se penche sur les procédures communes qui fondent et conditionnent l'énonciation de leurs projets respectifs, l'utopie apparaît comme une forme inhérente à leur démarche, qu'elle structure et programme, indépendamment de tout contenu historique. Dans ces conditions, l'utopie ne peut pas être évacuée de l'ensemble des textes instaurateurs. Elle doit y être incorporée, telle qu'en elle-même elle préexiste aux théories de l'urbanisme, c'est-à-dire dans la totalité de ses manifestations, à partir de l'inaugurale *Utopie* de Thomas More, homologue, un grand demi-siècle plus tard, du *De re aedificatoria*.

Nous admettrons donc que l'ensemble des textes instaurateurs est formé par les trois catégories des traités d'architecture, des utopies et des écrits de l'urbanisme, que solidarise leur projet fondateur d'espace. Pour aller au-delà de ce constat de singularité, pour progresser dans l'épaisseur de leurs intentions informulées et donner un sens à leur étrangeté, mon travail a été guidé par plusieurs hypothèses.

La première, méthodologique, a fait privilégier non seulement l'étude des textes mais celle de leur forme.

La seconde a fait centrer le travail sur le traité et l'utopie : deux procédures types d'engendrement de l'espace édifié seraient à l'œuvre depuis l'émergence du projet instaurateur. L'une, élaborée par les traités d'architecture, consiste dans l'application de principes et des règles. L'autre, due à l'utopie, consiste dans la reproduction de modèles. Ces deux procédures, la règle et le modèle, correspondraient à deux attitudes fondamentalement différentes en face du projet bâtisseur et du monde édifié.

Selon la troisième hypothèse, les textes instaurateurs ne constitueraient pas seulement un ensemble logique, constructible à l'aide d'un dénominateur téléologique commun. Au fil du temps, ils présenteraient dans leur énonciation et dans les rapports de leurs composants sémantiques, des régularités formelles et une stabilité qui en feraient une catégories discursive spécifique. Autrement dit, sous la chatoyante diversité que leur impose la traversée des siècles, utopies et traités

---

1. Propos déjà formulé, mais développé de façon schématique, *in* « Figures d'un discours méconnu », *Critique*, avril 1973.

seraient organisés par des figures ou configurations textuelles invariantes, relevant d'un statut original que n'ont ni assumé leurs auteurs, ni déchiffré leurs lecteurs.

Il ne s'ensuivrait pas pour autant que ces deux organisations structurales demeurent intactes et bien lisibles, de bout en bout de deux chaînes textuelles indépendantes. J'admets, au contraire, et c'est ma quatrième hypothèse, qu'elles puissent interférer : les écrits urbanistiques en offriraient la preuve. Mais, à travers dérives, transformations et syncrétismes, ces figures manifesteraient une résistance insolite à l'anéantissement. Triomphantes ou honteuses, intègres ou mutilées, telles des architectures de pierre que la ruine n'empêche pas de témoigner et qui survivent aux institutions et aux formes du savoir dont elles furent les contemporaines, les deux architectures discursives imposeraient une présence irrévocable, qui, à travers le temps, continue de faire signe : figures dont la prégnance résisterait à l'usure des événements, à la sédimentation des mentalités, aux restructurations du savoir, et dont la signifiance transcenderait celle de leurs contenus.

Prouver ces hypothèses demande que soient établies des généalogies, localisées des ruptures, repérées et définies des constantes structurales : tâche qui suppose la mise en place d'une stratégie méthodologique permettant d'échapper au mirage des contenus de surface pour entrer sûrement dans la profondeur du texte.

Tout d'abord, cherchant à élucider la nature d'un ensemble d'écrits et à découvrir des faits qui appartiennent à l'ordre de l'écriture, l'exploration devra être conduite à huis clos. On s'enfermera dans le seul espace des textes instaurateurs, en faisant abstraction du contexte dans lequel ils ont été élaborés. Autrement dit, quel qu'en soit par ailleurs l'intérêt, on s'abstiendra d'interpréter traités d'architecture, utopies et écrits de l'urbanisme par les conditions culturelles, économiques et politiques de leur production. *A fortiori*, on ne s'intéressera ni aux personnes qui les ont écrits, ni aux édifices concrets que celles-ci ont pu construire. Qu'Alberti ait été une des personnalités les plus séduisantes de la Renaissance ne nous concernera pas ici. Le sujet qui, dans le *De re aedificatoria*, dit *je* et retrace son aventure intellectuelle sera considéré seulement en tant que locuteur abstrait, dans la mesure où il impose une forme d'énonciation au texte et utilise pour le construire les séquences de sa biographie, selon la même procédure que suivront ensuite tous les auteurs de traités jusqu'au XIXe siècle, en dépit de la diversité des temps, des lieux et des personnes.

De même, à l'encontre des historiens de l'architecture et de l'urbanisation, on ne se souciera pas des relations susceptibles de lier les écrits instaurateurs à des espaces effectivement réalisés. Quel que soit l'impact effectif du texte sur le monde bâti, là n'est pas mon propos. Il ne nous appartient pas plus de déterminer l'influence éventuelle du *De re aedificatoria* sur le palais Rucellai, ou sur les édifices religieux (Santa Maria Novella, le Temple des Malatesta, Sant'Andrea de Mantoue...) remaniés ou construits sous la direction d'Alberti, que celle des écrits théoriques de Cerdà ou de Le Corbusier sur leurs projets respectifs pour Barcelone ou pour Pessac et Chandigarh. J'ai pris un soin particulier à exclure ce type de références et d'explications, connaissant les dangers auxquels elles exposent les historiens dans les cas où leur usage est légitime. Une attention trop centrée sur l'œuvre construite d'Alberti a conduit un des meilleurs spécialistes de l'architecture renaissante à faire une lecture réductrice du *De re aedificatoria*[1]. J'ai moi-même mis en évidence la dissociation qui existe entre l'œuvre bâtie et l'œuvre écrite de Le Corbusier[2].

L'option une fois prise de se cantonner dans l'espace des traités instaurateurs et d'en faire une lecture à plusieurs niveaux, il faut encore se donner les moyens d'un tel objectif. Ma méthode s'inspire très librement de procédures mises au point à l'occasion de questionnements semblables. Elle est redevable, en particulier, aux travaux de V. Propp et de C. Lévi-Strauss sur le conte et le mythe, à la sémiologie textuelle de R. Barthes et aux recherches préalables à une sémiolinguistique, amorcées par E. Benveniste et poursuivies par ses élèves. D'une part, je me suis efforcée de découvrir les opérateurs qui permettent un découpage sémiotique des textes. J'ai cherché à démonter le fonctionnement des traités, des utopies et des écrits urbanistiques, en définissant le jeu des unités sémantiques fixes et limitées qui servent respectivement à produire leurs règles génératives et leurs modèles. D'autre part, j'ai tenté de repérer des modes d'énonciation singuliers, d'en inventorier les marques linguistiques et d'en faire apparaître la cohérence.

Limité à des opérations élémentaires de segmentation et de discrimination, ce travail ne prétend pas se situer au même plan méthodologique que les œuvres dont il s'est inspiré. Je n'ai pas cherché à transposer globalement les procédures de celles-ci à un matériau auquel elles ne sont pas adaptées : les textes instaurateurs n'appartiennent pas à l'univers oral et anonyme du mythe et du conte fantastique, ils

---

1. R. Wittkower, *Architectural Principles in the Age of Humanism*, Londres, Tiranti, 1962. Nous faisons en particulier allusion à son interprétation de l'église Saint-André de Mantoue.
2. Cf. article « Le Corbusier », *Encyclopædia Britannica*.

ne ressortissent pas davantage aux catégories littéraires du roman ou du récit. En fait, sans chercher à élaborer une véritable sémiotique des textes instaurateurs, j'ai emprunté aux auteurs cités les moyens d'une approche sémiologique, qui n'a permis de définir l'identité de ces formes textuelles [1], de prouver la stabilité de leur organisation, de leur assigner une dimension sémantique refoulée par une lecture conventionnelle.

Le *De re aedificatoria* et l'*Utopie*, les deux textes inauguraux, dont l'émergence définit le cadre de ce travail, ont été seuls utilisés pour établir les figures du traité d'architecture et de l'utopie dont ils offrent les paradigmes [2] et pour déterminer l'ensemble de traits sur la base desquels établir le corpus des textes instaurateurs.

Mais on sait que la constitution d'un corpus enferme dans un cercle logique. En l'occurrence, pour pouvoir définir les deux types de textes instaurateurs, il faut commencer par en postuler l'existence et en donner deux définitions de départ, pragmatiques et provisoires. Dans un premier chapitre, comparatif, ces définitions serviront à prouver que le *De re aedificatoria* et l'*Utopie* sont bien inauguraux. De plus, elles permettront, sans qu'il soit question, à ce niveau, de leur faire décrire le fonctionnement du traité et de l'utopie, de dessiner leur spécificité au regard des textes avec lesquels on pourrait les confondre. Ces deux formes discursives seront donc caractérisées par un ensemble de traits provisoires que devra présenter tout texte appartenant à leur corpus. Inversement, l'absence d'un seul de ces traits sera tenu pour un indicateur de différence, un critère, nécessaire et suffisant, qui permettra d'éliminer tout texte ambigu de la catégorie instauratrice.

C'est donc après le premier chapitre seulement que commencera la lecture sémiotique du *De re aedificatoria* et de l'*Utopie*. L'importance que j'attribue à ces textes se mesurera à l'espace, près de la moitié du livre, qui leur est consacré. Par la suite, il ne pouvait être question de tester la validité des paradigmes au moyen d'une analyse exhaustive de chacun des ouvrages constituant le corpus. Il a fallu se contenter de sondages, sur un nombre d'écrits limité. Leur choix,

---

1. Cf. *infra*, chap. I, p. 24 et 46, et surtout chap. II, p. 147 *sq.* et chap. VI, p. 296-297.

2. Précisons la terminologie qui sera désormais utilisée : le traité d'architecture et l'utopie sont considérés comme des *catégories* discursives, dont la structure sera dite *figure*, organisation ou architecture textuelles. Cette figure, telle qu'elle peut être construite à partir du *De re aedificatoria* et de l'*Utopie*, est alors appelée *paradigme*. Ce mot n'est [donc] pas utilisé au sens que lui donne T.S. Kuhn in *La Structure des révolutions scientifiques*, Paris, Flammarion, 1972.

qui conserve une marge d'arbitraire, a été dicté par le double souci d'utiliser un matériau canonique et significatif, et d'associer dans une juste proportion œuvres célèbres, inconnues et méconnues. Ainsi s'explique qu'aient été retenus l'*Idea dell'architettura universale* de Scamozzi, traité à la fois surévalué et méconnu par l'âge classique, négligé, à tort, par les historiens de notre époque, et *Sinapia*, utopie inédite du XVIIIe siècle, récemment publiée en Espagne. C'est aussi pourquoi j'ai pu laisser de côté et la *Cité du Soleil*, qui aurait fait pencher la balance en faveur des œuvres fameuses, et un texte atypique comme *l'Architecture considérée sous le rapport de l'art des mœurs et de la législation* de Ledoux, qui ne pourrait être déchiffré selon la méthode proposée sans nouvelles recherches d'archives.

Dernières observations méthodologiques : le parti d'ascèse consistant à s'enfermer dans l'espace des textes instaurateurs n'a pas été suivi en toute rigueur. Comme je viens de l'indiquer, le premier chapitre est largement consacré à d'autres types de textes, dans la mesure même où il a pour objet de situer traités d'architecture et utopies dans le réseau dense et complexe des écrits sur la ville. Davantage, pour pouvoir éclairer les liens qui les unissent à ces écrits et marquer la coupure[1] qui autorise à constituer les textes instaurateurs en catégorie discursive autonome, je n'ai pas hésité à faire appel à l'histoire des idées et des mentalités, et à celle de leur support culturel et social.

La même référence aux contextes, discursifs et non discursifs, a également servi, quoique de façon ponctuelle et seulement au terme des analyses formelles, à confirmer et éclairer les interprétations auxquelles conduisait une lecture sémiotique des textes instaurateurs d'espace. C'est ainsi, par exemple, que des références aux grandes découvertes, à la théorie de la perspective et à la pensée politique du XVIe siècle, sont venues cautionner mon déchiffrement de l'*Utopie*.

Enfin, dans certains cas exceptionnels, il a pu arriver que la lecture fasse appel à l'analyse de contenu. Celle-ci est toujours subordonnée à l'analyse fonctionnelle du texte. Elle ne sert qu'à préciser l'identité ou le fonctionnement d'opérateurs ou d'unités sémantiques, non leurs origines ou leur signification. Ainsi, en ce qui concerne encore une fois le *De re aedificatoria*, il n'a été, à aucun moment, nécessaire de s'interroger sur la signification, cependant discutée par les historiens, de termes comme ceux de *proportio, mediocritas, collocatio,*

---

1. J'adopte cette notion à la suite d'historiens comme E. Garin et E. Panofsky. Sa remarquable valeur heuristique ne me fait pas pour autant méconnaître certaines des difficultés qu'elle soulève, dès lors qu'on oublie son statut instrumental.

finitio... Point davantage n'a-t-on dû se soucier du sens exact de l'opposition entre les domaines du public et du privé, du sacré et du profane. Ces notions fonctionnent sans difficulté dans le traité d'Alberti. En revanche, l'opérateur que j'ai nommé le « postulat-métaphore du corps », de même que le concept de *concinnitas*, semblaient remplir des fonctions ambiguës et parfois multiples, dont le jeu a pu être clarifié grâce à des références extérieures. Cependant, leur signification propre n'a été abordée que dans cette perspective fonctionnelle et formelle. Je ne me suis interrogée ni sur l'aristotélisme d'Alberti, mis en cause par la notion de *concinnitas*, ni sur la pérennité, depuis la plus lointaine Antiquité jusqu'à nos jours, de la comparaison des édifices avec les vivants et leurs corps. Ces questions ne m'étaient d'aucune utilité. Elles ressortissent à une histoire, locale ou générale, des idées. Elles ne me concernent pas plus ici que celles, tout aussi essentielles, soulevées par les rapports de l'*Utopie* avec la Réforme ou les liens du traité de J.-F. Blondel avec le cartésianisme.

Ces considérations de méthode devraient avoir suffisamment éclairé mon propos. Il en résulte d'abord que ce livre engagé dans l'histoire n'est cependant pas un livre d'histoire. Sa problématique est, bien sûr, déterminée par la mise en perspective historique qui, d'entrée de jeu, a permis de dater et marquer une coupure et de donner leur valeur inaugurale aux textes instaurateurs. De plus, lorsqu'il s'est agi de contrôler la valeur paradigmatique des figures établies par la lecture du *De re aedificatoria* et de l'*Utopie*, j'ai abordé le corpus des textes instaurateurs selon l'ordre chronologique de leur succession. Il m'est aussi arrivé de confirmer leur interprétation par l'histoire des idées et des institutions synchrones. L'objet de ma recherche n'était néanmoins ni cette succession en tant que telle, ni les relations diachroniques susceptibles de lier les différents textes, mais les régularités qu'ils ne cessent de présenter au fil des siècles. Je ne propose pas ici une histoire des théories de l'architecture ou de l'urbanisme dont il n'a pas davantage été question d'élucider les relations. Je découvre, décris et tente de comprendre des figures discursives dont la valeur sémantique réside précisément dans leur résistance à l'action du temps.

L'établissement de ces figures ne doit pas davantage être pris pour une typologie. Seul le premier chapitre présente certains éléments typologiques. Tels que leurs traits se dessinent et s'affirment au fil des chapitres, le traité d'architecture et l'utopie ressortissent à une archéologie [1] de la théorie de l'édification. En creusant sous les strates des mots et des temps, j'ai voulu dégager les grandes formes discursives qui défient les uns et les autres et qui, nous confrontant à une nouvelle importance et à une autre présence du monde édifié, apportent matière à une réflexion sur l'identité culturelle de l'Occident et peuvent contribuer à la constitution d'une anthropologie générale.

1. J'emprunte ce terme à Michel Foucault à qui je dois aussi, entre autres, la notion de *formation discursive*.

1. Les textes sur l'architecture et sur la ville

Pour s'orienter dans l'immensité et la diversité des écrits qui parlent de l'espace bâti et de la ville, on peut, très simplement, commencer par les diviser en deux catégories : ceux qui envisagent l'établissement humain comme un projet à réaliser et ceux qui se contentent d'en faire un sujet de spéculation. Les premiers contribuent à produire le monde bâti, à édifier des espaces neufs, je les appellerai réalisateurs. Les seconds, qu'ils privilégient l'imagination, la passion ou la réflexion, ne visent pas à sortir de l'univers de l'écrit; pour cette raison, je les nommerai commentateurs.

Il est clair que les textes instaurateurs sont à ranger dans la première catégorie. Or, parmi tous les écrits, commandements des dieux, édits des princes, règles édilitaires, manuels de construction... qui, depuis l'origine des villes — qui sont elles-mêmes à l'origine de l'écriture —, ont servi à organiser l'espace des humains, les traités d'architecture et les théories d'urbanisme ne constituent qu'un petit sous-ensemble et les utopies, de par leur rapport à l'imaginaire, une catégorie hétérogène. Ce chapitre comparatiste, destiné à prouver le caractère inaugural du *De re aedificatoria* et de l'*Utopie* et à circonscrire la spécificité du corpus des traités et des utopies, devra donc les localiser et dessiner leur différence dans une double topographie : celle des textes réalisateurs susceptibles d'être confondus avec les traités d'architecture et dont un choix, nécessairement limité, montrera toutefois et le rôle du sacré et le travail de rationalisation qui l'a peu à peu entamé (première partie du chapitre), celle des écrits de fiction susceptibles de passer pour des utopies (deuxième partie).

Mais les textes commentateurs ne sont pas sans apporter leur participation à l'élaboration du monde édifié. Non seulement ils ont le pouvoir de façonner la perception de l'espace et d'en déplacer ou d'en occulter le sens, mais ils exercent une action incitative et, davantage encore, ils alimentent de leur substance les textes instaurateurs. C'est pourquoi, réduits à quelques exemples occidentaux, ils n'ont pas été exclus de ce panorama schématique, dont ils occuperont la troisième partie.

Le traité d'architecture tel qu'Alberti en créa le genre sera provisoirement défini par cinq traits [1]. [1] C'est un livre, présenté comme une totalité organisée. [2] Ce livre est signé par un auteur qui en revendique la paternité et écrit à la première personne [2]. [3] Sa démarche est autonome. Il ne se veut subordonné à aucune discipline ou tradition. [4] Il s'assigne pour objet une méthode de conception, l'élaboration de principes universels et de règles génératives permettant la création, non la transmission de préceptes ou de recettes. [5] Ces principes et ces règles sont destinés à engendrer et à couvrir le champ total du bâtir, de la maison à la ville, de la construction à l'architecture.

Le De re aedificatoria, *texte inaugural.*

Que l'entreprise d'Alberti ait été inaugurale paraît à première vue invraisemblable. Le contre-exemple s'offre immédiatement à l'esprit, de l'antiquité gréco-latine que les humanistes de la Renaissance tenaient pour un modèle en général, et en particulier pour ce qui est de l'architecture et de l'organisation urbaine. Les historiens du XXe siècle eux-mêmes n'hésitent pas à parler d' « urbanisme » grec [3] et romain [4] pour désigner des aménagements dont la rationalité témoigne à l'évidence d'une réflexion spécifique.

Ces aménagements portent, en fait, la marque des spéculations de législateurs, philosophes et médecins; ils relèvent aussi d'une logique éditilaire fort élaborée et d'un ensemble de procédures techniques étayées par des connaissances de géométrie et de physique. L'épigraphie nous a livré les dispositions complexes qui, surtout à partir du IVe siècle avant J.-C., réglaient, dans les villes grecques, le partage du sol entre les domaines public et privé grâce à de véri-

---

1. Pour leur justification, cf. chap. II. Dans les pages qui suivent, ces traits sont désignés par leur numéro d'ordre placé entre crochets et précédé ou non du substantif « trait ». Les signes — ou + indiquent la présence ou l'absence des traits auxquels ils sont apposés.
2. La première personne, déjà annoncée au premier paragraphe du *De re aedificatoria* par un adjectif possessif (*op. cit.*, p. 2), s'impose dès le deuxième paragraphe, dans lequel, ensuite, Alberti explique la genèse et l'originalité de son projet (*ibid.*, p. 15).
3. R. Martin, *L'Urbanisme dans la Grèce antique*, Paris, Picard, 1956.
4. L. Homo, *Rome impériale et l'Urbanisme dans l'antiquité*, Paris, Albin Michel, 1951.

tables plans de *zoning*, permettaient d'organiser les tracés de voirie et l'adduction des eaux potables, assuraient l'entretien des constructions, chemins et fontaines, résolvaient les problèmes de mitoyenneté. Mais, quelle que soit la précision des inscriptions [— 1] [— 2] de Colophon ou de Pergame[1], par exemple, elles relèvent d'une législation à caractère pratique et particulier, non de principes abstraits et universels [— 4]. De même, les schémas et les plans utilisés lors de la création d'Alexandrie par les architectes d'Alexandre, avant que la domination de Rome n'en généralise l'usage, ne renvoient, en dépit de leur nature abstraite, à aucune théorie de l'espace bâti; ce sont des instruments pratiques.

Quant aux manuels d'arpentage des *agrimensores* romains [+ 1], s'ils intègrent dans leur démarche la géométrie d'Euclide, que d'ailleurs ils ont permis de transmettre au Moyen Age[2], c'est, encore une fois, à des fins exclusivement techniques, et non, comme plus tard les traités d'architecture occidentaux, pour la placer à la base d'une discipline spécifique et autonome. Autre exemple encore, le savoir des ingénieurs hydrauliciens de Rome, tel que Frontin nous en a conservé la somme sous forme de livre[3] [+ 1], [+ 2], demeure un savoir-faire sectoriel et utilitaire.

Les hommes politiques responsables de l'organisation concertée de l'espace urbain en Grèce ne se sont pas souciés d'en livrer une théorie. On trouve seulement un écho des préoccupations qui furent, à cet égard, celles de tyrans comme Pisistrate ou Polykrates, chez les historiens du Ve siècle. Clisthène n'a laissé aucun témoignage sur la transformation des structures spatiales de la *polis* qui accompagna sa réforme des institutions athéniennes; les historiens actuels en sont réduits à des hypothèses en ce qui concerne son éventuelle approche théorique de l'espace bâti[4]. Les Milésiens, qui inventèrent le plan en damier, n'en ont rien écrit. Hippodamos lui-même, qui, selon Aristote, « inventa le tracé géométrique des villes et découpa le Pirée en damiers[5] », n'a laissé que des écrits politiques [— 3], concernant un

1. Cf. R. Martin, *op. cit.*, chap. III, p. 48 *sq.*
2. P. Riché, *Éducation et Culture dans l'Occident barbare, Ve-VIIIe siècle*, Paris, Seuil, 1962, p. 109, 110, 118.
3. *Sur les aqueducs de la ville de Rome*, P. Grimal éd., Paris, Les Belles Lettres, 1944.
4. Cf. P. Lévêque et P. Vidal-Naquet, *Clisthène l'Athénien*, Paris, Les Belles Lettres, 1964.
5. *Politique*, texte établi et traduit par J. Aubonnet, Paris, Les Belles Lettres, 1960, liv. II, chap. VIII, p. 73. A la suite d'Aristote, le rôle d'Hippodamos dans la conception et la diffusion du plan milésien semble avoir été fort exagéré. Cf. R. Martin, *op. cit.*, p. 103 *sq.*

projet de constitution [1] et dont on a, avec raison, souligné « le divorce qui [les] sépare de [son] œuvre de constructeur et d'urbaniste [2] ».

La littérature consacrée par les Grecs à une réflexion sur la production de l'espace édifié est limitée, occasionnelle et toujours subordonnée à un champ de spéculation étranger à celui du bâti. Cette subordination et cette dispersion tiennent sans doute au fait que, traditionnellement, la *polis* est d'abord une communauté d'individus avant d'être un espace [3]. Le témoignage des Hérodote, Thucydide, Pausanias est convaincant à cet égard. Et si, par ailleurs, ces historiens, comme les « géographes [4] » à partir du IVe siècle, nous ont laissé des descriptions émerveillées des grands travaux urbains entrepris par les cités-états de la Grèce, ils nous en ont donné seulement un commentaire.

L'ébauche d'un discours instaurateur est à chercher ailleurs. En premier lieu, du côté des médecins. Parmi les traités hippocratiques, *De l'air, de l'eau et des lieux* [5] élabore une véritable théorie du choix des sites qui rationalise un ensemble d'observations sur le régime des eaux et des vents, la nature des sols, l'exposition et l'ensoleillement. Mais il ne s'agit là que d'une partie préliminaire de l'édification [— 5]. Et celle-ci est abordée dans le cadre d'une discipline, la médecine, à laquelle le traitement de l'espace est subordonné [— 3]. Une génération plus tard, Aristote semble s'attaquer au problème de l'organisation urbaine de façon plus globale et indépendante. Mais les règles qu'il propose sont partie intégrante de la réflexion sur les constitutions qui est le sujet de ses *Politiques*. On ne peut considérer comme un traité de l'édification le petit chapitre VIII du livre II, qui représente un vingt-cinquième de cet ouvrage consacré à une théorie de l'État [6] [— 3]. Le Stagirite y déploie son génie de la synthèse et du concret dans des considérations successives sur la dimension optimale de la *polis*, le choix des sites (en reprenant les travaux hippocratiques), l'utilité des murailles (contre Platon), et la localisation souhaitable des divers édifices publics liés au fonctionnement de la cité grecque. Mais les règles qu'il énonce sont subordonnées à une philosophie politique,

---

1. Qu'Aristote résume et critique, *Pol.*, liv. II, chap. VIII.
2. R. Martin, *op. cit.*, p. 15.
3. Cf. E. Benvéniste, *Vocabulaire des institutions indo-européennes*, Paris, Éd. de Minuit, 1969.
4. Cf. Dicéarque, *Sur les villes de la Grèce*, cité par R. Martin, *op. cit.*, p. 25.
5. *Œuvres complètes d'Hippocrate, traduction avec texte grec en regard* par E. Littré, Paris, 1839-1861, vol. I. Ce texte, vraisemblablement d'Hippocrate lui-même, semble devoir dater des années 430 av. J.-C. Cf. F. Heinimann, *Nomos und Physis*, Bâle, F. Reinhardt, 1945, p. 209.
6. Au sens antique du terme.

elles ne concernent qu'un champ limité de l'édification [— 5] et n'ont, au moins pour certaines, qu'une portée particulière [— 4], bornée au monde hellénique.

Nourri des œuvres d'Hippocrate et d'Aristote, informé des recherches esthétiques des architectes grecs, mais cependant unique dans toute l'Antiquité, où il n'eut ni antécédent formel direct ni postérité, le *De architectura* de Vitruve est le seul livre qui semble participer de la même *vocation-fonction* instauratrice que le *De re aedificatoria* et qui puisse donc prétendre à une antériorité sur celui-ci. De plus, Alberti l'a lu et s'en est inspiré. Mais il lui a fait subir une mutation qui en change la forme et la signification. Pour éviter les répétitions, nous renvoyons le lecteur au chapitre II [1] dans lequel nous montrerons que le *De architectura* ne peut passer pour un traité instaurateur que si l'on se fie aux affirmations réitérées de l'auteur quant à la nature de son entreprise.

En fait, les dix livres du « traité » de Vitruve ne constituent pas une totalité, chacun des quatre derniers pouvant être dissocié des autres, d'une part, et des six premiers, de l'autre [— 1]. Vitruve tire une fierté légitime d'une entreprise qui est effectivement première dans le monde gréco-latin, et dans laquelle, cependant, il ne joue pas le rôle souverain du concepteur [— 2], mais celui de rassembleur et transmetteur de savoir. Son initiative vise l'organisation et la classification d'un trésor préexistant. En outre, la spécificité et l'autonomie de sa démarche [+ 3] sont compromises non seulement par d'incessantes digressions, mais surtout par l'autorité sans réserve accordée à une tradition en partie fondée sur une pratique religieuse. Le projet théorique [4], proclamé avec l'obstination désespérée de l'insatisfaction, se borne à énumérer des concepts qu'il ne parvient pas à constituer en système ni, au mieux, à faire fonctionner autrement que comme cadre taxinomique; il cède le pas au souci pratique et technique qui s'exprime en particulier dans les livres VII à X, sur les revêtements, l'eau, la gnomonique et la mécanique. Enfin, si le *De architectura* aborde bien le champ du bâtir dans sa totalité, de la maison à la ville, des édifices privés aux édifices publics et aux voies de circulation [5], l'équilibre de l'ensemble est néanmoins rompu au profit des édifices sacrés, des temples, tels que la tradition les a élaborés, et dont le traitement jouit d'une priorité absolue.

Le *De architectura* n'est ni un manuel technique, malgré la structure des livres VIII à X, ni un traité lié à des rituels religieux, malgré la composition des livres III et IV, ni un traité instaurateur, malgré la

---

1. P. 137 *sq.*

volonté exprimée par Vitruve d'autonomiser le bâtir comme discipline unitaire. L'œuvre de l'architecte romain doit être située hors de ces catégories. C'est une tentative prémonitoire, mais prématurée, non aboutie et qui ne pouvait aboutir, à une époque non motivée pour aborder l'espace perspectif et l'espace construit avec le systématisme et le détachement qui, quinze siècles plus tard, permirent l'émergence du traité albertien.

Sans parvenir à autonomiser l'organisation de l'espace bâti pour en faire l'objet d'une discipline indépendante, l'Antiquité avait progressivement détendu les relations de dépendance qui liaient cette organisation à la religion.

Ce désengagement, amorcé dès le ve siècle avant J.-C. par des hommes politiques comme Périclès, fut poursuivi, à la faveur d'un dialogue passionné avec leurs architectes, d'abord par Alexandre, puis, à partir de César, par les empereurs romains qui œuvrèrent à la transformation de leur Ville. Mais ceux-ci ne théorisèrent pas leur œuvre bâtie, sur laquelle ils continuèrent d'apposer des inscriptions qui signent l'allégeance de Rome aux dieux. Et tandis qu'Auguste poursuivait l'œuvre de constructeur de César, la marque d'appartenance au sacré demeurait inscrite en filigrane dans le *De architectura* de son contemporain, Vitruve.

L'apparente laïcisation de l'activité bâtisseuse de la Rome impériale ne doit ni masquer ces signes, ni faire oublier ce dont la Rome républicaine conservait rituellement la mémoire : l'origine religieuse des villes dont on peut, paraphrasant S. Giedion, affirmer qu'elles « ne peuvent être étudiées qu'en fonction de l'arrière-plan religieux dont elles sont issues [1] ».

J'appellerai prescriptifs les textes réalisateurs nés immédiatement de ce rapport originel avec le sacré : ils énoncent, pour l'organisation de l'espace édifié, des règles inconditionnelles relevant d'un ordre transcendant.

Si les documents épigraphiques laissés par les plus anciennes cultures urbaines ne livrent généralement que des fragments prescriptifs, dans quelques cas, rares il est vrai, tels ceux de la Chine et de l'Inde archaïques, nous avons néanmoins conservé la mémoire, la trace ou même la reproduction de véritables livres prescriptifs. Archéologues et historiens ont coutume de les désigner sous le nom

---

1. Pour S. Giedion, il s'agit de l'architecture. *Naissance de l'architecture*, Bruxelles, La Connaissance, 1966.

de « traités d'architecture » ou « d'urbanisme [1] ». Il importe de dissiper la confusion que peut introduire cette terminologie et de marquer la différence qui sépare, sans aucune ambiguïté possible, des traités d'architecture renaissants, ces ouvrages qui en présentent ou semblent effectivement en présenter certains traits ([+ 1], [+ 2], [+ 4 en partie], [+ 5]).

Renonçant à évoquer les deux principaux « traités » indiens, l'*Arthasâstra* [2] et le *Manasara* [3], je me contenterai ici de prendre pour exemple de texte prescriptif un livre chinois, le *Khao Kung Chi* qui date seulement de la deuxième moitié du Ier siècle avant J.-C. Mais cet ouvrage est en réalité le dernier jalon d'une antique tradition. Il remplace le *Chou Li* [4] de Liu Hsiang, lui-même réplique Chou d'un original Shang, qui contient les plus anciennes prescriptions chinoises relatives à l'espace bâti et constitue le « *locus classicus* de l'aménagement des capitales chinoises [5] ». En fait, ces prescriptions visent la transcription au sol, en trois dimensions, d'une cosmologie dont les travaux des sinologues ont montré qu'elle impose sa structure à l'ensemble des pratiques sociales, du religieux au politique, et dont

1. Cf. P. W. Yetts, « A Chinese Treatise of Architecture », *Bulletin of the School of Oriental Studies*, vol. IV, 3e partie, Londres, 1928 ; ou encore P. Acharya, *The Architecture of Manasara*, Allâhâbâd, 1933. Les « traités » chinois ou indiens doivent être distingués à la fois, et dans les deux cas, des manuels pratiques de l'époque et d'une très abondante littérature de commentaires et descriptions de la ville. Pour la Chine, cf. J. Needham, n. 4, *infra;* pour l'Inde védique, P. Acharya, *Indian Architecture*, Allâhâbâd, 1927.
2. Recueil de préceptes concernant l'organisation spatiale de la ville modèle, contemporain et homologue du *Khao Kung Chi*, texte chinois auquel sont consacrées les pages qui suivent.
3. Comparé par P. Acharya au *De architectura*, il date approximativement de la même époque, puise aux mêmes sources helléniques, en diffère par son insertion dans la tradition bouddhique, mais ne peut davantage prétendre à la qualité de texte instaurateur.
4. Dans *Science and Civilisation in China*, Cambridge, 1971, vol. IV, chap. xxviii, « Building Science in Chinese Literature », J. Needham propose, des différents textes de la littérature chinoise traitant de l'édification, la classification suivante : 1) un dictionnaire *(Erh Ya);* 2) des fragments rituels du *San Li Thu;* 3) des manuels techniques professionnels dont le *Ying Tsao Fa Shih* de Li Chieh, imprimé en 1103 et à propos duquel l'auteur évoque, non sans pertinence, les noms de Villard de Honnecourt et Mathurin Jousse; 4) des odes rhapsodiques sur les différentes capitales anciennes, constituant un genre littéraire qu'on pourra comparer aux éloges de villes médiévaux, bien qu'ils en diffèrent considérablement; 5) des livres consacrés aux titres et pouvoirs des fonctionnaires parmi lesquels le *Chou Li*.
5. P. Wheatly, *The Pivot of the Four Quarters*, Edimburgh University Press, 1971, p. 411.

elle redouble la puissance [1]. Les règles des « traités » chinois assurent donc la reproduction d'un ordre transcendant, préétabli [— 3].

Loin de permettre une invention permanente de la ville [— 4], elles sont au service d'un procès de replication dont il ne peut être question qu'un individu le perturbe. Certes M. Granet et J. Needham ont, l'un et l'autre, insisté sur le fait qu'il ne fallait pas prendre au pied de la lettre le témoignage des textes littéraires, et qu'*in concreto* les villes chinoises classiques ont été aménagées avec plus de liberté et d'imprévu que ceux-ci ne le laissent supposer. Mais la façon dont les utilisateurs d'espace et leurs architectes ont su limiter et moduler l'impact des écrits prescriptifs chinois sur l'organisation de leurs bâtisses ne peut nous concerner ici, puisque cette initiative est demeurée empirique, sans se traduire en texte.

Quant à la tradition littéraire chinoise, force est de constater qu'elle n'a pas de place pour une entreprise comparable à celle des traités instaurateurs. Le travail spécifique des rédacteurs de « traités » chinois ne consiste pas dans une réflexion personnelle et/ou originale, mais dans une recherche d'archivistes. Si l'auteur signe son livre, c'est par fierté d'érudit. Ce qu'il revendique n'est pas la paternité d'une démarche intellectuelle, mais le soin et la fidélité avec lesquels il a su retourner aux sources et reconstituer les règles symboliques d'un rituel. La ville bâtie ou à bâtir, l'architecture, les principes de leur organisation n'ont, pour l'érudit chinois, aucun intérêt en soi et méritent considération dans la seule mesure où ils renvoient à un ordre transcendant, où ils sont le support de rites et de liturgies [2].

L'idée albertienne selon laquelle « la construction a été inventée pour le service de l'humanité et doit obéir à la convenance et au plaisir au même titre qu'à la nécessité [3] », les concepts de besoins, d'agrément, consubstantiels aux traités instaurateurs occidentaux, n'ont pas cours dans les textes chinois. Ceux-ci ordonnent inconditionnellement, au nom d'une pratique dominante religieuse [4]. Bien que

---

1. Cf. M. Granet, *La Pensée chinoise*, Paris, Albin Michel, 1934 : spécialement le chapitre sur le temps et l'espace, où il indique que « les techniques de la division et de l'aménagement de l'espace (arpentage, urbanisme, architecture, géographie politique) et les spéculations géométriques qu'elles supposent, se rattachent apparemment aux pratiques du culte public » (p. 91). Cf. aussi P. Wheatly, *op. cit.*, chap. v.

2. J. Needham, *op. cit.*

3. *Op. cit.*, liv. VI, chap. i, p. 445.

4. Cet aspect est bien vu par P. Wheatly. Dans son ouvrage consacré à la Chine archaïque, contrairement à la majorité des auteurs, il recherche non pas le propre et l'irréductible de la civilisation chinoise, mais ce qui peut y repré-

directement réalisateurs, le *Chou Li* et le *Khao Kung Chi* n'introduisent pas à une discipline autonome. Ils sont subordonnés à des représentations, des croyances et des rites et font référence à une littérature plus vaste, dont on peut considérer que, par la voie oblique de la religion, elle contribue elle aussi, mais indirectement, à la réalisation du monde édifié.

Dans les pays islamiques, du Xe siècle d'Ibn Hawqual, de Muhallabi et de Mugaddasi au XIVe siècle de Yâqût et Abû-l-Fida, une école de géographes, alors unique au monde, a consacré à l'espace et à la ville une riche littérature de commentaires, à laquelle il faut ajouter les œuvres d'historiens comme Ibn Khaldoûn[1]. Mais la culture urbaine de l'Islam n'a produit aucun texte réalisateur d'espace. Plus précisément, en dépit de la coloration religieuse qui teinte l'ensemble de ses pratiques, lui donne son unité et permet de parler d'une culture islamique, celle-ci n'a élaboré dans ce domaine aucun texte prescriptif. Ce double paradoxe mérite réflexion et invite à s'interroger sur le procès de production des villes islamiques et sur la façon oblique dont la religion parvient à leur imposer sa marque. Nos remarques seront nécessairement limitées et schématiques, étant donné le manque à peu près complet de travaux scientifiques sur ces questions[2].

Cette carence tient, en partie, aux raisons mêmes qui peuvent expliquer l'absence de textes réalisateurs dans la culture de l'Islam : comme chez les anciens Grecs, et conformément à une tradition fondée par le Coran, dans cette culture, la ville est, d'abord et fondamentalement, une communauté avant d'être un espace localisé, circonscrit et bâti[3]. Second et secondaire au regard des relations humaines dont il est le cadre, l'espace édifié requiert une élaboration soigneuse dans la pratique, mais ne vaut pas d'être théorisé.

---

senter une base commune avec les autres grandes cultures archaïques. C'est en ce sens qu'il analyse le caractère essentiellement religieux des premières cités chinoises à l'époque Shang et les rapproche des villes d'Égypte, de Mésopotamie... établissements pour lesquels « indeed the past was normative and conformity with its precepts *required no justification* » (*op. cit.*, p. 444). [*Nous soulignons.*]

1. Cf. ses prises de positions dans la *Mugaddimah*, traduction de E. Rosenthal, Londres, Routledge and Kegan Paul, 1958.

2. Cette situation est en train de changer. Cf. *L'Espace social de la ville arabe*, actes du colloque de novembre 1977 sur « Espaces socio-culturels et croissance urbaine dans le monde arabe », publiés sous la direction de D. Chevallier, Paris, Maisonneuve et Larose, 1979.

3. Cf. *infra*, p. 47.

Comme dans toutes les civilisations urbaines, certaines villes de l'Islam sont des créations délibérées, nées de la volonté du prince. Le plan circulaire de Bagdad avec ses fossés, ses remparts et ses murs concentriques, son tissu urbain annulaire, divisé et isolable en quatre sections, et l'immense espace vide qui le sépare du noyau central réservé au calife et à ses fidèles, offre une des images les plus impressionnantes du totalitarisme politique et religieux. Dégagé de toute allégeance théorique, ce plan donne à lire les motivations du calife abbasside al Mançûr et oppose sa propre particularité à celles des créations des autres califes bâtisseurs.

Avec ces particularités de l'organisation spatiale concertée, contraste l'identité des tissus urbains « spontanés », produits sans réglementation spécifique, au sein de la même culture, des rives de l'Atlantique à celles de l'océan Indien. Ces formations consistent dans l'agrégation de véritables unités de voisinage. Leur organisation semble sécrétée, à la fois directement par le jeu de pratiques institutionnelles non écrites, économiques, juridiques, culturelles liées à la structure de la famille élargie, et indirectement, par l'application de textes juridiques [1]. L'immense pouvoir exercé par ces écrits, tant sur la création que sur la conservation du tissu urbain, autorise à les qualifier d'indirectement réalisateurs.

Mais le droit musulman est d'essence sacrée. « Le Coran a donné à la communauté islamique des lois, même en matière de guerre et dans toute question générale [2]. » Cette communauté ne connaît pas de valeurs « purement politiques ou juridiques (au sens où l'entendrait l'Occident moderne) », mais seulement des valeurs « politico-religieuses [...] qui engagent à ses yeux la doctrine révélée elle-même » et sont littéralement « inviscérées dans les textes coraniques et la *sunna* du prophète » [3]. Ainsi les articles et les annales enregistrées du *Fiqh* (droit musulman) renvoient en dernière analyse à un livre, lui aussi indirectement réalisateur d'espace, le Coran.

On trouve dans ce livre des jugements de valeur (commentaires)

1. R. Brunschvicg, « Urbanisme médiéval et droit musulman », *Revue des études islamiques*, 1947, p. 127.

2. Rashid Ridà, cité par L. Gardet, *La Cité musulmane, vie sociale et politique*, Paris, Vrin, 1954, p. 109.

3. L. Gardet, *op. cit.*, p. 8. Le même auteur indique qu' « au Coran seul appartient le magistère législatif proprement dit, toute loi ou plutôt tout règlement particulier devant toujours tendre à n'être qu'une explicitation des lois coraniques » (*ibid.*, p. 109). Nous renvoyons également à sa discussion des analyses de R. Brunschvicg, *op. cit.*, dans laquelle il évoque les textes et procédures intervenant en l'absence d'indications positives du Coran (*ibid.*, p. 248). Cf., aussi, L. Massignon, *La Passion d'al-Hallàj*, Paris, Geuthner, 1922.

sur la ville et seulement quelques prescriptions subreptices qui ont agi sur l'organisation urbaine en fixant l'orientation obligée des lieux de prière et en exigeant que soient créé un quartier distinct pour « les gens du livre ». Finalement, on y découvrira à l'œuvre la disposition spirituelle qui contribue au fonctionnement huilé, réplicatif et cependant varié, des diverses pratiques sociales, et dont le rôle prépondérant peut expliquer que le traité instaurateur n'ait pas sa place dans l'espace littéraire consacré par l'Islam à la ville et au monde édifié.

Le Moyen Age n'offre pas davantage de texte susceptible d'être comparé à un traité d'architecture de la Renaissance. Les docteurs encyclopédistes de l'Église se sont bornés à reprendre, sous une forme le plus souvent tronquée et fragmentaire, le contenu des textes réalisateurs de l'Antiquité. Depuis Isidore de Séville jusqu'à Hugues de Saint Victor, puis Vincent de Beauvais et Thomas d'Aquin [1], ils n'ont pas seulement puisé une information technique et pratique chez les praticiens, les pédagogues ou les compilateurs (Pline et Varron en particulier) de l'antiquité grecque et romaine. Dans le cadre et sous la caution d'une enquête dominée par l'idée théologique [— 3], les docteurs du XIIIᵉ siècle ont aussi esquissé une approche théorique des principes du bâtir *(armatura)* qui répond, d'ailleurs, surtout à une volonté de classification des activités liées à l'édification [2]. Leurs « sommes » empruntaient ainsi directement, et sans les remettre en question [— 4], des éléments partiels aux auteurs de l'Antiquité. Aristote était mis à contribution, mais surtout Vitruve dont la redécouverte et l'édition critique par le Pogge à la Renaissance ne doivent pas faire oublier qu'il fut connu, recopié et utilisé dès le haut Moyen Age [3]. Or, dans la mesure où nous refusons de considérer le *De architectura* comme un texte instaurateur d'espace, à plus forte raison doit-il en être ainsi pour les fragments et citations tirés de manuscrits incomplets et difficiles à interpréter, tant à cause de leur corruption que de la perte des références qui les auraient rendu intelli-

1. G. Beaujouan, « L'interdépendance entre la science scolastique et les techniques utilitaires (XIIᵉ, XIIIᵉ, XIVᵉ siècle) », *Conférences du palais de la Découverte*, nᵒ 46, janvier 1957.
2. Cf. la définition de l'*armatura* et sa division en *architectura, coementaria, venustatoria* dans le *Didascalion* de Hugues de Saint Victor (reprise dans le *Speculum* de Vincent de Beauvais), E. de Bruyne, *Études d'esthétique médiévale*, Bruges, « De tempel », 1946, t. II, p. 382.
3. Cf., par exemple, l'influence de l'œuvre de Vitruve sur Eginhard, considéré à l'époque comme son interprète le plus compétent (E. de Bruyne, *op. cit.*, t. I, p. 243-247.)

gibles et de l'absence de distance des auteurs médiévaux par rapport à la culture antique [1].

Hors de cette littérature apologétique, seul le célèbre *Album* de Villard de Honnecourt [2] pourrait prétendre au titre de texte instaurateur. L'auteur y exprime en effet en première personne [+ 2] la fierté d'un créateur, remarquable par ses inventions techniques, sa culture mathématique [3], sa maturité de critique [4]. Mais il ne cherche cependant pas à donner unité et cohérence à une matière et à des observations disparates, empruntées à des champs et des sources hétérogènes. Si son souci dominant est d'ordre pratique et technique, comme en témoignent les pages sur la construction des charpentes, il apparaît fort exagéré de qualifier d' « encyclopédie pratique [5] » ces notes [— 1] illustrées, qui font une large part au commentaire de constructions existantes et se terminent par une ultime recette pour guérir les blessures reçues sur les chantiers [6].

Les édits communaux et le destin de leur argumentation.

Dans l'Europe médiévale, parallèlement au droit coutumier qui assurait la perpétuation d'un ordre urbain traditionnel, des textes élaborés au sein des communes contribuèrent, au contraire, à une édification raisonnée du cadre urbain et à la production de solutions architecturales inédites. Ces édits et ces délibérations, à vocation créatrice, semblent devoir être classés parmi les écrits instaurateurs. Nous déterminerons leur statut à l'aide de quelques exemples empruntés aux conseils communaux de l'Italie qui furent les premiers, dès

1. Sur ces problèmes, cf., parmi une très nombreuse littérature et à titre simplement suggestif : F. Peeters « Le *Codex bruxellensis* 5253 (b) de Vitruve et la tradition manuscrite du *De architectura* », *Mélanges Félix Grat*, t. II, Paris, 1949, p. 119-143; C. H. Krinsky, « Seventy-eight Vitruvius Manuscripts », *Jahrbuch für Wirtschaftsgeschichte*, Berlin, 1967, introduction, p. 36-70. Il arrivait également que Vitruve fût cité sans mention de nom. W. A. Eden signale la présence, dans le *De regimine principum* (liv. II, chap. ι à ιν) de saint Thomas, de trois citations anonymes tirées de Vitruve et empruntées à un auteur inconnu, *in* « Saint Thomas Aquinas and Vitruvius », *Mediaeval and Renaissance Studies*, Warburg Institute, University of London, vol. I, 1950.
2. *Album de Villard de Honnecourt, architecte du XIIIᵉ siècle, manuscrit publié en fac-similé*, annoté [...] par J. B. A. Lassus, Paris, Laget, 1868.
3. *Op. cit.*, pl. 38 et 39. La géométrie d'Euclide (traduite par Boèce) faisait partie de la formation des architectes, déjà au haut Moyen Age. Cf. E. De Bruyne, *Études d'esthétique médiévale*, *op. cit.*, t. I, p. 245.
4. Voir ses analyses des cathédrales de Laon et de Reims (*op. cit.*, pl. 17 et 59 *sq.*).
5. J. B.-A. Lassus, *op. cit.*, introduction, p. 52.
6. *Op. cit.*, pl. 64.

le XIIe siècle, à produire ce type de textes et ne cessèrent jusqu'au XVe siècle d'en accroître la diversité et la richesse.

Même s'ils ne sont pas aussi complets que ceux du *Consiglio generale* de Sienne, dont on possède les livres depuis le 3 décembre 1248 jusqu'au 1er mars 1801 [1], nous conservons encore un grand nombre des registres où étaient consignées les décisions édilitaires des conseils communaux et leurs attendus [2]. Qu'elles émanent des communes de Florence, Pise, Parme, Brescia, ces décisions argumentées se signalent par l'engagement personnel nominal [+ 2] de ceux qui les ont prises et par le souci d'efficacité qui les guide et les incite à inventer, aux problèmes urbains qui leur sont soumis, des réponses neuves [+ 4] [3]. Le champ de compétence des responsables s'étend du plus trivial au plus sublime [+ 5], de l'hygiène et de la défense à la création artistique [4].

A interroger les registres siennois, on constate que les membres du Conseil se penchent sur l'ensemble des aménagements qui intéressent les besoins des habitants, favorisent l'accomplissement et le développement des activités urbaines, contribuent à l'embellissement de la ville. On les voit concevoir des réseaux d'adduction et de distribution de l'eau, lutter pour de meilleures conditions sanitaires en élargissant les voies existantes, en interdisant le développement exagéré des maisons en hauteur et l'encombrement de leurs façades par des constructions rapportées [5], en créant un jardin public, des hôpitaux; élaborer un ensemble spécifique d'édifices pour abriter les diverses

1. Cf. *Rerum italicarum scriptores*, Milan, L. A. Muratori, 1723-1751, t. XV, 6e partie. Pour la bibliographie (archives, textes édités et critiques) des conseils siennois, cf. D. Balestracci et G. Piccini, *Siena nel Trecento, assetto urbano e struttura edilizie*, Sienne, CLUSF, 1977, qui donne, en outre, une description suggestive de l'étendue et de la nature de la compétence des membres du Conseil général de Sienne.
2. Cf., entre autres, N. Ottokar, article « Comuni » in *Encyclopedia Italiana*, vol. XI, et surtout le *Rerum italicarum scriptores*, cité *supra*, dont il semble que la très riche matière n'ait pas été systématiquement exploitée, sauf par des auteurs comme D. Waley in *Studi communali e fiorentini*, Florence, 1948, *Mediaeval Orvieto*, Cambridge, Cambridge University Press, 1952. Cf. aussi *Les Républiques médiévales italiennes*, Paris, Hachette, 1969.
3. Il y a là coïncidence avec la deuxième partie du trait [4], mais non avec la première, qui concerne l'élaboration d'une méthode universelle.
4. Cf. G. Milanesi, *Documenti per la Storia dell'arte senese*, I, p. 180, Sienne, 1854, cité par Waley, *Rep. Ital.*, *op. cit.*, p. 151.
5. Cf. D. Balestracci et G. Piccini, *op. cit.*, p. 45 *sq.*, où sont cités les textes de la *Constitution de la commune de Sienne* de 1262 et du Conseil général (délibérations du 6 août 1366) réglementant l'avancée des ouvertures sur rues en fonction des dimensions de celles-ci. Cf., pour des mesures analogues adoptées à Parme et à Brescia, Waley, *op. cit.*, p. 100.

instances exerçant le pouvoir communal[1]; organiser le spectacle urbain par la normalisation et la régularisation du tissu de la cité[2] et par l'édification de monuments. Face au développement démographique et économique, qu'il s'agisse de la création de nouveaux quartiers d'habitation[3] ou de l'amélioration du réseau viaire, leurs décisions sont prospectives, elles s'inscrivent dans un programme d'intervention[4] à long terme, elles témoignent d'une volonté de rationalisation et d'une stratégie d'optimisation qui visent le choix des équipements comme les lieux de leur implantation. Les édiles ne débattent pas seulement de la meilleure localisation des édifices de prestige comme le palais communal (1288). Ils étudient aussi bien la répartition rationnelle des fontaines dans les différents quartiers[5], la distribution des auberges et des hôpitaux selon les secteurs[6], la préservation des jardins *intra-muros* et d'une juste proportion d'espaces verts dans le tissu urbain[7].

La ressemblance entre les traités instaurateurs et les édits communaux s'arrête là. Le repérage de leurs différences confrontera aux rapports différents qu'ils entretiennent respectivement avec le pouvoir de concevoir et le pouvoir[8] politique.

Les décisions réalisatrices énoncées et argumentées dans les édits communaux ne ressortissent pas à une pensée théorique [— 4]. Elles ne sont pas applicables hors du cadre spatio-temporel qui les a vu formuler. En dépit de leur visée prospective, elles sont partielles et, d'année en année, complétées et modifiées de façon de rétroactive en tenant compte de l'évolution des données[9]. Elles répondent aux situations particulières, rencontrées *hic et nunc* par des hommes qui ne sont pas des spécialistes mais que leur statut de citoyens qualifie, sans distinction de condition sociale ou professionnelle, pour traiter

1. La construction et l'implantation pertinente d'édifices exclusivement consacrés aux « services administratifs » des communes fut un des accomplissements de l'édilité italienne durant les XIIIe et XIVe siècles. Cf. D. Balestracci et G. Piccini, *op. cit.*, p. 103.
2. *Ibid.*, p. 45-48, 60-62.
3. *Ibid.*, p. 30 *sq.*
4. *Ibid.*, p. 17.
5. *Ibid.*, p. 145.
6. Cf. le débat du 27 janvier 1357 sur l'implantation d'un hôpital à l'extérieur de la porta di Ovile, dans un quartier qui en manque complètement (*ibid.*, p. 150-154).
7. *Ibid.*, p. 38.
8. Le mot pouvoir est employé ici faute de mieux, et hors des connotations que lui ont récemment données un ensemble de travaux français.
9. Cf. les modifications apportées aux grands projets siennois à la suite de la chute démographique provoquée par la peste noire de 1348.

tous les problèmes de la cité. Pour eux, s'occuper de l'édification de la ville est partie intégrante d'une gestion mettant en jeu les déterminants religieux, sociaux, économiques et techniques qui contribuent, tacitement ou explicitement, à la production de l'espace urbain. Il n'est donc pas question d'une autonomie des édits et décrets communaux [— 3]. A l'encontre des traités d'architecture, ils ne postulent pas une discipline spécifique indépendante.

C'est pourquoi il faut renoncer à la tentation de décerner à ces textes le qualificatif *instaurateur*. Toutefois, dans la mesure où ils désignent le bâti comme leur champ propre d'application et lui réservent un traitement réflexif, on marquera leur spécificité et leur parenté avec les traités instaurateurs en les nommant *argumentateurs*.

Tels que nous les ont transmis les exposés des motifs qui accompagnent les édits des conseils communaux italiens et les procès-verbaux des séances où ils étaient préparés, les textes argumentateurs de l'apogée du xive et du début du xve siècle nous confrontent à un mode discursif de production de l'espace urbain d'un intérêt exceptionnel. Ces écrits se situent en un lieu improbable et précaire, entre la procédure autoritaire des textes prescriptifs ou coutumiers et la démarche rationnelle des traités instaurateurs. Les décideurs ont assez de distance par rapport et à la vie et à l'espace urbains pour pouvoir traduire les problèmes qu'ils posent en termes de raison et d'efficacité. Mais, dans le même temps, le réseau d'institution qui les lie à la cité les empêche de considérer celle-ci comme un objet indépendant. D'une part, leur discours ne s'énonce qu'à plusieurs voix, il est pris dans une structure de dialogue. D'autre part, sans être subordonné à aucune, il est ordonné par toutes les pratiques sociales. Par exemple, si l'institution chrétienne marque l'espace urbain par le nombre d'églises et de couvents que sa puissance lui permet d'y implanter, elle ne lui dicte cependant pas sa loi. La relation de dépendance est inverse. Ce sont les magistrats laïques qui disposent des bâtiments religieux pour les intégrer dans l'ordre civil de la cité, en tant qu'édifices mis au service du citadin et des exigences de sa vie religieuse [1] ». Ainsi, entre le début du *Trecento* et la deuxième moitié du *Quattrocento*, le texte argumentateur réalise un équilibre, jamais retrouvé depuis [2], entre la cité comme réalité matérielle et

---

1. D. Balestracci et G. Piccini, *ibid.*, p. 106. Selon ces auteurs, cette situation crée « entre chaque église individuelle et la commune un rapport de dépendance dans lequel l'élément civil semble se tailler la part du lion ».
2. L'exemple et l'analyse des textes argumentateurs pourraient contribuer à éclairer le problème aujourd'hui beaucoup évoqué et presque toujours mal posé de la *participation* à l'aménagement urbain.

comme ensemble d'institutions, entre les forces de la tradition et la puissance de l'innovation, entre l'initiative des individus et le consensus de la collectivité.

Ce n'est point hasard que cet avatar discursif ait trouvé son accomplissement dans les cités médiévales d'Italie, sur le même sol précocement urbain qui fut ensuite la terre natale du traité instaurateur. La ressemblance des deux catégories de textes passe par un rapport de parenté. L'émergence du traité instaurateur, au milieu du xve siècle, a été préparée par une pré-objectivation de l'espace urbain et une rationalisation que, dans un corps à corps quotidien, lui avaient fait subir les écrits argumentateurs.

De cette relation, on trouve une confirmation paradoxale à une époque où le texte argumentateur a disparu et où la visée théorique du traité instaurateur semble l'opposer sans appel à la casualité des édits royaux qui se sont substitués aux édits communaux. En effet, lorsque, pour la première fois, en 1705, Lamare entreprend de rassembler les décrets publiés depuis Philippe le Bel en matière de « police urbaine » à Paris, au lieu d'en donner une compilation, il les présente sous la forme d'un *Traité* [1] organisé comme celui d'Alberti; il n'hésite pas à découvrir dans la succession de ces textes fragmentuels, un ordre et des principes [2] et, sous l'autorité de sa propre signature, à dévoiler la logique de la décision qui les a engendrés.

Cependant, cette logique est une illusion. Au fil du temps, les attendus cités par Lamare perdent la dimension dialectique et la polysémie propres aux édits argumentateurs qui d'ailleurs, dans une France plus rurale et précocement centralisée, ne furent jamais aussi nombreux et ne présentèrent pas la même élaboration qu'en Italie. Des traits communs avec le traité instaurateur demeurent, mais le rapport avec le pouvoir de décision change. Les textes empiriques, qui organisent l'espace urbain *hic et nunc*, en le rationalisant, deviennent l'apanage de groupes spécialisés, délégués par le pouvoir

---

1. E. N. de Lamare, *Traité de la Police*. Il n'en achève lui-même que les trois premiers volumes respectivement publiés en 1705, 1710, 1719.

2. « Je découvris dans ces règlements que j'eus à parcourir, tant de sagesse, un si grand ordre et une liaison si parfaite entre toutes les parties de la Police, que je crus pouvoir réduire en Art ou en Pratique l'étude de cette Science, en remontant jusques à ses principes » (*op. cit.*, préface, verso). Cette préface serait d'ailleurs à rapprocher, en totalité, du prologue aux dix livres du *De re aedificatoria*.

royal et politique, sous le nom d'abord de Police[1], puis d'Administration. Décisions arbitraires, justifications idéologiques, propagande peuvent désormais emprunter le masque de l'argumentation.

Si rapidement qu'on l'évoque, ce cheminement, ce progressif dévoiement par rapport aux textes argumentateurs, permet de comprendre l'ambivalence[2] de l'œuvre écrite de Haussmann, qui, dans son expression et dans son fonctionnement, constitue l'archétype de celle de l'administration moderne. Dans ses *Mémoires* qu'on peut lire comme un commentaire de ses discours et de ses décrets, aussi bien que dans ces derniers, il justifie et rationalise toutes ses décisions. Dira-t-on que celles-ci concernent l'aménagement particulier d'un lieu particulier, la ville de Paris, et que ce n'est pas par ses écrits, mais bien par leur résultat, la transformation de Paris, que Haussmann a influencé toute l'urbanisation concertée du xixᵉ siècle finissant, et fourni un modèle structurel qui s'est imposé jusqu'aux États-Unis et qui a également fasciné l'empereur François-Joseph, l'ingénieur Cerdà ou l'architecte Burnham[3]? Il n'en demeure pas moins que, sous leur cohérence et leur logique de surface, on peut découvrir dans ces décrets des principes, une démarche généralisable, une assise théorique latente[4] qui, dans son rapport directif à l'espace bâti, renvoie bien aux traités instaurateurs.

1. « Il est réservé à la Police de veiller sur la régularité et sur la forme des bâtiments; de prescrire l'alignement, la construction et la hauteur des maisons; de conserver la largeur et la liberté de la voye publique... » (N. de Lamare, *Traité de la Police*, t. IV, chap. ii, « Titre 3 », publié par Le Cler du Brillet en 1738, p. 10).

2. Cette ambivalence ne caractérise d'ailleurs pas seulement les écrits, mais les aménagements urbains réalisés par Haussmann, dont l'œuvre a néanmoins toujours donné lieu à des lectures monosémiques. Pour les uns, il n'est que l'instrument du pouvoir capitaliste : ainsi, les analyses, si prototypiques qu'on pourrait les croire caricaturales, de H. Lefebvre, prétendent montrer que « le baron Haussmann, homme de cet État bonapartiste qui s'érige au-dessus de la société pour la traiter cyniquement comme le butin [...] des luttes pour le pouvoir [...], remplace par de longues avenues les rues tortueuses mais vivantes [... et] perce des boulevards, aménage des espaces vides [... non] pour la beauté des perspectives [... mais] pour peigner Paris avec des mitrailleuses », *Le Droit à la ville*, Paris, Anthropos, 1968. Pour les autres, tels Le Corbusier, dans *la Ville radieuse*, par exemple, il est uniquement le précurseur inspiré de l'urbanisme progressiste, cf. *infra* n. 1, p. 327. Paris, Vincent-Fréal, 1933, p. 120; S. Giedion, *Space, Time, Architecture*, Cambridge, Mass., Harvard University Press, 3ᵉ éd., 1959, en particulier, p. 646-679.

3. Cf. la transformation de Vienne dans les années 1880; la transformation de Barcelone et la *Teoria general* citée *supra*; le plan de Chicago de 1909.

4. Nous avons tenté d'en formuler la synthèse sous le concept de « régularisation » in *City Planning in the XIXᵗʰ Century*, New York, Braziller, 1970.

Mais Haussmann est solidaire d'une aventure historique, celle de Napoléon III. Il met, sans questionnement, son pouvoir de rationalisation au service du pouvoir exécutif dont il est prêt, le cas échéant, à justifier l'arbitraire par l'adhésion tacite à la logique des pratiques sociales dominantes.

La double appartenance des écrits haussmanniens à une rationalité universelle de surface et à une logique occulte, qui est essentiellement celle d'une économie, préfigure et éclaire la duplicité des textes administratifs actuels. Dans ceux-ci, on lira à la fois un discours rationnel, marqué au coin des théories urbanistiques[1] que l'administration ne craint pas de citer, et l'expression, que ce discours masque, soit de décisions politiques, soit du libre jeu d'institutions et de procès sociaux non discursifs. Ainsi, postérité lointaine et dévoyée des édits argumentateurs, une partie des décrets urbanistiques actuels moque d'autant plus tranquillement l'esprit de ces premiers textes qu'ils en conservent la forme et feignent même, au plan du contenu, de se référer à la législation d'une discipline scientifique.

Il n'est pas possible ici de préciser la position de ces textes dans l'ensemble du droit de l'urbanisme auquel ils appartiennent et par rapport au droit coutumier du bâti dont, à l'âge classique, l'étude faisait partie de la formation de l'architecte[2]. Qu'il nous suffise d'avoir attiré l'attention sur ces textes juridiques. Écrits non pas instaurateurs, mais, quoique laïques, ils constituent aujourd'hui, dans la société occidentale, la masse écrite de loin la plus importante visant la production directe du cadre bâti et pèsent d'un poids redoutable dans la problématique actuelle de l'architecture et de l'urbain.

Cf. aussi nos articles « Urbanisme, théories et réalisations », *Encyclopædia universalis*, Paris, 1973, et « Haussmann et le système des espaces verts parisiens », *La Revue de l'Art*, nᵒ 29, Paris, Éd. du CNRS, 1975.

1. Le caractère théorique des décrets et « plans » actuels d'aménagement a été bien dégagé par L. Sfez dans sa *Critique de la décision*, Paris, Bibliothèque de l'Institut des sciences politiques, 1973. Cf. aussi Ch. Alexander, J. Boulet, F. Choay, Th. Gresset, *Logement social et Modélisation de la politique des modèles à la participation*, 1975, rapport de recherche, publié par l'ARDU, Université de Paris VIII, Paris, 1978.

2. Cf. *Lois des bâtiments suivant la Coutume de Paris* [...] enseignées par M. Desgodets, *architecte du Roi dans l'École de l'Académie d'Architecture*, Paris, 1748. Le préfacier, Goupy, note qu' « un architecte ne peut avec sûreté se charger de la conduite de quelques bâtiments s'il n'est instruit des lois de la coutume ». Les procès-verbaux de l'Académie d'Architecture se font l'écho de cette préoccupation.

Les faux traités de la Renaissance et de l'âge classique.

Le *De re aedificatoria* fut le seul traité d'architecture publié au xve siècle [1]. Mais, dès le xvie siècle, le genre se multiplia et devint rapidement l'ornement obligé de la bibliothèque de l'honnête homme. Cette même dénomination de traité d'architecture cache alors une réalité textuelle très diverse.

L'attraction formelle du traité théorique s'est exercée sur certains manuels techniques et pratiques : transmettant des savoir-faire, déjà constitués ou innovants, mais non les conditions d'un pouvoir-concevoir [— 4], leur cohérence et le soin avec lequel ils ont été composés, le rôle de premier plan qu'y joue le sujet, locuteur en première personne [+ 2], comme aussi leur volonté d'invention et de progrès, peuvent facilement abuser le lecteur d'aujourd'hui. Pourtant, dans la France classique, la *Manière de bâtir pour toutes sortes de personnes* de Le Muet (1623), l'*Architecture pratique* de P. Bullet (1691), l'*Architecture moderne* de Briseux (1728) sont, pour les praticiens, des instruments dont Mathurin Jousse, dans son *Secret d'architecture* (1642), qu'il désigne lui-même comme un « Traité d'architecture [2] », situe bien le propos, en l'opposant à celui des traités théoriques qui ne s'adressent pas au même public et ne sont pas concernés par un niveau de savoir trop trivial aux yeux de leurs auteurs : « Combien [...] ne void t'on tous les jours de grands et riches Bastiments aller en ruine... pour les mauvais assemblages des parties, pour les mauvais rapports des pierres les unes aux autres [...] En fait d'Architecture, il est nécessaire de savoir ce qui concerne la coupe des pierres & les traits géométriques qui en donnent la reigle, puis que de l'ignorance de ce point procède la perte des Edifices. Or [...] il ne s'en trouve rien dans les meilleurs Autheurs de tous les anciens Architectes [3]. »

Dans le domaine de la littérature savante et théorique, les ouvrages consacrés exclusivement aux ordres d'architecture [4] ont fini, au cours

---

1. Le traité, très légèrement postérieur, de Filarète comme ceux, un peu plus tardifs, de Francesco di Giorgio Martini, demeurèrent inédits jusqu'au xixe siècle. Cf. *infra*, chap. i, p. 50 et chap. iv, p. 207 *sq.*
2. *Op. cit.*, préface, p. 5.
3. Après avoir énuméré les œuvres des meilleurs auteurs de traités depuis Vitruve inclus, il conclut qu'à l'exception de Philibert de l'Orme, « tous ces grands hommes ne nous ont dit mot de la façon de tirer les traits géométriques nécessaires à la coupe des pierres (*ibid.*, p. 4).
4. Cf., pour la France, entre autres, P. Fréart de Chambray, *Parallèle de l'architecture ancienne et de la moderne*, Paris, 1650; Cl. Perrault, *Ordonnance des cinq espèces de colonnes*, Paris, 1683; Sébastien Leclerc, *Traité d'architec-*

des XVIIe et XVIIIe siècles, par représenter la majorité des « traités ». Mais ils ne sont pas pour autant instaurateurs. Soucieux seulement de la valeur expressive du bâti [— 5], ils limitent au domaine de l'esthétique architecturale le champ de l'édification défini par Alberti [1]. En outre, ils sont, le plus souvent, soumis à l'autorité des modèles antiques [— 4] et, bien qu'ostensiblement écrits à la première personne du singulier, ils réduisent généralement le rôle et l'initiative du sujet à la mise au point de techniques de mensuration, de reconstitution, de représentation, et au perfectionnement d'un système de proportions légué par la tradition [— 3]. J'appellerai ces ouvrages *traités des ordres* et, dans la mesure où leur législation ne couvre qu'un secteur de l'édification, je les qualifierai de sectoriels.

Les *Regole delle cinque ordini d'architettura* [2] de G. Barrozio da Vignola offrent la forme la plus dépouillée du traité des ordres, prototype indéfiniment repris, simplifié ou corrigé [3] jusqu'au XIXe siècle, paradigme et parangon de la littérature architecturale pendant la période classique, où le concept d'architecture en vient à être réduit à celui de style, voire d'écriture [4]. Qu'on ouvre « le Vignole » : après deux pages de théorie, adressées en introduction « *Ai lettori* », le texte est subordonné et intégré à la succession des planches qui décrivent et expliquent par l'image les éléments respectifs des diffé-

---

ture, Paris, 1714; Charles Dupuis, *Nouveau Traité d'architecture*, Paris, 1762. Pour une interprétation de la littérature des ordres, cf. *infra*, chap. IV.

1. Réduction que définit bien S. Leclerc lorsque, dans l'avant-propos « Au l ecteur » de son *Traité (op. cit.)*, il indique : « Mon dessein n'est pas de traiter ici de toutes les Parties qui appartiennent à l'Architecture, je n'y parle nullement de la manière mécanique d'élever un Bâtiment comme d'en préparer les fondements, d'en élever les murs [...] : ces connaissances [...] se trouvent suffisamment dans Vitruve, Palladio [...] et plusieurs autres traités d'architecture.

« Je ne m'attache dans cet ouvrage qu'à ce qui regarde la beauté, le bon goût et l'élégance des Parties principales qui entrent dans la composition d'un bel et noble Édifice. J'y donne les ordres de Colonnes [...] »

2. Venise, 1562.

3. Cf. Le Muet, *Règles des cinq ordres d'architecture de Vignole, revues, augmentées et réduites de grand en petit*, Paris, 1632; P. Nativelle, *Traité d'architecture contenant les cinq ordres suivant les quatre auteurs les plus approuvés, Vignole, Palladio, Philibert De L'Orme et Scamozzi* [...], Paris, 1729. Malgré son titre, ce dernier ouvrage fait la part du lion à Vignole dont il reproduit intégralement le texte, en l'assortissant d'un commentaire. En revanche, le *Cours d'architecture qui comprend les ordres de Vignole, avec des commentaires* [...] de Daviler (Paris, 1641) représente une forme intermédiaire entre le « traité » des ordres et le manuel pratique de construction.

4. C'est au XVIIIe siècle que la métaphore de l'écriture a été appliquée à l'utilisation architecturale des ordres, en particulier par J.-F. Blondel. Cf. *infra*, chap. IV.

rents ordres, et indiquent comment, et dans quelles occurrences, les utiliser.

Entre ce type canonique et le *De re aedificatoria*, on trouve, quoique en nombre peu significatif, une série de formes intermédiaires dont la classification est parfois problématique. Alors qu'en dépit de ses références à Alberti et des « citations » qu'il fait du *De re aedificatoria*, la *Reigle generalle d'architecture des cinq manières de colonnes* [...] de J. Bullant[1] apparaît clairement comme un traité des ordres, au même titre que le *Livre d'architectures concernant les principes généraux de cet art*[2] de G. Boffrand, *Le Génie et les grands secrets de l'architecture historique* de Saint-Valéry Seheult se situe, pour sa part, à un niveau théorique auquel la littérature des ordres s'élève rarement, et présente tous les traits du traité albertien, sauf [5]; et, bien que centré sur le problème des ordres, le *Nouveau Traité de toute l'Architecture*[3] de J.-L. de Cordemoy doit, sans doute, être intégré dans le corpus des traités instaurateurs.

Sont également sectoriels les « traités » de fortification dont l'apparition fut immédiatement postérieure à celle du *De re aedificatoria* et qui se multiplièrent jusqu'au XVIIIe siècle. Là aussi, une série d'intermédiaires[4] existent entre l'ouvrage dans lequel la ville fortifiée représente la totalité du champ de l'édification [— 5] mais fait cependant l'objet de règles et de déductions théoriques semblables à celles des traités instaurateurs[5], et des formes qui tendent vers le manuel pratique [— 4][6].

A côté de ces ouvrages sectoriels, un dernier type — exceptionnel — de faux traité d'architecture mérite d'être signalé. On a vu qu'en dépit de son théocentrisme et malgré la ferveur de la foi qui lui fit élever ses cathédrales, l'Occident médiéval ne produisit jamais aucun

1. Paris, 1564.
2. Ou *De architectura liber*, Paris, 1745.
3. Paris, 1706.
4. Par exemple, *De l'attaque et de la défense des places* de Vauban, La Haye, 1737-1742.
5. Par exemple, F. di Giorgio Martini, *Trattati di architettura ingegneria e militare*, édités par C. et L. Maltesse, Milan, Il Polifilo, 1967, dont on peut rapprocher, plus de deux siècles plus tard, le *Sommaire d'un cours d'architecture militaire, civile, hydraulique* [...], Paris, 1720, de B. Forest de Bélidor.
6. Cf., à titre de suggestion, G. de Zànchi, *Del Modo di Fortificar le città*, Venise, 1554; G. Lanteri, *Due dialoghi del modo di designare le piante delle Forterezze secondo Euclide*, Venise, 1557. Pour le célèbre ouvrage de A. Dürer, cf. *supra*, p. 52.

traité prescriptif comparable à ceux de la Chine archaïque. Or, tardivement, un genre très proche apparut à la Contre-Réforme, sous l'aspect de traités dans lesquels la religion joue un rôle sinon analogue, du moins dominant, puisque l'art d'organiser l'espace lui est subordonné.

Un volumineux ouvrage en trois tomes, l'*In Ezechielem explanationes et appartus urbis ac Templi Hierosolymitani*, fut publié à Rome entre 1596 et 1604, par le jésuite espagnol J. B. Villalpanda [1]. Tenant à la fois du commentaire biblique et du traité d'architecture, cet ouvrage propose, si l'on en croit l'auteur, la première exégèse correcte de la vision d'Ezéchiel [2], et du même coup la première reconstitution exacte et illustrée du temple de Jérusalem. Villalpanda situe dans ce sanctuaire l'origine de l'architecture et de toute la théorie vitruvienne des ordres, qui est fondée sur les rapports et les proportions de ses éléments. Pour lui, en effet, la seule architecture rationnelle et véritable est celle de Vitruve, mais elle n'a pu recevoir sa consécration que des textes sacrés, dont le témoignage lui-même renvoie à des dessins tracés par la propre main de Dieu. Ce souci de fonder dans l'Écriture, et avec quel luxe de précisions, une discipline dont le travail d'Alberti, puis des premiers architectes-théoriciens, avait consisté à l'autonomiser, à la laïciser, à la libérer de toute tutelle, ne fut pas le fait d'un individu isolé. Faisant écho aux préoccupations militantes de l'Église, l'*In Ezechielem* trouva une audience nombreuse [3] et une prolongation dans d'autres ouvrages comme l'*Architectura civil* de Juan Caramuel [4].

Ces ouvrages demeurent pourtant marginaux par rapport à l'ensemble des traités instaurateurs. Avec leurs préoccupations essentiellement généalogistes, ils ressortissent à la pure spéculation plus qu'à la volonté de façonner le monde, dont on a vu qu'elle unit les écrits directement réalisateurs et justifie l'approche théorique des traités d'architecture.

---

1. En collaboration avec J. Prado, qui mourut avant la fin de la rédaction de l'ouvrage.

2. *Ezéchiel*, 40 *sq.*

3. Sur le livre de Villalpanda, le contexte dans lequel il fut écrit et sa réception, cf. J. Rykwert, *La Maison d'Adam au Paradis*, Paris, Seuil, 1976, p. 143-158.

4. J. Caramuel de Lobkowitz, *Architectura civil recta y obliqua, considerada y dibuxada en el Templo de Jerusalem* [...], Vigevano, 1678.

II. VRAIES ET FAUSSES UTOPIES

Pour construire une définition schématique de l'utopie, nous utiliserons le livre de Thomas More, de la même façon que nous avons utilisé le *De re aedificatoria* pour définir le traité d'architecture. Parti plus provocant, parce que réducteur par rapport à l'usage qui, à force de dérivations délibérées et de dérives spontanées, donne à ce terme une dénotation toujours plus floue et finit par inclure, dans une compréhension toujours plus vaste [1], l'exact opposé de sa signification originelle. On sait que K. Mannheim choisit de désigner par « utopie », non point une catégorie de livres et/ou leur contenu spécifique, mais une forme de mentalité [2]. En reprenant implicitement cette acception, un politologue américain a pu ainsi affirmer qu' « une utopie est un objectif réalisable » et que les écrits de More ne révèlent « aucune foi politique, aucune utopie » [3].

Tout paradoxal qu'il apparaisse au regard de l'originelle acception moréenne, on ne peut contester l'usage qu'ont fait du mot utopie K. Mannheim et, avant lui, E. Bloch : usage légitime dès lors que ces auteurs en donnaient au préalable une définition conventionnelle cohérente, leur permettant, en l'occurrence, de nommer et d'interpréter certaines formes historiques et certains mouvements de la conscience de classe. Depuis, cet usage est passé dans le langage commun et a encore accru la polysémie d'un terme qu'on tendrait, pour cette raison, à exclure du langage scientifique.

Pour nous, s'agissant d'une catégorie textuelle dont nous postulons qu'elle fut créée par More, qui inventa un néologisme pour la désigner, il était impossible de récuser le mot utopie. Nous nous devions de lui attribuer son acception originelle, et de tenter de la cerner avec le plus de précision possible, nous élevant ainsi, non pas contre les définitions

---

1. Cf. cette indication de G. Lapouge en introduction à sa bibliographie, in *Utopies et Civilisation*, Paris, Weber, 1973 : « La littérature utopique est infinie. De Platon aux romans de science-fiction, elle comprend des centaines de textes. » Notre définition exclut, parmi d'autres textes, et les dialogues de Platon et les romans de science-fiction.
2. Sont pour lui utopiques « toutes les idées situationnellement transcendantes [...] qui ont, d'une façon quelconque, un effet de transformation sur l'ordre historico-social existant », alors que les idéologies, tout aussi « situationnellement transcendantes », sont en accord avec cet ordre, et « ne réussissent jamais, *de facto*, à réaliser leur contenu ». (*Idéologie et Utopie*, trad. fr. de P. Rollet, Paris, Marcel Rivière, 1956, p. 145 et 129.)
3. H. B. White, *Peace among the Willows, the Political Philosophy of F. Bacon*, La Haye, Martinus Nighoff, 1968, p. 97, 98.

conventionnelles ultérieures de l'utopie qui ne nous concernent pas ici, mais contre l'emploi indéterminé et polyvalent du terme.

Sept traits discriminatoires [1] nous serviront provisoirement à définir l'utopie : [1] une utopie est un livre signé; [2] un sujet s'y exprime à la première personne du singulier, l'auteur lui-même et/ou son porte-parole, visiteur et témoin de l'utopie; [3] elle se présente sous la forme d'un récit dans lequel est insérée, au présent de l'indicatif, la description d'une société modèle; [4] cette société modèle s'oppose à une société historique réelle, dont la critique est indissociable de la description-élaboration de la première; [5] la société modèle a pour support *un espace modèle qui en est partie intégrante et nécessaire;* [6] la société modèle est située hors de notre système de coordonnées spatio-temporelles, *ailleurs;* [7] elle échappe à l'emprise de la durée et du changement.

*L'*Utopie *de Thomas More, texte inaugural.*

Le critère de co-occurrence de ces sept traits permet de vérifier que, comme le traité d'architecture, l'utopie est une production spécifiquement occidentale, liée aux perturbations épistémiques de la Renaissance. L'Antiquité est régulièrement invoquée comme la terre natale de l'utopie et la source d'inspiration de More. Or, si More a lu avec attention Platon, Lucien et même Aristote, il n'a, pas plus qu'Alberti chez Vitruve, trouvé chez aucun de ces auteurs le paradigme de son livre.

Les emprunts d'*Utopia* à l'œuvre de Platon seront analysés au chapitre III [2] dont on retiendra ici que le philosophe grec n'a pas écrit d'utopie : dans *la République,* la cité-modèle de Platon appartient au monde des Idées et ne peut donc être décrite en termes d'espace [— 5] [3], tandis que dans les *Lois,* où elle occupe un lieu et rassemble des bâtiments, non seulement elle ne répond pas à une critique systématique de la *polis* contemporaine [— 4], mais surtout, loin d'être

---

1. Ils permettent ici de distinguer les textes qui seront considérés comme la véritable postérité moréenne de l'abondante littérature qui est, par abus de langage, désignée comme utopique. Cf. l'inventaire, cependant plus discriminatif que beaucoup d'autres, de R. Falke, « Versuch einer Bibliographie der Utopien », *Romanistisches Jahrbuch,* VI (1953-1954), dont, parmi les cent soixante-dix titres qu'il énumère pour la période antérieure à 1910, onze seulement correspondent à notre définition de l'utopie.
2. Cf. p. 312 *sq.*
3. Dans les pages qui suivent, on a adopté, pour le renvoi aux sept traits de l'utopie, la même convention que précédemment pour les traités.

donnée à voir au présent de l'indicatif, comme une réalité, elle est posée au conditionnel, à titre d'hypothèse, dans la logique d'un « scénario » [— 3, — 6].

Lucien, que More traduisit et dont la verve satirique exerça sur lui la même séduction que sur Erasme, n'a assorti sa critique d'aucune contre-proposition [— 4]. Quant à Aristote, il a beau s'être penché sur le problème des constitutions et des États idéaux, l'esprit « moderne » et le réalisme de sa *Politique* appellent davantage un rapprochement avec l'attitude des auteurs de traités d'architectures qu'avec la démarche de l'*Utopie*. Le stagyrite s'intéresse à la théorie du pouvoir et des institutions politiques, sans s'attacher à une critique systématique *hic et nunc*, ni, le moins du monde, se soucier d'une modélisation de l'espace [— 5].

C'est, au premier chef, l'absence de référence à l'espace qui doit aussi faire proscrire le terme d'utopie à propos de la *Cité de Dieu* de saint Augustin comme de la postérité médiévale et de cet ouvrage et de cette notion. Pour l'évêque d'Hippone, qu'inspire la double tradition des Écritures et du platonisme, la cité de Dieu est une société mystique, au même titre que la cité du Diable à quoi elle est opposée. Les membres de l'une communient « dans la jouissance de Dieu et la jouissance en Dieu [1] », et c'est leur commun amour de Dieu qui définit leur appartenance commune; tandis que les membres de l'autre « sont liés par leur amour exclusif et prépondérant des choses de la terre [2] ». Dans aucun des deux cas, il n'est question d'organisation socio-politique, encore bien moins d'organisation spatiale.

La conception augustinienne de la cité comme communauté des âmes demeure sous-jacente à une œuvre célèbre de la culture islamique, l'*Idée des hommes de la cité vertueuse* d'Alfarabi [3]. A la différence d'Augustin, Alfarabi n'oppose pas à la cité vertueuse une, mais plusieurs cités mauvaises, dont il souligne d'ailleurs plus fortement l'appartenance au monde terrestre. Mais le fait que la cité

1. *La Cité de Dieu*, t. XIX, chap. XIII, *Œuvres de saint Augustin*, trad. G. Combès, Paris, Desclée de Brouwer, 1960, t. XXXVII, p. 111. Cf. *ibid.*, liv. XVI, chap. I, t. XXXVI, p. 35.
2. E. Gilson, *Les Métamorphoses de la Cité de Dieu*, Paris, Imprimerie universitaire, Louvain, Vrin, 1952, p. 55. Le chapitre II de cet ouvrage donne un commentaire éclairant du projet augustinien.
3. Trad. R. P. Jaussen, J. Karam, J. Chlala, Le Caire, Institut français d'archéologie, 1949.

vertueuse doive être réalisée dans ce monde ne porte pas atteinte à sa nature théocratique[1] et à la prééminence absolue de sa dimension spirituelle : entièrement construit sur un système d'opposition binaires [+ 4], l'ouvrage ne contient néanmoins pas une seule indication spatiale.

Sans parler des autres traits [3], [6] et [7], cette même absence de référence à l'espace [— 5] caractérise aussi les spéculations qui, dans l'Europe chrétienne, à partir du XIIIe siècle, détournent le concept de cité de Dieu de son acception originelle[2] pour lui faire désigner une cité terrestre, d'abord l'Église (Roger Bacon), puis, avec la *Monarchia* de Dante, un État qui serait exemplaire[3]. Même chez Lulle, à propos de qui le mot utopie a été avancé plus d'une fois[4] et qui dans son *Libre de Blanquerna*[5] adopte la forme du roman [+ 3, + 6] pour présenter un projet de société internationale[6], unie par une même foi et par une langue unique, la modélisation reste floue, la critique n'a pas de rôle constructif [— 4]. Enfin et surtout, le modèle spatial[7] est absent [— 5]. Ni une certaine forme d'imagination, ni un sens affirmé du concret ne font que Lulle, plus que Bacon ou Dante, possède la distance critique et la notion de *dispositif spatial* sans lesquelles il n'est pas d'utopie.

Il faudra attendre la Renaissance et qu'une triple investigation de l'espace géométrique, iconique et architectural permette de constituer le monde bâti en objet, pour que celui-ci, sous la plume de Thomas More, puisse apparaître, pour la première fois, comme un moyen

---

1. Cf. la formule de L. Massignon pour qui l'Islam est « une théocratie laïque ».

2. Voir la magistrale analyse de E. Gilson in *Les Métamorphoses de la Cité de Dieu, op. cit.*

3. Dante a « dégagé, pour la première fois, semble-t-il, la notion d'un temporel autonome et suffisant en son ordre, doué de sa nature propre, de sa fin dernière propre, et des moyens de l'atteindre [...] » (E. Gilson, *ibid.*, p. 148-149). L'auteur note cependant, quelques lignes plus loin, qu'en ce qui concerne ces moyens, Dante reste imprécis.

4. Pour R. Falke *(op. cit.)*, *Blanquerna* représente « la seule utopie du Moyen Age ». A. Llinares *(Raymond Lulle, philosophe de l'action*, Paris, PUF, 1963) en fait, plus justement, un « roman pédagogique » unique en son genre.

5. *Obras originals del Illuminat Doctor Mestre Ramon Lull*, t. IX, Palma de Mallorca, Comissió editora lulliana, 1914.

6. Cf. liv. VI, où l'on assiste à la convocation annuelle des puissances du monde entier en une assemblée présidée par le pape.

7. Mais non pas toute indication spatiale : Lulle est en particulier préoccupé par la sécurité des voyageurs qui se rendront aux assemblées internationales, et mentionne dans cette perspective la nécessité de veiller sur les chemins, les hôpitaux, les ponts, les bastides...

de conversion. Pourtant, une illusion tenace subsiste, nourrie par les thèses et surtout la terminologie de M. Bakhtine [1] et D. Morton [2], qui considèrent tous deux la littérature populaire « carnavalesque [3]» des « monde à l'envers » et pays de Cocagne comme la forme médiévale de l'utopie.

Certes, il s'agit bien là de mondes radicalement autres [+ 6] qui renversent l'ordre de la quotidienneté. Mais, dans un même mouvement, Cocagne subvertit à la fois l'ordre social et le cours de la nature. « Toujours le jour, jamais la nuit. Pas de querelles et pas de luttes [...] Tout est commun aux jeunes et vieux, aux forts et faibles [...] [4] ». La société et ses institutions sont abolies plutôt que contestées. Le monde subverti ou renversé ne constitue pas une alternative au monde quotidien, ni un modèle [— 4 et — 5], puisqu'il ne relève pas de la même logique. Il appartient au merveilleux. Il ne procède pas d'une critique [— 4], mais d'une rupture. Rupture sans projet, ouvrant la voie à un dérèglement absolu, à une libération vierge de toute contre-organisation, et que ne promeut aucune volonté individuelle délibérée. En outre, d'un point de vue plus formel, la littérature de Cocagne ne présente que partiellement les traits [1] et [2]. Elle ne comporte que des écrits fragmentaires [— 1], où Cocagne ne peut jamais être présenté comme l'invention propre d'un auteur [— 2], et qui contrastent avec l'organisation savante du texte de More par leur caractère non réflexif et non systématique.

Sans vouloir nier la part de force révolutionnaire qu'ont pu contenir les écrits carnavalesques, il nous semble que leur dimension traditionnelle a été sous-estimée. Tout en reconnaissant leur caractère rituel et leur lien avec la fête, N. Bakhtine ignore la dimension fonctionnelle que révèlent ces deux aspects : le carnaval est une rupture institutionnalisée et fait partie intégrante du fonctionnement social [5]. Héritage d'une tradition orale qui accomplit, à l'occasion d'un défoulement rituel verbal, plus abstrait, la même transgression symbolique que le carnaval, la littérature des mondes à l'envers résout, symboliquement, des tensions sociales, et s'inscrit, entre le mythe

---

1. *L'Œuvre de François Rabelais et la Culture populaire, au Moyen Age et sous la Renaissance*, trad. fr., Paris, Gallimard, 1970.
2. *L'Utopie anglaise*, trad. fr., Paris, Maspero, 1964.
3. Terme utilisé par M. Bakhtine in *op. cit.*
4. Poème anglais du XIVe siècle, cité par D. Morton, *op. cit.*
5. Qu'on l'interprète classiquement comme A. van Gennep, ou en termes de religion comme, plus récemment, C. Gaignebet (*Le Carnaval*, Paris, Payot, 1974). Cf. aussi *La Mort des pays de Cocagne*, ouv. collectif publié sous la direction de J. Delumeau, Paris, Publications de la Sorbonne, 1976.

et le conte populaire, dans un lieu discursif étranger au domaine de l'utopie.

Une fois admis que l'Antiquité et le Moyen Age n'ont pas produit, et ne pouvaient produire, d'utopie au sens où on l'a définie plus haut, More reste-t-il l'initiateur du genre? Le *Quattrocento* italien ne détiendrait-il, pas l'antériorité, ici encore, comme dans d'autres domaines, où il a anticipé les découvertes et les créations des humanistes du Nord?

De fait, cette précédence a été nommément attribuée à Filarète [1]. Celui-ci aurait, non sans paradoxe, logé une utopie dans le traité d'architecture que, au cours des années 1450, il écrivit pour le duc de Milan. Aux deux tiers de cet authentique traité, conçu de façon très originale comme une simulation au cours de laquelle un architecte [2] et son prince formulent, expliquent et appliquent les règles de l'édification, survient, en effet, un curieux épisode. Sur les lieux où l'on s'apprête à construire un port, est découvert, enterré dans un coffre, un livre d'or dans lequel un roi disparu lègue à la postérité le plan et le mode d'organisation de la ville de Gallisforma qui occupait jadis le site et qu'il conçut comme exemplaire. Les deux protagonistes qui s'en tenaient jusqu'alors à l'application des règles albertiennes, vont désormais prendre Gallisforma, son plan et ses institutions pour modèle. « Je la veux désormais exactement telle qu'elle est décrite dans le livre d'or [...] et de même pour tous les autres bâtiments dont il est question dans le livre. Ils ne doivent pas être autrement », dit le prince, parlant de la ville portuaire qu'il commande à son architecte [3]. Nous nous trouvons donc bien confrontés ici avec cette modélisation spatiale [+ 5] en vain cherchée dans les textes de l'Antiquité et du Moyen Age, et dont More ne serait alors pas l'inventeur.

Deux observations s'imposent toutefois. D'une part, le modèle de Gallisforma n'est ni exclusif, ni contraignant. Il subjugue par sa beauté, ceux qui l'ont découvert mais sa valeur est essentiellement incitative. A peine le prince a-t-il décidé de l'adopter, il ajoute qu'il

---

1. Cf., en particulier, L. Firpo, « La città ideale del Filarete », in *Studii in memoria di Gioele Solari*, Turin, 1954, et R. Klein, *La Forme et l'Intelligible*, Paris, Gallimard, 1970, chap. XIII, « L'urbanisme utopique de Filarète à Valentin Andreae ».

2. Cf. *infra*, chap. IV.

3. *Trattato d'architettura*, t. I, p. 216 (cf. *infra* p. 207, n. 1).

souhaiterait le voir « améliorer si possible [1] ». Loin d'être définitif comme dans l'utopie [— 7], le modèle est donc modifiable : le bâtir a lieu dans le temps et, comme toutes choses humaines, il est promis à la mort [2], qui pour Filarète est aussi source de vie et de renouveau. D'autre part, l'espace de Gallisforma n'est pas le support d'une construction sociale élaborée. Il n'est pas contestable que, par l'intermédiaire du livre d'or, Filarète énonce une série de lois concernant les rapports du judiciaire et de l'exécutif, la levée des impôts et des taxes, les dépenses des citoyens, l'entretien du territoire... Il prévoit également un système pénal dont les tortures sont réglées dans la plus grande minutie par un dispositif spatial sophistiqué [3] et, trois siècles avant Ledoux, il imagine une maison du vice et de la vertu. Ce ne sont pourtant là que propositions sociales fragmentaires, sans cohérence globale, destinées à stimuler l'intérêt d'un mécène, dont il n'est pas un instant question de contester [4] les choix politiques, encore moins de lui infliger la correction d'un modèle.

La fiction de Filarète ne contient donc ni critique générative [— 4], ni véritable modèle spatial : les édifices fantastiques de Gallisforma sont des solutions transformables, dont la valeur exemplaire, loin de résider dans leur morphologie et leur fonction sociale, tient à la démarche et à l'imagination créatrice de leur(s) concepteur(s). C'est pourquoi, malgré des traits utopiques certains [5], l'épisode du livre d'or ne peut être classé parmi les utopies. On verra plus loin [6] la fonction qui lui revient dans le traité de Filarète.

On peut, en outre, et à bon droit, y découvrir l'origine d'un genre qui a prospéré durant le XVIe siècle et dont le langage des historiens

1. *Ibid.* L'architecte lui-même ne craint pas les additions et inventions de son cru (*ibid.*, p. 192).
2. C'est d'ailleurs pourquoi le roi défunt transmet par un plan le souvenir d'une œuvre morte et qu'il savait promise à la destruction (*ibid.*, p. 184).
3. *Ibid.*, p. 282-285. C'est cette description de prison qui a, sans doute, conduit R. Klein à attribuer à Filarète un « débordement de fantasmes schizoïdes et sadiques » (*op. cit.*, p. 312). La schizoïdie de Filarète nous semble cependant discutable.
4. Dans tout le texte, pas une critique, mais deux modestes réserves, formulées dans le langage de la dénégation, p. 286 et 287. Nous ne pouvons souscrire à l'affirmation de Klein pour qui « l'architecte devient législateur » (*op. cit.*, p. 312).
5. Au plan de la forme, on note un curieux changement de temps (*op. cit.*, p. 248) lorsque l'architecte qui, dans l'explication qu'il donne de la façon dont il se servira des dessins du livre d'or, s'est jusque-là servi du futur, passe soudain au présent de l'indicatif, et se met à décrire la ville projetée comme si elle était effectivement réalisée et offerte à sa contemplation.
6. P. 365 *sq.*

a fait, à tort, un synonyme d'utopie [1] : la « cité idéale » d'architecte, ainsi nommée, dès le XVIᵉ siècle, par certains de ses promoteurs. Il s'agit là de propositions plus ou moins bien liées, dans lesquelles l'appareil théorique et même textuel s'efface devant une description iconique dont la valeur est, explicitement, incitative et non normative. Également dépourvues de subversivité et d'esprit critique, ces cités idéales présentent des variantes où la référence des images aux institutions et aux personnes est plus ou moins lâche et où le texte occupe par rapport à la figuration une place plus ou moins limitée, qui peut même se réduire à de simples légendes.

Sans avoir cru devoir s'en expliquer, Albert Dürer a ainsi inséré au milieu de son manuel de fortification [2] (qui passe souvent pour un traité) le plan commenté d'une ville idéale fortifiée. Que le cadre bâti constitue un dispositif inégalable pour la mise en place et en ordre des institutions et des hommes est immédiatement donné à lire dans la grande projection géométrique aux éléments carrés et rectangulaires modulés que Dürer a criblés de lettres et de chiffres. Ce postulat de base de l'utopie est exprimé avec la force d'une profession de foi dans la distribution spatiale des conditions et des métiers [3]. Plus, bien que la place forte non nommée de Dürer ne soit intégrée dans aucun récit [— 2] et que l'auteur commence, comme dans un traité, par expliquer comment en choisir le site, en disposer l'enceinte, quels partis programmatiques et méthodologiques adopter pour sa réalisation, elle ne laisse cependant pas d'être, dans le même temps, décrite comme un objet réel [+ 3] [4]. Mais ces analogies ne doivent pas dissimuler que, dans la cité dürerienne, le rapport des espaces et des institutions n'est ni neuf ni contestataire. La critique est absente d'une représentation qui, en lieu d'utopie, propose le type idéal de la ville médiévale.

---

1. Cf. L. Firpo, *op. cit.*, et R. Klein, *op. cit.*, p. 313, « la ville idéale ou utopique ».
2. *Etliche underricht zu Befestigung der Stett, Schloss und Flecker*, Nuremberg, 1527; trad. fr. *Instruction sur la fortification des villes, bourgs et châteaux, avec Introduction historique et critique* par A. Ratheau, Paris, Tanera, 1870.
3. « Palais des seigneurs » autour de l'hôtel de ville, maisons « des gens que leurs affaires conduisent à une vie tranquille » autour de l'église, maisons des forgerons, soudeurs, tourneurs et ouvriers en métaux autour de la fonderie, etc. (*op. cit.*, p. 51).
4. « Il faut faire le choix d'une plaine fertile [...] Le château doit être placé [...] Il convient en premier lieu de placer l'église [...] Après l'église on s'occupe des fonderies »; à quoi s'oppose : « le château *est* entièrement construit sur un carré [...] De l'autre côté *est* la cure [...] L'îlot situé en face de l'hôtel de ville *est* partagé pour huit maisons égales [...] » (*op. cit.*, p. 40-51). [*Nous soulignons.*]

En Italie, et particulièrement à la fin de ce siècle, l'ordre idéal ne peut plus être que classique, mais l'image de la cité que présentent les suites de dessins de Vasari le jeune [1] et d'Ammanati [2] n'est pas plus critique ou subversive [3] que celle de Dürer et elle présente encore moins de traits utopiques. Tout au plus note-t-on chez Vasari le Jeune l'idée que la ville est un objet total et l'attention portée au type d'espace dont l'utopie contribuera à préparer l'émergence et qui, bien plus tard, aura nom logement social.

Au conformisme de ces « cités idéales », qui ne sont en fait que des types idéaux, synthèse d'un ordre urbain traditionnel ou en cours de constitution, s'oppose encore l'anticonformisme de la vision urbaine de Léonard de Vinci. Une douzaine de dessins magistraux, assortis de commentaires lapidaires, et quelques remarques éparses des *Carnets* ont donné lieu à d'abondants commentaires [4] et à des interprétations qui n'ont pas hésité à transformer ces fragments en cité idéale [5]. Pour notre part, prenant en compte la rigueur que leur confère l'ingénieur et l'antihumanisme [6] dont les marque le philosophe, nous y lirions plus volontiers la première « vision » d'une futurologie urbaine.

---

1. *La Citta ideale di Giorgio Vasari il giovane*, Rome, Officino Edizioni, 1970. V. Stefanelli a publié pour la première fois cet ensemble de soixante-dix dessins commentés et précédés d'un index et d'une brève préface que l'auteur lui-même avait réunis sous le titre de « *Città ideale del Cav.^re Giorgio Vasari, inventata e disegnata l'anno 1598* ». Dans la dédicace de son livre, Vasari indique qu'il présente « des plans et quelques élévations qui montrent, partie par partie, les choses qui sont nécessaires à faire dans une ville à la fois belle et bien ordonnée ».

2. *La Città, appunti per un trattato*, de Bartolomeo Ammanati, Rome, Officina Edizioni, 1970. Dans le cas d'Ammanati, le titre de *Città* qui réunit un ensemble hétérogène de fragments textuels et de dessins, exécutés à Florence dans le dernier tiers du XVIe siècle, ne doit pas laisser croire à une vision systématique, organisée. Le responsable de cette édition critique, M. Fossi, reconnaît qu'on n'y trouve aucun discours politique ou philosophique et que « l'œuvre théorique d'Ammanati s'y révèle finalement fort ténue » (*op. cit.*, introduction, p. 20).

3. Ce point est fort bien vu par V. Stefanelli, *op. cit.*, p. 39.

4. On trouvera les références les plus intéressantes *in* E. Garin, « La città in Leonardo », *Lettura Vinciana XI*, Florence, G. Barbera, 1973 ; cf. note suivante.

5. E. Garin montre bien le caractère fallacieux de cette désignation (« La città... », p. 13). Il s'élève, en outre, contre toute assimilation de l'œuvre « urbanistique » de Léonard à l'utopie (*ibid.*, p. 15).

6. Pour le développement de ce concept, cf. E. Garin, *ibid.*, p. 17-18.

*Après l'*Utopie.

More est donc bien premier, aucun auteur avant lui n'a écrit un texte qui présente les sept traits discriminatifs de la catégorie dont il est le créateur. Et c'est seulement après la parution d'*Utopia* que se pose, dans son ampleur, le problème de la discrimination entre vraies et fausses utopies : l'attrait exercé par cet archétype, au plan de sa forme comme de son contenu, va susciter un grand nombre de variantes et de démarcations qui dissocient les sept traits et les recombinent de toutes les façons possibles.

On ne s'attardera pas sur les types extrêmes caractérisés, les uns par la richesse, les autres par la pauvreté de leurs traits utopiens : voyages fantastiques[1] qui retiennent seulement les marques formelles de l'utopie [+ 1, + 2, + 3, + 6] pour les plaquer sur une autre substance; critiques sociales non accompagnées de modèles [— 3, — 4 pour partie, — 5, — 6, — 7][2]; modèles sans critique [— 4] pouvant être, soit non spatialisés[3], soit spatialisés, avec [+ 5] ou sans [— 5][4] modèle spatial; critique et modèle sans espace [— 5][5].

On ne s'étendra pas davantage sur les « simulations » où le conditionnel remplace l'indicatif [— 3] et qui, dès lors que s'y intègre le trait [4], approchent l'utopie de beaucoup plus près que la simulation platonicienne. Tel est le cas de la *Republica immaginaria* de L. Agostini, que son plus récent éditeur considère comme la « première utopie post-tridentine[6] ». Tel, plus tard, celui de l'*Andrographe*[7]

---

1. S. Godwin, *The Man in the Moone, or a Discourse of a Voyage thither*, Londres, 1648; Cyrano de Bergerac, *Histoire comique des États et Empires de la lune et du soleil*, Paris, 1657.

2. J. Hall, *Mundus alter*, Hanovre, 1607.

3. F. Patrizi, *La città felice*, Venise, 1553.

4. J. Harrington, *The Commonwealth of Oceana*, Londres, 1656. (Cet ouvrage ne contient cependant que peu d'indications spatiales.)

5. M. de Listonai, *Le Voyageur philosophe*, Amsterdam, 1761; L. Holberg, *Nicolaï Klimii iter subterraneum* [...], Copenhague, 1741.

6. L. Agostini écrivit entre 1583-1590 un dialogue qu'il intitula *L'Infinito*, dont les trois premières parties sont restées inédites, mais dont la quatrième a été divulguée, de façon incomplète, pour la première fois par C. Curcio in *Utopisti e riformatori sociali del Cinquecento : A. F. Doni, U. Foglietta, F. Patrizi*, Bologne, Zanichelli, 1941, p. 145-202, sous le titre de *Republica Immaginaria*. Le même titre a été repris par L. Firpo dans son édition critique complète de cette 4e partie, Turin, Ramella, 1957. Parmi une série de « remèdes » proposés pour la correction des diverses perversions sociales, Agostini accorde une place importante à des dispositifs spatiaux concernant, en particulier, le logement des défavorisés (*op. cit.*, p. 84-85).

7. Rétif est généralement classé parmi les utopistes pour avoir écrit *La Découverte australe par un homme volant*, 1781 (sans nom d'auteur ni de libraire), qui

où N. E. Rétif de la Bretonne développe un projet dont Fourier saura se souvenir pour son Phalanstère.

De Thélème à Clarens.

Notre attention se portera, en revanche, sur deux types de textes dont l'écart souvent léger, mais toujours irréductible, par rapport à l'utopie, donnera l'occasion de mesurer le sens et l'importance respectifs, d'abord du trait [5], puis du trait [7].

Du premier type, l'exemple sans doute le plus ancien est donné par le chapitre de *Gargantua* consacré à Thélème, et qui vient récemment d'être pris comme paradigme de l'utopie [1]. Il est bien vrai que Rabelais à lu More, qu'il situe nommément en Utopie la patrie de Pantagruel [2], et que le vent de la critique sociale souffle dans son œuvre entière. Il est vrai également que l'abbaye fondée par frère Jean grâce à la générosité de Gargantua est une *société et un espace* dont la création résulte d'une critique de la société contemporaine. Mais Thélème n'est pas pour autant un *modèle*. Elle diffère de l'utopie moréenne pour deux raisons opposées : parce qu'elle s'enracine dans une mentalité plus archaïque et parce qu'elle est inspirée par des idées plus modernes.

D'une part, l'abbaye appartient à la tradition des « mondes renversés ». Il n'est plus question que le jour remplace la nuit, mais « feut décrité que là ne serait horrologe ny quadrant aulcun... [3] ». De même, c'est la dérision qui fait nettoyer avec soin les lieux où des religieux sont passés à Thélème. Quant au raffinement vestimen-

---

est un livre terne, à mi-chemin entre la science-fiction et le voyage fantastique, nullement une utopie. *L'Andrographe ou les idées d'un honnête-homme sur un projet de règlement proposé à toutes les nations de l'Europe pour opérer une réforme générale des mœurs et par elle le bonheur du genre humain* [...], La Haye, Paris, 1782, inspiré, comme plus tard le projet de Fourier, par l'idée d'offrir un modèle complet qui permette de tenter une « expérience cruciale » (*op. cit.*, p. 13), ne contient que trois pages consacrées au modèle spatial (p. 107-109), mais certaines dispositions en seront reprises par Fourier : ségrégation des générations selon l'étage des logements, jeunes en haut et vieux en bas, ségrégation professionnelle.

1. Par A. Glucksmann dans *Les Maîtres penseurs*, Paris, Grasset, 1977.
2. *Pantagruel*, chap. II, VIII, IX. Il faut toutefois noter que dans la suite de son œuvre, Rabelais ne tient plus compte de cette localisation. V. L. Saulnier (« L'utopie en France, Morus et Rabelais » in *Les Utopies à la Renaissance*, Coll. internationale de l'Université libre de Bruxelles, 1961, Paris, PUF, 1963) remarque avec pertinence que la lettre de Gargantua à Pantagruel du *Quart Livre*, chap. III, n'est plus datée d'Utopie, mais « de ta maison paternelle ».
3. Rabelais, *Œuvres complètes*, Paris, Seuil, 1973, p. 191.

taire des thélémites, il évoque bien « les vêtements à foison » du vieux poème cité plus haut. Dans des formes plus sophistiquées qu'à Cocagne, l'absurde tenant lieu de fantastique[1], Thélème permet encore une transgression ponctuelle de l'ordre établi : elle n'est pas située en un mystérieux ailleurs, mais ici, sur les bords de la Loire[2]; loin d'en être prisonniers, ses habitants ne font qu'y passer : c'est une halte [— 6, — 7].

D'autre part, la liberté qui règne à Thélème annonce celle que définira la philosophie de la liberté du XVIIIe siècle, et que récuse à jamais l'utopie[3]. Le renversement thélémien n'a pas lieu au profit de nouvelles (bonnes) institutions, mais de l'absence d'institutions. Les emplois du temps sont négatifs. A l'encontre des espaces utopiens qui enferment, fixent et standardisent, le palais qui a nom abbaye supprime les remparts et accueille la différence. Le fameux « fay ce que vouldras » ne dissimule pas plus l'œil omnivoyant de Gargantua que ne sont totalitaires les impératifs « beuvons », « jouons », « allons à l'esbat ès champ ». Ils supposent un véritable contrat social, et que parmi les thélémites règne seule la loi du cœur. Dans la communauté tourangelle, le consensus s'accomplit ainsi directement, sans contrainte institutionnelle extérieure, au mépris de tout régulateur spatial.

L'architecture de Thélème ne doit pas davantage tromper. « Cent foys plus magnifique » que Chambord et Chantilly[4], avec ses gouttières dorées, ses escaliers de porphyre et de marbre serpentin, ses galeries peintes de fresques merveilleuses et ses neuf mille trois cent trente-deux appartements au confort raffiné, le château des thélémites ne sert qu'au plaisir et à la délectation des habitants, il n'exerce aucun contrôle sur leur comportement, il n'a aucune part au fonctionnement spécifique de l'abbaye[5] qui repose sur la seule conversion des mentalités.

Deux siècles plus tard, prise dans l'appareil formel de l'utopie,

---

1. A. Glucksmann, centré sur l'expérience de Panurge, manque la dimension humoristique et dérisoire qui caractérise l'ordre thélémite lorsqu'il invoque ses « contre-règles tout aussi tatillonnes symétriquement que celles qu'elles lèvent » (*op. cit.*, p. 20).
2. *Gargantua*, éd. cit., p. 190.
3. *Ibid.*, p. 202, 203. « Toute leur vie estoit employée non par loix [...] mais selon leur vouloir ou franc arbitre [...] beuvoient, travailloient, dormoient quand le *désir* leur venoit. » Il s'agit là d'un « désir » contrôlé par la raison et un implicite contrat social. (*Nous soulignons.*)
4. *Ibid.*, p. 194 *sq.*
5. Encore une fois, notre analyse se sépare de celle d'A. Glucksmann, qui décrit Thélème comme une « architecture anonyme » (*op. cit.*, p. 23) qui met ses pensionnaires en condition. Thélème, l'une des plus belles architectures imaginaires de la littérature, en est l'opposé.

[+ 1] [+ 2] [+ 3] et dans le champ thématique des « lumières » *la Relation du Monde de Mercure* [1] décrit le même rapport d'une société « différente » avec un espace qui lui sert pareillement à éprouver sa liberté. Légitimé par la Constitution qui subordonne son expression au seul respect des libertés collectives [2], le désir individuel n'est, dans le Monde de Mercure, brimé par aucune institution sociale : le mariage n'existe pas [3], la monnaie n'a pas cours, aucun code ne règle l'habillement ou l'alimentation. Et l'architecture, loin d'être un instrument ou dispositif de contrôle, n'est que le mode d'expression personnel le plus grisant, sans cesse renouvelé par une destruction volontaire : « La grande facilité de bâtir ces maisons dont les matériaux sont à tout le monde, est cause que les habitants en font souvent de nouvelles, pour avoir le plaisir de la variété. Ils prient un salamandre de leurs amis de bien vouloir détruire leur maison. [4] »

L'exubérance architecturale de Thélème et du Monde de Mercure peut être déchiffrée comme le moyen, positif, d'exalter et de conforter la liberté individuelle. On peut aussi y voir le moyen, négatif, de refuser la contrainte institutionnelle par l'espace; elle prend alors la même signification que l'absence d'architecture et de tout cadre bâti dans la Bétique de Fénelon [5]. Pas plus utopie que l'abbaye de frère Jean, la Bétique ne propose qu'une politologie négative. On n'y trouve *ni* pouvoir politique, *ni* propriété privée, *ni* argent. Elle élimine, elle aussi, toute institution positive. Et, puisque l'ascétisme remplace en Bétique l'hédonisme rabelaisien, c'est dans le dénuement total, non dans la frénésie des formes, que se manifeste le refus d'un conditionnement par l'espace.

1. Genève, 1750. Publié sans le nom de l'auteur, qui est le chevalier de Béthune.
2. Le monarque de Mercure n'établit de lois qu'après avoir permis à ses sujets « de représenter leurs besoins ou d'expliquer leurs désirs », et la plus fondamentale est établie sous forme de serment : « Je jure de laisser aux peuples [...] la jouissance entière de leur liberté, de leurs biens, de leurs goûts, de leurs discours et de leurs actions : pourvu que le bien général n'en souffre pas » (*op. cit.*, p. 26 et 27).
3. Les mariages ne sont ni durables, ni indissociables. Ils doivent satisfaire « notre goût insurmontable pour la diversité : ce désir de tout connaître et de jouir sans cesse de nouveaux objets » (*ibid.*, p. 108).
4. *Ibid.*, p. 144. Le matériau en question est une pierre précieuse molle, qui durcit après avoir reçu forme. Cette indication, ainsi que le détail du salamandre, montrent le rôle que joue le fantastique dans un ouvrage qui, comme Thélème, mais délibérément et sans naïveté, emprunte la démarche du « monde à l'envers ».
5. « Tous les arts qui regardent l'architecture sont inutiles [aux habitants de la Bétique]; car ils ne bâtissent jamais de maison [...] » (*Télémaque*, liv. VII, Paris, Garnier-Flammarion, édition présentée par J.-L. Goré, 1968, p. 206-207.)

Au fondement de l'utopie, des institutions et des espaces modèles et modelants. Au fondement de Thélème comme de la Bétique, le travail intérieur des âmes. Par son refus de la contrainte extérieure, Thélème anticipe Clarens[1]. Se reporter à la petite communauté imaginée par Rousseau ne laisse pas d'éclairer sur celle que conçut Rabelais. Isolée, à l'écart des sociétés qui la pourrait contaminer, dépourvue de règles, la thébaïde fondée par Wolmar est un lieu où le travail n'est pas conquête de la nature mais récupération de soi dans l'intériorité[2], où peut ainsi régner la loi du cœur qui s'appelle liberté, où le consensus s'établit à la faveur d'une communication directe et vive, par la voix et, mieux encore, le contact silencieux[3]. Certes, le silence ne règne pas à Thélème, ni la transparence des espaces[4]. Pourtant, exprimé avec les moyens conceptuels dont disposait Rabelais, l'objectif est bien le même qu'à Clarens : l'instauration, au prix d'un contrat tacite des consciences, d'une liberté étrangère aux institutions et aux constructions de l'utopie. Liberté dont Rabelais comme Rousseau perçoivent et redoutent le caractère illusoire et précaire, et dont la réalisation est conditionnée non par des espaces, mais par des temps. Clarens est un séjour temporaire dont la destination ne s'accomplit pleinement que dans la fête (villageoise)[5]; Thélème est un lieu de passage et son architecture de fête, qui ressortit à la fois à l'absurde des mondes renversés et à la raison des châteaux princiers de son époque, est une antinomie de l'architecture utopique, modèle et maniaque qu'illustra le Phalanstère.

De la Nova Atlantis à l'anticipation scientifique contemporaine.

Parallèlement à ces fausses utopies qui démontrent en négatif, et l'importance du modèle spatial dans la vraie, et comment celui-ci est partie opérante d'un système excluant la liberté individuelle, un deuxième type de texte éclaire, encore en négatif, le refus utopique

---

1. Résidence de Julie et Wolmar, in J.-J. Rousseau *La Nouvelle Héloïse*, Paris, 1761.
2. « Le mal est l'extérieur et c'est la passion de l'extérieur [...] C'est entre les mains de l'homme et non dans son cœur que tout dégénère » (J. Starobinski, *La Transparence et l'Obstacle*, Paris, Plon, 1967, p. 23).
3. *Ibid.*, p. 188.
4. On se reportera encore au remarquable commentaire de J. Starobinski sur l'idéal d' « un espace entièrement libre et vide chez Rousseau » (*ibid.*, p. 119).
5. Cf. la 5ᵉ partie de *la Nouvelle Héloïse*, liv. VII, avec la description du « commun état de fête » où se trouvent Wolmar, ses hôtes et les paysans de Clarens. Cf. aussi *Confessions*, Paris, Garnier-Flammarion, 1967, t. I, p. 457.

de la temporalité. On l'illustrera par la *Nova Atlantis*[1] de Francis Bacon, qui a été prise pour un modèle d'utopie aussi souvent que Thélème et la Bétique. Les traits [1], [2], [3], [4], [6] sont présents dans la description de cette république des savants. Mais on s'aperçoit qu'en dépit des intentions de son fondateur, Salomona, la Nouvelle Atlantide est prise dans le courant de l'histoire et ne cesse de se transformer à mesure des progrès de la science et à la faveur des relations secrètes que les savants de la « maison de Salomon » entretiennent à l'extérieur de l'île, avec le monde entier[2]. Ce qu'y découvrent les visiteurs mis en scène par Bacon ne représente donc qu'un état optimal, temporaire, saisi à un moment précis, non un modèle. L'absence du trait [7] est, dans la fiction baconienne, l'indicateur déterminant de l'absence d'une vraie modélisation [— 4]; elle joue le même rôle que l'absence de [5] dans les textes précédents.

L'espace bâti n'a pas pour Bacon la même charge sémantique que pour Rabelais, Fénelon ou Béthune. Il ne le donne pas à voir. Il se contente de mentionner la somptuosité de l'architecture domestique à Bensalem, la capitale de l'île, et d'énumérer de nouvelles catégories typologiques de bâtiment : « chambres de santé », « maisons de découvertes », « maisons de parfums », « maisons de machines », « tours d'insolation et de réfrigération », dont on peut induire qu'elles n'ont pas plus de raisons d'être des modèles que les activités qu'elles abritent. Urbaine, mais, pour employer la terminologie de R. Klein, dépourvue d'urbanisme[3], la *Nova Atlantis* n'est pas une utopie mais une vision optimiste d'anticipation. Elle préfigure les anticipations urbaines heureuses[4] que multipliera l'euphorie scientifique

1. Publié posthumement, en 1627.
2. Tous les douze ans, deux vaisseaux partent avec, à leur bord, trois confrères de la maison de Salomon, chargés « d'observer principalement tout ce qui regarde les sciences, les arts, les manufactures et les inventions de tout l'univers » et de rapporter « les livres, instruments et échantillons susceptibles d'intéresser » les habitants de l'île. D'après l'édition latine de 1627, in *Sylva Sylvarum*, Londres.
3. *Op. cit.*, p. 323, n. 2. Pour R. Klein, urbanisme est synonyme d'utopie dans tout le chapitre cité.
4. Cf., par exemple, P. Mantegaza, *L'anno 3000*, Milan, Fratelli Treves, 1897. Cette anticipation est particulièrement remarquable en ce qui concerne le rôle de l'information et des media, et l'organisation de la médecine sociale. Comme dans celle de Bacon, le savoir et la science occupent ici la première place et on n'y trouve pas davantage de modélisation. L'architecture de la capitale, Andropoli, est « *bizarra e svariatissima* » (*op. cit.* p. 86). En matière de logement, des solutions, très diverses et de tous les prix, sont réalisables presque instantanément grâce à un matériau liquide, analogue au béton, que l'on coupe sur place (*ibid.*, p. 87).

du XIXe siècle finissant et du début du XXe siècle, avant que n'arrive le temps de la distopie et de ses villes d'apocalypse.

La science-fiction [1], dont les spécialistes ne parviennent à préciser ni les origines dans le temps, ni les frontières dans l'espace textuel, compte quelques vraies utopies. Mais à mesure qu'avance le XXe siècle, elle semble envahie par la *distopie*, dans laquelle la société autre, portée par un autre espace-temps, n'est plus un modèle et un double inversé de la société à laquelle appartient l'auteur, mais la caricature de celle-ci, une image exaspérée qui appelle la prise de conscience critique, et ne véhicule aucune intention modélisante. De la matinale et merveilleuse *Erewhon* [2] de S. Butler aux déserts urbains de R. Bradbury ou à la ville aux échiquiers [3] de J. Brunner, en passant par *Brave New-World* [4] de A. Huxley, il serait intéressant d'étudier la part qui revient, dans la genèse de ces visions, à l'observation des processus réels d'urbanisation et, indirectement, aux utopies et aux théories d'urbanisme. La distopie pourrait bien, jusque dans ses origines, se révéler une anti-utopie.

Utopies rhétoriques.

Si le critère des sept traits pertinents a permis de situer sans difficulté Thélème, la Bétique, le Monde de Mercure, Bensalem, en zone frontalière, mais hors du champ de l'utopie, d'autres textes opposent une certaine résistance à l'analyse discriminative. Nous proposons d'appeler utopies *rhétoriques* un ensemble d'écrits qui présentent bien les sept traits requis, mais sont conçus sur le mode du jeu. Il s'agit, dans leur cas, d'habiller à l'utopique, pour la rendre plus attrayante, une réflexion sociale et politique dépourvue de véritable finalité modélisatrice. Manque qui se trahit généralement par le caractère non systématique de la relation entre société critiquée et société autre, et par un certain flou dans l'évocation de l'espace modèle.

1. Pour la bibliographie, on se reportera à Y. Rio, *Science-fiction et Urbanisme, Structure spatiale et modèle de ville dans la littérature conjecturale moderne,* thèse de doctorat de troisième cycle, EPHE, 1978 (inédit), où l'on trouvera des indications intéressantes, mais où, malheureusement, la distinction entre utopie et distopie n'est pas faite.
2. Londres, Trübner, 1872.
3. *La ville est un échiquier* (*The Squares of the City*, 1964), Paris, Calmann-Lévy, 1973.
4. Londres, Chatto and Windus, 1923.

La Terre australe[1] de G. de Foigny est sans doute la plus insolite des utopies rhétoriques. Tout en l'agrémentant d'inventions piquantes, elle semble suivre avec rigueur le schéma moréen. Même rapport de l'auteur au témoin-voyageur, même mise en scène, même rôle génératif d'une critique acerbe[2], même accent mis sur la standardisation des institutions[3] et des espaces, identique priorité de la description du cadre bâti par rapport à celle des institutions modèles dont il conditionne le fonctionnement et la permanence. Cependant, les maisons collectives de la terre australe ont aussi une dimension merveilleuse. Elles sont construites dans des pierres précieuses dont la valeur est symbolique[4]. Et cet écart du côté du fantastique est accordé au fait que le modèle sociétal de la Terre australe est inappropriable. En effet, le fondement de la différence entre ses habitants et les Européens n'est pas de nature culturelle, mais biologique : les Australiens sont hermaphrodites[5]. C'est cette particularité qui explique l'absence, chez eux, de toute passion destructrice. L'ordre de la Terre australe est tout entier déterminé par une condition biologique mythique. Quand le héros du livre finit par être chassé par ceux-là même qui l'accueillirent, il ne rapporte pas en Europe un modèle réalisable.

1. *La Terre australe connue, c'est-à-dire la description de ce pays inconnu jusqu'ici, de ses mœurs et de ses coutumes, par Monsieur Sadeur [...] réduites et mises en lumière par les soins et la conduite de G. de F.*, Vannes, 1676.
2. Le héros est « forcé à des comparaisons continuelles de ce que nous étions par rapport à ce [qu'il voyait] » (*op. cit.*, p. 110).
3. Le porte-parole de l'auteur note l' « uniformité admirable de langues, de coutumes, de bâtiments et de culture de la terre qui se rencontre en ce grand pays. *C'est assez d'en connaître un quartier pour porter un jugement sur tous les autres* » (*ibid.*, p. 63). [*Nous soulignons.*] Pour More, « qui connaît une ville, les connaît toutes ».
4. Le quartier est composé de trois types hiérarchisés de maisons collectives. Le *Hab* (« maison d'élévation ») est construit « en pierres diaphanes et transparentes que nous pourrions comparer à notre plus fin cristal de roche pourvu que nous y ajoutions certaines figures naturelles inestimables de bleu, de rouge, de vert et de jaune doré qu'il renferme avec un mélange qui forme tantôt des personnes humaines, tantôt des paysages [...] ». Le *Heb* (« maison d'éducation ») est bâti « entièrement dans une matière comparable au jaspe qui forme le parement du *Hab*. » Son toit seul est translucide et fournit un éclairage zénital. Le *Hieb* sera en marbre blanc avec fenêtres de cristal (*op. cit.*, p. 65 *sq.*).
5. « Tous les Australiens ont les deux sexes : et s'il arrive qu'un enfant naisse avec un seul, ils l'étouffent comme un monstre » (*ibid.*, p. 78). L'hermaphrodite réalise la nature humaine « raisonnable, débonnaire et sans passion » (*ibid.*, p. 97). L'une des conséquences les plus intéressantes de cet état est que la notion de père est inconnue aux Australiens. « Je me voyais forcé de croire, poursuit le voyageur, que ce grand empire que le mâle avait usurpé sur la femelle était plutôt une espèce de tyrannie que de conduite de justice » (*ibid.*, p. 95).

Mi-névrotique[1], mi-philosophique[2], la construction de Foigny est inspirée par le phantasme d'un état biologique perdu. La critique sociale et la réflexion politique sont seulement secondes dans un ouvrage qui a pris la forme de l'utopie pour aborder poétiquement les problèmes soulevés par le thème archaïque de l'hermaphrodisme originel.

Mais il s'agit là d'une exception et c'est le plus souvent à une simple réflexion sur les institutions sociales que se réduit le contenu des utopies rhétoriques dont la mode de l'exotisme a consacré la faveur durant le XVIIIe siècle, depuis l'*Histoire de Calevaja*[3] jusqu'à la *République des Philosophes*[4] de Fontenelle, en passant par le *Royaume de Dumocala*[5] de Stanislas Lecsinsky.

L'évocation d'essais philosophiques si bien déguisés en utopies aura montré les difficultés que peut entraîner le schématisme de notre définition provisoire, mais elle aura aussi illustré l'extraordinaire pouvoir d'attraction du paradigme moréen.

III. LES TEXTES COMMENTATEURS

Le monde bâti est un objet étrange. A peine édifié, il semble s'animer d'une vie indépendante, et reflet énigmatique de tous leurs pouvoirs, il exerce sur les humains une fascination qui appelle un commentaire interminable.

1. Assorti d'un matériel obsessionnel propre à l'auteur : son porte-parole, le voyageur qui dit « je » dans le texte, révèle tardivement, presque au terme de son récit, qu'il est lui-même hermaphrodite et n'a été admis en Terre australe qu'à ce titre; l'hermaphrodisme permet aux Australiens de réduire à l'extrême leurs fonctions de nutrition, excrétion, procréation, jugées également indécentes (les pulsions de mort des Australiens sont combattues par l'obligation de vivre jusqu'à cent ans et de procréer une fois dans la vie); enfin, des oiseaux géants, intelligents, féroces mais domptables, peuplent l'île, avec lesquels le héros entretient une relation ambivalente et vraisemblablement sexuelle.
2. La condition des Australiens permet à Sadeur de poser les problèmes de l'origine de la vie (et de sa fabrication artificielle), de l'agressivité, de l'impact exercé sur le psychisme et le comportement par les structures de la famille, du rôle de la femme dans la société. Ce questionnement, qui se démarque nettement de la forme moréenne, anticipe à bien des égards celui de S. Butler. D'ailleurs, Erewhon n'est pas plus complètement distopique que la Terre australe n'est parfaitement bénéfique.
3. Cl. Gilbert, 1700 (sans lieu de publication).
4. *Ou Histoire des Ajaoiens* (ouvrage posthume), Genève, 1778.
5. *Entretien d'un European [sic] avec un insulaire du Royaume de Dumocala*, 1754 (sans lieu de publication).

Sans avoir de lieu propre, ce commentaire s'est, depuis toujours, logé partout, dans toutes les catégories d'écrits, religieux et profanes, savants et naïfs, véridictoires et fantastiques. On le trouve déjà dans les textes sacrés, ou encore dans les annales qui rapportent les mythes de fondation des villes. Inlassablement, ce commentaire décrit, déforme, reconstruit l'œuvre bâtie des hommes. Mais aussi, il moralise, il se passionne, il prend parti pour ou contre la ville, et même pour et contre, comme dans la Bible où, merveilleuse et fatale, Babel s'élève sur l'horizon de l'ambivalence; où Babylone figure le lieu de toutes les déviances tandis que Jérusalem est prise pour emblème de la cité de Dieu. Et encore, le texte commentateur peut emprunter les voies de l'herméneutique, tenter de penser le sens de l'édification : le questionnement du bâtir par Heidegger est ici exemplaire, tout comme — à ne citer que deux noms — l'analyse par Hegel, dans son *Esthétique*, de la fonction symbolique de l'architecture [1].

Dans les pages qui suivent, nous avons drastiquement réduit la diversité des textes commentateurs. Ceux-ci ne pouvaient nous concerner que par la médiation des rapports qu'ils entretiennent avec les textes instaurateurs. C'est pourquoi non seulement nous avons dû nous limiter à des ouvrages occidentaux, mais nous n'en avons retenu que deux catégories. L'une groupe les écrits qui saisissent ou cherchent à saisir la ville et les édifices de façon objective. L'autre rassemble, à l'opposé, ceux qui jugent et apprécient le monde édifié.

Quelques exemples ont servi à évoquer successivement ces deux catégories et leurs fonctions *objectivante* et *valorisante*. Dans le premier cas, nous avons voulu montrer comment la démarche objectivante sert le projet instaurateur en contribuant à faire de l'espace bâti un objet conceptuel et à alourdir le poids de ses dénotations. Nous nous sommes alors borné à esquisser une archéologie, en tentant de surprendre le travail du texte commentateur dans le temps où il vient non pas seulement apporter des matériaux au texte instaurateur, mais participer à sa fondation et consolider ses assises. Dans le second cas, nous avons voulu montrer comment les commentaires évaluatifs contribuent à insérer la ville et le bâti dans des réseaux d'interrogations qu'ils désignent aux textes instaurateurs.

La partition des textes commentateurs dans ces deux catégories a été dictée par des convenances méthodologiques. En fait, les deux fonctions, objectivante et valorisante, sont presque toujours associées, mais au bénéfice de l'une ou de l'autre. On se convaincra du

1. *Esthétique*, trad. fr., Paris, Aubier, 1944, t. II et t. III, 1re partie.

caractère artificiel [1] de cette taxinomie en se reportant, par exemple, aux témoignages que nous ont laissés, sur la ville du XIXe siècle, Balzac et Engels.

« J'ai maintes fois fois été étonné par la grande gloire de Balzac de passer pour un observateur. Il m'a toujours semblé que son principal mérite était d'être un visionnaire et un visionnaire *passionné* [2]. » Il faut répondre à Baudelaire que, pour Balzac, la ville est *à la fois* un objet d'observation scientifique et de passion. Attaché aux valeurs de l'Ancien Régime, il défend l'*œuvre* urbaine de la culture traditionnelle qu'il est le premier à opposer au *produit* [3] de la société industrielle et, le premier [4], il pose au praticien le problème de la conservation des quartiers anciens. Mais cette prise de position ne l'empêche pas d'avoir laissé des descriptions des villes de son époque qui anticipent celles de la sociologie urbaine.

Les enquêtes d'Engels sur Manchester et les villes industrielles de l'Angleterre victorienne ne sont pas moins précises, quoique inspirées par l'idéologie inverse, qui pousse leur auteur à rompre définitivement avec le monde paisible et « végétatif » de la société préindustrielle et à militer en faveur de la révolution communiste, et qui le conduit à poser la question du logement social, alors ignoré par les milieux professionnels.

Aujourd'hui cependant une certaine dissociation semble s'opérer parmi les textes commentateurs du monde édifié. Une connaissance scientifique de l'objet urbain et de l'espace bâti se constitue. Après la science de l'art dont Hegel posa les prolégomènes [5], avec la géographie et la sociologie urbaine, la « nouvelle histoire urbaine [6] »

1. Cf. *The Country and the City*, Londres, Chatto and Windus, 1973, dans lequel R. Williams analyse les textes de la littérature anglaise relatifs à la ville et à la campagne et montre qu'à chaque fois, les descriptions en apparence les plus « objectives » sont l'expression d'une idéologie qui ferme à l'auteur certains angles du champ et/ou le focalise à l'excès sur d'autres.
2. Ch. Baudelaire, cité par R. Caillois *in* Introduction au *Père Goriot*, Paris, Club français du livre, 1962.
3. Cette opposition est développée à l'occasion de la description de la ville de Guérande (*Béatrix*, in *Œuvres complètes*, Paris, La Pléiade, 1962, t. II, p. 320).
4. Il est un des inventeurs de la notion de patrimoine. Devant les déprédations exercées par son époque sur tout le système urbain (dont il comprend qu'il disparaît en même temps qu'une forme de société), il se donne pour mission d'être l' « archéologue » d'un trésor urbain en voie de disparition. Cf. *Un début dans la vie*, t. I, p. 600).
5. On ne saurait assez souligner la dette qu'ont à son endroit les fondateurs de cette discipline, en particulier A. Riegl, E. Panofsky. Cf. *infra*, chap. VI, p. 315 et n. 1.
6. Elle est désignée dans le titre du livre de L. F. Schnore (éd.), *The New Urban History. Quantitative Explorations by American historians*, Princeton 1975,

s'intéresse enfin aux espaces du passé et déploie pour leur étude l'arsenal des méthodes quantitatives. L'ordinateur et les ressources de la statistique sont mis au service de l'analyse des données, tandis que la théorie de l'information, les modèles économiques et même la thermodynamique contribuent à l'élaboration d'une théorie du développement des agglomérations humaines [1]. Parallèlement, le monde bâti est investi par la sensibilité et l'imaginaire contemporains. La ville est une toile de fond de notre littérature, l'organisation de l'espace, un des pivots de la réflexion politique et sociale actuelle.

Des raisons de méthode nous ayant fait choisir des textes dont la plupart sont liés aux origines des écrits instaurateurs, et tous antérieurs à l'époque actuelle, il ne sera questtion ici ni de cette connaissance scientifique, ni des idéologies aujourd'hui suscitées par l'espace construit et par l'urbain. On ne saurait cependant minimiser la contribution que ces démarches ne cessent d'apporter aux théories d'urbanisme.

L'objectivation de l'espace urbain.

Pour paraphraser ce que Michel Foucault [2] écrivait des concepts de vie ou de travail avant le XVIIIe siècle, on peut dire que le concept de ville en tant qu'objet bâti n'existe pas avant le XVe siècle. Encore faut-il attendre le XVIIIe siècle pour qu'il soit utilisé et diffusé hors des cercles savants. La définition du mot « ville » de la *Grande Encyclopédie* [3] porte le témoignage de cette genèse difficile. On pourrait dater l'entrée du terme dans le domaine public du moment où, dans la deuxième moitié du XVIIIe siècle, le plan géométral, depuis longtemps seul en usage pour la figuration pratique des fortifications militaires, élimine définitivement le plan perspectif, et fournit de la ville une représentation sans affect, réduite à l'objectivité de la mesure et de l'étendue.

1975. Toutefois, on se gardera de la réduire aux dimensions exclusivement quantitatives qu'implique le sous-titre, et on insistera aussi sur la contribution que de nouvelles techniques permettent aujourd'hui à l'archéologie. Pour la France, dans l'impossibilité de faire un choix parmi les travaux de la nouvelle histoire urbaine, on renverra aux articles et bibliographies des dix dernières années des *Annales*, Paris, A. Colin.

1. Sur la construction des modèles de développement, cf., en particulier, P. Merlin, *Méthodes quantitatives et Espace urbain*, Paris, Masson, 1973.

2. *Les Mots et les Choses*, Paris, Gallimard, 1966.

3. L'auteur, J.-F. Blondel, s'il se cantonne dans des déterminations spatiales, hésite entre celles de la ville existante et celles de la ville idéale, et consacre la moitié de son article aux préceptes de Vitruve.

La ville concrète, comme objet de commentaires écrits ou iconiques, commence par être une personne. L'auteur entretient avec elle une relation affective qui n'implique son être physique et son extension que secondairement, en termes plus symboliques qu'objectifs. Le *Liber bergaminus*, poème écrit au début du XIIIe siècle par Moïse de Brolo pour vanter la ville de Bergame, inaugure [1] la lignée de ces *éloges de villes* nés précocement en Italie du Nord, et qui s'insèrent dans le procès de constitution des communes, en servant à la fois à former et à formuler le lien spécifique qui unit l'habitant à la communauté urbaine.

« Eloge » dit assez la finalité passionnelle de ces écrits et la personnalisation de leurs descriptions, destinées à exprimer un attachement à travers les raisons qui le motivent. A l'instar de Brolo, Bonvicino da Riva écrit le *De magnalibus urbis Mediolani* (1288) « pour que tous les amoureux de sa ville [Milan] glorifient Dieu » et « que tous les étrangers connaissent sa noblesse et sa dignité [2] ». Et Villani exalte « la puissance de notre commune [Florence] » (1336-1338). Bien plutôt que l'espace bâti où elle se loge, la commune bien-aimée est, dans tous ces textes, la communauté de ses habitants, leur personne collective, physique et morale, saisie à travers ses accomplissements passés et présents, intellectuels et matériels. Son histoire, ou mieux sa généalogie mythique et historique, autrement dit la succession de ses fondateurs, saints ou héros, de ses évêques et de ses princes et la relation de leurs hauts faits, assure un fondement à son identité. Ainsi ancrée dans le temps et dotée d'une mémoire, elle est une entité démographique [3] que définissent son appartenance à un terroir [4], mais aussi la vaillance, la sobriété ou la foi, comme la santé ou la beauté [5] de ses habitants. Elle est encore l'ensemble de leurs réalisa-

---

1. Selon D. Waley, *Les Républiques italiennes, op. cit.*, p. 145. On ne peut considérer comme des *éloges*, au sens d'une catégorie textuelle, les louanges de villes épiscopales, fragmentaires, parfois assorties de brèves et fugitives notations topographiques, qu'on relève dans les *Vies des saints* du Xe siècle et les cartulaires de la même époque.
2. *Ibid.*, p. 146; Milan « n'a pas d'égale au monde [...] elle est un monde par elle-même » (*ibid.*, p. 148).
3. Bonvicino, grand amateur de chiffres, « car les chiffres parlent » (Waley, *ibid.*, p. 140), évalue à 200 000 âmes la population de Milan, qui lui « semble surpasser celle de toutes les autres cités du monde ».
4. Chacun vante le terroir de sa ville, nettement distingué de ses bâtiments. Cf. Bonvicino, qui consacre un volume à la situation de Milan où il ne fait ni trop chaud, ni trop froid, où la nourriture donnée par un sol fertile est abondante, le réseau des eaux vives admirables (*ibid.*, p. 147).
5. Pour toutes ces qualités, cf. Waley, *ibid.*, p. 145.

tions actuelles, c'est-à-dire une production [1], une consommation [2], un savoir [3] et, bien entendu, un cadre bâti.

Brolo décrit les murs et les portes de Bergame, Bonvicino consacre un volume à « célébrer Milan pour ses habitations », évoquant ses « 12 500 maisons qui ne sont pas surpeuplées », la largeur de ses rues, ses « demeures noblement ornées [... qui] forment une ligne majestueuse et continue [4] ». Villani s'extasie sur les demeures des Florentins : « La plupart des étrangers venant à Florence et voyant toutes ces riches maisons et les beaux palais bâtis jusqu'à plus de trois milles autour de la ville, pensaient que ces édifices, comme à Rome, faisaient partie de la cité [5]. » Mais dans tous ces éloges, comme dans ceux qu'on trouve, avec un décalage temporel plus ou moins important, dans les autres pays d'Europe [6], l'espace bâti demeure la parure d'une personne, un trait extérieur qui ressortit à l'ordre,

1. Produits agricoles (vin et céréales), vêtements, artisanat (bijoux), fabrique d'armes (cent forgerons à Milan). Le même Bonvicino passe aussi en revue les activités des diverses professions.
2. Selon Bonvicino, Milan possède trois cents boulangeries, soixante-dix bœufs y sont tués chaque jour, et la population entière de certaines autres villes d'Italie consomme moins de nourriture que les chiens de Milan.
3. Les universités ne sont pas un moindre sujet de fierté. Cf. éloge des juristes de Pavie et de l'école de Droit de Milan (*ibid.*, p. 146).
4. *Ibid.*, p. 147.
5. *Ibid.*, p. 146.
6. Pour Paris, le premier éloge non fragmentaire, conçu comme une totalité autonome est le *Tractatus de laudibus parisius* de Jean Saudun (1323). Sauf en certains cas (mention du nom des rues où sont localisées les activités dont il fait l'éloge), l'ouvrage concentre ses brèves notations spatiales exclusivement dans les trois premiers chapitres de sa deuxième partie. Ces notations concernent d'abord les églises (« A Paris, sanctuaire privilégié de la religion chrétienne, de beaux édifices consacrés à Dieu ont été fondés en si grand nombre qu'il n'y a probablement pas beaucoup de villes parmi les plus puissantes de la chrétienté qui puissent se vanter de compter autant de maisons de Dieu. Parmi ces palais, l'imposante église de la très glorieuse Vierge Marie, mère de Dieu, brille au premier rang et à juste titre, comme le soleil au milieu des autres astres... »). Ensuite apparaît le « splendide palais [du roi] aux murailles inexpugnables ». Puis ce sont les maisons, dont celui qui voudrait les compter « travaillerait probablement en vain, à peu près comme celui qui essaierait de compter les cheveux de plusieurs têtes abondamment fournies [...] ou les feuilles d'une grande forêt ». Cité d'après *Paris et ses Historiens au XIVe et au XVe siècle, documents écrits et originaux, recueillis et commentés* par Le Roux de Lincy, Paris, 1867, p. 45 et 53. Le titre même du recueil de L. R. de Lincy accuse le privilège dont jouissent le temps et l'histoire par rapport à l'espace dans ces éloges. Le témoignage visuel change de nature, devient précis et souvent chiffré, lorsqu'au début du XVe siècle (1407), Guillebert de Metz entame la deuxième partie de sa chronique : le plan de sa description de Paris est divisé en quatre parties correspondant à la structure topographique de la ville; conçues à la manière d'un guide, elles précèdent la cinquième partie qui est proprement un éloge.

encore second, du visuel. Signe ou symbole de puissance, sans être une valeur en soi, il appelle la nomenclature de l'hyperbole, plus que la description réaliste : les prédicats des édifices cités sont presque toujours généraux, esthétiques ou moraux, relèvent rarement d'une analyse visuelle « objective ».

C'est seulement au début du *Quattrocento* qu'une distance s'introduit entre le laudateur et sa ville. Lorsque, en s'inspirant d'un texte grec, la *Panathenaïca* d'Aristide, qu'il dépasse d'emblée [1], le chancelier Bruni écrit le *Panégyrique de Florence* [2], il est sans doute le premier à décrire sa ville d'abord comme un espace. Il commence par la situer dans son cadre géographique, puis, après les villages et châteaux périphériques, présente avec méthode son espace bâti, des murailles aux rues, places, ponts, édifices publics et privés. Les institutions politiques qui ont motivé l'entreprise, ne sont abordées qu'en second.

En dépit de ce renversement, il s'agit cependant encore d'un éloge. L'objectivation naissante n'élimine pas les superlatifs (jamais moins de deux, et jusqu'à six par page) et les formules hyperboliques. « Cette ville [Florence] située dans la position géographique la plus sage, surpasse toutes les autres villes par la splendeur, l'ornement et la propreté »; elle est « unique, la seule de toute la terre où rien de dégoûtant n'offense les yeux ni les narines, ni ne vient gêner la marche »; « de la première à la dernière, elle bénéficie de toutes les choses qui peuvent faire le bonheur d'une cité [3] ».

Si l'ordre du visuel acquiert, à travers la spatialité urbaine, une dignité nouvelle sous la plume du chancelier de Florence, le monde édifié n'en continue pas moins d'être appréhendé affectivement. La description de Bruni allie les deux dimensions, la subjective (interprétative et laudative), encore longtemps seule mise en œuvre

---

1. H. Baron, dans son commentaire (*op. cit. infra*, n. 2), souligne l'imprécision de la description d'Aristide et indique comment celle-ci a néanmoins permis à Bruni d'opérer une mutation dans son approche de l'espace. Cf., *infra*, notes des pages 160 et 162.

2. La *Laudatio florentinae urbis* (1403) a été éditée pour la première fois par H. Baron dans son ouvrage *From Petrarch to Leonardo Bruni, Studies in Humanistic and Political Literature*, University of Chicago Press, 1968; une nouvelle édition en a été publiée (avec traduction italienne juxtalinéaire de l'époque) par G. de Toffol, Florence, la Nuova Italia Editrice, 1974.

3. *Op. cit.*, Toffol, éd., p. 12, 16, 18. Il faudrait relever le nombre d'occurrences des adjectifs *splendidus, magnificens, pulcher, magnus, egregius, praestans* et des substantifs correspondants : *splendor, magnificentia, pulcheritudo, magnitudo*. Le texte de Guillebert de Metz, cité *supra* (p. 67, n. 6), s'il n'a ni la même qualité ni la même portée que celui du chancelier Bruni, témoigne néanmoins, dans le cadre d'un autre propos, d'un rapport plus réaliste et plus « moderne » à l'espace bâti.

dans les portraits de villes qu'élaborent les grandes chroniques et cosmographies imprimées à partir de la fin du xvᵉ siècle, et l'objective, que développera le travail des archéologues et des voyageurs-humanistes.

Les gravures qui, avec plus ou moins de fantaisie, illustrent ces « pourtraicts », ne doivent pas faire illusion. Elles n'entament pas le privilège du temps et de la mémoire dans des chroniques où les diverses villes d'Europe sont, d'abord et avant tout, individualisées par les généalogies de saints, de rois ou d'hommes illustres qui ont contribué à les fonder et à asseoir leur réputation, comme aussi par les batailles qu'elles ont su gagner, les sièges qu'elles ont dû affronter. Lorsque, dans son *Liber chronicarum* (1498), Schedel représente en élévation, « vues » derrière leurs remparts, les villes les plus célèbres du monde, en utilisant la même planche, pour figurer jusqu'à sept ou huit cités différentes, ce n'est pas là le fait d'une incapacité technique (quelques portraits sont fidèles, qui ont été exécutés sur place) mais de la désinvolture qu'inspire une organisation spatiale, sans intérêt en soi, et à qui la valeur est conférée seulement par le référent socio-historique dont elle est le signe.

Le souci d'une information exacte et l'intérêt croissant témoigné à l'espace bâti, de Schedel à Sébastien Münster [1], se heurtent à la mentalité archaïque des communes, qui peinent à dépasser le stade discursif de l'éloge. Lorsqu'il relate les obstacles qu'il a rencontrés dans son enquête sur les villes [2], Sébastien Münster se révèle appartenir à la fois à deux traditions, celle des chroniqueurs portraitistes, auteurs d'éloges, et celle des archéologues-voyageurs-humanistes, ouverte par Bruni, dans laquelle il s'insère résolument à partir de la deuxième édition de sa *Cosmographie* [3].

C'est en se penchant sur le fonctionnement de la démocratie

---

1. *Cosmographia universalis*, 1544.

2. « Il n'est possible qu'un homme seul puisse traverser et voir tous les lieux du monde. » Münster indique qu'il devra donc recourir à une multiplicité de témoignages dont il sera nécessaire de faire la critique. Évoquant les difficultés qu'il a rencontrées dans cette quête, il observe que les « prélats de l'Église nous ont plus aidé à ceci que les autres princes » (le monde savant est effectivement mieux préparé à entendre une pareille tâche); « les villes aussi m'ont aidé, les unes plus, les autres moins comme on verra assez au livre [...] De France, je n'ai rien pu tirer sinon ce qui se trouve en communes histoires combien que j'eusse conçu quelqu'espérance de plusieurs grands personnages lesquels ont été ici à Bâle » (*Cosmographie universelle*, « Salut au lecteur » de la deuxième édition, trad. fr. de 1556).

3. 1550. Cf. F. Bachmann, *Die alten Städtebilder*, Leipzig, K. W. Hiersemann, 1939.

athénienne que Bruni a été conduit à envisager en termes nouveaux celui de sa propre ville et à considérer celle-ci comme un objet, selon une démarche qui amorce le procès de distanciation développé et systématisé dans la suite du *Quattrocento*. De fait, pour qu'un recul puisse s'établir et désamorcer la relation affective entretenue avec la ville, il faut que le commentateur ne soit plus confiné en des lieux familiers, mais, surtout, qu'il soit assez libéré d'un ethnocentrisme qui lui fait systématiquement retrouver ses propres structures culturelles dans la diversité des lieux et des temps pour pouvoir faire l'expérience du dépaysement [1].

Dès lors qu'il peut être attentif à l'insolite sans le nier, sans le réduire à l'expérience quotidienne ou lui appliquer les catégories du merveilleux, l'étrangeté des espaces qu'il rencontre en traversant ou bien les mers ou bien les siècles renvoie le voyageur à sa propre et relative étrangeté. Le commentaire de soi passe dès lors par le commentaire de l'autre. Le jeu du même et de l'autre, le choc de la différence appellent les comparaisons, l'observation précise et la mesure, donc la dépersonnalisation du cadre bâti et sa transformation en objet.

Deux types d'écrits ont joué un rôle pionnier dans cette objectivation : les premières descriptions archéologiques de sites antiques, qui sont aussi les premiers guides urbains, d'une part, et, de l'autre, les premières relations de voyage liées aux grandes découvertes, qui constituent la première littérature géographique des Temps modernes.

L'histoire de l'Antiquité est donc un des deux axes autour desquels s'organisent le dépaysement et la conceptualisation corrélative du cadre bâti. La lecture des classiques permet aux humanistes de la première Renaissance italienne, parce qu'ils y sont intellectuellement préparés, de reconstituer une société disparue, avec ses institutions et son espace. Les textes les aident à en découvrir les traces spatiales; mais inversement, le témoignage de ces traces actualise le passé et confirme la fiabilité des textes. Le parcours de la ville actuelle, comme double réseau de marques successivement imposées par deux cultures, conduit à son bornage, son découpage, sa mensuration.

---

1. E. Garin et E. Panofsky ont analysé dans les mêmes termes la nouvelle relation des hommes de la Renaissance avec l'Antiquité. La passion pour celle-ci ne procède plus d'une « confusion » barbare, mais exprime le « recul du critique qui se met à l'école des classiques non pour se confondre avec eux, mais pour se définir par rapport à eux » (E. Garin, *Moyen Age et Renaissance, op. cit.*, p. 86, 87). Pour E. Panofsky, cf., par exemple, *La Renaissance et ses Avant-courriers*, trad. fr., Paris, Flammarion, 1976, p. 94.

Rome, symbole de l'Antiquité, est le terrain privilégié de cette investigation archéologique et de l'objectivation corrélative de l'espace urbain qu'elle promeut dans un jeu de rétroaction avec les textes classiques. Dès 1430, Le Pogge est en mesure de donner un premier inventaire systématique des vestiges de Rome, « autrefois la plus belle et la plus magnifique des villes », dont la splendeur lui a été rendue familière par la lecture de Virgile et de Tite-Live, et qui, « aujourd'hui, dépouillée de toute sa parure, gît tel un gigantesque cadavre en putréfaction et de toutes parts mutilé [1] ». Ce désastre est l'occasion de méditer sur la fragilité des sociétés. Presque rien n'a survécu de Rome : « Peu de restes de cette antique cité, et encore, à demi rongés ou brisés par le temps, presque rien d'intact [2]. » Significativement Le Pogge commence par relever les inscriptions : cette mémoire-là de la ville conserve la priorité sur les bâtiments eux-mêmes [3]. Puis, dans une description émaillée de réminiscences littéraires qui montre au lecteur actuel ce que fut la dialectique du texte et du monument bâti dans le travail de constitution de l'archéologie, de l'histoire et de la théorie de l'édification, il passe en revue, par catégories, les monuments eux-mêmes. Il donne la priorité aux temples [4], dont parfois il ne demeure rien, lorsque des édifices chrétiens les ont remplacés. Ensuite, viennent les thermes, dépouillés de leurs ornements anciens, mais qui portent encore les noms de leurs fondateurs et font s'émerveiller que pareille somptuosité ait été consacrée à un usage si vil; suivent les arcs de triomphe, les aqueducs, les théâtres dont la ville était remplie pour les jeux du peuple, l'immense Colisée, « réduit pour sa plus grande part à l'état de carrière par la sottise des Romains », et les sépultures.

C'est la même expérience que fait le jeune humaniste Léon-Baptiste

---

1. *Ruinarum Romae descriptio, de fortunae varietate urbis Romae et de ruina ejusdem descriptio*, traduit par nous, d'après *Poggi Florentini oratoris clarissimi ac sedis apo. secretarii operum*, 1513, f⁰ 50 et 52. L'ouvrage se présente comme un dialogue entre Le Pogge et un ami qui, à l'occasion d'une maladie du pape, visitent la ville désertée. Rappelons, par ailleurs, qu'on doit à Poggio Bracciolini la découverte, en 1416, d'un manuscrit de Vitruve, à l'abbaye de Saint-Gall.
2. *Ibid.*
3. Les inscriptions garderont longtemps ce statut référentiel privilégié, comme en témoignent la place qu'elles occupent encore dans les guides de villes des XVIIe et XVIIIe siècles et le soin avec lequel ceux-ci les retranscrivent. Cf., par exemple, Piganiol de la Force, *op. cit., infra.*, p. 73.
4. Cf. *op. cit.* : « *Castoris insuper et Pollucis aedes contiguae loco aedito in via sacra, altera orientem altera occidentem versus, hodie Mariam novam appellant. Inclytus quondam cogendi senatus locus, majori ex parte collapsae parvis vestigiis. In quas me saepissime confere, revoquans stupore quodam oppressum animum ad ea tempora, cum ibi oratoriae sententiae dicebantur et aut L. Crassum mihi, aut Hortensium, aut Ciceronem orantem proponens.* »

71

Alberti, lorsqu'en 1432, le pape Eugène IV l'appelle à Rome pour la première fois. Mais lui ne restera pas historien-archéologue. D'une même foulée, il découvre l'espace antique et prépare sa vocation d'architecte. Son exploration curieuse et ses patientes mensurations d'un corps urbain défunt et mutilé auquel il s'efforce de restituer par l'imagination son apparence originelle vont le conduire à poser l'espace urbain comme problème et comme projet. Sa *Descriptio urbis Romae* [1] précède le *De re aedificatoria*, dont elle constitue les prolégomènes, illustrant de façon privilégiée, chez un seul et même auteur, la relation qui, à la faveur de l'exploration archéologique et de l'objectivation de l'espace que celle-ci permet, unit le texte commentateur au texte instaurateur.

L'analyse archéologique des ruines antiques, surtout de celles de *la* Ville, Rome, fera longtemps partie de la formation des théoriciens ultérieurs de l'architecture, qu'elle conduira à une même approche de la ville et des monuments modernes. Dès ses premières apparitions, la description archéologique répond à deux destinations, selon qu'elle se focalise sur l'objet architectural ou urbain lui-même, ou sur les parcours auquel celui-ci se prête.

C'est pour mieux comprendre Vitruve, pour vérifier ses affirmations et saisir directement les règles de production de l'architecture antique que Palladio mesure « dans leurs plus petites parties [2] » les monuments de Rome. Mais cette étude ne sert pas seulement à nourrir le texte et les illustrations des *Quatre Livres*. Elle conduit aussi l'architecte à écrire les *Antiquités de Rome* [3]. Curieusement, cet ouvrage qui fut sans doute jusqu'au xviiie siècle le guide le plus populaire de la Ville est complètement dépourvu d'illustrations. Les itinéraires palladiens subordonnent la description des sites et vestiges monumentaux à l'histoire, à l'exposé des institutions et au récit des événements dont ceux-ci furent le support dans l'Antiquité. Tout grisé qu'il soit de son pouvoir sur l'espace, Palladio conserve, dans l'*Antichità*, sa préséance au temps. Malgré le déplacement qu'il fait subir à l'histoire et aux généalogies, qui ne sont plus celles d'une individualité vivante, le guide palladien appartient encore à la lignée des éloges de villes.

Dans le temps même où, praticiens et profanes, les auteurs de « descriptions » et de guides objectivent la ville, ils conservent vivante cette relation à l'urbain qui passe par sa mémoire. Contemporain des

1. Écrite entre 1432 et 1434. Publiée in *Opera inedita* par H. Mancini, Florence, Sansoni, 1890.
2. *L'Architecture de Palladio divisée en quatre livres*, avec des notes d'Inigo Jones, trad. fr., 2 vol., La Haye, 1726, avant-propos, A.
3. *L'Antichità di Roma*, Rome, 1575.

Antiquités de Rome, le premier grand guide de Paris s'intitule semblablement *Les Antiquités, histoires et singularités de la ville de Paris*[1]; il ne comporte pas davantage d'illustrations et fait prédominer sur l'inventaire des monuments et inscriptions « les gestes advenus en icelle [ville] depuis son commencement jusques à notre temps[2] ». Bien plus tard, au milieu du XVIIIᵉ siècle, venant après Brice, Le Maire, Sauval[3], Piganiol de la Force, en dépit des nombreuses illustrations (plans, élévations, perspectives) dont il accompagne sa *Description de Paris*[4], commence celle-ci à la manière d'un éloge et à aucun moment ne la dissocie d'une histoire.

Sans doute est-ce la notion ambivalente de parcours qui articule les deux approches, objectivante et mémorisante, du guide urbain. Reprenant l'expérience traditionnelle de la communauté urbaine qui, dans la quotidienneté, *parcourt* le corps de la ville et l'explore comme le petit enfant celui de sa mère, le guide dénature cette expérience. Il supprime son immédiateté ancestrale, en recourant, pour lui donner un sens, à la culture historique et littéraire. Ainsi distancié, le parcours devient simulacre, jeu urbain qui réifie les lieux traversés. Il faudrait étudier comment le guide impose progressivement l'ordre du regard[5], comment il relègue les espaces sans valeur pour l'œil ou la mémoire cultivée, circonscrit et organise les lieux privilégiés au gré des acquisitions de l'histoire et de histoire de l'art, des annexions de la mode[6]. Il faudrait montrer comment, après avoir exploré et dans une certaine mesure rendu la vie aux villes mortes, les guides urbains ont contribué à élaborer la notion de patrimoine, mais à mortifier la ville vivante, à alerter les praticiens, mais à les fourvoyer, comment ils ont finalement soufflé[7] aux auteurs des théories d'urbanisme les notions ambiva-

1. Par Gilles Corrozet, 1ʳᵉ édition, Paris, 1532; 2ᵉ édition, 1550.
2. *Op. cit.*, dédicace.
3. Pour la bibliographie de ces livres sur Paris, cf. la préface de Piganiol *(op. cit.)*, dans laquelle il passe en revue la contribution de l'ensemble de ses prédécesseurs.
4. *Description de Paris, de Versailles, de Marly*, nouvelle édition, Paris, 1742 (dans un petit format in-12 qui sera celui de toutes les rééditions suivantes).
5. Le descripteur de ville prendra l'habitude de monter au sommet de la cathédrale, du beffroi ou d'une tour centrale, afin d'appréhender d'un coup, par la vue, la totalité de l'espace urbain qu'il veut décrire. Cf. la description des villes de Flandre, en particulier Bruges et Gand, par Monetarius in *Voyage aux Pays-Bas*, 1495, trad. fr. par M. Ciselet et M. Delcourt.
6. Les dernières en date étant dues à l'archéologie industrielle.
7. Karl Baedecker meurt (1859) au moment où l'urbanisme naît comme discipline autonome, trente ans avant qu'à Vienne l'architecte urbaniste Camille Sitte n'analyse, le premier parmi les théoriciens-praticiens de l'urbanisme, le fonctionnement des espaces urbains médiévaux et, après Balzac, mais avec plus

lentes de monument, de centre de ville, de pittoresque et de paysage urbains.

Le commentaire des humanistes-géographes vient, à son tour, à partir des dernières années du xve siècle, confirmer et accélérer le procès d'objectivation de l'espace urbain. En effet, après les premiers voyages archéologiques dans le temps, les grands voyages maritimes de cette époque ont été l'occasion d'un dépaysement plus radical, d'une découverte plus fulgurante. Ils conduisaient en des lieux inouïs, confrontaient à des sociétés vivantes, de chair et de sang, et non plus à des traces. Lorsque, dans sa célèbre lettre à Lorenzo di Pier Francesco de Médicis (1503), qui fut, avec sa lettre ultérieure à Soderini (1504) [1], un des plus grands succès de librairie du xvie siècle, Amerigo Vespuce, avec une insistance délibérée, qualifie de *nouveau* [2] le monde qu'il vient de découvrir, il donne à ce qualificatif son acception la plus pleine et pointe la différence qui confère à son récit sa sonorité inaugurale : il s'agit tout à la fois de terres jamais encore foulées par les Européens, d'un monde inconnu, impénétré par la connaissance, et d'une nouvelle approche qui ouvre la voie à une nouvelle littérature [3].

Le regard que jette Vespuce sur le nouveau continent est, ou se

_____

d'un siècle d'avance sur les professionnels, ne propose l'idée de quartier à sauvegarder.

1. La première, dite *Novus Mundus*, et la seconde, qui contient le récit des quatre navigations de Vespuce, furent traduites, de l'italien teinté d'hispanisme dans lequel elles étaient écrites, en latin et dans toutes les langues européennes. Elles furent également adaptées et falsifiées. De l'immense littérature attribuée à Vespuce, il reste seulement trois lettres authentiques.

2. Le mot est utilisé trois fois dès le premier paragraphe où, rappelant sa « description de toutes les parties du *Nouveau Monde* » faite dans une précédente lettre, il poursuit : « On verra, en effet, si l'on y réfléchit bien, que ces pays sont réellement un *nouveau monde*. Ce n'est pas sans cause que nous nous servons de ces expressions " *nouveau monde* " car [...] jamais les anciens n'en eurent connaissance [...] » D'après le *fac-simile* reproduit *in* L. Firpo, *Prime relationi di navigatori italiani sulla scoperta dell'America, Colombo, Vespucci, Verazano*, Unione typografico editrice torinese, 1966. *(Nous soulignons.)* Contre l'opinion de Humboldt, qui a par ailleurs réhabilité Vespuce (*Examen critique de l'histoire et de la géographie du nouveau continent*, Paris, de Gide, 1839), G. Arciniegas a montré l'ampleur de la signification du mot *nouveau* qui, sous la plume de Vespuce, n'a plus de rapport avec l'αλλη οιχουμενη de l'Antiquité, in *Amerigo and the New World*, trad. américaine par H. de Onis, New York, Knopf, 1955.

3. F. Arciniegas, *op. cit.*, p. 167.

veut, déjà le regard de la science. Formé dans le milieu des humanistes florentins [1], Amerigo rompt avec une abondante littérature de voyages antérieure [2] dont les auteurs ou bien cèdaient sans critique à l'attrait du merveilleux, ou bien projetaient sur les sociétés visitées leurs structures culturelles. Il veut, selon ses propres paroles, être « un témoin fidèle » et un observateur critique [3]. Dans son enquête, il ne décrit pas seulement, en géographe, la configuration des ciels nocturnes de l'hémisphère austral [4], le climat, la position des côtes (l'erreur de Colomb), les flores et les faunes exotiques, mais aussi les peuples qu'il a rencontrés et leurs pratiques. Il révèle ainsi aux lecteurs lettrés de l'époque, et à More parmi eux, des sociétés où l'or est à la fois abondant et inutile, où, sans qu'ait à s'exercer le pouvoir arbitraire d'un prince, règne la communauté des biens [5]. La description de mœurs autres n'est pas dissociée de celle de l'espace bâti qui est leur cadre, depuis la grande case de six cents personnes que les Indiens du Honduras abandonnent à périodes fixes pour la reconstruire à l'identique, jusqu'à la petite Venise de quarante-quatre maisons découverte au-delà du Yucatan, près du golfe du Mexique [6].

De même que les éloges ne focalisaient jamais leurs descriptions de villes sur l'espace bâti de celles-ci, de même la littérature de voyage médiévale était pauvre en indications spatiales, qui servaient essentiellement de repères pratiques [7]. A partir de Vespuce, la tendance est inversée; le cadre construit des sociétés exotiques est objectivé par une littérature savante dont les ordres évangélisateurs vont être les promoteurs et qu'ils diffuseront avec un succès extraordinaire.

F. de Dainville [8] a montré comment, du XVIᵉ siècle à la deuxième

1. On pense à la formation de Vespuce par son oncle Giorgio Antonio, à sa culture littéraire et « scientifique » et aussi à l'intérêt des humanistes florentins pour la géographie (Politien et les voyages de Diaz).
2. Dont les caractéristiques se maintiendront encore longtemps dans les ouvrages d'une partie des voyageurs laïcs. L'originalité de Vespuce apparaît tout particulièrement à opposer ses lettres soit à la lettre de Colomb (Rome, 1493) qui n'eut d'ailleurs pas de retentissement, soit aux divers comptes rendus de voyage répertoriés par G. Atkinson in *Littérature géographique française de la Renaissance*, répertoire bibliographique, Paris, Picard, 1927.
3. Début de la lettre *Novus Mundus*.
4. Sur la contribution de Vespuce à l'observation astronomique, cf. Arciniegas, *op. cit.*, p. 193, n. 2.
5. L. Firpo, *op. cit.*, fac-similé *Novus Mundus*, p. 88.
6. Lettre à Soderini, cf. trad. angl. in *The Cosmographiae Introductio of Martin Waldseemüller, in fac simile, followed by the Four Voyages of Amerigo Vespuce with their Translation into English*, C. G. Habermann (éd.), New York, the United States Catholic Historical Society, 1907, p. 97 et 103.
7. Cf. P. Lavedan, *Qu'est-ce que l'urbanisme*, Paris, Laurens, 1926, chap. III.
8. *La Géographie des humanistes*, Paris, Beauchesne et fils, 1940.

moitié du XVIIᵉ siècle, les missionnaires ont été les créateurs d'une géographie plus humaine que physique, du fait même des préoccupations normatives et religieuses dont elle devait être l'instrument. Il apparaissait que, pour évangéliser les sauvages avec efficacité, il fallait connaître leurs pratiques avec exactitude, accumuler sur eux une information qui, du même coup, permettrait par *comparaison*[1] avec leur sort de mieux rendre grâce à Dieu de celui des chrétiens. Le détachement et une formation de savant[2] étaient donc exigés de ces premiers « géographes-ethnographes[3] ». C'est avec le même souci d'objectivité et d'objectivation qu'on les voit étudier, dans les sociétés exotiques auxquelles ils sont confrontés, les institutions sociales et le cadre spatial de leur fonctionnement. Somptueux ou misérables, qu'il s'agisse des villes du Pérou ou du Mexique dans la relation de J. Acosta[4], ou de la tente iroquoise telle qu'un père Lejeune en expose la « structure[5] », la fabrication et le montage[6], ces établissements sont décrits par les enquêteurs avec une identique précision : respect du donné qui contribue à ouvrir les premières brèches[7] dans ce que nous appelons aujourd'hui l'ethnocentrisme occidental.

Le regard de l'ethnographe découvre à l'enquêteur que le bâti n'est pas une production inerte, mais ancre et fixe l'ensemble des

---

1. Cf., par exemple, R. P. J. Acosta, Advertisement de l'*Histoire naturelle et morale des Indes*, trad. fr., Paris, 1598 (*Historia natural de las Indias*, 1590).
2. Le R. P. Ricci réclame pour la mission de Chine (1584) des lettrés « rompus aux sciences et connaissant la pratique des instruments d'observation » (cité par Dainville, *op. cit.*, p. 109).
3. Ignace de Loyola demande à ses missionnaires de véritables enquêtes ethnographiques. En 1553, il enjoint au P. Nobrega d'écrire « avec plus de détails et plus d'exactitude », de parler « de la région, du climat, des degrés, des mœurs des habitants, de leurs vêtements, de leurs habitations [...] » (Dainville, *op. cit.*, p. 113).
4. *Op. cit.*, p. 308 et 292 *sq.*
5. « Pour concevoir la beauté de cet édifice, il faut en décrire la structure; j'en parlerai avec science : car j'ai souvent aidé à la dresser » *Relation de ce qui s'est passé en la Nouvelle France en l'année 1634, envoyée au Père provincial de la Compagnie de Jésus en la Province de France*, Paris, 1635, chap. « De ce qu'il faut souffrir hyvernant avec les sauvages », p. 186.
6. Lejeune note la division du travail entre les femmes qui coupent le bois de charpente, les hommes qui taillent le plan dans la neige, dont ils font ensuite une muraille; il décrit les perches structurelles sur lesquelles on tend des écorces, les peaux qui servent de portes, *op. cit.*, même chapitre.
7. Tâche malaisée : cf. les difficultés rencontrées par Acosta pour élaborer une taxinomie de l'ensemble des établissements découverts dans le monde non chrétien, in *De procurando Indorum conversione* (cité par F. de Dainville, *op. cit.*).

pratiques sociales[1]. Autant de sociétés, autant d'espaces. Le prosélytisme du missionnaire le conduit à privilégier le cadre bâti comme assurant le fonctionnement du modèle social. Ce cadre devient pour lui pierre angulaire du procès d'évangélisation. Il faut détruire l'organisation spatiale qui loge et conforte les comportements à éradiquer, et la remplacer par un modèle emprunté à, ou conçu par la société chrétienne, ou encore, en imposer un *ex nihilo*, dans les cas de dénuement où l'on a affaire à des peuples vivant dans l'état de nature. Pour le père Lejeune, par exemple, les petites sociétés naturelles dans l'intimité desquelles il a vécu au Canada, ignorantes du monde éthique et guidées seulement par l'instinct et l'intuition[2], ne possèdent pas de lois positives et ne peuvent davantage prétendre à un habitat institutionnalisé. La tente, qu'il décrit si bien, n'a pas droit à ce titre, et les Hurons ne seront culturalisables et christianisables qu'à condition d'adopter un établissement fixe, élaboré à cette fin[3].

Cependant, dans la mesure où la comparaison[4] lui est inhérente et où elle se réfère nécessairement à la société des descripteurs eux-mêmes, que ceux-ci sont conduits à poser comme autre et comme objet[5], la description ethnographique des missionnaires peut aussi

1. Acosta démonte systématiquement la relation qui unit l'organisation territoriale des Incas à leurs institutions politiques et économiques et à leurs croyances. « Lorsque [l'Ingua] conquestoit quelques villes, il en divisait toutes les terres en trois parties. La première d'icelles estoit pour la religion, et cérémonies, de telle sorte que le Pachayachaqui, qui est le créateur et le Soleil, le Chuuilla, qui est le Tonnerre, le Pachamama et les morts, et autres guacas et sanctuaires, eussent chascun leurs propres terres [...] l'universel et général sanctuaire se trouvant à Cusco et servant de modèle à plus de cent villes et quelques-unes distantes de deux cents lieues de Cusco [...] La seconde partie des terres était pour l'Ingua [...] La troisième [...] estoit donnée par l'Ingua pour la communauté » (*Histoire naturelle*, p. 294).
2. « Je n'oserais assurer que j'aye veu exercer aucun acte de vraye vertu morale à un sauvage : ils n'ont que leur plaisir en veüe [...] Ils ne pensent qu'à vivre, ils mangent pour ne point mourir, ils se couvrent pour bannir le froid, non pour paroistre » (*op. cit.*, p. 109 et 166). Pour qualifier cet état d'immédiatité, Lejeune a recours au concept aristotélicien de nécessité (stade inférieur du développement de l'humanité).
3. *Ibid.*, chap. iii : « Sur les moyens de convertir les sauvages » : « On ne doit pas espérer grand-chose des sauvages tant qu'ils seront errants. » Leur enseigner des rudiments d'agriculture est même impossible car « ils n'ont point de place dans leur todis pour [stocker] les pois et le blé » (p. 37 et 39).
4. Cf., par exemple, R. P. Lafitau, *Mœurs des sauvages américains comparées aux mœurs de notre temps*, Paris, 1724.
5. Cf. C. Lévi-Strauss, *Anthropologie structurale II*, Paris, Plon, 1973, chap. ii. Le processus a été décrit dès le xviiie siècle, comme en témoigne par exemple le « discours préliminaire » du *Voyageur philosophe* [...] cité *supra* : « Quand on parcourt les pays éloignés, tout est si différent de ce qu'on est habitué de voir dans le sien, que les premières observations d'un voyageur sur les peuples qu'il

s'achever en leçon de modestie et inverser le procès de modélisation qu'on vient de décrire. L'Europe et sa société chrétienne sont loin d'être toujours jugées exemplaires. Des missionnaires retrouvent chez les Incas la sophistication et le raffinement des sociétés antiques [1] et, dans la simplicité des Hurons, tantôt l'austérité de la Rome classique [2], tantôt l'innocence d'avant la chute, décrite par la *Genèse* [3]. D'aventure, ils vont jusqu'à voir dans l'absence d'un cadre bâti fixe et institutionnalisé la condition suprême de la vertu. Lorsque le père Buffier fait l'apologie du déracinement et de l'errance (« quelle liberté [...] de n'avoir nulle demeure, nulle habitation; et d'être toujours errants comme des bêtes farouches [4] »), il s'engage, à l'inverse de la modélisation et du contrôle par l'espace bâti, dans la voie ouverte par Fénelon pour la conversion intérieure des cœurs. Les pères en arrivent ainsi à contester la société chrétienne dans ses mœurs, ses institutions politiques, juridiques et économiques. Ils ouvrent la voie à une pensée laïque dont la critique pose les sociétés exotiques et leur espace en modèles.

On voit le rapport génératif qui lie les premiers récits scientifiques de voyage, la première littérature géographique, à l'utopie comme

---

passe en revue, tombent naturellement sur la foule de coutumes bizarres [...] *Les secondes nous ramènent aux nôtres,* d'où résultent des parallèles dont un esprit sage et éclairé tire d'autant plus de profit qu'ils sont moins à son avantage » (*op. cit.*, p. 44). [*Nous soulignons.*]

1. « Si les Républiques des Mexiquains et Inguas eussent esté cogneües en ce temps des Romains et des Grecs, leurs lois et gouvernements eussent été beaucoup estimés d'eux. Mais nous autres à présent ne considérons rien de cela, y entrons par l'espée, sans les ouyr » (Acosta, *op. cit.*, p. 274).

2. Cf. R. P. Lafitau, *Mœurs des sauvages américains,* spécialement p. 105 et 456; tout en reconnaissant la différence avec le Pérou et le Mexique, « qui peuvent passer pour des [nations] policées », Lafitau découvre chez les Iroquois et les Hurons du père Lejeune des institutions complexes qu'il compare à des institutions antiques (Sénat, association de guerriers, gynécocratie des lycéens...).

3. « Ils s'entraînent les uns les autres et s'accordent admirablement bien [...] ils ne sont point vindicatifs entre eux [...] ils font estat de ne rien aimer, de ne point s'attacher aux biens de la terre afin de ne se point attrister s'ils les perdent. » Davantage, « il n'y a point de pauvres ni de mendiants entre eux. Ils sont riches en tant que tous travaillent [...] mais entre nous, il en va bien autrement, car il y en a plus que la moitié qui vit du labeur d'autrui » (Lejeune, *op. cit.*, p. 104-107 et p. 33-34).

4. Buffier continue : « Est-il rien au contraire de plus digne de l'homme que de parcourir divers endroits de la terre; elle est toute pour lui, il la doit toute habiter, autant qu'il lui est possible [...] Un Iroquois avec sa maison et même sa nation tout entière, se trouve au bout de sept ou huit cents lieues sans avoir quitté sa patrie [...] » (*Cours de sciences sur des principes nouveaux et simples pour former le langage, l'esprit et le cœur, dans l'usage ordinaire de la vie,* Paris, 1732, p. 984).

genre textuel[1]. Ces récits ont d'abord permis la création de cette dernière par Thomas More. Ils ont contribué par la suite à en assurer le développement, dans le va-et-vient critique entre deux expériences également induites par une démarche ethnographique qui se donnait au départ la société sauvage pour objet[2]. Paradoxalement, les premières relations scientifiques de voyage ont, en effet, dans un même mouvement, contribué à la fois à promouvoir le bâtir efficace d'une forme de colonisation et à élaborer une nouvelle forme discursive, en apparence la plus dépourvue d'efficace, l'utopie. Mais ce double impact révèle, en réalité, la parenté structurelle de cette pratique spatiale et de ce genre textuel, en même temps que le pouvoir latent du texte utopique.

Les deux ensembles de textes, l'instaurateur et le commentateur, communiquent. Mais, comme on vient de le voir, leur interaction emprunte des voies spécifiques. Tandis que les traités d'architecture sont en prise directe sur le discours des premiers archéologue-historiens, les utopies sont articulées sur celui des premiers géographes-ethnographes.

Commentaires pour et contre la ville.

Le rapport des textes commentateurs avec les textes instaurateurs paraît moins évident dès lors que l'on considère leur fonction axiologique et la façon dont ils prennent parti pour ou contre la ville et l'espace édifié. L'analyse découvre pourtant une dimension éthique cachée, mais inhérente aux textes instaurateurs. Plus, elle révèle que le traité d'architecture et l'utopie font respectivement, d'entrée de jeu, mais sans en donner de formulation explicite, des choix de valeurs, qui sont des choix antagonistes.

A mesure que la culture occidentale approfondit sa prise de conscience de soi à travers une réflexion sur ses propres accomplissements, la ville tend à en devenir un symbole par excellence, et le commentaire sur la ville un lieu privilégié pour l'expression d'une vision du monde et d'une idée de la nature humaine. On illustrera les deux

1. Ce rapport a déjà été souligné par G. Chinard. Cf. *L'Amérique et le rêve exotique dans la littérature française*, Paris, Hachette, 1914 et *L'Exotisme américain dans la littérature du XVIᵉ siècle*, Paris, Hachette, 1911. Bien entendu, Chinard entend « utopie » dans une acception plus large que la nôtre. Cf. aussi, *supra*, p. 78, n. 3, la citation de Lejeune.

2. Les enquêtes de d'Acosta ou de Garcilaso de la Vega ont alimenté les utopies baroques du XVIIIᵉ siècle. *Les Commentaires royaux*, publiés à Madrid en 1608, traduits en français en 1633, ont, en particulier, inspiré Morelly, d'abord dans la *Basiliade* (1753), puis dans *Le Code de la nature* (1755).

attitudes, positive et négative, adoptées à l'égard du monde bâti par les écrits commentateurs, et on montrera les liens qui les attachent au traité d'architecture et à l'utopie, en prenant pour types exemplaires et antithétiques (malgré certaines apparences) quelques textes de Rousseau et de Marx.

Leurs prises de position à l'égard de l'urbain et de l'urbanisation ne sont pas épiphénoménales. Elles engagent leur philosophie et leur conception de l'homme. Que Rousseau stigmatise la ville n'est pas anecdotique, ne traduit pas une contingence biographique[1] qui l'inclinerait vers la ruralité ou la nature vierge. L'attitude qui lui fait dénoncer « les grandes villes où règne une horrible corruption[2] » et élever Émile loin des « noires mœurs des villes[3] » tient au centre même de sa pensée. Qu'est-ce, en effet, pour lui que la ville, sinon le lieu par excellence de la société, c'est-à-dire d'un état, certes inscrit dans la nature de l'homme, mais qui ne cesse aussi de la menacer? « La société déprave et pervertit les hommes[4] » parce qu'elle les expose à la dénaturation, autrement dit à la perte de leur liberté individuelle, de l'indépendance naturelle qui leur est propre, pour les aliéner par la soumission à la volonté des autres. La ville est le lieu des relations arbitraires, le lieu du masque, du paraître, du faux-semblant.

Bien entendu, il s'agit là d'un risque et non d'un destin. Le contrat social rend possible une cité où régnerait la liberté dans la soumission à la loi unanimement acceptée. Les arts et les sciences qui se développent dans les villes peuvent être vécus comme progrès, s'ils ne sont pas détournés de fins universalisables : la perfectibilité est inscrite dans la nature des hommes, à la différence de celle des autres vivants. « La nature humaine ne rétrograde pas[5]. » Mais cette perfectibilité est le bien le plus ambigu; et parmi les différents types d'établissements, la ville est celui qui comporte le plus de risques parce qu'elle impose à ses habitants les contraintes et l'obstacle de la distance.

1. Même si, comme y insiste E. Cassirer, l'arrivée de Rousseau à Paris a constitué pour lui un traumatisme décisif, en particulier dans son rapport avec la temporalité. *The Question of Jean-Jacques Rousseau*, trad. angl. de *Das Problem Jean-Jacques Rousseau*, Indiana University Press, 1963.
2. *Émile* E. et P. Richard (éd.), Garnier, liv. V, p. 601.
3. *Ibid.*, p. 85. Cf. aussi, dans le même livre V : « Adieu donc, Paris, ville célèbre, ville de bruit, de fumée et de boue, où les femmes ne croient plus à l'honneur ni les hommes à la vertu » (p. 444); ou encore : « Dans les grandes villes, la dépravation commence avec la vie » (p. 492).
4. *Ibid.*, p. 281.
5. *Discours sur l'origine et les fondements de l'inégalité*, cité par Cassirer, *op. cit.*, p. 105.

Sa dimension les isole, les sépare, les rend étrangers les uns aux autres en les empêchant de se connaître et de communiquer, les aliène à eux-mêmes dans un temps que morcellent les parcours d'espaces : « Tel passe la moitié de sa vie à se rendre de Paris à Versailles [...] et d'un quartier à l'autre[1]. » Plus grave encore, lorsque la grande ville tente de pallier les inconvénients de la distance physique en multipliant les intermédiaires de la communication (on dirait aujourd'hui les media) dont, à l'époque, l'écriture demeure le paradigme, elle ne fait qu'empêcher davantage le contact vif et direct des personnes, donc des consciences.

C'est pourquoi, quand Rousseau tempère ses nostalgies et cesse de rêver une société qui hante des thébaïdes idéales et des *espaces vides*[2], il fait appel au modèle clos de la *cité antique*[3]. S'il faut un espace institutionnalisé, du moins qu'on l'empêche de proliférer. La démarche de Rousseau, on l'a vu[4], se situe à l'inverse de la pensée spatialisante de l'utopie. Pourtant, dès l'instant que le monde bâti est saisi comme obstacle et l'extériorisation comme chute et perdition, l'idée est bien près de surgir d'un modèle spatial, grâce auquel il soit possible d'arrêter ou de mettre un frein au développement de l'espace bâti en le contrôlant. L'utopie n'est pas loin.

Marx qui, tout en lui reconnaissant une valeur critique, a condamné la dimension modélisante de l'utopie, illustre la position inverse devant le projet bâtisseur. Qu'il dénonce les tares de la métropole industrielle et reprenne à son compte les conclusions des commissions d'enquête du Parlement anglais[5] sur les conditions de vie dans les grandes villes ne signifie chez lui ni condamnation ni défiance devant le bâtir, ni retrait à l'égard de l'espace édifié. Certes, il dresse le bilan de la misère et de la souffrance, physiques et morales, engendrées par les centres urbains contemporains : taudis infects qui réduisent l'homme à l'état de bête[6], mais aussi distances épuisantes entre

1. *Émile*, éd. cit., p. 521.
2. Cf. *supra*, p. 58, n. 4.
3. Cf. *Émile*, éd. cit., p. 9. Non sans inconséquence, il assimile les deux cas de la petite cité grecque (Sparte) et de la gigantesque Rome.
4. Cf. *supra*, p. 58.
5. Cf. annexes du *Capital*, en particulier annexe X, Paris, Gallimard, « Bibl. de la Pléiade », 1963, p. 1348 *sq*. A rapprocher d'Engels, *La Situation de la classe laborieuse en Angleterre*, Paris, Éd. sociales, 1960.
6. Cf. *Économie politique et Philosophie*, Paris, Alfred Costes, 1937, où la tannière du prolétariat est opposée à « la demeure lumineuse de Prométhée », p. 51-52.

la « tannière » de l'ouvrier et son lieu de travail, isolement et anonymat sans recours dans une fourmilière humaine où on ne communique pas avec son semblable [1]. Cependant, pour Marx, la distance et la non-communication ne sont pas, comme chez Rousseau, des propriétés de la ville en soi. Elles la caractérisent seulement, au même titre que les taudis de la classe ouvrière, à un moment de l'histoire. Ce sont des tares temporaires, positives dans la mesure où elles appellent leur propre dépassement [2].

Comme déjà la ville du Moyen Age, la ville de l'ère industrielle est le lieu par excellence de la lutte des classes et donc, de l'accomplissement de l'histoire. Berceaux respectifs de la bourgeoisie et du prolétariat, de la lutte contre la féodalité et contre le capital, la cité médiévale et la métropole du XIXe siècle sont des créations bénéfiques, dont la face négative fait partie intégrante et nécessaire de la dialectique de l'histoire. Mais, dans le double procès de dénaturation de soi et de la terre inhérent à l'histoire des hommes, la « grande[s] ville[s] industrielle[s] moderne[s] éclose[s] du jour au lendemain » représente un progrès et une étape supérieure par rapport à la ville encore « naturelle [3] » qui l'a précédée. D'une part, grâce à la variété et au nombre des populations qu'elle rassemble et grâce à son exploitation des techniques de communication, elle annonce l'universalisation des cultures. D'autre part, à travers l'errance du prolétariat, coupé de toute tradition, incertain chaque jour de son logis et de son emploi, elle prépare le grand déracinement, la grande rupture désaliénante

1. Cf. aussi Engels qui, dès 1844, indique : « Ces gens se croisent en courant comme s'ils n'avaient rien de commun [...] il ne vient à l'esprit de personne d'accorder à autrui, ne fût-ce qu'un regard. Cette indifférence brutale, cet isolement insensible de chaque individu au sein de ses intérêts particuliers sont d'autant plus répugnants et blessants que le nombre de ces individus confinés dans cet espace réduit est plus grand. Et même si nous savons que cet isolement de l'individu, cet égoïsme borné sont partout le principe fondamental de la société actuelle, ils ne se manifestent nulle part avec une impudence, une assurance si totales qu'ici, précisément, dans la cohue de la grande ville » (*Situation* [...], *éd. cit.*, p. 60).
2. Pour qu'une véritable communauté puisse être réalisée, « il faut que les moyens nécessaires, c'est-à-dire les grandes villes industrielles et les communications coûteuses et rapides, soient établis d'abord par la grande industrie » (*Idéologie allemande*, éd. Alfred Costes, Paris, 1937, p. 221).
3. *Idéologie allemande*, éd. cit., p. 218. Dans *La Guerre civile en France*, Marx prend soin de prévenir le contresens qui pourrait faire assimiler la commune nouvelle avec sa rudimentaire forme médiévale (Paris, Éditions sociales, 1968, p. 65). Cf. aussi les pages où Engels décrit la vie des ouvriers avant la révolution industrielle, les « rapports patriarcaux qui y règnent », et dit le mépris que doit inspirer cette « simplicité idyllique [...] cette paisible existence végétative » (*La Situation de la classe laborieuse en Angleterre*, éd. cit., *op. cit.*, p. 37-38).

des hommes avec les lieux, la libération des liens naturels vantés par le « réactionnaire Proudhon » et qui, en le rattachant au monde animal, empêchent l'homme de se réaliser [1]. Enfin, en tant qu'*artefact*, la grande ville de l'ère industrielle est, par son perfectionnement et son efficacité, incomparable à tout espace bâti jamais produit par les hommes : maint passage du *Capital* en fait foi et telle est aussi la conclusion ethnocentrique du *Manifeste*, qui relègue dans un commun mépris tous les autres types d'agglomérations, anciens et contemporains [2].

Le privilège accordé au mode d'urbanisation de l'homme occidental, dont Marx prévoit qu'il se répandra sur la terre entière, tient à ce que, pour lui, l'homme ne s'accomplit qu'en sortant de soi, dans l'extériorité, par la médiation d'une praxis [3] qui lui fait faire violence à la terre et la transformer en monde construit. La *Bildung* des hommes et de leurs sociétés passe par celle de leur espace. Autrement dit, lorsque, par le travail, l'homme agit « sur la nature extérieure » et la modifie, il modifie sa propre nature et développe les facultés qui y sommeillent » et « la terre [...] fournit au travail le *locus standi*, sa base fondamentale, et à son activité le champ où elle peut se déployer [4] ». Empruntées à l'ouverture de la troisième section du livre I du *Capital* où Marx oppose le travail de l'architecte humain à celui de l'insecte architecte, ces formules [5] sonnent comme celles des traités d'architecture. Plus précisément, par la façon dont il recourt à un récit d'origine pour fonder et réduire à un dénominateur commun toutes les activités de transformation, par son apologie de la dénaturation et le choix des marques les plus signifiantes qu'il en donne, « ateliers, chantiers, canaux, routes »..., le passage entier dont ces citations sont tirées pourrait prendre rang parmi ces « éloges de l'architecture » qui constituent une séquence quasi obligée des traités.

Le rapprochement n'est pas fortuit. Il laisse apparaître de communs présupposés anthropologiques, non dits dans les traités, et dont le texte commentateur constitue un révélateur. Pour Marx, la ville n'est pas valorisée en tant que modèle d'urbanisation — on ne trouve, à aucun moment, chez lui, la nostalgie d'un quelconque

1. Cf. aussi F. Engels, *La Question du logement, éd. cit.*, p. 28.
2. K. Marx et F. Engels, *Manifeste du parti communiste*, Paris, Éd. sociales, 1947, p. 14-15. Bien vue par R. Williams, *op. cit.*, p. 303.
3. Cf. K. Axelos, *Marx penseur de la technique*, Paris, Éd. de Minuit, 1961.
4. *Le Capital*, liv. I, 3e section, chap. VII, *éd. cit.*, p. 727-735.
5. A comparer avec celles, bien antérieures, d'*Économie politique et Philosophie* (éd. cit., p. 34-40), de l'*Idéologie allemande* (éd. cit., p. 222) et du *Manifeste* (éd. cit., p. 13-15).

type urbain —, mais comme symbole de la confiance à faire à l'espace pour informer le projet, *sans cesse nouveau* et novateur, par le déploiement duquel l'homme se construit en dénaturant la terre. La grande ville industrielle est supérieure à toutes les formes d'agglomération qui l'ont précédée dans l'espace et le temps. Mais elle marque un moment de l'histoire, et elle disparaîtra au profit d'une forme supérieure, consacrant la « suppression de la différence entre la ville et la campagne ». Que débordent les villes hors de leurs limites, et que les campagnes soient aménagées et urbanisées. C'est le processus d'urbanisation en soi et pour soi qu'exalte Marx, comme Alberti célébrait l'édification. La confiance que l'un et l'autre témoignent à l'*homo artifex* ne laisse pas place au doute : Marx ne prévoit ni l'échelle, ni la force destructrice de l'urbanisation qu'annonce sa fameuse « suppression ». Cette adhésion donnée sans réserve à l'investissement de la terre par le bâtir est à l'inverse de la défiance que voue l'utopie à toutes les formes de l'extériorisation.

Les exemples qui précèdent auront montré les limites de la convention qui fait des textes instaurateurs une catégorie autonome et exclut de notre corpus, outre les autres textes réalisateurs, les textes commentateurs [1] : les uns comme les autres n'ont cessé d'interférer avec les traités et les utopies, participant soit à leur genèse, soit à leur développement.

Ces exemples ont été, par nécessité, limités en nombre, donc sont ponctuels et arbitraires. En ce qui concerne les textes réalisateurs, il eut été possible de ne pas leur imposer la frontière du XVIIIe siècle et de mettre à contribution les XIXe et XXe siècles. En revanche, le commentaire axiologique aurait pu être emprunté à l'âge classique. Et il est également discutable d'avoir mis entre parenthèses l'apport incomparable des littératures romanesque et dramatique qui, à partir du XIXe siècle, superpose à l'objectivation de la ville un mouvement inverse, de repersonnalisation.

Mais peu importent, en définitive, les cas retenus, s'ils ont permis de localiser la position des textes instaurateurs dans le réseau et le

---

1. Sur l'efficacité du texte commentateur, cf. R. Caillois qui remarque que « le mythe de Paris [dans *la Comédie humaine*] annonce *d'étranges pouvoirs de la littérature* » et que le roman « ne prétend pas à une beauté intemporelle [...] Il entend traduire une réalité éphémère et changeante, qu'il cherche à modifier » (introduction au *Père Goriot* et aux *Illusions perdues*, p. 7). [*Nous soulignons.*]

jeu des écrits relatifs à la ville, et d'y faire percevoir leur scandaleuse étrangeté. C'était là l'objet d'un chapitre qui aura peut-être aussi contribué à préciser la catégorie taxinomique où s'inscrit ce livre : texte sur des textes concernant l'espace édifié et la ville, il est commentateur, mais au second degré.

2. *De re aedificatoria* Alberti ou le désir et le temps

Le livre auquel j'ai attribué un statut inaugural et dont je prétends qu'il rompt avec la tradition s'ouvre paradoxalement, dès la première phrase, par une invocation aux ancêtres *(majores nostri)* et par l'éloge de leurs accomplissements [1]. C'est là le signe liminaire d'une référence au passé qui court ensuite à travers tout le texte, sous la forme de citations d'auteurs anciens [2] et de nombreux récits qui puisent aux sources de la mythologie [3] comme à celles de l'histoire [4], sans pour autant éliminer « les histoires » plus ou moins fantaisistes transmises par la tradition littéraire antique [5], ni interdire les reconstitutions historiques de l'auteur. Plus déroutant encore, cet ouvrage consacré aux règles de l'édification est envahi de considérations sur des sujets hétéroclites et, en apparence, étrangers à son propos. Il vante les vertus de l'institution familiale, s'interroge sur le rôle des astres dans la vie des humains, explique la formation des

---

1. « *Multas et varias artes, quae ad vitam bene beateque agendam faciant, summa industria et diligentia conquisitas nobis majores nostri tradidere* » (*op. cit.*, prologue, p. 7).

2. De Platon à Aristote, d'Hésiode à Pythagore, de Ptolémée à Sénèque, de Cicéron à Pline le Jeune. Pour les sources littéraires d'Alberti, cf. A. V. Zoulov, « Leon Baptista Alberti et les auteurs du Moyen Age », *Mediaeval and Renaissance Studies*, vol. IV, Warburg Institute, Université de Londres, 1958. L'auteur montre qu'on ne peut inférer les véritables lectures d'Alberti des noms d'auteurs qu'il cite. Ceux-ci, conformément à une volonté « humaniste » de rupture avec le proche passé, sont exclusivement empruntés à l'Antiquité, même quand Alberti les a connus à travers des sources médiévales qu'il s'abstient de citer. La conclusion de Zoubov rejoint néanmoins celle que nous développons essentiellement autour du cas de Vitruve (cf. *infra*) : les lectures d'Alberti n'entament en rien l'originalité de sa démarche.

3. Cf. l'incendie du temple d'Éphèse par les Amazones (liv. VII, chap. XI).

4. Cf. l'importance d'auteurs comme Hérodote (treize citations), Thucydide (sept citations), César, Tite-Live, Flavius Josèphe (huit citations chacun).

5. Concernant, par exemple, les sépultures fastueuses commandées par la courtisane Rhodope de Thrace (liv. II, chap. II), la fourmi sacrifiée au Soleil par les gens de Morée (liv. VII, chap. II), la proposition faite par l'architecte Dinocrate à Alexandre.

vents, loue les avantages de la vie à la campagne, donne les moyens de se débarrasser de la vermine. Enfin, il paraît confondre règles théoriques et recettes pratiques : il énonce avec un même soin les règles universelles de construction et celles dont l'emploi évitera de faire craquer les enduits, explique dans le détail comment calculer les proportions des colonnes mais aussi comment mélanger la chaux et l'urine humaine pour réaliser le sol d'un colombier qui attirera invinciblement les pigeons[1].

Deux tâches vont donc maintenant nous occuper. D'abord, il faudra montrer que le *De re aedificatoria* ne présente ce paysage erratique qu'au voyageur pressé qui brûle les étapes et ne respecte pas l'ordre du cheminement conçu et imposé par l'auteur : à le détailler au hasard, la richesse de l'édifice albertien en masque la structure. On devra prouver la réalité d'une organisation textuelle sans faille dont Alberti revendique la rigueur, et montrer que les développements sur la famille, les vents ou la vermine s'y logent à leur place, prévue, logique et légitime, au même titre que certaines recettes pratiques.

C'est ensuite seulement que pourra être abordée la question des histoires et récits, et de leur signification. Loin de constituer un divertissement anodin et/ou d'être la marque contingente de l'intérêt que témoignaient les humanistes pour la mythologie et la fable « dans l'espoir d'y découvrir on ne sait quel fond secret du savoir[2] », on montrera que non seulement certains d'entre eux jouent dans le *De re aedificatoria* un rôle délibérément élaboré et en partie explicité par Alberti, mais que tous opèrent, aussi à un niveau d'organisation du texte plus profond, non reconnu par l'auteur.

Ce mode d'opération des histoires, sera appréhendé et prendra sa signification qui livre celle du *De re aedificatoria*, au terme d'une série d'investigations préalables. Ce sera d'abord l'analyse de la structure et du fonctionnement manifestes du texte; ensuite viendra une interprétation de cette analyse, volontairement conçue en termes contemporains; enfin une confrontation structurale du *De re aedificatoria* avec le *De architectura* à la fois confirmera mon interprétation de la structure explicite du traité albertien, et contribuera à faire saisir, par différence, la spécificité des histoires d'Alberti[3].

1. Liv. V, chap. XVI.
2. A. Chastel, *Le Mythe de la Renaissance*, Genève, Skira, 1969, p. 10.
3. L'absence actuelle d'une traduction française accessible au lecteur (à de nombreux contresens, la traduction de Jean Martin, Paris, 1550, ajoute les difficultés d'une langue devenue archaïque) a nécessairement allongé l'analyse. On en a bien entendu retranché tout ce qui n'intéressait pas directement l'archi-

I. L'ARCHITECTURE DU « DE RE AEDIFICATORIA »

Les dix livres du *De re aedificatoria* sont introduits par un prologue de quatre pages[1] qui livre l'esprit de l'ouvrage et son économie. Ce prologue comprend lui-même trois moments distincts.

Le premier est consacré à l'éloge de l'architecture et conséquemment de l'architecte[2]. Selon Alberti, l'architecture occupe la première place dans l'ensemble des arts qui constituent le patrimoine des hommes, parce qu'elle est seule à satisfaire à la fois à ces trois niveaux de la motivation humaine que sont la nécessité *(necessitas)*, la commodité *(commoditas)* et le plaisir *(voluptas)*.

Dans la mesure où l'architecture répond à la nécessité[3], c'est-à-dire où elle satisfait par sa solidité *(soliditas)* aux besoins de base des individus, en les protégeant contre les intempéries et les dangers de tous ordres, elle est à l'origine du rassemblement des hommes en société. Alberti, ne craint pas d'inverser ici l'ordre de consécution transmis par la tradition et repris par ses successeurs, selon lequel l'état de société est la condition préalable qui permet à l'architecture de naître et de se développer.

Dans la mesure où elle pourvoit à la commodité[4], autrement dit à la satisfaction des demandes que les humains sont conduits à formuler dans le double champ de leurs activités publiques et privées, elle est à l'origine de toutes les inventions, dont Alberti donne une

---

tecture logique du texte. Comme il a été dit plus haut, p. 17-18 et 20. Il n'entre pas dans notre propos de faire ici une lecture érudite, pour laquelle nous renvoyons le lecteur à l'édition Orlandi et aux études critiques figurant dans notre bibliographie. Les sources et les influences décelables, de même que le contexte historique ou livresque seront évoqués dans la seule mesure où ils s'avéreront nécessaires à l'intelligence littérale ou structurale du *De re aedificatoria*. Les citations, en latin comme en français, renvoient aux pages du texte latin de l'édition Orlandi. Cf., *supra*, note de la p. 12.

1. Dans l'édition Orlandi.
2. P. 7.
3. Le concept de nécessité permet d'englober à la fois les réquisits imposés par la construction (solidité) et ceux qui tiennent à la nature humaine (besoins). Étant donné l'importance des premiers, Alberti substitue parfois, par métonymie, les concepts vitruviens de *soliditas* ou de *firmitas* à celui de *necessitas*.
4. Alberti substitue parfois à ce terme celui d'*utilitas* qu'il emprunte à Vitruve, mais qui rend moins bien compte de la diversité des aspirations propres à ce second niveau, également dénoté par le substantif *commodum* (objet de commodité) et l'adjectif *commodus*. *Commoditas* est aussi, à l'occasion, remplacé par *usus*.

liste évocatrice, depuis la grotte sudorifique de Dédale jusqu'aux plus récentes machines de guerre, en passant par les canaux, les thermes, les navires, les entrepôts.

Enfin, dans la mesure où, par sa beauté *(pulchritudo* ou *venustas)*, elle procure le plaisir le plus élevé *(summa voluptate*[1]*)*, celui qu'offre la délectation esthétique, l'architecture comble cette passion de construire enracinée dans le cœur des humains et qui leur apporte la gloire : une série de nouveaux exemples l'attestent, confirmés par le témoignage de Thucydide.

Ce bilan permet à Alberti d'aborder le deuxième moment de son prologue, où il abandonne la troisième personne du singulier, pour prendre la parole à la première personne. La reconnaissance de l'architecture comme activité fondamentale et privilégiée constitue, en effet, le point de départ à partir duquel il peut, d'un même mouvement et parallèlement, d'une part, narrer l'itinéraire intellectuel qui lui a fait entreprendre et concevoir son livre, d'autre part, préciser les objectifs et l'organisation de celui-ci. Le propos d'Alberti est de s'interroger sur la nature de l'édification pour découvrir les *principes* et les règles sur lesquels elle se fonde[2]. Les étapes chrono-logiques de la réflexion albertienne scandent la logique de la genèse architecturale.

Au départ, une constatation présentée comme une donnée immédiate et qu'on peut considérer comme un postulat de base : tout édifice est un corps. La suite du livre montre qu'Alberti entend un corps *vivant*. Non qu'un animisme naïf lui fasse assimiler des artefacts à des êtres animés. Néanmoins, l'affirmation est formulée au présent et sans termes de comparaison. Grammaticalement, « *Nam aedificium quidem corpus quoddam esse animadvertimus*[3] » n'est pas une métaphore. En identifiant les deux termes d'édifice et de corps, Alberti va plus loin qu'Aristote dont il s'est sans doute inspiré[4].

---

1. *Op. cit.*, p. 13. Si le substantif *delectatio* n'apparaît pas dans le *De re aedificatoria*, on relève, en revanche, vingt occurrences du verbe *delectare* dans les seuls livres consacrés aux règles de l'esthétique. Enfin le plaisir est également représenté par le terme plus faible d'*amoenitas* (agrément) qui apparaît dix fois dans ces mêmes livres. Cf. H. K. Lücke, *Alberti Index*, Munich, Prestel Verlag, t. I.

2. « *Coepimus* [...] *de ejus arte et rebus accuratius perscrutari, quibusnam principiis diducerentur quibusve partibus haberentur atque finirentur* » (p. 15).

3. P. 15.

4. Cf. *Poétique*, 1450 b 35. A. Chastel a montré comment la même idée a été reprise par les néo-platoniciens florentins et en particulier par Ficin, dans sa *Théologie platonicienne*, *Art et Humanisme à Florence, au temps de Laurent le Magnifique*, Paris, PUF, 1959, 2e éd., 1961, p. 301.

Car sa formule ne renvoie pas seulement à une identité d'organisation, elle désigne l'édifice comme un véritable substitut du corps, et par là même, elle contient en germe, on la verra, la part originale de l'esthétique albertienne.

Dans l'immédiat, ce premier postulat en entraîne un autre où l'on reconnaîtra encore la marque de l'aristotélisme : à l'instar de tout corps, un édifice consiste en forme, relevant de l'esprit *(ab ingenio)*, et en matière, relevant de la nature *(a natura)*. Mais, poursuit l'architecte, forme et matière, que le travail de la réflexion nous a habitués à dissocier, ne sont distinguables que par abstraction. C'est à partir de leur complémentarité que va s'indiquer l'ordre de l'édification et de ses règles.

Alberti aborde d'abord la question de la réalisation ou du passage à l'acte de bâtir. Cette opération suppose l'union de la forme et de la matière, qui ne peut être accomplie sans l'instrument nécessaire qu'est la main de l'*artifex*. La question qui se pose ensuite est celle de l'articulation du bâtir. Comment assurer l'adéquation des édifices à la diversité de leurs usages? Pour ne pas se perdre dans cet univers de différences, Alberti estime nécessaire d'élaborer une classification des activités des humain qui lui permet de formuler l'hypothèse de la cohérence *(cohesio)* d'un monde bâti adapté à la multiplicité des fins humaines. Il peut alors aborder la question de la beauté et de son rapport avec la nature. Mais le questionnement ne s'arrête pas encore ici. Car il faut, pour finir, envisager le problème des réparations, chercher comment remédier aux fautes de l'architecte comme aux accidents de la nature. C'est ainsi que ce deuxième temps d'un prologue qui commençait en chant de triomphe s'achève sur l'évocation de la négativité. Alberti ne définit pas l'horizon du bâtir en termes purement positifs, dans le cadre d'une progression linéaire. D'entrée de jeu, il situe l'activité du bâtisseur dans le champ de la déréliction, prise entre l'erreur et l'obsolescence.

Si le deuxième moment du prologue consiste à superposer deux chrono-logiques, celle d'une aventure intellectuelle et celle de l'activité bâtisseuse, le troisième moment introduit une nouvelle superposition qui, cette fois, fait se correspondre terme à terme la chronologique de la construction et celle des livres du *De re aedificatoria*. Ainsi, ce système de redoublement souligne le double propos générateur et généalogiste du traité et indique que l'espace (livre) où se déploie métaphoriquement la genèse du monde bâti et de l'architecture est, lui aussi, métaphoriquement, une architecture.

L'édifice textuel aux multiples desseins pourra-t-il conserver la rigueur et la fermeté de ce dessin préparatoire? Préalablement à toute investigation, il convient d'observer que le prologue n'est pas seulement une esquisse et une introduction : il fait partie intégrante de la construction albertienne, dont il pose les fondements. Non seulement il énonce le propos et le plan du livre, mais il contient, sous forme de postulats, ses principaux opérateurs logiques. En effet, l'éloge de l'architecture a posé comme acquis, et que l'architecture satisfait à trois niveaux de motivations (nécessité, commodité, plaisir), et qu'elle accueille la diversité des activités humaines, réparties en publiques et privées, sacrées et profanes. Ces deux postulats se retrouvent ensuite dans le récit des découvertes intellectuelles d'Alberti avant de servir à structurer le plan du livre. Or, ces postulats, auxquels il faut ajouter celui selon lequel « tout édifice est un corps » (absent de l'éloge), seront seuls utilisés, de bout en bout du *De re aedificatoria*, avec, on le verra, deux additions seulement.

Un schéma permettra de saisir l'architecture générale du *De re aedificatoria* telle que la projette le prologue. Nous lui avons donné la forme d'un triangle équilatéral reposant sur son sommet. Le triangle figure le déploiement de l'édification dans le temps et dans l'espace. On voit ainsi que le monde édifié occupe toujours davantage d'espace (axe des abscisses) à mesure qu'il se poursuit dans le temps (axe des ordonnées). Le prologue est figuré sous la forme d'un quadrilatère sur lequel repose le sommet du triangle : il contient, sous forme condensée, une partie des éléments qui vont être ensuite explicités dans le texte. Le schéma montre également que l'ouvrage d'Alberti, dont l'espace textuel est figuré en ordonnée sur le même axe que le temps de la construction, comporte quatre parties successives. La première comprend les livres I, II et III et offre une théorie générale de la construction[1]. Elle se situe au niveau de la nécessité dont les règles sont successivement envisagées du point de vue du projet (esprit), de la matière et de la mise en œuvre de celle-ci. La deuxième partie correspond aux livres IV et V et concerne le niveau de la commodité, définie par l'ensemble des usages *(usus)* que peut inventer le désir des hommes stimulé par la vie sociale. Les livres VI, VII, VIII et IX, consacrés à la beauté et aux ornements, donnent accès au niveau du plaisir et forment la troisième partie qu'on peut

1. La hauteur de chaque partie du livre figurée sur le triangle est proportionnelle au nombre de ses pages. Mais ce nombre de pages n'est proportionnel ni au temps ni à l'espace référentiels correspondant. Autrement dit, Alberti ne proportionne pas à leur extension dans l'espace du monde ou dans la durée réelle l'espace du livre qu'il consacre aux différents secteurs et phases du bâtir. En ce qui concerne le référent temporel, l'axe des ordonnées indique simplement une orientation et un ordre de succession.

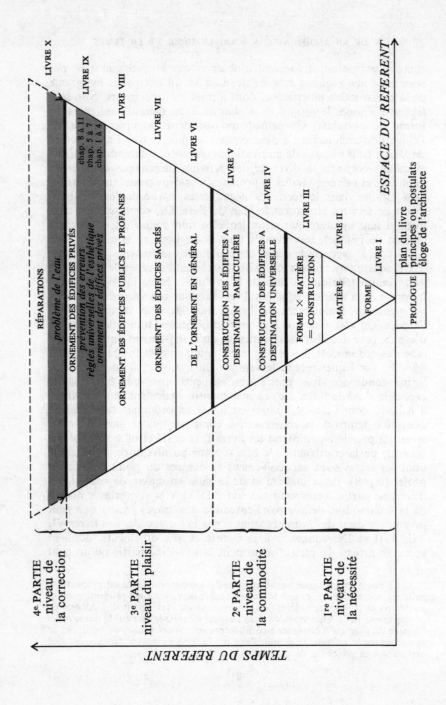

considérer comme l'esthétique architecturale d'Alberti. La quatrième partie, affectée aux erreurs et réparations, et constituée du seul livre X, vient coiffer le reste de l'édifice : sa position ultime traduit sa fonction récapitulative et le fait qu'elle renvoie à l'ensemble des espaces déjà générés; mais la vocation correctrice et non créatrice des règles de réparation est exprimée par le pointillé et la flèche descendante en opposition avec le mouvement ascendant du livre.

Au seuil du premier livre, Alberti consacre le premier paragraphe du premier chapitre à un exposé de méthode. Au plan de la forme, il prendra pour règle la clarté et la simplicité. La sollicitude ainsi marquée au lecteur annonce le rôle d'interlocuteur muet qu'Alberti fera jouer à celui-ci dans la suite où, en permanence, il l'interpelle et le prend à témoin. Au plan de la matière, Alberti distingue et classe les trois sources de son travail. Ce sont, par ordre d'importance croissante, le patrimoine des écrits sur le domaine bâti, le patrimoine bâti lui-même, et enfin son propre esprit. En effet, pour dégager et fonder les règles qu'il s'est donné pour tâche de formuler, la réflexion d'Alberti s'exercera avec plus de sécurité sur les édifices que sur les textes trop souvent trompeurs, et, mieux encore, sur sa propre activité mentale, ou plus précisément sur les opérations intellectuelles auxquelles il procède dans l'accomplissement de son métier d'architecte.

Dès l'ouverture de ce premier chapitre consacré à la forme de l'acte constructif *(de lineamentis aedificiorum)*, à ce qui, en lui, présente une valeur universelle *(quae ad universum opus pertinere videbantur)* et, dans le langage actuel, constitue la conception [1], sont donc pointées et l'importance de la réflexion personnelle *(nostro ingenio)* — appréhendée en termes étonnamment modernes de travail *(labore)* [2], le mot *labor* réapparaissant ensuite à chaque évocation de l'aventure intellectuelle et de la recherche personnelle de l'auteur — et la valeur générative de l'auto-analyse de l'architecte pour la recherche des règles du bâtir.

Alberti découvre ainsi (chapitre II) que la démarche constructive peut être décomposée en six parties ou principes [3]. Ceux-ci sont déduits d'un récit d'origine, qui raconte, en six séquences, le genèse

---

1. C'est bien de conception qu'il s'agit, dans la mesure même où les formes sont envisagées « *animo et mente, seclusa omni materia* » (chap. I, p. 21).
2. Les deux termes apparaissent dès la cinquième ligne du chapitre, p. 19.
3. Il utilise alternativement et indifféremment pour les désigner les termes *partes* et *principia*.

du premier établissement humain. La sécheresse de sa relation montre assez qu'Alberti s'intéresse seulement à la logique de cet épisode mythique. Peu lui en importent le détail et les circonstances. Aux légendes de la tradition, il oppose le *sic puto*[1] péremptoire de sa propre version; et, en tant qu'inventeur ou constructeur de ce nouveau récit, il se substitue aux inventeurs présumés de la première habitation, relégués en bloc au domaine de la fantaisie[2].

Les six principes de base de l'acte d'édifier, on parlerait aujourd'hui de six opérations, correspondant à six déterminations majeures, concernent la région *(regio)*, l'aire *(area)*, la partition ou plan *(partitio)*, le mur ou paroi *(paries)*, la couverture *(tectum)* et les ouvertures *(apertiones)*. Ces six principes, qui sont pratiquement les seuls opérateurs du livre à ne pas avoir été inclus dans le prologue, sont liés dès le récit d'origine aux trois autres *principes*[3] (de nécessité, commodité et beauté) déjà rencontrés et qui définiront un champ d'application aux premiers : la construction devra être *solide* au point de viser l'éternité; elle devra satisfaire à la diversité des *usages*, et finalement au *plaisir* des sens par la grâce et l'harmonie de ses parties.

Après la déduction logico-mythique qui sert à les fonder, les six opérations de base sont brièvement définies puis, dans l'ordre de leur occurrence initiale, examinées une à une, et croisées avec les trois principes de nécessité, commodité et beauté, qui leur font engendrer à chaque fois des règles spécifiques.

Ainsi, au fil des chapitres, le lecteur apprend-il successivement comment choisir une région saine et agréable (en tenant compte des vents et du régime des eaux, et en pratiquant une sémiologie dont les signes sont prélevés aussi bien dans l'anthropologie physique que dans la botanique); comment adopter pour les bâtiments une aire qui satisfasse aux exigences de la topographie (pente, sol) et de la géométrie; comment organiser le plan et articuler la partition, à l'aide d'une règle de cohérence qui intègre le programme en même temps que les conditions naturelles et même les coutumes locales, dont Alberti souligne au passage la relativité. Puis viennent les règles permettant de déterminer les proportions du mur, de répartir les efforts dans la charpente des toits, de disposer les fenêtres pour satisfaire à l'hygiène (air et soleil) et au plaisir (esthétique de la vue), de fixer la

1. « ... *tandem sic puto hos fuisse condendorum aedificiorum primos ortus primosque ordines* » (p. 23).
2. Peu importe, dit-il ironiquement, qu'il se soit agi de Vesta, de ses frères Henriale et Hiperbius ou encore de Gélion, Trason ou du cyclope Tiphinchius (*ibid.*).
3. Désignés par les mêmes termes de *partes* et *principia*.

répartition des portes en fonction des liaisons qu'elles assurent et de l'économie générale de l'édifice dont elles font partie.

Parmi les six principes, la partition occupe une place privilégiée. Dans le récit d'origine, elle est la seule opération à ne pas être désignée par son nom, mais par une longue périphrase. Ensuite, au chapitre IX, qui lui est consacré, il est souligné qu'elle réclame toute la force de l'esprit et résume l'art de bâtir [1]. Le principe de couverture, à l'encontre des autres, fait également l'objet d'un jugement de valeur : la couverture est la partie « la plus utile [2] » de l'édifice. Entendez : elle est celle qui, tout en protégeant les autres parties du bâtiment *(mirifice omne tuetur aedificium)*, répond aux besoins de base des humains en les *abritant* contre la nuit, le soleil, la pluie et leurs divers ennemis, alors que la partition, qui n'est plus liée aux lois impitoyables de la nécessité, mais aux déterminations de l'usage, consacre le jeu des différences humaines.

On n'entrera pas dans le détail des règles générées à l'aide des six principes de base. Leur nombre et leur variété tiennent à l'esprit de système qu'Alberti déploie pour tenter de couvrir la totalité des cas envisageables. La diversité de l'ensemble est néanmoins unifiée par une grande thématique structurale. Le postulat de l'édifice-corps et ses corrélats (subordination des parties au tout, interconnexion des parties adaptées à leurs fonctions respectives) s'imposent identiquement dans l'application des six principes et donnent naissance à une première série de métaphores anatomiques [3] : les différentes parties des édifices sont comparées aux membres [4], leurs éléments de liaison aux nerfs [5]. Cette approche structurale permet à Alberti de simplifier les problèmes en mettant en lumière des ensembles que voile la pratique courante du langage. Ainsi, d'emblée, la colonne est assimilée au mur [6] et le concept d'ouverture englobe également tous les passages, c'est-à-dire les portes et les fenêtres, mais aussi les escaliers et toutes les canalisations d'adduction ou d'évacuation, tels les cheminées et les égouts [7]. Surtout, la partition est posée comme une seule et même opération, quelle que soit l'échelle à laquelle elle est appliquée, qu'il

---

1. « *Tota vis igenii omnisque rerum aedificandarum ars et peritia una in partitione consumitur* », p. 65. Affirmation reprise au début du livre II.
2. Chap. XI, p. 75 (« *Tectorum utilitas omnium est prima et maxima* »). Jugement confirmé au livre II (chap. I, p. 99).
3. La seconde est développée au livre III. Cf. *infra*, p. 89 et n. 2.
4. « *Veluti in animante membra membris, ita in aedificio partes partibus respondeant condecet* » (liv. I, chap. IX, p. 65).
5. Chap. XI, p. 79.
6. Chap. X.
7. Chap. XII et XIII.

s'agisse de la ville ou de la maison. Toute différence entre l'art urbain et l'architecture est donc éliminée au niveau de cette opération : « la ville est une grande maison et inversement la maison une petite ville[1] ».

Le livre II déborde l'objet que le plan du prologue lui assignait, c'est-à-dire l'énoncé des règles propres aux matériaux qui interviendront dans la construction. Alberti commence par consacrer les trois premiers chapitres à des règles méthodologiques qui, dans le procès concret de la construction, se situent bien entre la conception générale et la réalisation. Le cadre chronologique prévu est donc bien respecté. Son contenu est seulement élargi au profit d'une série de démarches ne relevant ni de la conception proprement dite, ni davantage de l'exécution. Ces démarches ont pour fonction commune de différer[2] le moment de la mise en chantier, au profit d'une sorte de maturation générale du projet. Le temps, fauteur d'usure et de décrépitude, comporte aussi des effets positifs, il peut devenir une garantie contre l'erreur. Pour Alberti, construire est un acte si fondamental qu'il ne peut être pris à la légère et sans le recul qui lui donne sa solennité. Dans l'entre-deux de la conception et de l'exécution de l'édifice, prend place un supplément de réflexion sur le projet et les conditions de sa réalisation. L'architecte doit longuement revenir sur toutes décisions[3], réexaminer son projet non seulement à l'aide de dessins et de peintures, mais de maquettes[4], qui seules permettent une véritable expérimentation. Il doit mettre en question la faisabilité et la valeur du programme[5], tester la compétence de ses ouvriers[6], éprouver ses propres forces[7] et, sursis et épreuve ultime, confronter ses idées au jugement des experts[8] *(peritorum)*.

---

1. « *Civitas* [...] *maxima quaedam est domus et contra domus minima quaedam est civitas* » (chap. IX, p. 65). De même, chaque partie de la maison peut, à son tour, être considérée comme une petite maison. Cette idée ne sera reprise, d'une façon aussi systématique, que beaucoup plus tard, par Cerdà (cf. *infra*, chap. VI, p. 294).
2. « *Supersedebis tempus aliquod* » (liv. II, chap. I, p. 10).
3. « *Bene quidem consulti est omnia praecogitasse et praefinisse animo ac mente* » (chap. I, p. 95), ou encore « *iterum atque iterum pensetimus atque examinentur* », « *Itaque modulos* [...] *iterum atque iterum recognovisse* » (p. 97 et 99).
4. « *Non perscriptione modo et pictura, verum etiam modulis exemplariisque* » (p. 97).
5. Chap. II, p. 103 et 105.
6. Début du chap. IV.
7. Chap. II, p. 103 et 104. L'architecte doit s'interroger sur sa propre personnalité « *officii erit ea spectasse* [...] *qui sis qui id agas* ».
8. Chap. III, p. 107.

Alors seulement, il pourra s'occuper efficacement du choix des matériaux dont les règles d'emploi sont liées à leurs propriétés respectives, elles-mêmes déterminées par les lois de la nature. Alberti traite chacun des matériaux susceptibles d'être utilisés pour la construction dans l'ordre logique de succession qu'il suppose avoir été celui de leur première utilisation par les hommes. Il fonde cet ordre sur un récit d'origine, comparable à celui du premier établissement humain par son schématisme et son indifférence au contenu des récits traditionnels[1]. Pour chaque matériau successif, bois, pierre, terre, sable, il précise ses différentes espèces, qualités et règles de mise en œuvre.

Ce qui lui permet d'aborder au livre III la construction proprement dite, synthèse des règles de la conception (l. I) et de celles la matière (l. II), pour présenter les règles universelles de la construction en général, selon un ordre qui reproduit celui des opérations réelles[2]. Le bâti dont il s'agit maintenant n'est donc plus un projet d'édifice, une entité intellectuelle comme au livre I. C'est un objet envisagé dans sa matérialité. Néanmoins, dans la mesure où il est considéré du point de vue de la nécessité, c'est-à-dire de la solidité et des besoins de base, il conserve un certain caractère d'abstraction. C'est un bâti dont on a abstrait la spécificité, qui est considéré indépendamment des caractères que lui impose sa destination, et dont les règles s'adressent donc « *ad universorum aedificiorum opus*[3] ». En parcourant les chapitres du livre III, on s'aperçoit que ces règles communes à la totalité des édifices concernent uniquement le mur et le toit. La logique d'Alberti serait-elle ici en défaut? L'auteur aurait-il, en croisant les matériaux et les principes, omis quatre de ces derniers?

A examiner le texte de plus près, on note que, seule, la partition est passée sous silence, exclue du livre III, tandis que les principes concernant la région, l'aire et les ouvertures y sont bien intégrés, mais indirectement, à travers leur incidence sur la réalisation de l'édifice. En effet, les problèmes de la région et de l'aire ne peuvent être dissociés de ceux que posent les fondations du mur[4]. Les ouvertures participent

1. « *Ea* [les matériaux premiers], *ni fallimur, fuere caeduae arbores et silvarum materia* » (chap. IV, p. 111).
2. Alberti précise : « imitant ceux qui œuvrent avec leurs mains » (chap. I, p. 173).
3. Liv. III, chap. V, p. 193.
4. Cf. liv. III, chap. I et II, p. 173, 175, 177 et la fin du chap. II, p. 181. Le chapitre III, qui s'ouvre significativement par la règle « *Diversa igitur tibi erit fundationis ratio pro locorum diversitate exequenda* », est entièrement consacré au retentissement de la diversité des sols sur les techniques de fondation. Les termes

du traitement du mur proprement dit [1], dans lequel elles sont pratiquées. La focalisation du texte sur les principes concernant le mur et le toit marque donc la prépondérance de ceux-ci sur les trois autres. L'absence de la partition souligne, en revanche, la spécificité de celle-ci parmi les six principes et son statut *autre*. Alberti ne commente nulle part cette différence qui renvoie à une articulation délicate de son système. Il se borne à la désigner par un silence dont l'éloge de la partition du livre I [2] fait ressortir l'anomalie. Exclue du registre de la nécessité au moment de la construction effective, la partition y demeure ainsi inscrite en tant que principe de structuration de l'espace humain. Elle désigne alors une opération mentale spécifique. Mais dans son application concrète, le principe de partition appartient à un autre registre, celui de la commodité : il a pour rôle d'ouvrir et de plier l'espace bâti à l'expression contingente des usages.

Si Alberti ne s'explique pas sur le rejet de la partition hors du livre III, cette exclusion apparaît donc pourtant conforme à la logique du *De re aedificatoria*. On verra plus loin qu'aux livres IV et V, le monde de la partition, autrement dit les édifices considérés sous l'angle des différences et des particularités de leurs plans, n'est pas sans comporter des règles universelles, relatives à la ville comme à la maison [3]. Mais il s'agit d'une universalité abstraite, dégagée par l'analyse des cas concrets, et différente de la nécessité dont relèvent doublement les règles du toit et du mur. Celles-ci sont informées à la fois par la nécessité qui régit le monde naturel et par celle qui sous-tend le monde humain; elles intègrent simultanément les impératifs inconditionnels de la statique, de la physique des matériaux et des besoins de base, représentés en l'occurrence par le besoin d'abri [4].

Quant aux règles concernant la construction des différents types

---

d'*area* et *regio* sont utilisés à plusieurs reprises au cours des trois premiers chapitres.

1. Cf. (chap. vi, p. 195) l'assimilation des parties latérales des ouvertures aux éléments porteurs du mur.

2. Cf. *supra*, p. 95.

3. Plus précisément, il s'agit de règles générées par le désir universel des citoyens, portant sur « *quid una universis* [...] *conveniat* » (p. 271). Ces termes sont repris au chapitre i du livre V : « *civium cetui universo* » ou « *universorum gratia* » (p. 333). Ce sont les règles universelles (mais non nécessaires) de la ville, parallèlement auxquelles existent « *universorum civium gratia* » (liv. V, chap. ii, p. 339), les règles universelles de la maison individuelle.

4. Cf. deuxième phrase du chapitre i du livre IV : « *Nam principio quidem* [...] *facere opus homines coepere, quo se suaque ab adversis tempestatibus tuerentur.* » Alberti ajoute d'ailleurs aussitôt : « *Proxime* [...] *prosecuti sunt non modo velle quae ad salutem essent necessaria* [...] » (p. 265). [*Nous soulignons.*]

de murs et de toits ainsi que de leurs parties respectives, si leur for-
malisation résulte du croisement des cinq autres principes avec les
règles d'utilisation des matériaux, leur contenu est tantôt déduit par
l'analyse du patrimoine bâti [1], tantôt induit par une nouvelle application de la métaphore-postulat de l'édifice-corps. Celle-ci se présente au livre III sous une nouvelle figure, opposant le squelette
(ossia) porteur et les éléments de liaison, nerfs et ligaments *(nervi,
ligamenti)*, à la matière de remplissage *(complementa)* c'est-à-dire à
la chair, et à la peau [2]. Ainsi seront dégagées les règles relatives à
chaque élément du mur ou du toit, en épuisant les cas possibles selon
les matériaux employés.

Aucun principe nouveau n'est donc introduit dans le Livre III qui
est généré par la combinaison des règles formulées dans les deux
livres précédents avec le postulat de l'édifice-corps. Appliquant au
plan de la construction du livre l'éthique de l'économie constructive
qui est préconisé tout au long du *De re aedificatoria* pour le domaine
bâti [3], l'appareil conceptuel et logique est réduit au minimum. Cette
économie de moyens discursifs est obtenue par la subordination des

1. Pour Alberti, la tradition se révèle particulièrement importante dans les
cas où les règles doivent tenir compte de facteurs cachés et souvent mal appré-
ciables comme la nature du sol. En revanche, dans le cas du mur, par exemple,
la tradition est d'une telle richesse, qu'il vaut mieux procéder par soi-même en
suivant les principes de base. Cf., en ce sens : « *Verum alibi ex peritissimorum,
veterum amplissimis operibus adverti varium illis fuisse modum atque institutum
complendis fundamentis* » (p. 191, chap. v).
2. L'image directrice du corps en tant qu'ossature et ligaments structurant
des remplissages *(cortices* et *infarcinamenta)* est d'abord développée dans les
deux passages qui introduisent respectivement aux règles du mur proprement
dit (chap. vi) et à celles du toit (chap. xii). Dans le premier cas, l'accent est mis
sur les éléments porteurs, qui ne sont pas *comparés* à un squelette, mais *désignés*
comme des os, nommés ainsi sans ambages (« *quae omnia ossium appellatione
veniunt* », p. 195). Ces os jouent des rôles différents : les colonnes qui portent
le toit, celui d'une épine dorsale, les angles des murs « *quo parietes in officio
contineantur* », celui de bras (« *quasi brachia* », chap. vii, p. 203). Dans le second
cas, le rôle des nerfs est plus longuement développé, après que les désignations
ont été identifiées à celles du cas précédent : « *Tecto cuivis et ossa et nervos et
complementa et cortices et crustulas inesse aeque atque in muro interpretemur* »
(ibid., p. 227). Dans la suite du livre III, Alberti cesse d'assimiler directement
l'édifice à un corps vivant pour présenter celui-ci comme un paradigme. Il
insiste, en particulier, sur la supériorité de son organisation par rapport à l'image
qu'en reproduit l'art (cf. p. 239 et 247). On observera, par ailleurs, qu'Alberti
ne s'intéresse pas seulement aux éléments porteurs de la construction et qu'en
dépit de leur rôle subordonné, les remplissages et les épidermes retiennent longuement son attention.
1. Cf., dans ce livre même, chap. xii, p. 227 : « *Sed parsimoniae prospicimus,
superfluum putantes, quicquid servata operis firmitate possit detrahi.* »

principes constructifs à ceux du toit et du mur, et grâce au rôle joué par le postulat-métaphore du corps. Loin d'être présenté comme une comparaison approximative, celui-ci constitue un instrument logique, qui permet de réduire à un même dénominateur tous les types de murs et tous les types de toits[1], puis d'établir une relation de transformation entre le toit et le mur[2], et conséquemment d'énoncer en une formule unique une loi structurale générale, applicable, au niveau de la nécessité, à l'ensemble du domaine bâti : l'inter-relation des os, des ligaments et des remplissages dessine la figure fondamentale dont murs, ouvertures, toits et pavements ne sont que la figure superficielle.

La situation change complètement lorsqu'au livre IV Alberti introduit le lecteur au registre de la commodité, qui est aussi celui où se déploie la faculté qu'ont les hommes de formuler toujours de nouvelles demandes, de proposer des fins toujours nouvelles à leur désir.
Le choix que je fais de ce dernier terme appelle d'emblée deux remarques. Il devra être entendu que, dans ce qui suit, le mot désir n'est, à aucun moment, pris dans le sens où commença à l'entendre la dialectique de Hegel. Alberti est absorbé par la question du monde extérieur et de sa transformation, il ne rencontre pas directement le problème de l'autre. A plus forte raison, ne faut-il voir dans l'emploi qui est fait ici des mots « demande » et « désir » aucune référence à la terminologie consacrée par les travaux de J. Lacan : je les ai utilisés l'un et l'autre faute de mieux. La polysémie du terme désir m'a d'abord permis de marquer l'ouverture indéfinie du niveau de la commodité. Ensuite, dans une acception plus sexualisée, le désir trouve dans le système albertien son champ de déploiement ultime au niveau esthétique où il est comblé par le plaisir[3] (« jouissance », en termes analytiques) que, tel un beau corps, lui procure le bel édifice.
Les règles dont il s'agit au niveau de la commodité ne concernent plus des éléments matériels du système constructif, abstraitement détachés des objets qu'ils servent à édifier, mais bien les bâtiments eux-

1. Chap. XIII, p. 233 : « *Quae autem de arboreis tectis diximus, eadem et in lapideis trabibus observabuntur.* » De même, p. 235, le toit courbe est réduit à un cas particulier du toit plat : « *arcum esse trabem inflexam* ».
2. Cf. « *trabes esse in transversum positas columnas* » (p. 227), et « *Testitudinum astruendarum ratio eadem, quae in muris, asservabitur* » (p. 243).
3. Alberti ne parle effectivement lui-même de désir *(cupiditas)* que dans la troisième partie du *De re aedificatoria* (liv. IX, chap. VIII, p. 845). Cf. aussi son utilisation de l'adjectif *percupidus (ibid.)*.

mêmes, dans leur diversité, et en particulier le plus noble d'entre eux, la ville.

D'entrée de jeu, Alberti constate qu'une fois satisfait le *besoin* originel de l'abri, la *demande* des hommes développe et organise le monde construit au gré de ses inventions et de sa fantaisie, sur un horizon illimité qui, par définition, échappe aux règles de la nécessité. Mieux, il dénonce la fausse nécessité à laquelle laisse croire le processus de naturalisation des demandes que l'habitude transforme en besoins et pare fallacieusement du qualificatif de « nécessaire[1] ». C'est pourquoi, au moment où il veut malgré tout, et même si elles sont d'une autre nature que celles de la nécessité, découvrir les règles de la commodité, autrement dit lorsqu'il se propose de déterminer l'impact des usages et de leur contingence sur l'édification, il constate l'insuffisance des instruments d'analyse dont il s'est doté. La tripartition[2] du bâtir selon les niveaux de la nécessité, de la commodité et du plaisir n'est pas utilisable, la dichotomie du public et du privé trop générale, comme celle du sacré et du profane. Par ailleurs, les critères de la commodité sont trop relatifs et fluents : « Lorsqu'on voit l'abondance et la variété des édifices, il faut bien admettre qu'ils ne sont pas dus à la variété des usages et des plaisirs, mais essentiellement à la diversité des hommes[3]. »

Cette remarque, comme l'ensemble du développement où elle s'insère, constituerait aujourd'hui une critique pertinente de l'universalisme architectural et urbanistique élaboré au cours des années 1920-1930 par les CIAM, et dont nous n'avons pas fini de subir les répercussions. Sa conséquence, pour l'entreprise d'Alberti, est qu'on ne pourra générer une nouvelle série de règles sans un nouvel opérateur, capable de structurer et d'ordonner la mouvance du désir générateur d'espaces. Ce nouvel opérateur ne pourra être qu'une taxinomie des humains, fondée sur la variété des motivations qui les poussent à bâtir. Alberti se demande si, d'aventure, il

1. Le problème posé au chapitre I du livre IV est repris et éclairé par le chapitre I du livre V, lorsqu'Alberti ayant traité des règles universelles de la ville, s'apprête à considérer celles de la maison. Deux passages soulignent clairement la difficulté qu'il peut alors y avoir à distinguer entre nécessité et commodité : « *Insunt tamen partes aliquae, alioquin commodae, quas usus et consuetudo ita vivendi efficit, ut putentur penitus necessariae, ut est porticus* [...] » (p. 337) et « *Et nos, quando sic aedificationis ratio suadeat, non ita distinguemus ut commoda ab ipsis necessariis segregemus* » (p. 339). [*Nous soulignons.*]
2. Dans la suite du texte, et pour éviter à chaque fois de repréciser son objet, nous la désignerons par « tripartition aristotélicienne », renvoyant ainsi à l'origine aristotélicienne d'une distinction dont Alberti ne donne pas la généalogie et qu'il a, en tout cas, trouvée dans Vitruve (cf. *supra*, p. 88, n. 3 ; *infra*, p. 139 *sq*).
3. Liv. IV, chap. I, p. 265.

ne pourrait pas l'emprunter à la tradition. Mais, un examen critique des diverses classifications sociales léguées par l'Antiquité, depuis les temps archaïques de Thésée jusqu'à l'époque de Platon ou d'Aristote le convainc qu'elles sont toutes déterminées par une finalité politique et non pertinentes dans son propre champ de préoccupations. Aussi décide-t-il de procéder à sa manière et par ses proprs-moyens [1], selon une logique appropriée au domaine bâti, qui conse titue son horizon spécifique.

Cette option méthodologique le conduit à introduire au livre IV deux opérateurs nouveaux. Le premier est déduit des deux modes selon lesquels peut être considéré le champ d'application des nouvelles règles. Il consiste dans l'opposition universel-particulier [2]. Le second est déduit de la nature des usages et par conséquent des usagers à satisfaire. Il consiste dans une nouvelle classification des humains [3], utilisée au livre V.

Ainsi, Alberti commence son investigation personnelle en posant immédiatement *(« principio veniet in mentem [4] »)* une alternative qui lui permet de distinguer deux catégories de lois applicables au bâtir dans le registre de la commodité. L'observateur, remarque-t-il, peut étudier les hommes soit en tant que membres de la communauté, soit en tant qu'individus particuliers [5]. De la même façon, les objets qu'ils produisent, et notamment les bâtiments, peuvent être appréhendés soit comme porteurs de différences, soit comme membres d'un ensemble [6]. Dans le premier cas, les bâtiments ressortissent à des règles *particulières*, dans le second à des règles *universelles*. Autrement dit, tout objet bâti peut être envisagé sous le double point de vue du particulier et de l'universel, dont la dissociation a une valeur essentiellement heuristique. En revanche, les distinctions établies au moyen de sa classification des humains ne tiennent pas à un choix de perspective, mais renvoient aux différences intrinsèques de comportements spécifiques, exclusifs les uns des autres. Elles ne sont utilisables que dans le champ du particulier. Quant à l'opérateur privé-public

1. P. 269. Selon un procédé qui lui est familier, Alberti oppose *veteres* et *nos*.
2. Les textes essentiels sont : liv. IV, chap. i; 1er § du chap. ii; dernier § du chap. viii et liv. V, début et fin du chap. i, 1er § du chap. ii, du chap. vi.
3. Cf. *infra*, p. 105.
4. Liv. IV, chap. i, p. 269.
5. D'une part : « *una loci alicujus incolas universos consideres* », de l'autre : « *partibus separatos distinctosque recenseas* »; ou encore : « *in qua potissimum re alter ab altero differat* » *(ibid.)*.
6. La terminologie d'Alberti est sans ambiguïté. A « *quid una universis* » (p. 271), « *alia cetui universo* » (p. 272), « *universis urbe* » (p. 273), « *alia civium cetui universo* » (p. 222), « *alia universorum* », il oppose « *alia singulorum* » (p. 339).

introduit dès le prologue, ses deux termes ne sont pas davantage cumulables par un même bâtiment[1]. Il sert à croiser l'opérateur universel-particulier, avec lequel il ne doit pas être confondu. En termes concrets, qu'on prenne le cas d'une ville précise, qui pourra symboliser la construction publique, ou celui d'une maison déterminée, qui symbolisera la construction privée, l'une comme l'autre peuvent être alternativement considérées du point de vue de l'universalité ou du point de vue de la particularité. Dans le premier cas, on aura affaire à des règles concernant toutes les villes et toutes les maisons, ou, pour suivre au plus près le raisonnement d'Alberti, la face commune à toutes les villes qui concerne identiquement la vie publique de tous les citoyens et la face commune à toutes les maisons qui concerne identiquement la vie privée de tous les citoyens; dans le second cas, on aura affaire aux règles concernant les *différents types* de villes et de maisons, variables selon les circonstances[2].

Le parti adopté par Alberti en choisissant l'opposition binaire particulier-universel comme premier opérateur du livre IV revient donc à adopter l'hypothèse selon laquelle les édifices, nécessairement différenciés par les conditions de leur réalisation, n'en obéissent pas moins à des règles universelles. L'universalité qualifie alors une forme de régulation qui, dans le monde de l'usage et de la différence, joue le même rôle que la nécessité dans le monde des objets inertes et dans celui des besoins humains.

Il convient de traiter les règles universelles avant celles du particulier. En conséquence, et sitôt réglés les problèmes théoriques généraux qui occupent le premier chapitre, le livre IV est, dans son entier, consacré aux règles de l'universel public, c'est-à-dire aux règles de construction de la ville sous son aspect universel.

Pour Alberti, la ville est l'édifice public qui l'emporte en dignité sur tous les autres[3]. Contrairement à sa méthode habituelle, et il le fait bien remarquer, il ne commence pas par en rechercher les origines historiques ou à la décomposer dans ses éléments. Pour lui, la ville est une totalité irréductible, au même titre que la maison qui en est l'*analogon* (privé) et non la cellule de base. Elle est donc constructible au moyen des six opérations énoncées au livre I, dont ses règles sont directement déduites. Successivement, dans leur ordre initial du livre I, Alberti énonce ainsi les règles universelles concernant la situation (chapitre II), l'aire (chapitre III), les murs (chapitres III et IV), com-

---

1. Sur les difficultés posées par l'opérateur public-privé, cf. *supra*, p. 105 *sq.*
2. On a donc quatre cas de figures : règles concernant le public universel, le public particulier, le privé universel et le privé particulier.
3. « *Placet tamen a dignoribus orderi* » (p. 273).

prenant aussi le problème des fortifications), les toits (chapitre IV) et enfin les passages de la ville. Cette dernière rubrique, la plus riche et la plus développée (du chapitre V au chapitre VIII inclus), traite non seulement de la diversité des voies de circulation *intra* et *extra*-urbaines, mais des places, des ponts, des ports : ces passages, ces moyens de communication, constituent la dimension clé de la ville, en même temps que son mode de partition.

En détaillant ces règles de base, Alberti se garde bien de toute modélisation. Ce dont il est question, c'est d'un système d'opérations applicables identiquement à toutes les villes. Et s'il arrive que certains édifices publics (temples, basiliques ou autres) soient mentionnés au fil de l'exposé, c'est uniquement d'un point de vue topologique, pour indiquer comment fixer leur *position* dans l'espace global. Quant aux traits individuels et à la forme propre de ces édifices, leur détermination relève d'autres règles, liées à la particularité de leurs fonctions qui, à leur tour, tiennent au statut social de leurs occupants [1] et ne seront énoncées que plus tard, au livre V.

Il aura donc fallu attendre trois livres entiers pour qu'enfin il soit question de la ville. Mais, en ce lieu privilégié ménagé au cœur même du *De re aedificatoria*, elle est présentée comme le plus parfait des accomplissements humains. On ne doit cependant pas se méprendre sur la portée de ce superlatif. Il justifie la priorité accordée à la ville au deuxième niveau du livre, mais il ne lui confère pas un statut différent de celui des autres édifices quant à l'application des règles du bâtir. Cette parité devant la règle implique, d'une part, que pour Alberti il n'y a pas de différence entre la démarche du constructeur de bâtiments et celle de l'aménageur de villes, ou, en termes actuels, entre l'architecture et l'urbanisme. Elle explique, d'autre part, que la ville ne conserve pas nécessairement sa position privilégiée dans la suite du traité et qu'au troisième niveau, dont les règles lui sont également applicables, elle puisse s'effacer devant des monuments et ne plus constituer que le fond sur lequel ils se découpent. Le fait qu'Alberti se donne essentiellement pour objectif la construction d'un système articulé de règles rend compte à la fois de la position centrale des chapitres consacrés à la ville et de leur relative brièveté. Au contraire de ce qu'on observe chez les trattatistes de l'âge classique, qui réduisent le bâtir à l'architecture et oublient la ville, celle-ci fait bien, pour Alberti, partie intégrante de l'édification. Mais elle n'a pas la valeur de paradigme qu'elle prend chez Filarète [2] pour qui elle est la fin du

---

1. Liv. IV, chap. IV, p. 331.
2. Cf. *infra*, chap. IV, p. 210 *sq.*

bâtir et l'entité à laquelle sont surbordonnés tous les autres édifices. C'est pourquoi Alberti peut, dans le *De re aedificatoria*, n'ouvrir directement, qu'une seule fenêtre, sur la ville.

D'après le plan du prologue, le livre V devrait être consacré aux édifices particuliers, c'est-à-dire, selon la terminologie albertienne, aux règles particulières des édifices considérés sous l'angle de leur inscription concrète dans le registre de la commodité. Une entorse est cependant faite à ce programme puisque Alberti consacre une partie de son premier chapitre et le second chapitre du livre V aux règles universelles de construction de la maison [1], établies, quoique très sommairement, de la même façon que celles de la ville. Ce passage du *De re aedificatoria* présente un certain nombre de difficultés sur lesquelles on reviendra plus loin. Il n'en consacre pas moins l'homologie de la ville et de la maison au plan des règles universelles. L'architecture conceptuelle de l'ouvrage est donc, malgré tout, respectée. Le reste du livre V peut être consacré aux règles des édifices particuliers.

Ces dernières sont exposées dans l'ordre que fournit la taxinomie élaborée par Alberti dans le premier chapitre du livre IV. Cette classification, destinée à ordonner le monde des différences humaines, la particularité des usages et des édifices, est laborieuse et, malgré le propos de son auteur, demeure fortement marquée par la tradition antique, quand elle n'en est pas la simple démarcation. Alberti commence par proposer un classement qui répartirait les humains en trois catégories hiérarchisées, correspondant à trois types de dons, soit, par ordre descendant, la puissance de la raison, l'habileté aux arts, l'aptitude à accumuler des richesses. Toutefois, ayant observé que ceux qui excellent dans chacune de ces catégories sont peu nombreux, il transforme sa tripartition initiale en une opposition binaire entre « l'élite peu nombreuse des personnages de premier plan et la multitude des petits [2] ». Dès lors, c'est essentiellement sur la première que se centre son intérêt. Mais, au lieu de continuer à répartir les membres de l'élite selon leurs dons, c'est-à-dire selon des critères psychologiques, Alberti est conduit, à travers toute une série de glissements, à les classer en fonction de critères politiques et sociaux : ce sont les fonctions qu'ils occupent qui différencient les citoyens privilégiés de la taxinomie albertienne. Celle-ci oppose d'abord ceux

1. Elles concernent essentiellement les portiques, vestibules et passages divers (p. 337 *sq*).
2. Liv. IV, chap. I, p. 271 « *paucioribus primariis civibus* » et « *minorum multitudini* ».

qui exercent le pouvoir seuls (rois et tyrans) et ceux qui le partagent. Ces derniers se répartissent à leur tour en prêtres, sénateurs (exerçant le pouvoir législatif), juges, chefs militaires et administrateurs divers[1]. Mais il s'agit là de catégories vides aussi longtemps que, pour chacune d'entre elles, on ne détermine pas avec précision son extension, ainsi que l'ensemble des conduites, tâches et objectifs qui la caractérisent et que devront satisfaire les bâtiments dont on va formuler les règles de production. Le sens et l'intérêt de la taxonomie d'Alberti est de fournir un cadre à l'expression de programmes[2], autrement dit à l'articulation de la demande d'espaces construits. Cette demande doit être établie dans le détail, avec le maximum d'exhaustivité, en croisant les catégories sociales avec les deux paires d'opérateurs, privé-public et sacré-profane, déjà introduits dans le prologue. Une fois ce travail accompli, la déduction des règles particulières du bâtir, celles qui dans le registre de la commodité concernent les édifices singuliers, ne soulève plus de difficultés. Il suffit de croiser chaque catégorie de demande successivement avec les six principes, toujours énoncés dans le même ordre.

Entre l'élaboration de la classification des utilisateurs et le dernier stade, la programmation s'avère une opération fondamentale. On en mesurera la portée en se reportant au passage où Alberti détaille successivement, avec un même soin et une égale sérénité, les programmes respectifs de la ville du bon prince et de celle du tyran[3] : à la différence des exigences répondra la différence des espaces. La tâche de l'architecte consiste précisément à réussir l'adéquation d'une demande et d'un bâtiment. Il est évident qu'Alberti, en tant qu'individu moral, préfère le bon roi au tyran, et d'ailleurs, lorsqu'à la fin du *De re aedificatoria*, il évoque les problèmes de la déontologie architecturale, il signale bien qu'il appartient à l'architecte de savoir choisir ses clients et ses programmes[4]. Mais ces questions se posent dans un autre registre que celui de la génération des règles de l'édification. L'ordre de la genèse des espaces bâtis n'a rien à voir avec l'ordre de l'éthique, il n'a à répondre qu'au seul programme, à la seule demande des destinataires. Lorsque Alberti se donne pour tâche de déterminer les règles permettant de produire le cadre bâti propre

1. Liv. V, chap. VI, p. 357, 359.
2. Le concept ne se trouve pas dans le texte d'Alberti. De même que « programmation » et « programmatique », programme est utilisé ici pour faciliter la tâche du lecteur contemporain. Il doit, bien entendu, être dépouillé de toute connotation cybernétique.
3. Liv. V, chap. VI, p. 357 et 359.
4. Liv. IX, chap. XI.

à satisfaire les différentes demandes des humains, il ne lui incombe pas plus de se préoccuper de l'intérêt ou de la valeur de ces demandes que, pour prendre une comparaison actuelle, il n'incombe au linguiste de juger le contenu des messages qui lui servent à établir les lois de production du discours. Si le praticien peut, et doit même, prendre position par rapport au programme qu'il est appelé à réaliser *hic et nunc*, cette attitude est interdite au théoricien. La question que pose celui-ci est un *comment* et non un *pourquoi*. Ce *comment* résume en un mot le propos du *De re aedificatoria*.

Loin de vouloir privilégier tel programme, urbain ou monumental, Alberti vise au contraire à suggérer l'infinie diversité de ceux qui peuvent être proposés à l'architecte et que, quel que soit leur contenu, il réalisera en se servant du même ensemble limité de règles universelles. Cette volonté de traiter l'édification en soi et pour soi, comme un domaine autonome, n'a cependant pas laissé d'être plus ou moins méconnue par les critiques. E. Garin lui-même n'a pas évité l'ambiguïté sur ce point [1]. La « cité idéale » qu'il attribue à Alberti se trouve effectivement proposée dans des œuvres comme le *Della Famiglia* et le *Teogenio* [2]. Mais parler de « cité albertienne » à propos du *De re aedificatoria* revient à ignorer la « neutralité [3] » qui donne à cette œuvre une résonance unique et marque sa détermination de traiter les règles de l'édification de façon autonome. Il est surprenant que l'un des plus profonds analystes de la Renaissance italienne, en même temps que l'un des plus attentifs à repérer les coupures et les déplacements que faisaient subir les humanistes aux textes de l'Antiquité, ait été conduit, probablement en accordant trop d'importance aux emprunts faits par Alberti à Platon [4] dans sa taxinomie sociale, à considérer comme adventice le passage-manifeste sur la demeure du bon prince et du tyran, et à le négliger au profit de la place accordée

1. *Scienza e vita civile nel rinascimento italiano*, Bari, Laterza, 1965. Dans cet ouvrage, la conception de la cité attribuée à Alberti est essentiellement celle d'un ensemble d'humanistes préoccupés de politique, tel le chancelier Bruni : « *Imitare le città antiche* [...] *significa obbedire alla ragione e alla natura* [...] *La città ideale nelle pietre e negli instituti è la città razionale, quale i Graeci delinearono* [...] *secundo un tipo che le città-stato italiane si avviano a riprodurre* » (*op. cit.*, p. 46).
2. Cf. *infra*, p. 110.
3. Nous désignons par là la volonté d'établir des règles qui soient indépendantes du sujet qui les formule.
4. « *La stessa città dell'Alberti, più ancore che medievale o preromantica come - è stata detta - è piena delle preoccupazioni di una giustizia platonica, con le sue divisioni di classi, solidificate in mura* [...] *la città albertiana è costruita per scandire lo differenze d iclasse, per adeguare nelle mura e negli edifici i una struttura politica precisa* [...] » (*op. cit.*, p. 48, 49).

ensuite à certains édifices comme la maison suburbaine, dont l'architecte prend pourtant bien soin d'indiquer et qu'ils correspondent à une inclination personnelle et qu'ils ont seulement une valeur illustrative [1].

La même méconnaissance entraîne P.-H. Michel à donner une valeur absolue à la classification d'Alberti et aux édifices qu'elle permet de construire, alors qu'ils représentent seulement l'illustration de la méthode et du fonctionnement des règles albertiennes [2]. Il en arrive ainsi à détecter une dimension utopique dans le *De re aedificatoria*. Cependant, sans craindre la contradiction, à quelques pages de distance, il reproche à Alberti de ne pas prendre parti politiquement [3] et il remarque, toujours à propos du même passage sur les deux princes, qu' « il y a là chez [Alberti] une sorte d'opportunisme qui [...] paraît relever de la politique d'Aristote, bien plus que des écrits de Platon [4] ». En fait, il ne s'agit pas là d'opportunisme. Le *De re aedificatoria* est situé hors du champ politique, à l'intérieur d'un domaine indépendant qu'il a l'ambition de fonder en raison.

Ainsi entendu, le rapprochement avec Aristote est inexact. Mais cette inexactitude permet néanmoins à P.-H. Michel de relever une authentique parenté : l'intérêt porté par Alberti au monde sublunaire et à l'étendue physique ressortit aux mêmes options que l'aristotélisme et, en dépit de toutes les annexions tentées par Landino et le cercle de Careggi [5], oppose Alberti au platonisme.

C'est bien cet intérêt passionné pour la *praxis* qui lui permet de mettre entre parenthèses les considérations axiologiques, et de tenter de déterminer de façon exhaustive les cadres de la demande de bâti, autrement dit d'élaborer une théorie du programme. La paire d'opérateurs privé-public permet d'emblée de répartir celle-ci en deux secteurs : chaque acteur social mène à la fois une vie publique appelant des édifices professionnels, et une vie privée qui se déroule dans des demeures personnelles [6]. Trois exemples permettront de suivre le

---

1. Cf. *infra*, p. 110 (la villa, choisie parce que particulièrement libre de contraintes dans sa programmation) et p. 123 (la maison suburbaine, prisée par l'individu Alberti).

2. Dans sa monographie, qui a longtemps fait autorité, *La Pensée de L. B. Alberti*, Paris, Les Belles Lettres, 1930, p. 265 *sq.*, p. 286. « Voici d'après l'*Architecture*, ce qui constitue proprement la République » (*ibid.*, p. 288).

3. « Entre la monarchie et la démocratie, il ne se prononce pas plus qu'entre la cité et l'empire » (*ibid.*, p. 280).

4. *Ibid.*, n. 6, p. 275.

5. Cf. A. Chastel, *Marsile Ficin et l'Art*, Genève, Droz, 1954, p. 75 *sq.*

6. Liv. V, chap. VI : « Il faut à chacun [de ceux qui exercent le pouvoir à plusieurs] deux genres de domiciles [*duo genera domicilii*], dont l'un concerne ses

travail analytique de la programmation albertienne, et de le voir se traduire en règles de construction.

Considérons, pour commencer, le groupe des prêtres, face aux exigences de leur vie publique. Celle-ci peut se décomposer en plusieurs activités : culte de Dieu, qui se déroule dans le *temple;* exercice de la piété, acquisition des connaissances divines et humaines, qui a pour cadre le *monastère;* accomplissement de tâches sociales qui ont pour lieux l'*école* et l'*hôpital.* On ne détaillera pas ici les différents types de temples ou églises. On se bornera à signaler l'importance accordée, dans la formulation du programme, à l'impression que ces édifices doivent faire sur ceux qui s'y rendent, et le rôle joué en conséquence par le principe de situation et le principe d'ouverture qui permettront, par le choix d'une position urbaine appropriée et le percement judicieux des fenêtres, d'assurer une vue et des jeux de lumière propres à émouvoir. On ne s'attardera pas davantage aux diverses sortes de monastères dont la situation, par exemple, différera selon le niveau de réclusion souhaité et le sexe des religieux. Quant aux hôpitaux [1], leur typologie répondra à celle des maladies. Il faut, en effet, distinguer, dit Alberti, entre les contagieux, à éliminer de la ville, et les non-contagieux que l'on peut conserver *intra muros.* Ceux-ci, à leur tour, peuvent être classés en guérissables et incurables. Selon qu'il s'agira d'hommes ou de femmes, huit types d'hôpitaux urbains sont envisagés, qui diffèrent à la fois par leur localisation, leur forme et leur plan. Pour les écoles, enfin, si Alberti s'inspire des règles observées par les anciens pour leurs palestres, il y apporte, néanmoins toute une série de compléments, concernant, en particulier, le choix d'un emplacement, à l'abri du bruit, des mauvaises odeurs, des citoyens oisifs et de la foule.

Autre problème, qui est, cette fois, du ressort de magistrats profanes, la prison. Alberti commence par établir une typologie des criminels qui n'est pas sans évoquer celle des malades. Les uns, en effet, sont irrécupérables et il ne faut pas les garder dans la ville; les autres, au contraire, seront maintenus en plein centre. Logés dans des parties différentes, plus ou moins secrètes et inconfortables, selon la nature et la gravité de leur transgression, ils occuperont la prison urbaine, qui doit satisfaire à la fois les exigences des citoyens honnêtes, celles des prisonniers et celles des gardiens [2]. La sécurité que demandent

---

affaires [*ad suum pertineat officium*] et dont l'autre puisse le recevoir avec sa famille [*quo se familiamque suam recipiat*] » (p. 357).

1. Liv. V, chap. VIII, p. 369 et 371.
2. Liv. V, chap. XIII, p. 399.

les premiers sera obtenue en utilisant les principes de l'aire, du mur, du toit et, en partie, de l'ouverture. Le principe d'ouverture, à nouveau, et celui de partition permettront d'assurer aux prisonniers un minimum d'hygiène (aération, lumière, évacuation), de confort physique (chauffage, possibilité de faire de l'exercice en plein air) et moral (cellules individuelles) et de faciliter la tâche de surveillance des gardiens (ouvertures permettant de contrôler l'intérieur des cellules)[1].

Dernier exemple, emprunté à la vie privée : la demeure familiale, chère au théoricien du *Della Famiglia*, et dont la construction fait l'objet de règles particulièrement nombreuses et détaillées. Avant la maison de ville, Alberti traite en priorité la forme rurale du domicile privé, la *villa*[2], parce que celle-ci est dégagée des contraintes imposées par la vie urbaine et peut librement s'étendre au sol[3]. Après avoir utilisé les règles de localisation du site par rapport aux vents et aux accidents du paysage, Alberti en vient aux bâtiments qui devront, les uns recevoir les propriétaires, les autres, les fermiers.

Ces derniers sont à la fois des gardiens et des producteurs agricoles, qui doivent pouvoir entreproser les fruits de leur travail. Il leur faudra donc deux groupes de bâtiments, dont l'un est destiné à la famille, l'autre à ses instruments (morts ou vifs) et à ses récoltes. La fonction de gardiennage, croisée avec le principe de situation, exigera que la maison du fermier soit implantée près de la demeure des maîtres. Sa maison devra permettre à la famille paysanne de se chauffer et de se nourrir avec commodité, et de récupérer ses forces de la façon la plus rationnelle. A cette fin, le jeu des principes de partition et d'ouverture commandera la construction d'une vaste cuisine, prémunie contre l'incendie, et dotée d'un âtre, d'un fourneau et d'une canalisation permettant d'évacuer les eaux. Un espace autonome sera affecté

1. Liv. V, chap. XIII, p. 399.
2. Exploitation agricole, composée d'une maison de maître et de dépendances où logent les employés. Cf. son éloge, et la supériorité qui lui est attribuée sur la demeure urbaine, in *Libri Della Famiglia*, *Opere Volgari*, édition critique par C. Grayson, t. I, Bari, Laterza, 1960 (spécialement p. 198 *sq.*, où Alberti indique : « *Sia la villa utile alla sanità, commoda al vivere, conveniente a la famiglia* », p. 200, et ajoute « *uno proprio paradisio* »). Cf. aussi les 5 pages manuscrites sur la villa découvertes par C. Grayson et publiées à la fin du même volume.
3. Liv. V, chap. XIV. Après avoir énuméré les chicaneries (mitoyennetés, gouttières, espaces publics) qui font obstacle à la liberté des citadins (« *quominus ipse tibi satisfacias* »), Alberti précise que rien de pareil ne se produit « *in rusticana* [*aedificia*] » et il ajoute : « *liberiora illic* » (p. 401). Il s'agit là d'un des passages du livre où Alberti exprime son goût personnel (cf. *infra*, n. 1, p. 123). Mais système de règles et système de valeurs n'interfèrent pas et sont clairement dissociés. Cf. *Della Famiglia*, éd. cit. : « *Lodate voi abitare in villa più che in mezzo alla città* » (p. 201).

au sommeil, chaque habitant dormant au plus près d'un accès vers ses occupations particulières. Le rangement des instruments de culture se fera dans trois types de volumes [1]. Les fruits de la culture (produits de consommation) seront répartis dans des abris spécifiques, soigneusement élaborés et différenciés selon qu'ils recevront des animaux (reclassés en sept catégories) ou des végétaux, qui exigent une bonne aération et une sécheresse d'atmosphère dont l'obtention appellera l'application des principes d'ouverture et de couverture.

Quant à la demeure des maîtres, elle doit satisfaire les différentes activités qui scandent leur vie (réception, audiences, repas et leur préparation, travail intellectuel, vie sexuelle et sommeil, toilette), classées du plus public au plus intime. Ces activités sont à leur tour croisées avec la diversité des membres de la maison, sériés selon leur statut à l'intérieur de la famille (relations de parenté) ou par rapport à elle (visiteurs divers ou domestiques). Alberti accorde, en outre, une attention extrême à l'incidence des grands rythmes et cycles naturels sur la vie privée : pour être commodément satisfaite, chaque activité fait jouer de façon spécifique les principes de situation et d'ouverture, mais l'orientation et les percements qui en découlent pour les diverses pièces varieront selon les saisons : c'est ainsi, par exemple, que seront prévues des salles à manger différentes pour l'hiver et l'été. Le souci du particulier et la volonté d'exhaustivité que traduisent ces programmes sont aux antipodes de l'idéologie des besoins universels qui, depuis le XVIIIe siècle, mais surtout depuis le début du XXe, a marqué la théorie et la pratique de l'aménagement. En outre, et contrairement aux idées reçues qui font naître le véritable souci de la commodité au XVIIIe siècle, aucun aspect de la vie pratique ne paraît à Alberti trivial ou négligeable : en font foi les pages consacrées aux celliers, garde-manger, fosses d'aisance [2].

Au fil des programmes et des règles formulées au livre V, on pourrait multiplier les notations concrètes qui font revivre dans leur cadre quotidien les milieux privilégiés du *Quattrocento*. Mais tel n'est pas pas notre propos, non plus que de signaler comment Alberti glisse constamment de l'analyse de la vie contemporaine à celle de l'exemple que les humanistes s'étaient découvert dans la littérature romaine, et qu'ils n'interprétaient pas sans fantaisie. Ce qui nous importe est de

1. Un grand hangar adjacent à la cuisine qui puisse recevoir charrettes, charrues, paniers à foin, et qui soit exposé de façon à fournir à la famille paysanne un lieu pour les fêtes et un abri contre le mauvais temps; un volume libre pour les pressoirs à vin et à huile; un abri pour ranger, au niveau du sol, les mesures à grains et les outils de réparation et, à l'étage, le foin (chap. XVII, p. 407).

2. Liv. V, chap. XVII, p. 433.

111

montrer comment les livres IV et V s'articulent dans le *De re aedificatoria* et comment, indépendamment de leur contenu et de leurs déterminations concrètes, les nouveaux opérateurs et les règles qu'ils engendrent s'intègrent dans l'architecture et l'économie de l'ouvrage.

C'est pourquoi, dans les pages qui précèdent, je me suis autorisée à résumer l'exposé d'Alberti sous une forme linéaire, épargnant ainsi au lecteur ses détours et ses sinuosités, rendus sans doute inévitables par la difficulté des questions abordées [1]. J'ai minimisé un certain nombre d'obstacles qui n'ont pas d'incidence sur la structure du *De re aedificatoria* et sur le mode de fonctionnement de ses opérateurs. C'est ainsi que les règles universelles du bâtir ont été interprétées comme des universaux culturels et que j'ai pu souligner l'identité de leur fonctionnement dans les deux domaines de la ville et de la maison. Or, Alberti ne pose pas sans mal l'homologie de ces deux termes du point de vue d'une législation universelle [2], consacrant tout un livre (sept chapitres sur huit) aux règles de la ville contre quelques pages seulement (disséminées dans deux chapitres sur dix-huit) à celles de la maison. De plus, en dépit de ses précautions, Alberti tend souvent à confondre les notions de public et d'universel.

Il hésite entre deux conceptions selon lesquelles la ville universelle est un ensemble de structures qui sont, ou bien communes à toutes les villes, ou bien utilisées par tous les habitants. Dans cette deuxième acception, « universel » est difficile à distinguer de « public » qui désignerait alors les édifices liés à la vie de relation, et essentiellement à la vie politique. On constate ce glissement, en particulier, lorsque après avoir divisé les humains selon les deux catégories de l'élite et de la multitude (des autres), il annonce qu'il faudra donc répartir les édifices entre ceux « qui conviennent à l'universalité des citoyens, à un petit nombre d'entre eux et à la multitude [3] ». Le particulier n'est ici pas plus évoqué que le public.

Une division analogue est introduite au niveau de la maison lorsque Alberti indique que certaines de ses pièces sont utilisées par la totalité

1. Alberti prévient lui-même au début du livre V que la question abordée est « complexe, vaste et difficile » (p. 333).
2. L'existence de lois universelles de la maison n'apparaît pas dans le premier chapitre théorique du livre IV. Elle est mentionnée seulement au chapitre I du livre V et, bizarrement, après qu'Alberti a déclaré sans ambiguïté qu'il en avait terminé avec la catégorie de l'universel : « *quae autem universorum [civium] gratia convenirent, absolvimus* « *(ibid.).*
3. Liv. IV, chap. I : « *De his igitur nobis dicendum est : quid una universis, quid paucioribus primariis civibus, quid minorum multitudini conveniat* » (p. 271); distinction reprise liv. V, chap. I : « *compertum fecimus alia civium cetui universo, alia dignioribus, alia ignobilioribus deberi aedificia* » (p. 333).

de ses occupants *(aedium pars aliae* universorum), d'autres par nombre d'entre eux (plurimorum), d'autres enfin ne servent qu'à des individus particuliers *(singulorum)* [1]. L'universel désigne bien les parties publiques de la maison ou tout au moins celles d'entre elles qui concernent le plus grand nombre de personnes. Car l'opérateur privé-public est essentiellement relatif : il peut ausi bien désigner des termes antinomiques que s'appliquer alternativement à un même espace. Il s'avère donc d'un maniement aussi délicat pour Alberti que pour les théoriciens qui continuent actuellement de l'utiliser [2].

Enfin, la classification des humains, telle qu'Alberti choisit finalement de l'établir, témoigne, elle aussi, d'une pensée qui se pose un problème trop complexe pour être conceptuellement formulable à son époque. Prétendant se fonder sur ce que nous appellerions une psychologie, elle repose, en fait, non pas même sur une sociologie, mais sur un fantasme politique. Alberti retrouve finalement les catégories politiques de l'Antiquité qu'il voulait éviter [3] : ses citoyens de diverses catégories sont plus proches des citoyens de la *polis* ou de l'*urbs* antique que de ceux des cités italiennes qu'il s'agit d'édifier. Ils sont classés hiérarchiquement selon la nature du pouvoir qu'ils détiennent dans un régime politique déterminé, l'oligarchie, dont le choix trahit les préférences d'Alberti [4] et lui permet de se désintéresser de la masse de ceux qui « n'ont qu'à obéir [5] ».

Mais quelles qu'en soient les limites, cette taxinomie, dont Alberti signale lui-même la relativité, est l'un des opérateurs requis au stade de la commodité. Peu importe son contenu, modifiable ultérieurement, elle s'impose en tant que classification et fonctionne. Elle fonctionne de la même façon que le couple universel-particulier qui permet d'informer un mode spécifique de production du bâti et de désigner, encore innommable au *Quattrocento*, la nécessité seconde qui opère dans les œuvres du désir humain. En dépit des difficultés signalées, Alberti

1. Liv. V, chap. XVII, p. 415. Même terminologie, p. 417.
2. Cf. la façon dont on tente aujourd'hui de surmonter ces difficultés par la création de concepts complémentaires, tels ceux d'*espaces intermédiaires* ou d'*espaces de transition.*
3. Cf. *supra*, p. 102.
4. Après avoir assimilé dons naturels et statut social, il glisse du thétique à l'éthique, à la faveur d'un adjectif verbal : « *his primariis republicae partes committendas* », « il faut confier les affaires de la République au petit nombre des hommes célèbres et " arrivés " » (p. 271). Ce cas est pratiquement le seul où Alberti opère une pareille confusion de plans, due à la taxinomie qu'il emprunte à un système de valeurs antique. Outre les textes cités, *supra*, p. 105, n. 2, la pensée politique d'Alberti s'exprime aussi dans son roman *Momus*, et dans son traité *De la tranquillité de l'âme.*
5. P. 271.

a donc su se doter de deux opérateurs nouveaux, qui lui étaient indispensables pour pouvoir déduire les règles du bâtir propres au registre de la commodité.

Ces nouveaux opérateurs viennent occuper le vide laissé dans l'édifice albertien par la disparition, au livre III, du principe de partition. Du même coup, ils rétablissent la dynamique des principes. Cependant la totalité des opérateurs initiaux n'en demeure pas moins indispensable et continue d'être systématiquement utilisée. On a vu que le couple public-privé, qui n'avait plus été évoqué depuis le prologue, intervient à tous les niveaux de l'analyse programmatique de la ville et de la maison. Les six principes servent à la transcription des programmes dans l'espace et en déterminent la chronologie. Le postulat de l'édifice-corps permet l'introduction d'une métaphore nouvelle pour guider la partition : celle-ci pourra s'organiser autour d'un organe central et privilégié, analogue au *cœur*, l'*atrium* pour la maison, le *forum* pour la ville [1]. Outre la façon dont elle définit le registre de la commodité où s'inscrivent les lois de cette deuxième partie du *De re aedificatoria*, la triparition aristotélicienne permet d'y insérer certaines précisions concernant et la hiérarchie des demandes et des désirs [2], et les frontières du registre de la beauté, d'où sont exclues les demeures les plus humbles [3]. Le procès de réduction au même dénominateur structural se poursuit : non seulement l'homologie ville-maison est reprise et développée partie après partie, mais la flotte est considérée comme un camp mouvant, le monastère comme le camp du prêtre et celui du soldat comme un germe de ville [4].

Dédiés à la commodité et centrés sur la ville, les livres IV et V respectent donc la logique et l'économie du projet albertien. Ils constituent une articulation maîtresse de son architecture, entre le registre de la nécessité et celui du plaisir esthétique. A l'encontre des trois livres précédents, ils ne forment pas un ensemble clos, mais, bien que réduits au minimum, ils pourraient, par définition, être indéfiniment développés. Peut-être est-ce à travers cette potentialité que se lit le mieux la

---

1. Liv. V, chap. XVII : « *Omnium pars* primaria *est quam seu cavam aedium seu atrium putes dici, nos* sinum *appellabimus* [...] *Itaque* sinus *pars erit* primaria *in quam caetera omnia minora membra veluti in publicum aedis* forum *confluant* » (p. 417). [*Nous soulignons*]. Cf., *infra*, la reprise de ces homologies par Sitte, chap. VI, p. 324.

2. Cf., par exemple, le passage déjà cité de la p. 337.

3. On verra plus loin comment la troisième partie tempère la position radicale adoptée au livre V par Alberti lorsqu'il déclare que la maison des humbles *(tenuiorum)* doit pourvoir à l'hygiène *(in primis valitudini)* et à la commodité *(utilitati fructique)*, mais non pas au plaisir *(ad fructum non ad delicias)* (chap. XVIII, p. 435).

4. Liv. V, chap. XII, VII et X.

valeur attribuée par Alberti à l'espace et au bâtir : le pemier toujours offert au second, qui l'investit, le différencie et le spécifie, interminablement, au gré de la demande des hommes.

Mais le registre de la commodité ne constitue qu'une étape dans la spécification des espaces bâtis. Ceux-ci trouvent leur véritable achèvement dans le cadre du registre supérieur. Autrement dit, aux règles qui permettent de satisfaire la demande de commodité, doivent s'ajouter les règles répondant au désir de beauté : le plaisir esthétique, et la beauté qui le procure, sont la finalité et le couronnement à la fois de la pratique de l'édification et du *De re aedificatoria*, dont la dernière et plus longue partie leur est consacrée.

Le livre VI introduit donc au registre de la beauté. Toutefois, avant d'aborder ce qu'il désigne lui-même comme la troisième partie de son ouvrage [1], Alberti marque une pause. Dans les trois premiers chapitres de ce livre, il prend de la distance par rapport à son entreprise, dresse le bilan de l'effort accompli et des résultats déjà acquis, fait le point des difficultés à venir. En fait, il reprend souffle avant la dernière étape, la plus périlleuse [2], de son travail, et ce temps d'arrêt, unique dans le déroulement du *De re aedificatoria*, prend la valeur d'un nouveau prologue. Pour R. Krautheimer [3] il s'agirait en fait d'une préface qu'Alberti aurait écrite pour une première version du *De re aedificatoria*, dans un moment de déception, après avoir renoncé à écrire le commentaire de Vitruve que Lionello d'Este lui avait suggéré. Cette hypothèse, si intéressante soit-elle, nous semble inutilement compliquée et mal compatible avec le prologue actuel. Surtout, ces trois premiers chapitres nous paraissent en parfait accord avec la démarche générale d'un traité qui, de bout en bout, lie la relation des moments de l'édification à celui de la réflexion qui la construit, fait courir parallèlement le temps théorique du bâtisseur et le temps de l'écrivain. Dans cette perspective, quand on sait que la rédaction du *De re aedificatoria* s'est étendue sur de nombreuses années, il est normal

---

1. Cf. les lignes qui achèvent le chap. II, p. 445 : « Ex tribus partibus *quae ad universam aedificationem pertinebant, uti essent quidem quae adstrueremus ad usum apta, ad perpetuitatem firmissima, ad gratiam et amoenitatem paratissima, primis duabus partibus absolutis, restat* tertia *omnium dignissima* [...]. » *(Nous soulignons.)*

2. Au point que l'auteur avoue avoir hésité à persévérer dans son projet : « *Itaque anceps eram incertusque consilii, proseguerne an potius intermitterem* » (p. 443).

3. « Alberti and Vitruvius », *The Renaissance and Mannerism, Studies in western Art*, t. II, Princeton, Princeton University Press, 1963.

qu'Alberti balise cette durée et raconte les angoisses et les difficultés intellectuelles que lui a coûtées l'élaboration des règles ultimes présentées dans la troisième partie du *De re aedificatoria.*

Plus ample que le premier, le « deuxième prologue » est identiquement découpé en trois temps : récit biographique des conquêtes intellectuelles et difficultés spéculatives rencontrées par l'auteur (chapitre I); définition et éloge de la beauté (chapitre II); enfin (chapitre III), récit d'origine et introduction à une problématique de la beauté dont découlera le plan de cette dernière partie du *De re aedificatoria.*

Pour Alberti, la beauté d'un objet quelconque peut être définie comme « un accord [*concinnitas*] de toutes [ses] parties, réglé de telle sorte que rien n'y puisse être ajouté, diminué ou modifié[1] ». Elle fait donc partie intégrante du bel objet[2], à la différence de l'ornement qui représente une forme de beauté auxiliaire et artificielle[3]. Elle relève d'une législation précise *(certa ratione*[4]*)*. Cependant, certains contestent l'existence de cette législation, et font de la beauté une valeur relative et contingente. Contre cette opinion, Alberti invoque le témoignage de l'histoire. La beauté est le fruit d'un long processus de maturation[5]. Elle a d'abord été produite par *hasard*, puis par l'*observation* de la nature et l'*expérience*, enfin grâce à la *connaissance par la raison.* Dans le cas de l'architecture, ces trois moments se sont successivement manifestés en Asie, en Grèce, et en Italie, dont les habitants, les Romains, ont, pour la première fois, assimilé l'imitation de la nature à celle de l'animal vivant, et ont appelé beauté la parfaite adaptation morphologique de l'animal à ses fins[6]. Grâce à l'économie de moyens *(frugalitas)* ainsi rendue

---

1. « *Certa cum ratione concinnitas universarum partium in eo cujus sint, ita ut addi aut diminui aut immutari possit nibil* [...] » (p. 447). Orlandi traduit *concinnitas* par « harmonie », tout en précisant que le mot moderne le plus proche de la pensée d'Alberti serait sans doute organicité. Ce terme est emprunté par Alberti au lexique de Cicéron, qui s'en sert pour qualifier le style littéraire.

2. « [...] *arbitror pulchritudinem quasi suum atque innatum* toto *esse* perfusum corpore » (p. 449). [*Nous soulignons.*]

3. « *Quasi subsidiaria quaedam lux pulchitudinis atque veluti complementum* [...] *afficti et compacti naturam sapere magis quam innati* » (p. 449).

4. *Ibid.*

5. Pour ce rôle créateur du temps chez Alberti, cf. aussi, plus loin, la fin du deuxième chapitre (p. 451, les verbes *cresco* et *excresco*, utilisés trois fois en six lignes), et le troisième chapitre (p. 453, dans le récit de la démarche grecque, accumulation des verbes d'action; rôle des adverbes de temps).

6. Alberti court-circuite donc ici la tradition pythagoricienne qui lui était cependant familière, en particulier à travers le cercle néo-platonicien de Careggi (cf. A. Chastel, *Marsile Ficin et l'Art*). En prenant pour base de sa démons-

possible, Rome, dans sa prodigieuse activité de bâtisseuse, a porté la beauté à une extrême perfection.

A partir de cette histoire [1], qu'il fonde sur les données de l'archéologie et de la tradition écrite, et en s'aidant de son expérience personnelle, Alberti se propose de découvrir les lois de la beauté en architecture. Celles-ci se divisent en deux catégories : « Les unes embrassent la beauté et les ornements de chaque édifice dans sa totalité, les autres concernent leurs différents membres individuellement. Les premières sont tirées de la philosophie et servent à donner direction et limites à cet art [de bâtir], les secondes sont tirées de cette connaissance dont on a vu qu'elle a produit la suite de l'art [2]. » Alberti annonce qu'il commencera par les règles plus techniques de la deuxième catégorie) alors que les autres (« *quae universam rem prehendant* [3] ») serviront d'épilogue.

La formulation et l'énumération des règles fondamentales sont donc reportées à la fin de la troisième partie du *De re aedificatoria* : dilation surprenante qui trahit chez Alberti un embarras réel dont ce long résumé du « deuxième prologue » aura permis de prendre la mesure. On y voit, en effet, Alberti buter sur deux difficultés principales. La première concerne l'ornement. D'abord déprécié et dissocié de la beauté, il est ensuite rétabli sur le même plan qu'elle, s'il ne lui est pas assimilé [4] : au reste, c'est bien l'ornement et non la beauté qui est à l'honneur dans les titres des quatre livres de la troisième partie du *De re aedificatoria* [5]. La deuxième difficulté concerne le statut des « lois philosophiques » de la beauté et leur rapport avec la nécessité et la commodité.

En particulier, comment la spécificité du troisième niveau et de

---

tration l'exemple du cheval, dont la forme des membres *(figuram membrorum)* satisfait à la fois les exigences de la vitesse et celles de la grâce *(op. cit.*, p. 455), il se situe dans le droit-fil de son petit traité antérieur *De equo animante*, que P.-H. Michel désigne justement comme l' « ébauche d'une histoire naturelle du cheval » *(op. cit.*, p. 195).

1. Cf., pour son détail, *infra*, p. 158.

2. Chap. III, p. 457.

3. *Ibid.*

4. Cf. chap. II, p. 449 : « *circa pulchrirudinem* ornamentumque »; chap. III, p. 457, sur les lois philosophiques : « *universam omnis aedificii pulchritudinem* et ornamenta *complectuntur* »; et le début du chap. IV, p. 459 : « *quae in rebus pulcherrimis et* ornatissimis *placeant* ». *(Nous soulignons.)* La même assimilation a lieu dans le premier prologue, dont le plan ne mentionne d'ailleurs que le terme d'ornement.

5. Liv. VI : « *De ornamento* »; liv. VII : « *Qui sacrorum ornamentum inscribitur* »; liv. VIII, « *Qui publici profani ornamentum inscribitur* »; liv. IX « *Qui rivatorum ornamentum inscribitur* ».

ses lois est-elle compatible avec la conception de la beauté comme bonne adaptation ? Si la beauté d'un édifice, comme celle d'un animal, réside dans son adaptation à sa destination, les lois de la beauté n'ont plus à être formulées dans un registre propre. Davantage, cette conception « adaptative » de la beauté n'est-elle pas en contradiction non seulement avec la conception philosophique de la « beauté intrinsèque », mais avec la notion d'ornement, qu'elle exclut ?

Ce n'étaient donc pas de minces problèmes qui arrêtaient Alberti au seuil de la troisième partie du *De re aedificatoria*. Sans être parvenu à en donner une formulation explicite, et après avoir différé le moment fondamental où traiter les lois de la beauté intrinsèque ou universelle, il dédie la première, et de loin la plus longue [1], partie des livres « esthétiques » aux règles propres à l'architecture dans ce domaine. Alberti commence par se situer à un niveau abstrait pour exposer les règles générales de l'ornement, avant de traiter celles qui concernent les ornements particuliers des édifices concrets. La beauté pouvant provenir des opérations de l'esprit *(electio, distributio, collocatio)*, de la main *(acerratio, affictio, amputatio, circumcisio, expolitio)* ou de la nature elle-même, les règles générales de l'ornement seront obtenues par le croisement de ces opérations avec les six principes [2].

Mais dans ce nouveau registre, ceux-ci sont régis par un nouvel équilibre. Le premier et le deuxième principes, si longuement et minutieusement développés dans la première partie, sont ici peu productifs : la région et l'aire offrent des possibilités restreintes à l'intervention esthétique.

Quant au principe de partition, si avantagé dans la deuxième partie, il n'occupe plus qu'un seul paragraphe [3] : laconisme surprenant à première vue, mais explicable par une assimilation de *commoditas* à *pulchritudo*. Si la beauté se confond avec l'adaptation, c'est-à-dire une forme de la commodité, le principe de partition ne peut générer d'autres règles que celles déjà obtenues dans le registre de la commodité.

En revanche, l'ornement des murs, toits et ouvertures suscite une

---

1. Dans l'ensemble des quatre livres, les règles liées à la beauté universelle occupent seulement cinq chapitres, soit 21 pages sur 199 de l'édition Orlandi, ou un dixième de la totalité de cette troisième partie.

2. Liv. VI, chap. v, p. 459.

3. Premier paragraphe du chapitre v (dont le reste traite du mur et du toit). On y trouve la première mention de la *concinnitas* qu'on ne retrouvera plus avant le livre IX (cf. *infra*, p. 124 *sq.*).

abondance de règles concernant principalement les revêtements[1] et les colonnes. Jusque-là envisagée en tant qu'élément porteur *(ossa)*, la colonne est maintenant présentée comme l'ornement le plus important : « *In tota re aedificatoria primarium certe ornamentum in columinis est*[2]. » Elle pare les carrefours, les places, les théâtres, embellit monuments commémoratifs et trophées. Les règles esthétiques générales de la colonne sont déterminées par Alberti en se fondant sur sa seule expérience et, précise-t-il, sans aucune référence à la tradition écrite. Elles excluent les questions de style, liées à la particularité concrète des édifices, qui seront traitées au livre VII.

Ce livre énonce, en effet, les règles particulières applicables aux édifices déjà informés par les règles de la commodité. On peut donc, dès ce moment, s'attendre à voir Alberti reprendre l'ordre des matières de la deuxième partie et traiter successivement les règles d'ornement concernant la ville universelle, la maison universelle, puis la ville particulière avec les édifices, places et voies qui la composent, et enfin la demeure privée. Telle est bien la solution adoptée par Alberti, mais avec quelques différences et sans qu'il soit possible de superposer les contenus respectifs des mêmes rubriques : ce décalage, on le soupçonne déjà, tient au fait que tous les bâtiments élevés pour satisfaire la commodité ne méritent pas pour autant d'être parés d'ornements, qui sont plus particulièrement réservés à certaines catégories d'édifices, tels les temples ou églises.

C'est pourquoi la ville universelle, toile de fond de la deuxième partie, n'est plus évoquée au livre VII qu'incidemment, comme par acquis de conscience[3] et sous des aspects surprenants, assez hétéroclites. Les règles esthétiques concernant la ville universelle portent sur le nombre de ses édifices et de ses habitants[4], qui doivent être le

---

1. Chap. VII et VIII. Les règles du revêtement se divisent en deux groupes, selon qu'il s'agit de revêtements posés *(crustationes inductae)* faisant intervenir les techniques de la fresque, ou de revêtements incrustés *(adactae)* faisant intervenir les techniques de la mosaïque.

2. Chap. XIII, p. 521.

3. Au début du livre VII, Alberti s'apprête à énoncer les règles du temple lorsque, soudain, il s'avise qu'il ne faudrait pas omettre de parler « très brièvement » de « quelques caractéristiques de la ville » : « *De moenibus igitur et templis et basilica et monumentis nobis* dicendum est, *si priusquam ista attingamus, pauca brevissime referentur* de ipsis urbibus *non praetermittenda* » (chap. I, p. 533). [*Nous soulignons.*]

4. C'est là un des rares traits du *De re aedificatoria* qui porte la marque de l'esprit médiéval. Cf. *supra*, chap. I, p. 66.

plus abondants possible; sur les techniques de terrassement permettant d'assurer la qualité de l'aire choisie[1]; sur la façon dont la partition de la ville (son plan) doit s'adapter aux usages de celle-ci, et c'est là, selon Alberti, la règle la plus importante, celle qui procure « le principal ornement des villes[2] »; elles visent enfin le maintien de l'identité de la ville, qu'on obtiendra par des mesures de protection contre d'éventuelles interventions étrangères, et par une relative spécialisation des quartiers, à l'égard de laquelle l'attitude d'Alberti demeure toutefois ambivalente[3].

Le champ privilégié d'application des règles esthétiques concernant la ville particulière, champ qui occupe l'essentiel du livre VII et tient la première place dans la troisième partie du *De re aedificatoria*, est celui des édifices publics sacrés. Ainsi, leur nomenclature ne se superpose pas à celle du livre V. Alberti fait silence sur les écoles et les hôpitaux, qui doivent, sans doute, se contenter de la commodité. En revanche, suivant ostensiblement et sans réserves la tradition antique, il s'attarde longuement aux murailles (sacrées pour les anciens), aux basiliques, aux monuments commémoratifs, et surtout aux églises[4].

Objet de quelques pages rapides au livre V, celles-ci se voient maintenant accorder treize chapitres entiers et une partie de trois autres. La démesure de cet espace par rapport à celui qui échoit aux autres catégories d'édifices traduit l'influence de Vitruve dont le *De architectura*, nulle part plus présent dans le *De re aedificatoria*, est en effet

1. Dans les villes de plaine, il faut donner à leur aire une légère inclinaison nécessaire pour faciliter l'écoulement des eaux et pour maintenir la propreté (partie donc ici de la beauté et non de l'hygiène). Dans les villes construites sur la hauteur, la règle doit être d' « aplanir et égaliser l'aire pour la beauté des voies et des édifices » *(ibid.)*.
2. « Mais le principal ornement des villes provient de la situation, de l'exécution et du positionnement relatif *(collocationes)* des édifices, permettant la meilleure adéquation à l'usage, la dignité et la commodité de chacun d'entre eux » (p. 535).
3. Deux solutions sont envisagées : classement des métiers selon les rues et les quartiers, ou mélange des fonctions. Les préférences de l'auteur semblent aller à la première; néanmoins, les avantages de la deuxième ne sont pas minimisés. La discussion s'achève abruptement, comme si Alberti s'apercevait qu'il s'est laissé emporter par son sujet : « *Sed de his hactenus. Aliud nempe utilitati, aliud dignitati, debetur. Redeo ad rem* » (chap. I, p. 537). [*Nous soulignons.*]
4. « Dans tout l'art de bâtir, il n'est pas de tâche qui requière plus d'intelligence, de soin, d'habileté et de diligence que la construction et l'ornement du temple [...] le temple est le plus grand et le principal ornement de la ville » (chap. III, p. 543).

centré sur ces édifices [1]. Après avoir retracé leur origine et fait leur éloge, Alberti expose des règles permettant d'intensifier l'impression produite par les différents types d'églises sur l'âme des fidèles [2]. Une fois encore, les six principes sont appliqués dans l'ordre [3]. Le plus important est le principe du mur dans le cadre duquel est formulée la théorie des ordres [4]. Il est d'ailleurs remarquable que cette théorie, qui deviendra, dès le XVIe siècle, le centre et l'objet essentiel des traités d'architecture, ne soit pas liée par Alberti aux règles de la beauté intrinsèque, mais à celles de l'ornement, cette beauté non nécessaire, rapportée et productrice d'effet.

Consciemment ou non, en matière d'esthétique, l'inventivité d'Alberti se concentre sur le problème de la beauté « adaptative » et de la beauté intrinsèque. Quant à l'ornement, qu'il s'agisse des édifices publics, sacrés ou profanes (livre VIII), contrairement à ses habitudes, il s'en remet sans conditions à la tradition, textuelle ou monumentale. Il se comporte en archéologue, et les règles qu'il énonce, souvent au présent, à la façon d'un constat, semblent s'adresser à qui voudrait reconstituer la ville du passé, en reproduire des versions cohérentes.

Aussi la nomenclature des édifices publics profanes du livre VIII ne correspond-elle plus à celle du livre V. Les édifices qu'il s'agit de décorer appartiennent, pour leur plus grande part, à des types jamais édifiés depuis l'Antiquité. Alberti les répartit en deux catégories : voies de communications et édifices proprement dits. Les premières ne comprennent pas seulement les voies extra-urbaines [5] et intra-

1. Cf. *infra*, p. 142-143. Cette importance accordée au temple serait un argument en faveur de l'hypothèse de Krautheimer (cf. *infra*, p. 115).

2. « *Et omni ex parte ita esse paratum opto, ut qui ingrediantur* stupefacti exhorrescant *rerum dignarum admiratione* » (p. 545). [*Nous soulignons.*]

3. On obtient donc successivement les règles concernant la situation (fin du chap. III; il s'agit de soustraire le temple à la « contagion urbaine »), la forme (chap. IV : prééminence du temple rond), le mur, le toit, les ouvertures. S'y ajoutent les règles relatives aux ornements intérieurs des temples.

4. Liv. VIII, chap. VI (contenant l'histoire de l'origine des ordres), VII, VIII, IX.

5. La catégorie des voies de communications est effectivement empruntée au livre IV, chapitre V, où les chemins sont divisés en militaires et non militaires, et, à nouveau chacune de ces catégories en *per agrum* et *intra-urbem*. Les voies non militaires extra-urbaines sont ornées par les sépultures, dont on constate donc qu'Alberti les traite avec les espaces publics profanes. Cependant, il note leur caractère religieux (p. 671). Cette contradiction trahit l'hésitation d'Alberti dans un moment où l'attitude devant la mort se transforme. Les trois

urbaines [1], mais les carrefours, les places et, surtout, parmi ces dernières, la catégorie particulière des *places à gradins* qui englobe tous les lieux de spectacles, théâtres, amphithéâtres et cirques [2]. Curie, sénat et thermes font, en revanche, partie des édifices proprement dits. Alberti a beau observer que l'évocation des coutumes anciennes ouvre sur une critique de la société et des usages présents [3], la ville et les programmes urbains contemporains sont étrangement absents des livres consacrés à la beauté.

Mais, dans le temps même où il donne libre cours à sa curiosité d'archéologue et à sa passion d'humaniste pour reconstituer dans sa splendeur la ville antique, Alberti laisse percer une curieuse défiance à l'égard des ornements qui paraient celle-ci [4]. A travers une série d'incidentes qui se répètent et se recoupent, il manifeste une obsession d'austérité et le goût profond d'une beauté réduite à sa plus simple expression, celle d'une destination et d'un usage.

L' « esthétique » d'Alberti ne s'exprime nulle part mieux que dans la première partie du livre IX [5], consacrée à la décoration des édifices

---

chapitres dédiés à la sépulture apparaissent néanmoins comme le témoignage du double mouvement, corrélatif, de laïcisation et de personnalisation de la mort décrit par Ph. Ariès. On constate, en revanche, chez Alberti, l'importance de la connotation hygiéniste (p. 671 « *ut sacrificii puritas contaminetur corrupti vaporis fœditate* ») qui, selon Ph. Ariès, se développera en France surtout au XVIIIe siècle (*Essais sur l'histoire de la mort en Occident*, Paris, Seuil, 1975).

1. Elles exigent différents ornements selon leurs parties. La tête *(« caput et quasi terminus »)* appelle des portes ou arcs de triomphe; le corps de la rue suscite les prescriptions les plus personnelles d'Alberti concernant le pavage, l'alignement des bâtiments, la standardisation de leurs hauteurs et de leurs portes.

2. Ch. VII et VIII. Pour une fois, Alberti trouve dans Vitruve cette réduction structurale dont, bien plus tard, C. Sitte soulignera la pertinence : effectivement théâtres et amphithéâtres sont des lieux de rencontres et de contacts analogues aux places.

3. Liv. VIII, chap. I, p. 671. Cf. à nouveau R. Krautheimer, et *infra*, p. 132 *sq.*

4. Cf., en particulier, liv. VIII, chap. III, *op. cit.*, p. 681, 683, et la réserve permanente d'Alberti devant les exemples de la somptuosité antique, en faveur du juste milieu. Cette prise de position est bien dans la ligne du contraste qu'il brosse (liv. V, chap. III) entre la démesure des monuments égyptiens et la *frugalitas* architecturale des Etrusques.

5. Cf. les quatre premiers chapitres, où le domaine du privé est radicalement opposé à celui du public en matière d'ornement (chap I, p. 779). Alberti est formel : « *in privatis ornementis severissime continebit sese* » (p. 785); ou encore : « *odi sumptuositatem* » (chap. IV, p. 803).

privés. Selon le livre VII, le domicile de la « multitude » ne peut pas légitimement viser à la beauté. Mais le livre IX laisse entendre que tel est, à la limite, le cas de toute maison privée. Ou, plutôt, que toute demeure privée doit nécessairement participer à une forme de beauté qui n'est pas celle de l'ornement, mais celle de son plan et de son juste découpage. En définitive, l'ornement n'est justifié que dans le domaine public, et c'est pourquoi, dans le domaine privé, sa présence est fonction du statut social du maître de la maison. Il sied essentiellement à la maison des princes qui accueille des foules, et, là même, il doit être localisé dans les espaces publics de réception.

Ce sont avant tout des règles organiques qui illustrent l'esthétique de la construction privée, représentée par cette maison suburbaine, si chère au cœur de l'auteur qu'elle fut « mise de côté, dans les livres précédents, afin de la réserver à celui-ci [1] » et de l'y détailler à loisir. Le charme de la maison suburbaine, déjà vantée par Térence et Martial, tient à la façon dont elle est insérée dans la nature et dont elle sait capter la lumière [2], à la générosité de son développement au niveau du sol [3] et non en hauteur, et surtout à la liberté de son plan [4], dispensateur du plaisir suprême par le biais de ce qu'Alberti décrit déjà comme une véritable « promenade architecturale [5] ».

Cette exaltation de la beauté « organique », comme les réserves précédemment formulées à l'égard de l'ornement, ramène naturellement au problème de la beauté intrinsèque [6], qui apparaît bien comme la question fondamentale de cette troisième partie. Mais « cette investigation très difficile [7] », différée jusqu'en ce moment

---

1. P. 791. Il s'agissait antérieurement de l'exploitation agricole; cette fois, de la seule maison de plaisance. Sur l'importance et la signification de celle-ci dans les milieux humanistes de Florence au XVe siècle, cf. A. Chastel, *Art et Humanisme à Florence au temps de Laurent le Magnifique, op. cit.*, p. 148 sq.
2. « *Plurimum admittat lucis, plurimum solis, plurimumque salubris aurae* » (liv. IX, chap. II, p. 793) : application des principes de situation, d'aire et d'ouverture.
3. Elle ignore les escaliers : « *Cumque ad sinum interiorem domus inieris, non aderit ubi gradum descendisse* » (*ibid.*), Pour Alberti, en effet, la construction en hauteur est laide et inutile hors du contexte urbain (chap. II, p. 789).
4. Alberti insiste sur la relativité et sur la diversité des plans, dont la seule constante est le rapport harmonieux qui doit lier leurs parties, Cf., particulièrement, p. 795. La qualité du plan offre la plus grande source de plaisir.
5. Très juste remarque de Portoghesi confirmée par : « *Sub tecta ingressi in dubio sint, malint ne animi gratia istic residere* [...] *an ulteriora petere* » (p. 793).
6. « Nous allons maintenant tenir nos promesses et venir aux principes dont proviennent tous les genres de beauté et d'ornements, ou mieux encore, qui se dégagent de toute type de beauté » (premières lignes du chapitre v).
7. « *Difficilis nimirum pervestigatio* » (p. 811).

presque ultime du livre IX, n'en sera pas moins d'une brièveté surprenante. Alberti la loge dans l'espace réduit de trois chapitres (V, VI, VII), où elle forme une sorte d'enclave entre le long développement accordé aux règles de l'ornement et les quatre chapitres terminaux qui, on le verra, débordent à la fois le registre de la beauté et le programme défini dans les deux prologues.

De fait, les problèmes soulevés par les règles de la beauté intrinsèque sont si complexes que, malgré sa détermination, Alberti ne parvient pas à se passer du témoignage et de la caution des Anciens. Sa démarche, dans ces trois chapitres, consiste, après avoir converti la beauté artificielle en général (et pas seulement la beauté architecturale) au dénominateur de la beauté naturelle, à faire dépendre celle-ci d'un ensemble de principes et de règles rationnels et nécessaires, dont il fonde la déduction sur un récit d'origine. Il part donc à la fois du postulat de l'édifice-corps (« Nous en sommes avertis par les meilleurs auteurs anciens et nous l'avons dit ailleurs, l'édifice est *comme* un animal [*veluti animal*], et en le construisant, il est nécessaire d'imiter la nature [1] ») et du caractère absolu de la beauté naturelle, qu'il démontre par un exemple : une jeune femme, mince ou replète, grande ou petite, verra, si elle est belle, sa beauté reconnue par tous, indépendamment des affinités et des goûts particuliers de chacun [2].

Une analyse intuitive lui permet alors de déterminer les principes *(principia* [3]*)* qui régissent cette beauté et qui constituent, dans l'économie conceptuelle du *De re aedificatoria*, les opérateurs spécifiques de ce registre. Désignés *numerus*, *finitio* et *collocatio*, ils sont subordonnés au principe de la *concinnitas* (harmonie) déjà évoquée une fois au livre VI : « Nous pouvons donc dire que la beauté est un certain accord et conspiration des parties du corps à quoi elle appartient, répondant à un nombre précis, à une proportion et une collocation définis selon les exigences de la [*concinnitas*], c'est-à-dire de la loi absolue et première de la nature [4] ». Ce « concept central de la Renaissance [5] », dont Alberti s'est déjà servi dans le *Della Pittura* et qu'il a emprunté à Cicéron, ne prend son sens plein qu'éclairé par la notion grecque de μεςότης [*mediocritas*] et, en particulier, par ses développements chez Aristote [6]. En termes modernes, la

1. P. 811.
2. P. 813. Le choix de cet exemple n'est pas, ici, indifférent.
3. P. 817.
4. *Ibid.*
5. E. Panofsky, *La Renaissance*, *op. cit.*, p. 28.
6. Cf. *infra*, p. 125, n. 5.

concinnitas représente dans le *De re aedificatoria* le principe d'organicité qui, chez les vivants, subordonne harmonieusement les différentes parties de l'organisme à sa totalité.

Mais, si elle est perçue intuitivement par tout un chacun, la *concinnitas* n'en appartient pas moins à l'ordre de la raison. C'est pourquoi, parvenu à un stade supérieur, le théoricien, au lieu d'imiter empiriquement la nature, pourra en utiliser directement les lois [1]. Le long trajet expérimental parcouru par les Anciens pour parvenir à les découvrir est raconté par Alberti dans un long récit qui court à travers les trois chapitres centraux du livre IX et reconstitue successivement la découverte des ordres, considérés ici non plus dans leur fonction décorative, mais comme expression d'une législation universelle, puis celle de trois principes *(numerus, finitio, collocatio)* subordonnés à la *concinnitas*.

Le plus important, pour Alberti, est sans conteste celui de *finitio* [2], ou proportion, qui occupe la fin du chapitre V, le chapitre VI tout entier et une partie du bref chapitre VII. La proportion relève de deux types de règles, dont les unes sont déduites de l'observation de la nature, les autres obtenues par le seul jeu de l'esprit. Parmi les premières, certaines font intervenir des nombres entiers. Les lois de l'harmonie musicale en offrent des exemples privilégiés, qu'Alberti transpose au domaine architectural [3]. Quant aux secondes *(« ratio non innata armoniis et corporibus sed sumpta aliunde* [4] *»)*, elles sont fournies par les moyennes arithmétiques, géométriques et musicales, et ce sont elles, précisément, qu'appliquent les ordres [5].

---

1. Sur l'adaptation du concept aristotélicien de *mimesis*, cf. A. Chastel, *Marsile Ficin, op. cit.*, p. 75.
2. Alberti ne la définit que bien après l'avoir nommée, seulement après avoir traité de la *concinnitas* et du nombre. « *Finitio quidem apud nos est correspondantia quaedam linearum inter se, quibus quantitates dimetiantur* » (p. 821). Portoghesi (*op. cit.*, note de la p. 814) fait justement remarquer que si Alberti considère *finitio* comme synonyme de proportion, ce n'est pas en tant que rapport de dimensions abstraites, de pure quantité, mais en tant que rapport de lignes et d'éléments architectoniques définis. Dans toute la partie qui concerne la *finitio*, et à l'encontre de ce qui se passe pour les deux autres principes, le récit de la découverte antique est relégué dans des incidentes.
3. Sur les rapports de la musique et de l'architecture chez Alberti, cf. l'ouvrage fondamental de R. Wittkower, *Architectural Principles in the Age of Humanism, op. cit.*, spécialement le chapitre « Musical consonnances and the visual arts », p. 117 *sq.*, et l'Appendice 2.
4. Chap. VI, p. 631.
5. Voir particulièrement l'analyse que fait Wittkower des « médiétés » pythagoriciennes chez Alberti et de l'influence du *Timée* (*op. cit.*, p. 110, 114 *sq.*), et sa réfutation de l'interprétation de P. H. Michel *(op. cit.)*.

Alberti consacre encore quelques pages à la *collocatio*[1], notion qui relève surtout de l'intuition, tout en étant subordonnée à la *finitio*, puis il met un terme lapidaire à son enquête sur la beauté intrinsèque en même temps qu'au chapitre VII : « Nous arrêterons donc ici notre interrogation sur ce qu'est la beauté, sur les parties dont elle se compose, sur les nombres et la proportion que *nos ancêtres* lui ont attribués[2] ».

Ces trois chapitres cruciaux tentent donc une difficile, et quelque peu contrainte, synthèse de deux positions, celle de l'archéologue-humaniste qui, à l'instar de ses amis de Careggi, voudrait utiliser Pythagore et Platon pour élaborer une théorie mathématique de la beauté, et celle du théoricien de l'architecture pour lequel le bel édifice est l'*analogon* d'un beau corps et comme lui, source de plaisir (*voluptas*[3]).

Dès que l'auteur interrompt sa recherche « philosophique », au chapitre VIII, c'est pour dresser un bilan qui est aussi un épilogue. Il y rassemble effectivement, comme prévu, un ensemble de nouvelles règles concernant la beauté. Mais il leur en adjoint d'autres, qui s'appliquent à « l'ensemble du bâtir[4] », et font donc sortir du champ clos de l'esthétique. De plus, pour la première fois dans le *De re aedificatoria*, ces règles tant attendues ont une teneur négative. Elles ne concernent plus immédiatement la production du monde bâti. Elles permettent de corriger l'édification, d'éviter que s'y introduisent l'erreur ou le défaut (*vitium*[5]).

Alberti distingue deux grandes catégories de défauts dans les bâtiments, les uns *innés*[6], dont l'architecte est responsable, les autres

---

1. « La *collocatio* concerne la situation et la position des parties. Elle est davantage sentie là où elle n'est pas respectée, que comprise en soi, lorsqu'elle est correctement appliquée » (chap. VIII, p. 837). Pour Portoghesi, elle est « destinée à réguler les rapports des positions des éléments architectoniques et le rapport de l'édifice à son contexte » (*op. cit.*, n. 3, p. 814-815).

2. Chap. VII, p. 839. (*Nous soulignons.*)

3. Cf. *infra*, p. 134 et p. 214.

4. « Il s'ensuit que je vais rassembler brièvement les préceptes essentiels qu'il est nécessaire d'observer comme des lois dans le travail d'ornementation et dans l'aménagement de la beauté comme dans l'ensemble du bâtir. Ainsi faisant, je tiendrai la promesse que je faisais de les rassembler comme en un épilogue » (début du chap. VIII, p. 839). La promesse en question remonte au livre VI, chapitre II.

5. L'erreur est définie préalablement à la formulation de la loi qui la concerne. Exemple : « *Vitio quidem dabitur si regionem insalubrem, impacatam eligeris* » (chap. VIII, p. 841).

6. Ils sont répartis entre ceux qui dépendent de l'esprit (choix et jugement) et ceux qui dépendent de la main de l'architecte. Les premiers sont de loin les plus graves. Alberti les étudie du point de vue des trois niveaux aristotéliciens

adventices, imprévisibles et liés aux circonstances extérieures. Ces derniers sont pratiquement imparables à l'avance, mais les premiers peuvent être prévenus. Le chapitre VIII fournit les règles permettant non pas de les réparer, une fois l'erreur commise, mais de les éviter. Le contenu de ces règles n'est pas entièrement neuf. Certaines analyses du livre II concernant le temps nécessaire à la maturation des projets[1] et le travail sur maquette sont reprises et développées sous la forme négative des erreurs à éviter. En fait, les règles préventives ne constituent nullement l'épilogue esthétique annoncé par Alberti. Elles ne peuvent davantage être assimilées aux préceptes négatifs du livre X qui, on le verra, s'appliquent à des constructions défectueuses. Dans la mesure où elles précèdent la réalisation, elles ont une valeur positive et une fonction générative. A ce titre, elles appartiennent intrinsèquement au procès de l'édification, auquel elles apportent son véritable épilogue qui est aussi celui du *De re aedificatoria*.

Cette dimension conclusive du livre IX se manifeste, en particulier, dans les pages où sont évoqués, pour la première fois dans le *De re aedificatoria*, les problèmes qui se posent à l'architecte en tant qu'homme. Car c'est à sa compétence et à ses qualités que tient la qualité de l'œuvre bâtie. Sa personne et sa personnalité sont l'assise cachée du monde édifié. D'où deux chapitres (X et XI) étonnants[2] dans lesquels Alberti dessine, sous forme de règles, le profil intellectuel et moral de l'architecte, être d'exception par la somme de performances qu'il doit être à même d'accomplir. Il commence par définir le champ spatio-temporel de son activité créatrice et les contraintes qui lui sont imposées tant par les lois de la nature que par son insertion dans une culture[3] et une historicité qui condamne à l'inachè-

---

et des six principes. Parmi ces opérateurs, la *commoditas* est assimilée à la partition, et la beauté est traitée en dernier (après le principe des ouvertures). C'est pour l'auteur l'occasion de dénoncer une nouvelle fois, avec violence, l'abus des ornements (p. 847).

1. Sur ce rôle capital du temps dans la démarche créatrice de l'architecte, cf. le dernier paragraphe du chapitre VIII où Alberti prodigue à la fois les adverbes de temps (*iterum, priusquam, ter, quater, diu*, etc.) et les verbes marquant la durée de l'action (*repetas, percogitatum, perconstitutum*), et définit une série de séquences temporelles (*cum intermissis* [...] tum *resumptis; a radicibus imis ad summam usque tegulam*). Cf. *supra*, p. 96, passages du livre II cités dans la note 2.

2. S'ils contiennent des réminiscences de Vitruve, ils sont néanmoins un des lieux du texte où s'indique le mieux la distance qui sépare Alberti de l'architecte romain.

3. L'architecte, au même titre que l'homme de lettres, doit connaître les œuvres de ses prédécesseurs (« *sic gerat sese ut in studiis litterarum faciunt* ») et

vement son entreprise. Puis il inventorie les connaissances qui doivent contribuer à sa formation[1], et termine par l'analyse de ses rapports avec les choses et avec les personnes, c'est-à-dire ses clients[2], ses pairs et les ouvriers.

Tout à la fois captive et victorieuse des réseaux du temps qui limitent et fondent sa puissance, voici donc que surgit, au terme du livre IX, la figure d'un héros. Les pouvoirs inouïs qu'il détient, il les doit en partie à la conscience qu'il a de sa tâche et de ses responsabilités, mais surtout à la force et à l'acuité de son intellect[3]. Dans son portrait-idéal de l'architecte, Alberti place au premier rang, avant tout autre trait, la qualité et la puissance de l'esprit *(summo ingenio)*. Il indique aussi que cette faculté devra, d'abord, s'exercer sur la problématique de la commodité[4], bornant ainsi, discrètement et plus tôt que prévu par les deux prologues, le domaine de l'esthétique. L'entrée en scène, dans toute sa gloire, répercutée par la traversée du livre, de l'édificateur brièvement entrevu lors du premier éloge de l'architecture doit bien être lue comme la conclusion et la clôture sémantique, sinon formelle, du *De re aedificatoria*. C'est aussi la scène finale du *De re aedificatoria*, symétrique de la première où Alberti s'expose en même temps que son propos.

Une fois déroulées, du livre I à la moitié du livre IX, les règles intemporelles de son activité, immédiatement après leur brève récapitulation, l'architecte peut être enfin présenté comme le symétrique,

---

les utiliser de façon critique *(« et quicquid erit ubique probabile, ad se recipiet ut imitetur »)*, en n'hésitant pas à les corriger et à les perfectionner *(« ingenii viribus reddere meliora »)* [chap. x, p. 857].

1. Il est sur ce point en opposition avec Vitruve qui, suivi par la plupart des auteurs de l'âge classique, exige de l'architecte des connaissances encyclopédiques. Pour Alberti, seules sont nécessaires les mathématiques et la peinture *(« penitus necessaria ex artibus [...] pictura et mathematica »*, p. 861), et encore suffit-il d'en avoir une pratique courante *(« verum pictura et mathematica non carere magis poterit quam voce et syllabis poeta »*, *ibid.)*.

2. Le choix des clients est particulièrement important. L'architecte ne peut galvauder ses talents. Il lui faut un interlocuteur de qualité « *splendidis et harum rerum cupidissimis principibus civitatum* [...] » (p. 865).

3. Après « *acerrimo studio, optima doctrina, maximoque usu praeditus* » (chap. x, p. 855), il ajoute : « *praecogitasse ac mente judicioque statuisse quod omni ex parte perfectum atque absolutum futurum sit, ejus unius est ingenii* » *(ibid.)*.

4. « *De re aedificatoria laus omnium prima est judicare bene quid deceat. Nam aedificasse quidem necessitatis est; commode aedificasse cum a necessitate id quidem tum et ab utilitate ductum est* » (chap. x, p. 855). Cf. aussi (p. 848) le passage où Alberti subordonne le registre de l'esthétique à ceux de la nécessité et de la commodité : la pire faute esthétique provient de l'inobservance des règles des deux premiers niveaux.

l'autre et la vérité du *Je* qui ouvrait le prologue. La trajectoire d'Alberti s'achève sur le *Il* triomphant du héros, cette troisième personne justifie et authentifie la première.

Que le livre IX soit la véritable conclusion du *De re aedificatoria* est confirmé par l'analyse du livre X. Certes, celui-ci peut faire, en partie, illusion par certains de ses éléments. D'abord, il achève le projet du chapitre VIII du livre IX en traitant la correction des erreurs et en détaillant les défauts non imputables à l'architecte. Ensuite, lorsque, parmi les causes d'usure des bâtiments, il découvre et dénonce l'incurie des hommes contre laquelle il propose une théorie de la réparation [1], il introduit encore un concept important et nouveau, que ses successeurs mettront cinq siècles à redécouvrir [2]. Enfin, dans ce dernier livre, Alberti continue de réciter le temps, même si c'est le temps des saisons et des cataclysmes plus que le temps des hommes. Cependant, le livre X ne respecte plus les règles de construction textuelle du *De re aedificatoria*. Il ne respecte pas le rôle qui lui était imparti dans le prologue et sacrifie le jeu réglé des opérateurs du texte à l'anecdote pittoresque et à une longue digression-dissertation, d'inspiration vitruvienne, sur l'eau et les travaux hydrauliques [3]. Le dixième livre s'avère, en fait, un fourre-tout. On peut le comparer à une fausse fenêtre, assurant à l'édifice albertien une apparence vitruvienne, soit y voir une annexe de médiocre tenue, extérieure à la construction textuelle d'Alberti qui s'impose, au contraire, dans toutes ses parties, par la rigueur et la cohérence de son architecture.

1. Alberti s'indigne contre l'indifférence et la négligence des hommes à l'égard de leurs bâtiments. « *Adde his hominum injurias. Me superi! interdum nequeo non stomachari, cum videam aliquorum incuria (ne quid odiosum dicerem : avaritia) ea deleri, quibus barbarus et furens hostis ob eorum eximiam dignitatem pepercisset* » (liv. X, chap. I, p. 869). Cf. aussi chap. XV, p. 989 : « *Sed in primis quid universis operum partibus plurium obsit, est hominum negligentia atque incuria.* »
2. Cf. Ch. Alexander qui, après avoir mis en évidence le rôle de la réparation dans les sociétés « homéostatiques » (*Notes on the Synthesis of Form*, Cambridge, Mass., Harvard University Press, 1964), fait de la réparation systématique un des principes fondamentaux de ses nouvelles règles du bâtir (*The Oregon Experiment*, trad. fr., *Une expérience d'urbanisme démocratique*, Seuil, 1975, p. 77-89).
3. Plus des deux tiers du livre y sont consacrés, soit les chapitres II à VIII compris, les chapitres XI et XII et la majeure partie des chapitres IX, X et XIII.

Il apparaît désormais que l'ordre suivi par Alberti n'est pas contingent. Chaque section du texte se trouve au lieu que lui assigne un ensemble de principes. Et si d'aventure une recette pratique se loge dans cette construction textuelle, c'est à sa place hiérarchique, au moment inévitable de la rencontre du projet avec le matériau, dans l'exécution du programme.

Quant à la diversité des problèmes abordés, qui semblaient déborder le cadre de l'architecture, elle tient à la nature même du « deuxième niveau » albertien, au rôle que jouent l'imagination et la demande des hommes dans la dynamique constructive du *De re aedificatoria*. Le niveau de la *commoditas* se déploie à mesure de l'énonciation des objectifs qu'il doit servir et dont il n'est pas dissociable. Dès lors qu'il s'agit d'illustrer le fonctionnement des paires d'opérateurs universel-particulier, public-privé, sacré-profane par des règles concrètes, il devient nécessaire de prendre en compte le contenu des institutions sociales et/ou des projets individuels. Il est donc légitime qu'Alberti soit conduit à évoquer aux livres IV et V la structure de la famille nucléaire, les problèmes posés par l'organisation d'un système de soins ou d'un système pénal, aussi bien que les psychologies respectives du propriétaire rural et du marchand urbain.

Ses opérateurs et, en particulier, la triade aristotélicienne ont, en effet, permis à Alberti de construire une véritable théorie de l'édification, qui articule trois systèmes interdépendants et hiérarchisés.

A la base, le système de la *construction* engage les matériaux qui doivent obéir aux lois de la mécanique et de la physique[1], en même temps qu'à celles d'une logique imposée par l'esprit humain : double appartenance qui, pour le lecteur moderne, n'est pas sans évoquer celle du matériau phonique, fondement de la construction de tout discours et qui ressortit à la fois aux règles de la phonétique et à celles de la phonologie. De fait, si la physique des matériaux occupe bien un livre entier (livre II), Alberti consacre une part très originale de son travail, qui ne doit rien à aucun prédécesseur, à définir les six principes ou opérations de base de l'acte d'édifier. Ils lui permettent d'articuler les matériaux (livre I), et de formuler les règles de cette articulation (livre III). Ces six principes irréductibles informent une matière amorphe et assurent son intégration dans

1. Entendues au sens moderne; de même, Alberti parle de règles et non de lois.

le système primaire, qui constitue la condition préalable et, à son tour, la « matière » à partir de laquelle pourra être développé ou exprimé le monde bâti; car le système de la construction est une condition nécessaire, mais non suffisante de l'édification. Il ouvre l'accès au sens, mais ne permet pas plus son déploiement articulé que le système phonologique ne permet de construire des propositions signifiantes. C'est pourquoi les règles de la première partie du *De re aedificatoria* ne concernent pas le monde diversifié des édifices, le paysage urbain ou rural.

Celui-ci n'est inscriptible qu'à un deuxième niveau d'articulation (livres IV et V). Il dépend d'un deuxième système de règles, qui fait passer les éléments bâtis du sémiotique au sémantique. Mais cette deuxième articulation n'est pas comparable à celle qui caractérise le langage verbal. Elle fait appel à un interprétant externe qui est, précisément, le langage : le premier système, celui de la construction, ne peut être déployé dans l'espace qu'à la condition d'être intégré par le système hiérarchiquement supérieur de la demande ou du désir exprimés verbalement. Alors que les tentatives actuelles de « sémiotique architecturale » sont polarisées sur la notion ambiguë et fuyante de fonction[1], Alberti énonce de façon magistrale la liaison consubstantielle du bâtir avec le désir et l'ouverture indéfinie de ce dernier[2]. Il évite d'ailleurs le piège du dogmatisme et pose d'entrée de jeu que demande et désir d'espace bâti ne sont formalisables qu'à l'aide de catégories taxinomiques arbitraires. Le système des règles programmatiques qu'il élabore au livre IV est présenté comme une solution possible parmi d'autres : sa valeur est opératoire et tient à l'effort de rationalisation dont elle procède[3]. Ainsi, au long des livres IV et V, loin d'être un interprétant[4], la langue est première, à l'origine même du texte bâti qui n'en constitue qu'une transcription. C'est pourquoi, à ce niveau, la spatialisation dans une écriture à trois dimensions n'apporte aucun supplément de sens au regard de la formulation de la demande et du désir initialement exposés par le langage, dont le pouvoir de dissociation et de réarticulation, autre-

1. Cf. U. Eco, *La Structure absente*, Paris, Mercure de France, 1972.
2. Cf. liv. I, chap. III, p. 23 : « *Quoad res prope infinita redacta est* »; liv. IV, chap. I, p. 265 : « *Pro hominum varietate in primis fieri ut habeamus opera varia et multiplicia* »; ou encore liv. IX, chap. VI, p. 795, sur la maison suburbaine : « *Areis vero qui differant ista inter se, non est ut referam; sunt enim multa ex parte arbitrio et varia locorum vivendi ratione immutantur.* »
3. Cf. le rôle de la théorie du juste milieu chez Alberti, et notamment les remarques de Portoghesi à ce sujet.
4. Cf. E. Benvéniste, *Problèmes de linguistique générale II*, Paris, Gallimard, 1974, « Sémiologie de la langue ».

ment dit la finesse d'analyse, est inégalable par le texte bâti.

A son tour, le deuxième niveau est intégré par les règles d'un troisième système, celui de la beauté, source du plaisir (livres VI, VII, VIII, IX). Nous dirions aujourd'hui que ce troisième niveau est celui de la poétique où, après avoir été subordonnée à et ordonnée par le système de la langue et la sémantique du discours verbal, l'architecture est en mesure de signifier par ses moyens propres et spécifiques. Ainsi, sans verser dans les analogismes fallacieux que la mode a parfois inspirés à nos contemporains, Alberti pose, pour la première fois dans l'histoire, les conditions de ce que nous appellerions aujourd'hui une sémiologie de l'espace bâti [1].

La conception de ces trois strates articulées entre elles représente donc une contribution capitale à la théorie de l'édification. L'importance n'en a jamais été pleinement reconnue. Cette méconnaissance s'explique en partie par le fait que le *De re aedificatoria* a été traditionnellement lu comme un nouveau Vitruve, plutôt que comme une approche théorique originale. Mais il est certain aussi que la répercussion des travaux de la linguistique sur l'ensemble des recherches anthropologiques permettent aujourd'hui une lecture différente du texte. Délibérément anachronique, celle-ci n'en est pas moins rendue possible et légitimée par les qualités intrinsèques de l'œuvre albertienne. Les catégories de la linguistique et de la sémiologie ne sont à présent applicables au *De re aedificatoria* que parce que son auteur a su discerner et définir la spécificité et la hiérarchie de ses trois niveaux, montrer leur procès d'intégration et leur indissociabilité [2], souligner le privilège du troisième niveau [3].

Le registre de la beauté ne présente cependant, on l'a vu, ni des règles homogènes, ni l'unité qu'aurait réclamée le projet albertien. C'est qu'en dépit d'une information, remarquable pour l'époque, concernant aussi bien la culture antique et ses vestiges archéologiques que l'art contemporain et ses idées directrices, Alberti ne disposait pas des instruments conceptuels, élaborés bien plus tard, qui lui eussent permis de poser plus clairement le problème

1. Dont il livre parfois une sorte de préfiguration dans quelques passages anticipateurs. Cf. liv. IX, chap. x, p. 861 : « *verum pictura et mathematica non carere magis poterit* [il s'agit de l'architecte] *quam* voce et syllabis poeta » (déjà cité, *supra*, p. 128, n. 1) [*nous soulignons*]; p. 855 (comparaison de l'architecte et de l'homme de lettres).
2. Cf. liv. VIII, chap. i, p. 529. Cf. aussi liv. IX, chap. ix, p. 849.
3. Par exemple, lorsqu'il évoque, au début de la troisième partie, la tâche qui lui reste à accomplir (cf. *supra*, p. 115, n. 1).

de l'esthétique. Aussi se heurte-t-il, en particulier, à une difficulté qu'il importe de bien repérer, non qu'elle retentisse de façon significative sur la cohérence presque parfaite du *De re aedificatoria*, mais parce qu'elle est à l'origine des contresens habituellement commis sur la question essentielle des rapports entretenus par ce traité avec la pensée antique en général et le platonisme en particulier.

On a vu que, paradoxalement, c'est dans les livres consacrés à l'ornement, c'est-à-dire à une beauté surajoutée, due à des pratiques extérieures et étrangères à l'édification (peinture, sculpture), qu'Alberti traite des moyens purement architectoniques capables de procurer le plaisir esthétique, visuel et même kinesthésique[1], requis par les différents édifices ou ensembles d'édifices : il élabore ainsi un système de règles spécifiques, intrinsèques et non plus extrinsèques, qui intègrent la « langue naturelle[2] » du bâtir. Elles constituent cette poétique de l'édification qu'est l'architecture au sens strict de « langage artistique[3] » qui l'oppose à la simple construction.

Ainsi, pour prendre, cette fois, un exemple emprunté aux édifices publics, celui des temples (ou églises), Alberti indique comment leur faire exprimer, du dehors, la transcendance divine et la majestueuse sévérité de la religion par leur implantation dans le site ou dans le contexte urbain et par le traitement de leurs murs[4]; comment faire naître de leur espace intérieur la terreur religieuse[5], le recueillement[6], ou le sentiment du mystère[7] par la disposition de leur plan, l'aménagement de leur toit et de leurs ouvertures. Les règles de la poétique albertienne font donc intervenir les six principes de base du *De re*

---

1. On a déjà noté plus haut, p. 123, comment Alberti anticipe la « promenade architecturale ». Cf. aussi liv. VIII, chap. x, p. 771-773, le parcours des thermes : « *regrediamur iterum ad atrium primarium* [...] » etc.

2. Cf. I. Lotman, *La Structure du texte artistique*, trad. fr., Paris, Gallimard, 1973 : « L'art verbal, bien qu'il se fonde sur *la langue naturelle*, ne s'y fonde que pour la transformer en son propre langage secondaire, le langage de l'art » (p. 55). [*Nous soulignons.*]

3. C'est bien dans ce sens que l'entend Alberti, cf. *supra*, p. 12, n. 2. L'expression de langage artistique est empruntée à I. Lotman, *op. cit.*, chapitre sur « l'art en tant que langage », p. 33 *sq.*

4. Liv. VII, chap. II.

5. Du temple, Alberti souhaite : « *ita esse partum... ut qui ingrediantur stupefacti exhorrescant* » (liv. VII, chap. III, p. 545).

6. Liv. VII, chap. x, p. 609.

7. Liv. VII, chap. XII, p. 617 : « *Apertiones fenestrarum in templis esse oportet modicas et sublimes unde nihil praeter coelum spectes unde et qui sacrum faciunt* [...] *nec quicquam a re divina mentibus distrahantur.* » Il souligne dans le même passage : « *Horror, qui ex umbra excitatur, natura sui auget in animis venerationem* » (*ibid.*).

aedeficatoria. Mais, à aucun moment, il n'est explicitement précisé avec quels opérateurs ceux-ci doivent être croisés.

Le lecteur attentif s'aperçoit cependant de l'utilisation furtive de l'image du beau corps humain, qui est brièvement évoqué à deux reprises, dans les mêmes livres VI et VII[1], en tant qu'œuvre de la nature artiste. Mais ce croisement nécessaire avec l'image du beau corps, à ne pas confondre avec l'opérateur du premier niveau qu'est la métaphore du corps non qualifié, gêne Alberti pour deux raisons.

A cause d'abord de l'ambiguïté avec laquelle il a déjà utilisé cette image au deuxième niveau où, sans jouer le rôle d'opérateur, elle sert à annoncer, prématurément, et à éclairer la notion de *concinnitas* ou beauté organique de l'édifice bien adapté à ses usages. En effet, une fois parvenu au troisième niveau où il a besoin d'un opérateur spécifique, Alberti semble abusé par ce qui n'était de sa part qu'une anticipation et pris au piège d'une opposition fallacieuse entre deux types de *concinnitas*, dont l'une relèverait du niveau de la| commodité et l'autre de celui de la beauté.

Ensuite, à l'intérieur même du troisième niveau, Alberti utilise l'image du corps à deux fins qu'il ne parvient pas à dissocier : pour étayer une hypothèse sur la nature de la beauté et pour tenter d'en fonder objectivement les règles génératives. Selon l'hypothèse d'Alberti, le plaisir esthétique tiendrait à une perception d'ensemble, comparable à celle que donne un beau corps humain, et analysable par les mêmes règles. Dans la part ainsi faite à la finalité on peut reconnaître l'influence d'Aristote et lire une anticipation des recherches kantiennes. Davantage, et plus encore lorsqu'on l'éclaire par les textes de Filarète sur le rôle esthétique du corps[2], la remarquable hypothèse d'Alberti appelle un rapprochement avec certaines idées de Freud[3] qu'elle permet de mettre en perspective et de développer.

Mais cette explication ne semble pas offrir à Alberti une base suffisante pour lui permettre de formuler des règles dont la rigueur soit comparable à celles du niveau de la nécessité. Son intuition a beau lui faire attribuer un rôle déterminant au corps humain dans la constitution de l'esthétique, il se trouve dans l'impossibilité de concevoir l'existence de lois naturelles de la perception, telle que la *Gestalt-*

---

1. Liv. VI, chap. III, p. 455; liv. VII, chap. V, p. 559.
2. Cf. *infra*, p. 214.
3. Cf. S. Freud, *Trois Essais sur la théorie de la sexualité*, trad. fr., Paris, Gallimard, 1962, coll. « Idées », 1977, p. 42 : « La curiosité peut se transformer dans le sens de l'art lorsque l'intérêt n'est plus uniquement concentré sur les parties génitales, mais s'étend à l'*ensemble du corps.* » (*Nous soulignons.*) Le texte allemand date de 1905.

theorie en formulera l'hypothèse. Il ne peut davantage imaginer la part respective que jouent l'inné et l'acquis, le naturel et le culturel, dans la formation des critères esthétiques. Des siècles devront s'écouler avant que les problèmes posés par la poétique d'Alberti puissent être formulés en termes de corporéité.

C'est pourquoi, pour déterminer un système[1] de règles, aussi rigoureux que celui de la construction, dont il pose l'exigence aux chapitres v, vi et vii du livre IX, il lui faut recourir aux mathématiques. Elles seules lui permettront de quantifier ces règles. Mais du même coup, il glisse vers une philosophie étrangère à l'esprit de son œuvre.

La double position du terme de *concinnitas* dans la troisième partie du *De re aedificatoria* témoigne de cette difficulté. En effet, à l'acception organiciste, héritée du « physiologisme[2] » aristotélicien et accordée à la démarche générale de l'ouvrage, s'ajoute une acception mathématique, héritée du pythagorisme par l'intermédiaire de Platon. Il semble que la plupart des historiens de l'architecture, et en particulier R. Wittkower, aient négligé cette double face de la *concinnitas* dans le *De re aedificatoria* et trop vite fait d'Alberti le promoteur d'une théorie exclusivement mathématique et platonisante de l'architecture. Pour nous, ce recours à un ordre mathématique de l'univers, jamais évoqué avant le livre ix, entraîne Alberti vers une esthétique platonicienne mal compatible avec l'esprit du *De re aedificatoria*. Il porte atteinte à la logique même de l'ouvrage. Car, pas plus que la beauté adaptative, la beauté mathématique n'est propre au monde édifié. Les règles du *nombre*, de la *finition* et la *conlocation* concernent également tous les beaux objets. Or, Alberti est à la recherche d'un invariant spécifique à l'architecture. Il l'obtient en transférant la valeur absolue de ces règles à ce qui en est une application particulière à l'architecture, les ordres, dont, avec des modifications minimes, il emprunte les proportions directement aux « Anciens », c'est-à-dire à Vitruve. Au lieu de représenter une application ou illustration, possible parmi d'autres, d'un système de règles, les ordres antiques sont hypostasiés, platonisés pourrait-on dire. Ils deviennent finalement des modèles.

Cette procédure contrevient aux principes directeurs inscrits dans le prologue et appliqués tout au long du *De re aedificatoria*, à

1. Alberti précise à propos des règles recherchées : « *summas et breves quasdam admonitiones* [...] *veluti leges cum in tota exornationes* [...] *tum et in tota re aedificatoria observasse necesse est* » (liv. IX, chap. viii, p. 839).
2. Cf. Th. Tracy, *Physiological Theory and the Doctrine of the Mean in Plato and Aristotle*, La Haye-Paris, Mouton, 1969.

l'exception, précisément, de ces trois brefs chapitres de la troisième partie, et elle introduit une double faille dans l'édifice albertien. D'une part, des règles historiques, transmises par la tradition, sont dotées d'une valeur absolue. D'autre part, en privilégiant par rapport à toutes les autres une application historique donnée, la législation des ordres substitue subrepticement des objets modèles aux règles génératives que promet le traité.

Facile à circonscrire par son contenu, la contradiction que représente dans le *De re aedificatoria* l'adhésion à la doctrine vitruvienne, avec le statut corrélatif donné aux règles des ordres, est également repérable et marquée dans le texte par un certain nombre d'indices formels. Il s'agit, en l'occurrence, d'altérations dans les tournures ou les modes d'énonciation servant à exprimer le rôle soudain inversé du passé et de la tradition. Par exemple, au lieu d'être énoncées au présent par les verbes de nécessité, ou à l'aide d'adjectifs verbaux ou de gérondifs et assorties d'explications au présent de l'indicatif, une partie des règles concernant les ordres sont formulées au passé, sous la forme d'une narration dans laquelle l'auteur explique comment procédaient les Anciens (architectes)[1]. De même, le postulat selon lequel « tout édifice est un corps » est attribué aux Anciens, alors que jusqu'au livre IX[2] Alberti ne s'était jamais préoccupé de lui fournir une autre caution que celle de son propre jugement. De même encore, à l'encontre des autres récits d'origine, dont on a vu qu'Alberti assumait l'invention et le ton, les récits d'origine de la beauté et des ordres sont présentés comme un legs de la tradition : la théorie de la beauté absolue et la législation des ordres perturbent, ponctuellement, le rôle joué par le passé dans le *De re aedificatoria*.

Mais, on l'a vu, cette dérive est momentanée, elle n'entraîne pas Alberti au-delà du chapitre VI du livre IX. Son sens comme celui du projet originel qu'elle contribue à gauchir ne pourront apparaître qu'à examiner la fonction exercée dans le traité d'Alberti par les « histoires » et par la référence aux Anciens.

Mais, à leur tour, celles-ci mettent en cause les rapports d'Alberti avec Vitruve qui, précisément, incarne la puissance des Anciens et auquel l'architecte italien a emprunté nombre de ses « histoires ». Le

1. Cf. par exemple tout le développement du livre VII sur les chapiteaux : « *Dorici effecere* [...] » (p. 577). On observera par ailleurs que, pour la formulation de toutes les règles empruntées à la tradition, prévaut l'usage intensif de l'impératif : cf. liv. VII, chap. v, p. 561-563, ou liv. IX, chap. vi, p. 827-829.

2. Cf. prologue, p. 15 : « *Nam aedificium quidem corpus quoddam animadvertimus* », et liv. IX, chap. v : « *A peritissimis veterum admonemur, et alibi diximus, esse veluti animal aedificium* » (p. 811).

moment est donc venu d'une confrontation entre le *De re aedifica-toria* et le *De architectura.* Avant de contribuer à élucider le problème de ces histoires, cette confrontation permettra de répondre à la question, posée dès notre premier chapitre [1], de savoir si le traité d'Alberti est effectivement un livre inaugural ou si la précédence appartient à celui de Vitruve.

III. ALBERTI ET VITRUVE :
DES EMPRUNTS SUPER-STRUCTURELS

Le *De architectura* sert-il à Alberti de modèle ou de tremplin? Les nombreux points communs aux deux textes sont-ils superficiels ou structuraux? Au plan formel, l'identité des procédures et des modes d'expression est-elle réelle ou apparente? Y a-t-il place pour une différence entre deux livres identiquement écrits à la première personne du singulier, par deux architectes qui se fixent le même objectif, de définir leur art et d'en donner l'ensemble des règles (« *omnes disciplinae rationes* [2] », dit Vitruve), qui formulent celles-ci à l'aide de gérondifs, subjonctifs, adjectifs verbaux ou verbes de convenance identiques, les assortissent identiquement d'explications au présent de l'indicatif et de récits ou histoires au passé? Au plan du contenu, quel usage Alberti fait-il d'emprunts dont ses successeurs, comme les historiens contemporains [3], s'accordent à reconnaître l'importance?

Car Alberti ne tire pas seulement de Vitruve la majeure partie de son information concernant l'histoire ou les histoires relatives à l'architecture, les techniques de construction, la typologie des édifices antiques, les ordres, même le climat, la météorologie et les rapports

---

1. P. 29 *sq.*
2. *Op. cit.*, liv. I, chap. XI. Ou encore « *praescriptiones terminatas* », dans la dédicace du livre I (p. 4, § 7, *in* traduction par A. Choisy, nouvelle édition, Paris, de Nobèle, 1971, qui sera utilisée dans toutes les citations qui suivent).
3. Cf., en particulier, P.-H. Michel, *op. cit.*, et l'excellente synthèse de R. Krautheimer, *in* « Alberti and Vitruvius », R. Krautheimer est, à notre connaissance, le seul historien qui ait perçu et souligné la transformation qu'Alberti a fait subir aux notions vitruviennes. Une approche plus formaliste nous a néanmoins permis d'élargir encore le champ des différences qui opposent les deux textes. C'est ainsi, par exemple, que l'examen différentiel du rôle de la première personne du singulier dans les deux traités accuse le contraste de l'empirisme vitruvien et du systématisme albertien et permet même de réfuter l'interprétation de R. Krautheimer, qui lui fait considérer le premier chapitre du livre VI comme une digression.

des vivants avec leur milieu [1]. Il a aussi lu ses conseils sur la formation de l'architecte [2]. Et il lui doit encore certains de ses opérateurs fondamentaux, tels la triade aristotélicienne [3] ou les couples taxinomiques public-privé, sacré-profane, la plupart des concepts de son esthétique, en particulier celui de *proportio* [4].

Il est cependant significatif qu'en dépit de cette dette considérable, Alberti adopte, dans le *De re aedificatoria*, une attitude résolument critique à l'égard du vieil auteur. Il le raille pour sa langue, l'imprécision de ses concepts [5], ses superstitions et ses digressions ampoulées [6]. La lecture comparée des deux textes confirme sur ce point la légitimité du jugement albertien.

Mais ce ne sont encore là que déficiences de surface, et s'il ne s'agissait pour Alberti que d'amender, éclaircir ou même mettre en ordre, il faudrait bien ranger le *De re aedificatoria* dans la même catégorie textuelle que le *De architectura*, dont il ne serait alors qu'un

1. Sur le rapport entre le sol de la région et l'état des animaux qui y vivent et sur l'intérêt pour le choix de la région d'examiner les entrailles des animaux, cf. Vitruve, liv. I, chap. VIII, p. 33 *sq.*

2. Après un bref éloge de l'architecture, Vitruve commence son traité par un programme de formation de l'architecte, qu'il veut « *litteratus* [...] *peritus graphidos, eruditus geometria, optices non ignarus, instructus arithmetica* ». En outre, « *historias complures noverit, philosophos diligenter audiverit, de musicam scierit, medicinae non sit ignarus, responsa jurisconsultorum noverit, astrologiam coelique rationes cogitas habeat* ». Après quoi, il commente la signification de ces qualifications (liv. I, chap. I, p. 6, § 9).

3. *De architectura*, liv. I, chap. VI, § 7 à 10, p. 26 et 27; cf. *supra*, p. 101, n. 2 et p. 130.

4. La proportion d'Alberti et des auteurs modernes correspond à la *symmetria* vitruvienne. Cf. Vitruve, liv. II, chap. XII, § 12, p. 9, et liv. III, chap. I, p. 123 *sq.* Cl. Perrault indique qu'il n'a pas utilisé, dans sa traduction de Vitruve, le terme de symétrie « parce que *symétrie* en français ne signifie point ce que *symmetria* signifie en grec et latin, ni ce que Vitruve entend ici par *symmetria*, qui est le rapport que la grandeur d'un tout a avec ses parties lorsque ce rapport est pareil dans un autre tout, à l'égard aussi de ses parties, où la grandeur est différente » (*Les Dix Livres d'architecture de Vitruve* [...], Paris, 1684, p. 11, n. 9).

5. « C'est là effectivement un auteur de culture universelle, mais cependant mutilé par l'âge. Au point qu'en nombreux endroits on y trouve de grandes lacunes et ailleurs bien des imperfections. De plus son style est dépourvu de tout agrément et il écrit de telle sorte qu'aux latins il semble écrire en grec et aux grecs en latin. Mais il est clair qu'il n'écrivait ni l'un ni l'autre et qu'il aurait aussi bien pu, au moins en ce qui nous concerne, n'avoir jamais écrit, tant nous avons du mal à le comprendre » (liv. VI, chap. I, p. 441).

6. Cf., par exemple, *De re aedificatoria*, liv. I, chap. III, sur les vents, où Alberti refuse d'entrer dans le détail de la météorologie parce que ce serait être hors du sujet; chap. IV, où il refuse de disserter sur les propriétés remarquables de l'eau, ce qui servirait seulement à étaler ses connaissances; chap. VI, sur la région, avec une critique de la digression de Vitruve sur la fortune.

avatar de meilleure tenue. Or, ce n'est pas une amélioration, mais une mutation qu'Alberti fait subir au texte vitruvien, dans la mesure où il l'utilise. Alberti ne restaure pas l'antique construction vitruvienne. Il la démolit et utilise les matériaux de démolition pour construire un édifice neuf, d'une architecture encore jamais vue. Cette méthode de réemploi peut être illustrée par l'exemple de la tripartition aristotélicienne.

Celle-ci apparaît chez Vitruve au chapitre VI du livre I. Après avoir expliqué les notions constitutives de l'architecture[1], l'auteur la divise en trois champs : *aedificatio, gnomonice, machinatio*. L'*aedificatio* elle-même est redistribuée en deux catégories, concernant respectivement les édifices privés d'une part, les murailles et les bâtiments de l'autre[2]. Ces derniers sont à leur tour répartis entre les trois catégories relatives à la défense, à la religion et à l'opportunité *(opportunitatis[3])*. Vitruve précise alors que les constructions publiques doivent être réalisées en tenant compte de la *solidité*, de l'*utilité* et de la *beauté*, et il définit rapidement ces concepts[4] en renvoyant à la *dispositio* pour l'utilité et à la *symmetria* pour la beauté. Mais après cette analyse, les trois termes ne réapparaissent plus qu'incidemment, en de rares occurrences, et une fois seulement ensemble[5]. C'est qu'ils n'ont aucune action sur l'organisation du texte, ne déterminent aucun ordre chronologique ou de préséance dans le traitement des matières. Impossible de fixer une place logique aux chapitres traitant de la

---

1. « *Architectura autem constat ex ordinatione quae Graece taxis dicitur et ex dispositione (hanc autem Graeci diathesin vocant) et eurythmia,et symmetria et decore et distributione quae Graece oikonomia dicitur* » (liv. I, chap. II, p. 17). Ensuite Vitruve donne les définitions de ces diverses notions (chap. III, IV, V).

2. Chap. VI.

3. *Ibid.* Parmi les premiers : murs, ponts, tours; parmi les derniers : ports, forums, portiques, bains, théâtres, promenades.

4. « *Haec* [les lieux publics] *ita fieri debent, ut habeatur ratio firmitatis, utilitatis, venustatis. Firmitatis erit habita ratio quum fuerit fundamentum ad solidum depressio, et quaque emateria copiarum sine avaritia diliges electio. Utilitatis autem emendata et sine impeditione usus locorum dispositio, et ad regiones sui cujusque generis apta et commoda distributio. Venustatis vero cum fuerit operis species grata et elegans, membrorumque commensus justas habeat symmetriarum ratiocinationes* » (liv. I, chap. VI, § 7, 8, 9, p. 26-27). On remarquera qu'Alberti utilise *commoditas* ou *usus* et non *utilitas*. Cf. *infra*.

5. Résumé final du chap. IX (liv. VI, p. 318), où Vitruve annonce : « *Quoniam de venustate decoreque ante est conscriptum, nunc exponemus de firmitate.* » L'association de *firmitas* et *venustas* seules apparaît dans le *proemium* du livre VII (p. 13). Cf. aussi (liv. VI, chap. IX) l'association de *venustas* à *decore* et *usu*, qui semblent d'ailleurs ici synonymes.

technique constructive [1], ou de l'utilité [2]. Quant à la beauté, Perrault a, justement, fait observer son omniprésence dans le *De architectura*.

Dans le *De re aedificatoria*, au contraire, les trois notions sont présentées dès le prologue dans leur support de consécution temporelle et hiérarchique, qui sert ensuite à la fois à construire le livre et à analyser les trois plans successifs et hiérarchiquement articulés du procès architectural. Chez Alberti, les trois niveaux sous-tendent une démarche qui vise à fonder une signification et à élucider une genèse : solidité (d'ailleurs intégrée dans le terme plus large de nécessité), convenance (plus subtile qu'utilité) et beauté sont investies d'une valeur dynamique, elles remplissent une fonction de structuration, jouent un rôle constructif qui contraste avec leur inertie dans le texte de Vitruve où, loin de nommer une hiérarchie de niveaux, elles servent, au mieux, à regrouper les règles, à distribuer un savoir-faire, mais en aucune façon à le construire. Pour Vitruve, la tripartition aristotélicienne n'est pas fonctionnelle. Elle est anecdotique, contingente, et pourrait être supprimée sans rien changer à l'organisation et à la portée du *De architectura*.

On peut en dire autant de la quasi-totalité des notions théoriques utilisées par Vitruve. Prenons les principes constitutifs de l'architecture énumérés au livre I. Non seulement ils manquent de précision [3], et même, à l'occasion, de pertinence [4], font double emploi les uns avec les autres comme eurythmie et symétrie [5], et se superposent même aux trois concepts analysés plus haut [6], mais ils ne sont utilisés ni pour

1. Cf. liv. I, chap. x; liv. II, chap. viii; liv. III, chap. iv; liv. VI, chap. ix.
2. Cf. liv. I, chap. xii; liv. V, ch. i, ii, viii, x, xi, xii; liv. VI, chap. i, ii, iii, vi, vii, viii.
3. Prenant parfois, d'ailleurs, deux significations, comme *distributio*, employé tantôt en un sens économique concernant la quantité des divers matériaux et les sommes à dépenser, tantôt au sens de la partition, de l'organisation de l'espace en fonction « de l'usage et la condition de ceux qui doivent y loger ». Pour cette raison, Perrault traduira ce même terme, alternativement, par distribution et par économie (*op. cit.*, p. 14, n. 19).
4. Par exemple, *dispositio*, qui concerne la reproduction graphique (divisée en iconographie, orthographie et scénographie), ne constitue pas une catégorie de même ordre que *distributio*, eurythmie, etc. Ce que Perrault, encore une fois, analyse fort bien : « il est difficile de faire entendre que ces cinq choses soient cinq espèces comprises sur un même genre » (*op. cit.*, liv. I, chap. ii, p. 10, n. 2).
5. Cf. Perrault, *op. cit.*, liv. I, chap. ii, p. 11, n. 8 : « Tous les interprètes ont cru que l'Eurythmie et la Proportion, que Vitruve appelle *Symmetria*, sont ici deux choses différentes parce qu'il semble qu'il en donne deux définitions : mais ces définitions, à les bien prendre, ne disent qu'une même chose; l'une et l'autre ne parlant, par un discours également embrouillé, que de la convenance, de la correspondance et de la proportion, que les parties ont au tout. »
6. *Decor* est synonyme d'*utilitas*.

la construction du texte ni pour celle de son référent[1]. Ils n'ont de rôle ni fondateur ni génératif. L'affirmation vitruvienne selon laquelle le corps humain et ses mesures sont à l'origine de la « symétrie[2] » n'a pas davantage de rôle productif. Elle est seulement explicative et ne peut pas être assimilée au postulat de l'édifice-corps, systématiquement appliqué par Alberti pour la production de règles à tous les niveaux successifs du *De re aedificatoria*. Ces différences n'impliquent pas qu'il faille nier l'existence dans le *De architectura* de concepts opératoires. Mais ceux-ci supportent, en fait, des taxinomies statiques (division des champs de l'architecture, de la construction, des édifices, des temples), dictées par la tradition ou l'opportunité empirique, et ne faisant l'objet d'aucune mise en question ni d'aucune justification, pour ne pas parler de fondation.

A ce fonctionnement différent des mêmes concepts, et plus généralement des opérateurs logiques, dans les deux ouvrages, correspondent une organisation différente de ceux-ci et un autre rapport de consécution entre leurs dix livres respectifs. D'un côté, des contiguïtés aléatoires, des séquences sans lien avec la chronologie des opérations du bâtir, une collection discontinue de parties. De l'autre, un enchaînement rigoureux et irréversible dont le plan a été établi d'entrée de jeu et doit suivre un déroulement conforme à la visée générative du propos albertien.

On sait que chacun des dix livres du *De architectura* commence par un *proemium*, sorte d'introduction littéraire, et s'achève par un *excursus* de nature moins décorative qui sert à résumer le contenu du livre et surtout à le situer par rapport à celui du livre suivant et à l'ensemble de l'ouvrage. Si les *excursus* sont partie intégrante du *De architectura*, dont ils ont pour fonction de clarifier le propos, les *proemia*, tout en servant à introduire individuellement chaque livre, ont, avant tout, valeur d'ornement et fonction de digression. Ils fournissent dix fragments autonomes, petits morceaux de bravoure littéraires, directement adressés à Auguste, le destinataire de l'ouvrage, qu'il s'agit de charmer et de distraire par ces intermèdes hors texte, afin de le mieux ramener au texte. Ainsi, tandis que l'économie et la logique du *De re aedificatoria* rendent impossible de pratiquer aucune cou-

—————

1. Avec l'exception de la symétrie qui régit à la fois l'organisation des ordres et celle des demeures privées.

2. Posé dès la définition de celle-ci. Cf. *supra*. Cf. aussi liv. III, chap. i, p. 123, § 4 : « *Corpus enim hominis ita natura composuit uti* [...] »; p. 126 : « *si ita natura composuit corpus hominis, uti proportionibus membra ad summam figurationem ejus respondeant* »; etc.

pure dans un traité dont chaque séquence et même chaque histoire [1] est nécessaire et indissociable de son ensemble, une partie considérable du *De architectura* pourrait être supprimée sans le moindre dommage pour le propos de l'ouvrage.

Malgré les apparences, le premier *proemium* ne diffère pas des autres. Certes, il est pour Vitruve l'occasion de se présenter à l'empereur, en lui rappelant la tradition familiale et les services qui le lient à lui, et de lui présenter un ouvrage qui doit lui fournir des critères de jugement dans son œuvre de bâtisseur. Mais la biographie de Vitruve, destinée à le poser socialement et à conforter sa relation à Auguste, est bien extérieure au texte théorique dont le premier *proemium* ne donne, par ailleurs, qu'un aperçu fragmentaire, limité au contenu du premier livre. Il ne s'agit donc pas là d'un prologue comparable à celui sur lequel Alberti fonde et délivre l'ordre de son texte entier, d'une part au moyen de sa biographie, déliée de toute connotation sociale et mondaine et réduite à une pure aventure intellectuelle, d'autre part grâce à l'exposé de ses opérateurs et de son plan.

Cette vision globale du déroulement de son traité, à aucun moment Vitruve ne l'offre à son lecteur. Celui-ci est condamné à de successifs aperçus fragmentaires. Les uns après les autres, *proemia* et *excursus* dressent des bilans et annoncent de nouvelles étapes, mais sans, à aucun moment préparer de vue d'ensemble. A deux reprises seulement, Vitruve parvient à lier le contenu de quatre livres : rétrospectivement dans le *proemium* du livre IV, prospectivement dans la conclusion du livre V, à partir de laquelle il n'est plus ensuite question que des rapports immédiats de consécution de livre à livre. L'architecte romain a beau s'acharner, d'*excursus* en *excursus*, à affirmer le déploiement d'une logique et à dire le lien nécessaire qui unit tel livre au précédent et/ou au suivant, en fin de parcours, l'ordre de succession des livres n'est toujours pas fondé [2] parce qu'il n'est pas fondable et qu'aucune relation dynamique ne solidarise ces dix parties. Le livre II ne peut être interprété que comme une parenthèse, le livre VII, consacré à l'eau, que comme un supplément. La position des livres IX et X pourrait être inversée, et ceux-ci auraient aussi bien pu précéder les livres consacrés à l'*aedificatio*. Aucune explication ne justifie ni la prééminence des édifices religieux sur tous les autres, ni l'avantage accordé à la beauté par rapport à la solidité et à l'utilité, ni, corrélative-

---

1. Cf. *infra*, p. 150 *sq.*, où on montre qu'il n'existe pas chez Alberti d'histoire anecdotique ou décorative et que toutes sont fonctionnelles.

2. Sur le désordre du *De architectura*, cf. Perrault, *op. cit.*, p. 16, n. 1.

ment, la place démesurée qui revient dans le texte à la construction harmonieuse des temples. Il est impossible de traduire l'organisation du *De architectura* par un schéma analogue à celui qu'on a construit pour le *De re aedificatoria*.

Autant que le fonctionnement des principes, ce schéma met en évidence la fonction du temps qui, dans le livre d'Alberti, permet de déployer ensemble et d'accorder trois *Bildung*, celles de l'auteur, de son livre, et du domaine bâti. L'axe chronologique n'est au contraire utilisé par Vitruve que de façon contingente, pour l'exposé (réaliste) de certaines séquences de règles [1].

La différence qui oppose les deux organisations textuelles du *De re aedificatoria* et du *De architectura* trahit de façon ostensible la différence, aussi irréductible mais moins évidente, qui oppose leurs motivations. Tous deux prétendent livrer au lecteur un ensemble de règles. Mais le *je* théoricien d'Alberti, qui s'adresse et prend à partie un *tu* anonyme et universel [2], a décidé de partir d'une *tabula rasa* pour découvrir et formuler, de façon progressive, les règles de l'édification à l'aide de principes et de postulats dont son seul jugement sera le critère de validité. A l'inverse, pour le *je* social de Vitruve, qui s'adresse à l'empereur Auguste dont le *tu* date et circonstancie le texte, le problème ne se pose pas de découvrir et déterminer lui-même ces règles. Il lui suffit de les emprunter à un corpus déjà donné, à l'intérieur duquel il s'agit seulement de mettre de l'ordre et de la clarté : Vitruve ne part pas d'un questionnement radical, mais de la tradition [3], tant en ce qui concerne les règles proprement dites que les principes [4] à l'aide desquels il les éclaire. Cette attitude est particuliè-

1. Dans sa revue des différents matériaux de construction du livre II, Vitruve, à l'encontre d'Alberti, commence par la brique, matériau dernier apparu. Il procède en revanche selon un ordre chronologique dans son exposé des règles relatives à l'établissement des villes (liv. V, chap. VII à XII, avec l'exception du chap. VIII consacré à une digression sur les effets de la chaleur), ou encore à la construction des temples (liv. III, chap. IV, V, VI).

2. Il a, effectivement, une portée universelle, même si, au moment où Alberti parle, ce *tu* ne peut représenter, selon la thèse de R. Krautheimer, *in* « Alberti and Vitruvius », art. cit., que le groupe social des humanistes.

3. Liv. IV, chap. VIII, p. 206 : « *omnes aedium sacrarum 'ratiocinationes* ut mihi traditae sunt exposui » *(nous soulignons)*. De la même façon, il rapporte les proportions telles que « *veteres* [...] *ex* corporis membrorum colligerunt » (liv. III, chap. I, p. 126), des règles acoustiques à observer pour la construction des théâtres (liv. V, chap. III, avec la même référence à « *veteres architecti* »), des palestres telles que les construisent les Grecs (liv. V, chap. XI), et il distingue (liv. VI, chap. III) cinq genres de « *cavis aedium* ».

4. Dans la mesure où ceux-ci sont empruntés à la culture grecque, il les domine mal et, dans l'impossibilité de traduire certaines notions abstraites, il reprend

rement nette lorsqu'il décrit les différentes catégories de temples [1] ou la typologique des édifices grecs [2]. Dans le temps où il écrit, Vitruve n'est pas en mesure de parler en théoricien autonome [3] du bâtir. Le moment n'est pas encore arrivé de mettre la tradition en question, d'imaginer un ordre spatial non avenu. Le rituel et le coutumier demeurent le fondement de la pratique architecturale. La question qui se pose à l'architecte romain n'est pas de promouvoir la raison comme instrument d'organisation de l'espace, non plus que de libérer, en la contrôlant, la spontanéité créatrice de l'architecte, mais de rassembler, d'ordonner et, éventuellement, d'expliquer [4] un ensemble de pratiques constructives.

Fixer ses limites à l'entreprise de Vitruve ne doit pas être interprété comme une dépréciation. Il s'agit ici de situer Alberti à sa juste place, et non de minimiser l'originalité d'un auteur dont le livre fut unique en son genre dans l'Antiquité. Le premier, Vitruve, a rassemblé une somme de matériaux jusqu'alors épars et tenté d'en faire une totalité organisée, à la gloire de l'architecte. En ce sens, A. Chastel est fondé à en faire un « héros [5] ». Mais en ce sens seulement, car l'architecte romain n'est pas un créateur dans l'acception renaissante et albertienne de ce terme. S'il ne parvient pas à libérer le démiurge qui sommeille en lui [6], s'il s'échoue dans sa synthèse, quitte à postuler un ordre et une logique absents, c'est que son époque ne lui fournit pas

---

simplement le terme grec, ce qui lui sera d'ailleurs reproché par Alberti dont une partie du travail sur le texte de Vitruve consiste à le latiniser. Sur le succès de l'opération, cf. R. Krautheimer, « Alberti and Vitruvius », art. cit.

1. Liv. III, chap. III. Il y a cinq types de temples : ceux-ci constituent un *donné* devant quoi se trouve l'architecte : il ne s'interroge pas sur le processus générateur du temple, et il n'envisage pas davantage que de nouvelles formes puissent en être inventées. Même remarque pour les ordres.

2. Cf. le passage sur le « forum » grec (liv. V, chap. I).

3. Lorsque, d'aventure, cas unique d'autocitation, il lui arrive de mentionner une basilique qu'il a construite, c'est pour illustrer une règle donnée d'entrée de jeu, et à l'élaboration de laquelle il ne peut, en aucun cas, avoir eu part.

4. Comme Vitruve le reconnaît lui-même, à l'occasion, lorsqu'il s'assigne de « *tradita tamen explicare* » (liv. V, chap. XI, p. 263). En ce sens, et comme le voit bien R. Krautheimer *(op. cit.)*, le *De architectura* est un manuel.

5. *Art et Humanisme à Florence*, p. 97.

6. Cf. la fin du livre VI, où Vitruve revient au statut de l'architecte, auquel il accorde, par rapport aux autres hommes, une faculté propre de jugement : « Tous les hommes — et pas seulement l'architecte — peuvent juger de ce qui est bon. L'architecte ne devra donc pas mépriser les avis de l'artisan, ou de son client [...] Mais le profane n'est en mesure de juger qu'après exécution, alors que l'architecte, avant toute réalisation, voit l'édifice dès qu'il l'a conçu tel qu'il sera du point de vue de la beauté, de l'usage, et de la convenance » (p. 324).

les moyens conceptuels qui lui permettraient de réaliser son projet ou plutôt de le définir. Trois éléments solidaires lui font défaut : l'objectif d'un *fondement*, l'hypothèse de l'*autonomie* de l'acte bâtisseur et le concept d'un *temps créateur*. L'espace de ce manque situe deux moments de l'histoire, deux mentalités, deux rapports au savoir et au savoir-faire. M. Finley a traduit cet écart dans la dimension de l'économie, en montrant que le Vitruve technicien, dont il admire le savoir-faire, voit sa pratique bornée par l'horizon d'une société de consommation, qui ignore les notions de productivité et de rentabilité[1]. Cette analyse peut être reprise métaphoriquement au niveau du livre et de l'économie textuelle. Le traité d'Alberti se révèle alors comme la machine que l'architecte romain ne pouvait pas imaginer de construire, dont aucun rouage n'est inerte, et qui est destinée à fonctionner parfaitement.

En écrivant le *De re aedificatoria*, Alberti fait *autre chose* que Vitruve. Quelle que soit l'importance de ses emprunts, il en transforme la signification en en changeant l'ordre, le découpage, le fonctionnement. Peu importent l'identité des contenus et la présence obsédante du paysage urbain antique dans le *De re aedificatoria*, dès lors qu'Alberti congédie la tradition, impose son ordre relevant de la seule raison, propose une méthode générative et universelle. C'est pourquoi, même si ce fut là son propos initial, même si son traité a eu pour origine un commentaire de Vitruve, suggéré par Lionello d'Este[2], il est impossible de ne définir le travail d'Alberti que par rapport au *De architectura* et de ne pas lui faire marquer un authentique commencement. R. Krautheimer, qui a pourtant su déchiffrer la mutation qu'Alberti fait subir à la démarche vitruvienne[3], continue néanmoins à n'envisager le *De re aedificatoria* que sous l'angle de l'érudition humaniste, comme l'œuvre d'un « conseiller en antiquité[4]».

---

1. M. Finley observe que : « Chaque fois les circonstances, et par conséquent l'explication sont soit accidentelles [...] soit frivoles. » Et il ajoute : « Vitruve ne considérait ni comme souhaitable ni comme possible le développement continu des techniques grâce à une recherche systématique », et il observe que dans tout le *De architectura* on ne trouve qu'un seul passage, dérisoire, qui envisage l'obtention d'une productivité accrue. *L'Economie antique*, trad. fr. par M. P. Higgs, Paris, Ed. de Minuit, 1973, p. 196-197.

2. Cf. *supra*, p. 115.

3. Il voit bien que la tripartion (aristotélicienne) constitue le « principe d'organisation du livre » d'Alberti et que « là où Vitruve énumérait des principes pour les oublier ensuite, Alberti considère ces principes ainsi que les parties constitutives de l'architecture comme fondamentaux » (*op. cit.*, p. 46).

4. « *Counsellor at antiquity* » (*ibid.*, p. 46).

Pour lui, Alberti est un archéologue [1] et un restaurateur de génie. Mais pourquoi refuser de voir que le restaurateur, quand bien même son souhait le plus ardent fut de reconstituer la véritable démarche de l'Antiquité, ne laisse pas de lui opposer sa propre théorie, à partir de laquelle une nouvelle pratique pourra se développer? Au reste, Alberti a défini lui-même sa position par rapport à Vitruve lorsque, au livre II du *Della pittura* [2], il indique que l'architecte romain transmet des recettes pratiques concernant, par exemple, les lieux où se procurer les meilleurs pigments pour faire des couleurs, mais est incapable d'énoncer la méthode et les règles de combinaison de ces couleurs. Pourquoi alors ne pas admettre que dans le *De re aedificatoria*, Alberti pose le problème de l'édification avec la même assurance, le même systématisme, et dans des termes aussi révolutionnaires que lorsque, dans son *Traité de la peinture*, il théorise une question dont l'Antiquité n'était pas davantage venue à bout?

Pour nous, la comparaison des traités respectifs de Vitruve et d'Alberti a bien prouvé le rôle inaugural du *De re aedificatoria*. Elle a, en outre, confirmé l'interprétation que nous en avons donnée, en soulignant encore, par effet de contraste, la singularité d'un texte dont toutes les parties travaillent et se répondent. Elle servira enfin, maintenant, à éclairer l'examen, jusqu'ici différé, de la fonction exercée par les histoires et par le passé dans le *De re aedificatoria*.

IV. ALBERTI ET VITRUVE : RÉCIT ET HISTOIRES
DANS LE « DE RE AEDIFICATORIA »

La place occupée par les histoires dans le *De re aedificatoria* est considérable. Dès le début de notre analyse, nous nous étonnions de leur abondance et de la fréquence avec laquelle est évoqué le témoignage des auteurs anciens dans un traité qui semblait devoir se réduire à un ensemble de principes, de règles, et à leur commentaire.

Cette profusion apparaît particulièrement embarrassante si l'on confronte le traité *De la chose édifiée* au traité *De la peinture* dont j'ai tenté, non sans arguments, de faire son homologue théorique. Car, si le *Della pittura* prétend, comme le *De re aedificatoria*, faire

---

1. Le *De architectura* serait pour Alberti un édifice ravagé par le temps qu'il s'agit de reconstruire à neuf par l'interprétation de ses vestiges (*ibid.*, p. 49).

2. L. Mallé, éd., Florence, Sansoni, 1950, p. 97.

table rase du passé; si l'auteur y revendique, avec encore plus de force et d'insistance, l'exclusive paternité de son œuvre[1]; si, à partir d'un petit ensemble de définitions et de principes comparables à ceux du bâtir, il y formule identiquement les règles d'une pratique spécifique, les histoires sont beaucoup moins nombreuses et développées dans cet ouvrage, dont le livre I n'en comporte même aucune. Comment, alors, justifier, dans le second traité, toutes ces références aux sources antiques, tous ces récits et anecdotes? Pourquoi tant de parfaits, de plus-que-parfaits et même d'imparfaits, alors que suffisait le présent indicatif de la constatation et les divers modes de la régulation, le futur, l'impératif, le subjonctif, le gérondif et l'adjectif verbal?

Une explication consisterait à interpréter tout ce matériel comme non structurel, superfétatoire et ornemental. Les analyses qui précèdent, auraient permis de cerner la structure d'un texte théorique[2], dont il ne resterait plus maintenant qu'à décrire l'habillage. Par ses récits d'événements mythiques ou anciens, par ses emprunts à la littérature antique, Alberti aurait voulu donner plus d'agrément à un parcours aride, faire valoir sa culture d'humaniste, ou encore feindre de se conformer au modèle vitruvien, comme lorsqu'il emprunte à l'architecte romain la division de son œuvre en dix livres.

J'ai cependant affirmé plus haut que tel n'était pas le cas et qu'aucune séquence du *De re aedificatoria* n'était inutile, inerte. Il faut maintenant en donner la preuve, qui passera par une comparaison systématique des histoires et de leur rôle dans les textes des deux auteurs. Cette confrontation montrera que, contrairement à ceux de Vitruve, les récits d'Alberti ne sont pas dissociables de son traité; elle fera également apparaître la fonction surprenante du récit dans le *De re aedificatoria*.

Pour préciser le statut de ces morceaux à l'intérieur des deux traités respectifs, j'ai emprunté un certain nombre de concepts à la linguistique du sens. Je me suis, en particulier, servi de la distinction établie par E. Benvéniste entre *discours* et *histoire*[3]. Dans ses

---

1. Cf. *ibid.*, liv. II, p. 97, et surtout la fin du liv. III : « *Noi pero ci reputeremo ad voluptà primi avere questo palmo, d'avere ardito commendare alle lettere questa arte sottilissima et nobilissima* » (p. 114).

2. Au sens où le texte théorique constitue une catégorie de discours. Cf. *infra*, particulièrement p. 148, n. 5.

3. Cf., in *Problèmes de linguistique générale*, *I*, Paris, Gallimard, 1968, « Structure des relations de personne dans le verbe », « Les relations de temps

ébauches en vue d'une linguistique de l'énonciation (ou sémantique), il notait que « les temps d'un verbe français ne s'emploient pas comme les membres d'un système unique », mais qu' « ils se distribuent en deux systèmes distincts et complémentaires »[1] qui correspondent à deux plans différents de la pratique de la langue, dont l'un est désigné comme celui du discours et l'autre comme celui de l'histoire (ou du récit historique).

Le discours est caractérisé par la présence du locuteur, autrement dit par l'emploi de la première personne, par la relation de personne, et l'usage de tous les temps, à la seule exception du prétérit, avec un rôle dominant du présent. Le récit historique exclut, au contraire, la première et la corrélative deuxième personne, au profit d'une troisième dont E. Benvéniste a bien montré qu'elle était *absence* de personne[2], et récuse l'usage du présent au profit du prétérit (appuyé par l'imparfait, le plus-que-parfait et le futur prospectif) qui situe le récit hors du discours, dans un autre espace-temps. Ultérieurement[3], Benvéniste a été conduit à définir comme discours tout texte comportant des *shifters*, c'est-à-dire des éléments de mise en relation avec l'instance d'énonciation, et comme histoire tout texte sans *shifter*. Toutefois, ces critères sont récusés dans certains cas où apparaissent des combinaisons, théoriquement contradictoires, entre le présent de base et la troisième personne, entre le prétérit et la première personne, et où des *shifters* sont utilisés dans des textes d'histoire.

A la faveur des développements récents de la linguistique et de l'accent qu'elle met sur la notion d'énonciation et sur ses relations avec l'énoncé, J. Simonin-Grumbach[4] a reformulé l'hypothèse de Benvéniste dans des termes différents, qui lui ont permis de définir le concept de texte théorique, d'élaborer une nouvelle typo-

---

dans le verbe français », « La nature des pronoms », « De la subjectivité dans le langage » et, in *Problèmes de linguistique générale II*, Paris, Gallimard, 1974, « Le langage et l'expérience humaine », et « L'appareil formel de l'énonciation ».

1. *Problèmes de linguistique générale*, II, p. 238.

2. « Personne ne parle ici, les événements semblent se raconter eux-mêmes », *PL* I, p. 241.

3. Cf. « Sémiologie de la langue » et « L'appareil formel de l'énonciation » in *Problèmes de linguistique générale*, II, *op. cit.*

4. Cf. « Pour une typologie du discours », in *Langue, Discours, Société*, ouvrage collectif, *pour Emile Benvéniste*, Paris, Seuil, 1975, p. 85-86, sur la place et les relations entre énoncé et énonciation dans la théorie linguistique.

5. Aux discours et textes d'histoire, elle ajoute, en effet, les *textes théoriques*, dont « le référent n'est pas un référent situationnel mais un référent discursif » (*op. cit.*, p. 112) et les textes *poétiques* qui « ne sont repérés ni par rapport à la

logie [5] des discours et de résoudre les difficultés posées par l'utilisation des critères de temps et de personnes associés aux *shifters* [1]. Elle propose d'appeler *discours*, « les textes où il y a repérage par rapport à la situation d'énonciation (sit. ε), et *histoire* les textes où le repérage n'est pas effectué par rapport à la situation d'énonciation, mais par rapport au texte lui-même [2] ». Dans ce dernier cas, on parle de *situation* d'énoncé (sit. E) [3]. Dans les pages qui suivent, nous utiliserons ces définitions et symboles [4].

A qui tente de le situer dans la typologie des systèmes d'énonciation [5], le *De architectura* oppose la résistance du composite. Alternativement discours et texte théorique, il est, en outre, contrepointé par une série de fragments autonomes présentant les caractères de récits historiques. Ces fragments peuvent être répartis en trois catégories : *récits d'origine* de l'architecture, récits *illustratifs* destinés à appuyer le propos du théoricien, récits *décoratifs* généralement situés dans les *proemia* et sans lien direct avec l'objet du traité.

Ce dernier type, illustré en particulier par l'histoire du naufrage d'Aristippe [6] et par celle d'Aristophane, juré au concours du roi Ptolémée d'Alexandrie [7], a été exclu du *De re aedificatoria* [8]. Les deux

situation d'énonciation, ni par rapport à la situation d'énoncé, ni par rapport à un interdiscours [cas du texte théorique] », *ibid.* p. 114).

1. *Op. cit.*, p. 95 *sq.* : « le présent comme temps de base de l'histoire », et p. 100 *sq.* : « " je " comme " personne " de l'histoire (S*) ».

2. *Op. cit.*, p. 87.

3. « Il ne s'agit donc plus de la présence ou de l'absence de *shifters* en surface, mais du fait que les déterminations renvoient à la situation d'énonciation (extra-linguistique) dans un cas, alors que, dans l'autre, elles renvoient au texte lui-même » *(ibid.)*.

4. Sit. ε = situation d'énonciation; sit. E = situation d'énoncé.
 ՅՆ = temps de l'énonciation; T = temps de l'énoncé
 Ꙃ = sujet de l'énonciation; S = sujet de l'énoncé

5. Ou des discours, au sens large et non au sens particulier qui oppose ce terme à « récit historique » ou « texte d'histoire ».

6. Liv. VI. Le *proemium* commence directement par ce récit : « Le philosophe socratique Aristippe ayant échoué à la suite d'un naufrage... »

7. *Proemium* du livre VII : par cet exemple, Vitruve veut montrer qu'on doit toujours citer ses sources. A la suite de cette histoire qui est une des plus longues de son livre, Vitruve énumère les livres qu'il a utilisés dans la rédaction de son propre traité.

8. Avec une exception, facilement explicable : l'histoire de Dinocrate qui, après avoir enchanté Alberti, fera le bonheur des trattatistes occidentaux. Ceux-ci fonderont leur apologie sur la déraison qui inspire le projet de ville proposé par Dinocrate à Alexandre, et sa méconnaissance des exigences de *commoditas* et *necessitas*. Curieusement, Vitruve a, au contraire, retiré toute connotation architecturale à l'aventure, pour se polariser sur la façon dont, en se dénudant, l'architecte usa de sa beauté pour séduire Alexandre (*proemium,*

autres types semblent bien, en revanche, avoir été largement utilisés par Alberti, soit sous forme d'apports personnels, soit sous forme d'emprunts à Vitruve dont certains récits paraissent, de prime abord, avoir été directement retranscrits du *De architectura* dans le *De re aedificatoria*. En réalité, Alberti n'en utilise que le contenu. Comme dans le cas des principes vitruviens, il a transformé des éléments inertes et aléatoires en opérateurs du texte, autrement dit, il a, en l'occurrence, retiré leur autonomie aux récits vitruviens et les a intégrés dans son traité en leur donnant une fonction.

A quelques rares exceptions près [1], les récits illustratifs de Vitruve, tous empruntés à la tradition historique, forment de petits morceaux indépendants qu'on peut supprimer sans altérer la forme du « texte théorique » ni même, généralement, son contenu. En effet, centrés sur les exploits de personnages qui poussent l'architecte romain à digresser et à moraliser, leur rapport au contexte « théorique » du traité est souvent très lâche. Ainsi, les chapitres du *De architectura* consacrés au choix des sites sont illustrés par les histoires de Marcus Hostilius qui déplaça la ville de Salapis pour la soustraire aux nuisances des marais [2] et d'Andronicus qui éleva une tour octogonale correspondant à sa classification des vents [3]. Le livre II sur les matériaux nous vaut les aventures du riche Mausole qui ne dédaignait pas de construire des palais de briques [4]. Hermogène, qui inventa les proportions [5], et Agaturius, qui peignit des fresques pour la ville de Tralles [6], sont respectivement les héros de récits enclavés dans les chapitres sur la « symétrie » et sur les ornements.

Au contraire, les récits illustratifs du *De re aedificatoria* sont stric-

---

liv. II, p. 59 *sq*.). Par ailleurs, lorsqu'à une ou deux reprises, Alberti se laisse exceptionnellement aller à rapporter des histoires pittoresques, il prend garde de le signaler avec l'ironie nécessaire. Cf. les histoires du livre VI, dont Alberti indique : « *sed dicta haec sint animi gratia* » (chap. IV, p. 467).

1. Où des *shifters* intègrent l'évocation du passé dans le discours même et à propos desquels on ne peut donc plus parler d'un récit historique. Cf. liv. I, chap. VIII, p. 33, où Alberti évoque les rites divinatoires des Anciens (« *Majores enim, pecoribus immolatis quae pascebantur in his locis* [...] *inspiciebant jacinera* ») pour émettre un jugement à leur endroit (« *veterem*, revocandam censeo *rationem* »). [*Nous soulignons.*]

2. Liv. I, chap. IX.

3. Liv. I, chap. XI.

4. Liv. II, chap. VIII. L'histoire de Mausole, qui se veut une contribution à l'éloge de la brique, se poursuit par l'histoire de la fontaine merveilleuse de Samalcis et les aventures d'Artémise, dont le seul lien avec ce qui précède est sa qualité de veuve de Mausole.

5. Liv. III, chap. XII.

6. Liv. VIII, chap. V.

tement liés à leur contexte. Très variés, beaucoup plus nombreux que ceux du *De architectura*, mais plus brefs et n'accordant que peu d'intérêt à leurs protagonistes, ils n'ont aucune indépendance. Ils sont indissociables du texte du traité, dans lequel ils sont intégrés et littéralement absorbés par le jeu de *shifters* qui renvoient à la situation d'énoncé comme à la situation d'énonciation. Qu'elle soit directement empruntée à la littérature ancienne ou qu'il la reconstruise lui-même, en archéologue, à partir d'indices matériels [1], la référence à l'histoire, la citation du passé, sert à Alberti soit à faire comprendre l'origine et donc le sens de certaines formes, soit à expliquer plus clairement certaines règles. Dans le premier cas, il est amené à évoquer des aspects multiples des conduites humaines à travers l'histoire, en décrivant tour à tour la cérémonie de la communion aux premiers temps du christianisme [2], la politique hospitalière de certains princes italiens [3], l'état d'âme des voyageurs qui parcouraient les voies antiques [4], ou les rites de fondation des anciennes cités [5]. Dans le deuxième cas, qui est le plus fréquent, les exemples choisis par Alberti sont indifféremment positifs ou négatifs, ce qui traduit la distance critique prise par rapport à un passé qui n'est pas exemplaire, mais éclairant. La valeur des règles du *De re aedificatoria* est confirmée, aussi bien par l'évocation (et la condamnation) de la démesure qui fit élever le temple de Jérusalem [6] ou exagérément élargir les rues de Rome sur les ordres de Néron [7], qu'inversement par le compte rendu (et la louange) des méthodes qu'utilisaient les Anciens pour choisir un site urbain [8] et l'implantation d'un édifice [9], ou encore par la façon dont l'architecte du Panthéon a conçu la construction des murs de ce temple [10].

Si donc, en termes linguistiques, les récits illustratifs de Vitruve sont de vrais récits, on ne peut parler, pour ceux d'Alberti, que de « pseudo-récits » dans la mesure où ils sont partie intégrante du discours albertien, entièrement soumis à la souveraineté énonciatrice de l'auteur, dont le présent règne sur leurs parfaits et leurs imparfaits.

1. Liv. III, chap. xvi.
2. Liv. VII, chap. xiii, p. 627-629.
3. Liv. V, chap. viii, p. 369.
4. P. 669.
5. Liv. IV, chap. iii, p. 291 *sq.*
6. Liv. III, chap. v.
7. Liv. IV, chap. vi, p. 307. Cf. aussi la narration de la construction des fenêtres (trop étroites) dans l'Antiquité (liv. VII, chap. xii).
8. Liv. I, chap. iii.
9. Liv. IV, chap. viii, p. 367.
10. Liv. VII, chap. x.

Cette dépendance laisse aussi soupçonner qu'outre leur rôle manifeste de confirmation et d'explication, bien analysé par l'auteur lui-même [1], les récits illustratifs d'Alberti ont une autre fonction, et qu'en convoquant l'histoire, ils convoquent le temps, le temps des genèses et des créations qu'ignore Vitruve, et dans le flux duquel s'inscrivent simultanément l'aventure d'Alberti et celle de l'édification.

Ce double rôle joué par le sujet (première personne du singulier) et la temporalité dans le *De re aedificatoria* apparaît encore plus clairement à comparer les récits d'origine albertiens avec les versions vitruviennes dont ils sont issus.

Le *De architectura* compte trois récits d'origine. Le premier raconte la naissance de l'architecture. Il est annoncé à la fin du *proemium* du livre II où Vitruve reconnaît l'avoir emprunté à la tradition, mais n'en explique pas la place [2], en ouverture de ce livre sur les matériaux. On peut résumer ce récit en six séquences [3] : 1) les hommes vivaient comme des bêtes sauvages *(ut ferae)* dans les forêts; 2) un jour, un orage mit le feu et les fit fuir; 3) quand ils revinrent, la violence de l'incendie une fois calmée, ils découvrirent l'utilité du feu, et voulant communiquer à ce sujet, ils inventèrent le langage et du même coup la vie en société; 4) ensuite, ils profitèrent de ces capacités nouvelles pour réaliser des abris divers (nids, toits, grottes creusées dans le sol); 5) finalement, à force de progrès, ils bâtirent une première cabane. Après la cinquième séquence, le récit est interrompu par une parenthèse « ethnographique » destinée à confirmer le témoignage de la tradition légendaire ou mythique des séquences 4) et 5) [4]. La dernière séquence 6) peut alors relater le perfectionnement de la construction avec l'invention de la « symétrie », autrement dit l'avènement de l'architecture *stricto sensu*. L'histoire se termine de la même façon abrupte qu'elle a commencé. Et, sans transition,

---

1. Cf., par exemple, liv. IV, chap. i, p. 781 : « *Quorsum haec* [il s'agit de l'évocation de l'attitude des anciens à l'égard des ornements et de l'évolution de cette attitude] *ut ex eorum comparatione id statuam ipsum quod alibi diximus : placere quae procujusque dignitate moderentur.* »

2. Vitruve se borne à indiquer : « Mais avant *(antequam)* d'en venir à l'explication des choses naturelles *(res naturales)*, je commencerai *(anteponam)* par parler de l'invention des édifices, de quels furent leurs commencements et comment ils se développèrent. » Cet *anteponam* lapidaire demeure arbitraire.

3. Liées entre elles par un ensemble d'adverbes de temps : *interea*, *postea*, *tunc*, *deinde*, *post quam*, *tum*.

4. Nous pouvons juger que l'invention des édifices par les premiers hommes (« *de antiquis inventionibus aedificiorum* ») a bien été telle, à une série d'indices (« *his signis* »), que Vitruve découvre en Colchide, en Phrygie, à Marseille (où les historiens rapportent qu'on a observé un toit de terre battue recouvert de feuilles) et dans certains vestiges retrouvés à Athènes et à Rome (p. 67).

Vitruve aborde le sujet de son second livre, les matériaux de construction.

Le second récit raconte l'origine des ordres. Plus compliqué que le précédent, il consacre l'antériorité et la supériorité du dorique (« *prima et antiquitus Dorica est nata* »). On peut le diviser en huit périodes. 1) Dorus règne sur l'Achaïe et le Péloponnèse; 2) il fait élever à Argos un sanctuaire dédié à Junon et bâti par hasard avec un type particulier de colonnes, sur le modèle desquelles on construit une multitude d'autres temples, mais qui sont encore dépourvues de « symétrie »; 3) les Athéniens fondent treize colonies en Asie, et Ion, leur chef suprême, crée des cités (Éphèse, Milet, Priène, Samos...) qui vont former l'Ionie; 4) ces cités bâtissent des sanctuaires sur le modèle de ceux d'Achaïe et les appellent, pour cette raison, doriques. Mais ceux-ci sont néanmoins différents parce que leurs colonnes mettent en œuvre un système de proportions *(symmetria)* tiré du corps de l'homme; 5) une colonne du même type, mais construite selon les proportions du corps féminin, est alors inventée; 6) ensuite, les successeurs de ces inventeurs créent la colonne ionique qui est plus grêle; 7) enfin apparaît la colonne corinthienne créée à l'imitation d'un corps de jeune fille; 8) le chapiteau corinthien est inventé par Callimaque à la suite de la mort d'une jeune Corinthienne. Également attribué à la tradition, ce second récit d'origine diffère du premier par deux traits. D'une part, il est mieux adapté à son contexte puisqu'il est placé dans le premier chapitre du livre IV, après un développement sur l'ordre ionien (fin du livre III) et une comparaison des trois ordres (début du chapitre I du livre IV). D'autre part, il ne met plus en scène des protagonistes anonymes dans des lieux incertains, mais des personnages précis (mythologiques ou historiques) dans un espace géographique déterminé, la Grèce.

Le troisième et dernier récit de Vitruve est placé dans le deuxième chapitre du même livre IV et concerne l'origine des ornements des chapiteaux. Beaucoup plus court que les précédents, il n'est pas présenté comme un legs de la tradition. Mais Vitruve n'en revendique pas l'invention, alors qu'il semble pourtant l'avoir déduit de son analyse de la construction en bois[1].

Seuls les deux premiers récits de fondation vitruviens ont été réutilisés en tant que tels par Alberti, mais au prix de transformations qui en changent la fonction et le sens.

Dans le *De re aedificatoria*, le premier et long récit de Vitruve est découpé en trois schémas indépendants, dissociés dans l'espace

1. P. 174.

du texte, et qui relatent respectivement les origines de la société (prologue), de la maison (livre I, chapitre II), et du développement du monde édifié (livre IV). Chacun est placé en un lieu déterminé où il a pour fonction de fonder, en amont des postulats et des principes, une des parties articulatoires du texte, dont il devient ainsi un opérateur. « *Principio...* », ce « à l'origine » par lequel débute chacun des trois fragments, est également un « au principe ».

On se rappelle que le prologue constitue une sorte de pierre angulaire de l'entreprise albertienne. Les options et partis qu'y prend l'auteur sont à l'avance, dès les premières pages, garantis et fondés par un récit bref et abstrait, qui correspond aux trois premières séquences de Vitruve, mais en élimine la couleur et surtout en inverse les termes, pour mettre le bâtir à l'origine de la vie en société, en faire une cause et non une conséquence [1].

Le second récit d'Alberti utilise, en la remaniant entièrement, l'histoire de la cabane primitive [2], qui constitue la cinquième [3] séquence du premier récit vitruvien. Découpé en six séquences originales, ce second récit albertien fonde à la fois le premier livre et la première partie du *De re aedificatoria*, en décrivant le comportement constructif originel d'où dérivent, dans leur ordre de succession, les six opérations de base ou principes découverts par Alberti [4].

Le troisième récit d'Alberti correspond à la sixième séquence de Vitruve, transformée, elle aussi : la genèse du monde édifié n'y est plus appréhendée en termes de résultats techniques mais en termes de causes et de motivations, à travers ce désir et cette demande dont le *De re aedificatoria* a fait le moteur même de l'édification. Ce texte, encore une fois très court, qui ouvre le chapitre I du livre IV, rend compte de l'origine des principes de *commoditas* et de *voluptas* et donne ainsi leur assise à la deuxième partie du traité et à la troisième, jusqu'au cinquième chapitre du livre IX.

1. Cf. *supra*, p. 88.
2. Dans *La maison d'Adam au Paradis* (Paris, Seuil, 1976), J. Rykwert renvoie lui aussi aux deux textes de Vitruve et d'Alberti. Mais alors que pour J. Rykwert, il s'agit de montrer la constance d'un thème qu'il retrouve dans des cultures étrangères à la nôtre et dont il fait une sorte d'*invariant* culturel, je me suis, au contraire, attachée à marquer les *différences* qui séparent les deux auteurs dans le maniement de ce thème. Ce qui m'intéresse n'est pas le contenu du récit de la maison originelle, mais sa *forme*, qui devient pour moi un indicateur sémantique et le moyen de définir une coupure dans la littérature consacrée à l'architecture et au cadre bâti.
3. La quatrième séquence de Vitruve n'a pas d'équivalent dans le *De re aedificatoria*.
4. Cf. *supra*, p. 93 *sq*.

Cette fonctionnalisation du récit vitruvien par Alberti n'est pas seulement le résultat d'opérations topologiques de découpage et de déplacement. On a déjà vu que les récits du *De re aedificatoria* sont réduits à une forme schématique, à des séquences d'opérations presque abstraites dont la sécheresse surprend. Quand ils utilisent les énoncés vitruviens, ils les appauvrissent, en gomment le pittoresque. Supprimés les incendies de forêts, les mimiques, la diversité des premiers essais de construction : les hommes originels occupent des sites, divisent des espaces en privés et publics, montent des murs, protagonistes si théoriques qu'on serait tenté d'en faire un singulier, l'Homme. En outre, comme dans le cas des « récits illustratifs », Alberti prend possession de ses récits d'origine, les intègre dans une situation d'énonciation et du même coup les dépouille de leur statut de récit historique. Cependant, l'appropriation par l'auteur ne s'accomplit pas, cette fois, par la médiation de jugements, mais par une revendication de paternité. Non sans condescendance pour la tradition[1], ni sans ironie implicite à l'endroit de Vitruve qui la reproduisait sans critique, Alberti se désigne explicitement comme l'inventeur de ces trois récits. Il relègue ainsi la dimension mythique que l'architecte romain introduisait dans le *De architectura* à la faveur d'un emprunt avoué à la tradition, c'est-à-dire, en l'occurrence, au souvenir encore vivace d'anciens mythes de fondation. Dans les trois *schémas* d'origine qu'il tire du premier récit vitruvien, Alberti remplace le temps mythique des commencements par le temps abstrait et ahistorique d'une analyse opératoire.

La fonctionnalisation des schémas d'origine, leur localisation en amont des champs textuels dont ils assurent le fondement, leur appropriation par l'auteur qui ne leur veut d'autre garant que sa propre raison, sont donc autant de traits qui opposent le *De re aedificatoria* au *De architectura*, où le récit d'origine est inerte, situé de façon plus ou moins aléatoire, toujours en aval du texte à quoi il pourrait se rapporter, et, sauf dans un cas[2], explicitement emprunté à la tradition.

Ces caractéristiques se retrouvent dans une série de schémas d'origine mineurs dont Alberti se sert pour étayer, parfois même seulement expliquer au lecteur, à titre d'hypothèse[3], non plus les

1. Cf. dans le prologue l'opposition de « *Fuere qui dicerent* » et « *Nobis vero* » (p. 9) et au livre I celle de « *Itaque quicumque ille fuerit* [...] *qui ista principio instituerit* » et « *tandem sic puto* », p. 23.

2. Cf. *supra*, p. 153, le troisième récit dans lequel Vitruve semble pressentir une possibilité d'indépendance dans la construction des récits. Mais ne développant pas cette possibilité, il retire toute signification à cette différence.

3. Cette valeur d'hypothèse est clairement formulée par Alberti. Cf. le schéma originel du temple : « *Quale autem apud quosque per eam posteritatem fuerit tem-*

articulations essentielles, mais certaines subdivisions de son livre. Construits avec la même désinvolture que les schémas majeurs [1], mais, cette fois, sans rien devoir à Vitruve, ils donnent la mesure de l'esprit de système qui a présidé à la construction du *De re aedificatoria*. Ainsi se succèdent, dans la première partie de l'ouvrage, les schémas d'origine de la colonne [2], de l'arc [3], de la brique [4], et dans la seconde, ceux du temple, de la basilique [5], du cirque, des amphithéâtres [6], des monuments commémoratifs [7], des sépultures [8].

Le quatrième grand récit d'origine albertien, le schéma des ordres [9], devrait, selon la logique du *De re aedificatoria*, fonder les chapitres du livre IX consacrés à la beauté absolue. Mais, s'il s'inspire lui aussi du *De architectura*, il n'utilise cependant pas le texte de Vitruve avec l'insolente liberté qui caractérise les autres récits, primaires ou secondaires, précédemment évoqués.

Le schéma albertien des ordres peut être résumé en sept moments. 1) Nos ancêtres appliquèrent à leurs constructions les lois dont fait usage la nature; 2) ce faisant, ils s'aperçurent que celle-ci n'utilise pas les mêmes proportions pour tous les corps; 3) ainsi, ils furent conduits à découvrir trois façons d'embellir, auxquelles ils donnèrent d'après la tradition les noms de ceux qui les trouvèrent; 4) ensuite, ils découvrirent les trois principes que nous [10] avons nommés plus haut, nombre, finition et collocation, et firent un certain nombre de constatations quant au nombre; 5) pour ce qui est de la finition, après avoir con-

---

plum, *non satis constat;* mihi quidem facile persuadebitur... » (liv. VII, chap. II, p. 541), ou le schéma des sépultures : « Sed mihi sic fit verisimile, *gentes tum quidem per illam veterem posteritatem sic instituisse* » (p. 675). [*Nous soulignons.*]

1. Il précise à chaque fois qu'il s'agit de son avis personnel et ne se gêne pas pour donner à sa construction le caractère d'hypothèse, par exemple, en multipliant les *fortasse* dans le cas de l'arc (p. 235).

2. Dont il s'agit de justifier le traitement dans la section consacrée au mur (liv. I, chap. x).

3. Liv. III, chap. XIII.

4. Liv. II, chap. x. Ce récit justifie l'ordre d'insertion de la brique dans la succession des matériaux.

5. Liv. VII, chap. XIV, en six épisodes.

6. Liv. VIII, chap. VIII.

7. Liv. VII, chap. XVI.

8. Liv. VIII, chap. II.

9. Il s'étend sur les chapitres V et VII du livre IX, interrompu et coupé en deux par le chapitre VI qui précise les règles d'application de la *finition* à l'architecture.

10. C'est Alberti qui parle.

templé le corps humain, ils pensèrent qu'il fallait élever les colonnes à son image et en conséquence prirent les mesures du corps; 6) ils construisirent alors sur ce modèle deux premiers types de colonnes; 7) mais leur sens de l'harmonie les conduisit, bientôt, à les abandonner et, par une série de modifications successives, à inventer les colonnes ioniques, doriques, puis corinthiennes [1].

Si, encore une fois, dans cette série d'épisodes, Alberti rationalise, simplifie et réduit le texte vitruvien [2], son récit de l'origine des ordres présente néanmoins trois anomalies par rapport à ses autres schémas d'origine. Tout d'abord, au lieu de la précéder, elle suit l'énonciation des règles des ordres. En second lieu, elle n'est plus présentée comme la création personnelle d'Alberti et n'est rapportée qu'une seule fois à la situation d'énonciation [3], dans la première partie du texte (chapitre v), où l'apport propre de l'auteur est plus important. Enfin, dans cette histoire, le sujet des énoncés n'est plus l'homme, les *homines* abstraits des autres schémas, mais *majores nostri* dans la première partie, et *architecti* dans la seconde, prédécesseurs qui n'appartiennent plus au temps abstrait de la logique, mais au temps de l'histoire. Autrement dit, ce récit originel des ordres, dont l'adverbe *principio* ne vient d'ailleurs pas marquer le début et ainsi désigner le rôle dans le texte, ne peut remplir la fonction d'opérateur qui aurait dû lui revenir.

Il faut voir là un nouvel indice des difficultés théoriques sur lesquelles butte Alberti dans la troisième partie du *De re aedificatoria.* La discordance qu'il introduit en substituant, dans le schéma d'origine des ordres, le temps de l'histoire au temps abstrait de la fondation textuelle, correspond à la contradiction dans laquelle il s'est enfermé en prenant pour étalon de vérité architecturale un style historique et en donnant corrélativement une valeur fondatrice à la création de ce style.

Cette contradiction, Alberti tente cependant de la résoudre dans un récit, unique en son genre, qui occupe tout le premier chapitre du livre VI, et dans lequel il raconte la naissance non pas de l'édification, mais de l'architecture *stricto sensu*, de l'art architectural, dans le monde

1. Ce récit d'origine ne doit pas être confondu avec la narration de l'invention des chapiteaux (liv. VII, chap. VI) qui reprend le troisième récit vitruvien, mais sous la simple forme d'une citation et dans une perspective critique (p. 565).

2. Le hasard vitruvien est éliminé, les ordres ne sont plus la conséquence d'une suite d'expériences constructives, mais celle d'une réflexion sur la *finitio;* les référents géographiques sont supprimés; enfin sa séquence historique des ordres est inversée, ce qui permet d'éliminer la complication des deux doriques successifs de Vitruve.

3. Par un modeste « *ut opimor* ».

des cultures positives. Cette histoire compliquée, coupée de références littéraires et fortement marquée par des *shifters* multiples [1], est divisée en trois épisodes que l'auteur a reconstitués à partir de sa connaissance réelle ou livresque des anciens monuments. 1) C'est en Asie, raconte Alberti, que pour la première fois fut perçue, dans le domaine bâti, la différence entre ce qui est beau et ce qui ne l'est pas, et qu'on tenta d'exprimer la beauté par des dimensions exceptionnelles. 2) Les Grecs, dans un deuxième temps, comprirent que beauté n'est pas démesure. Ils cherchèrent à définir la spécificité du beau et procédèrent à une expérimentation qui leur permit d'en déduire les règles. 3) Pourtant, il revint en définitive à l'Italie de dépasser ce stade. A partir d'une comparaison entre corps et édifices, les Italiens élaborèrent la règle fondamentale selon laquelle la beauté naît de l'adaptation de l'architecture à ses usages et ils s'en servirent pour perfectionner les ordres. La fin de la narration semble indiquer que la capacité créative des Italiens n'est pas figée. Alberti n'a pas voulu se contenter des deux premiers moments; l'épisode italien, lui permet de maintenir l'ouverture du temps historique et en même temps, d'y insérer sa propre entreprise. Mais il paie cette gageure au prix d'un texte obscur et confus, qui hésite entre deux conceptions du temps.

Car le temps des histoires illustratives n'est pas celui des schémas d'origine. Le système du *De re aedificatoria* est sous-tendu par l'opposition irréductible du temps de l'histoire qui accueille la création architecturale, et du temps abstrait dans lequel est fondée en théorie cette création ouverte à un permanent devenir. La dérive mise en évidence dans le schéma d'origine des ordres (livre IX, chapitres V et VII) et dans l'« histoire » de l'architecture (livre VI, chapitre I) aura permis de mieux mesurer la portée de cette opposition et le rôle du passé dans le *De re aedificatoria*. Il est maintenant clair qu'en dépit d'un usage identique des temps du passé, seuls les récits illustratifs renvoient à une historicité, à une durée réelle, et qu'ils convoquent le passé non pour en valoriser les œuvres mais pour exalter la créativité du temps, dite et redite, presque déjà thétiquement, au long du *De re aedificatoria* [2]. L'axe de la durée historique est nécessaire pour que se

---

1. Cf., par exemple, p. 451 : « *Sic enim mihi fit verisimile; credo equidem ; ut sic loquar* »; p. 455 : « *puta in equo; comprobes; invenio Romae* »; p. 457 : « *Cum inquam. Et quid hic referam; quid demum non plus dico?* »

2. Cf., en particulier : « *Bene quidem consulti est omnia praecogitasse et praefinisse animo ac mente* » (p. 95); « *Omnibus enim in rebus agendis multa tempus afferet, ut advertas atque perpendas, quae te vel solutissimum fugerant* » (p. 101); cf. aussi : liv. II, chap. XV; liv. III, chap. XVI.

déploie l'activité édificatrice : ce message est repris, systématiquement répercuté de bout en bout du livre par une évocation massive du passé. Mais on a vu que sitôt énoncé, ce passé est, en quelque sorte, désamorcé par l'énonciation albertienne. Il perd le statut que lui donnerait un vrai texte d'histoire. Le *je* vigilant de l'auteur se l'approprie si bien qu'il le réduit à n'être qu'une dimension de sa propre construction, autrement dit, de son traité.

V. L'ARCHITECTE-HÉROS

Le moindre paradoxe n'est pas que le *je* ordonnateur du *De re aedificatoria*, le sujet qui interpelle le lecteur et le renvoie en permanence à la situation d'énonciation, introduise dans son traité sa propre histoire. On a vu toutefois que c'est seulement la biographie intellectuelle, l'aventure spéculative de l'auteur qui est évoquée dans le livre. Seuls entrent dans le texte les épisodes de son expérience passée qui ont rapport avec la situation d'énoncé, qu'il s'agisse d'une étape réflexive ou d'une visite de l'architecte sur le terrain. Il pourrait donc s'agir là d'une référence situationnelle propre aux textes théoriques, et elle serait à comprendre comme « référence à l'interdiscours [1] » dont on pourrait, en l'occurrence, considérer le monde bâti comme la face non livresque.

La biographie d'Alberti, telle que la déroule le *De re aedificatoria*, est cependant tout autre chose qu'un référent discursif ou même situationnel, au sens strict. L'histoire de l'auteur Alberti commence avec sa décision d'écrire le *De re aedificatoria* et se poursuit à mesure que surgissent les difficultés et que les résolvent de nouvelles décisions qui, *progressivement*, engendrent l'enchaînement des parties du livre, l'ordre des procédures d'édification, déterminent la position et l'organisation des schémas d'origine, le choix des exemples historiques. De cette histoire si curieusement détachée de l'histoire, qui raconte les étapes d'une recherche théorique et la construction d'un livre, dépendent et l'ordre de consécution des règles de l'édification et l'ordre du livre. Et c'est, en définitive, sur la créativité du sujet-auteur du texte, que se fonde tout le projet génératif du *De re aedificatoria*. Alberti le suggère lui-même lorsqu'il assimile son personnage d'écri-

---

1. J. Simonin-Grumbach, *op. cit.*, p. 111. Dans cette conception, « l'interdiscours peut être l'interdiscours au sens étroit — le texte lui-même, sit. E commune à l'auteur et aux lecteurs — ou l'interdiscours au sens large — les autres textes [...] » (*ibid.*, p. 111).

vain à un constructeur : « Itaque nos *quas* quasi opus facturi simus et manu aedificaturi, *ab ipsis fundamentis seu ordiri aggrediemur*[1]. »

Le déroulement de l'édification, tel qu'en rend compte le *De re aedificatoria*, est donc ainsi commandé par l'histoire de l'écrivain. Si condensée et réduite soit-elle, si espacées qu'en soient les scansions, loin d'être secondaire ou pédagogique, cette histoire lui impose son ordre.

Mais quel statut attribuer au *De re aedificatoria*, dès lors qu'il n'apparaît pas seulement unifié par l'énonciation d'un *je*-auteur, mais bien structuré par l'énoncé de son histoire? Peut-on encore parler d'un discours, d'un texte théorique? Plus précisément, s'agirait-il d'un discours sur un texte théorique, catégorie discursive dont Alberti produisit un exemple canonique avec le *Della pittura*? Le *De re aedificatoria* est effectivement comparable à cet ouvrage, lui aussi sans précédent, qui diffère de tous les traités de peinture antérieurs, qui exalte le pouvoir créateur de l'artiste « *deus in natura*[2] » et dans lequel l'auteur ne cesse d'intervenir à la première personne du singulier[3], imposant son point de vue personnel au lecteur, exprimant sa fierté d'inventeur. La comparaison ne serait-elle pas encore plus pertinente avec un autre exemple de discours sur un texte théorique, le *Discours de la méthode* de Descartes dont l'auteur a, pour la postérité, lié l'exposé de sa philosophie à la relation de son aventure intellectuelle et même de certaines circonstances de sa vie?

Cependant, aussi bien dans le *Della pittura* que dans le *Discours*, l'insistance du sujet à se référer à soi-même en tant que personne historique concrète et à affirmer la « métaphysique de l'homme créateur[4] » n'entame pas la forme du texte, ne modifie pas son statut de discours. Or, si le *De re aedificatoria* a bien pour propos de montrer que « l'activité humaine qui s'incarne dans l'édification de la cité est la caractéristique même de l'homme à la fois artisan, cause et Dieu [et dont la] raison d'être n'est pas dans la contemplation d'un donné, mais dans le faire, dans le produire[5] », sa forme trahit autre chose que l'ivresse de la création et l'affirmation d'un pouvoir individuel. La démarche

1. Liv. II, chap. XIII, p. 165.
2. Dont E. Panofsky, E. Garin et A. Chastel ont fait la revendication la plus caractéristique des humanistes (cf. A. Chastel, *Marsile Ficin, op. cit.*, p. 33).
3. Depuis le « *io* » de la dédicace à Brunelleschi et le célèbre « *si consideri me non chome mathematico ma come pictore scrivere di queste cose* » (*op. cit.*, p. 55), jusqu'à l'adresse à ses successeurs de la dernière page, en passant par « *sia licito confessare di me stesso : io se mai per mio piacere mi do a dipignere...* » (*ibid.*, p. 81).
4. E. Garin, *Moyen Age et Renaissance, op. cit.*, p. 76.
5. *Ibid.*, p. 158.

critique de l'auteur qui parle en première personne, et cette seconde personne, le lecteur, que la première ne cesse d'interpeller; la lourdeur du présent de l'indicatif, temps de base du texte, et les indicatifs futurs, subjonctifs et impératifs qui le contrepointent dans la formulation des règles de l'édification; la ferme expression d'un dessein théorique — tout ce formidable appareil dissimule paradoxalement un texte d'histoire qui, derrière le *je* de l'auteur-théoricien, abrite le *il* de son héros. Alors que le *Della pittura* et le *Discours de la méthode* énoncent l'un et l'autre une théorie que vient d'aventure mettre en valeur ou éclairer une référence à la situation d'énonciation ou au passé de l'énonciateur, le *De re aedificatoria* raconte comment un héros découvre les règles de l'édification après avoir au préalable assuré leur fondation, lors des quatre moments où culmine sa puissance et où il énonce les schémas du prologue, des livres I, IV et VI.

Le mot de héros n'est pas ici lancé innocemment. Il pointe la singularité de ce texte d'histoire et la dimension quasi mythique de son protagoniste secret, le grand-ordonnateur du *De re aedificatoria*, l'Architecte-héros dont les derniers chapitres du texte consacrent le triomphe. Figure exceptionnelle et ambivalente, située hors du temps des humains et cependant immergée dans son flux par la médiation du « je » d'Alberti qui en assume métaphoriquement le rôle, comme édificateur du livre, découvreur des règles de l'édification et inventeur des schémas de fondation. Ainsi ce héros résout les contradictions que soulève la tâche de légiférer, en accomplissant les fonctions antinomiques d'un homme appelé à formuler *hic et nunc* les règles de l'édification et de l'Architecte qui a pouvoir de les fonder dans le temps ahistorique de la logique.

En intégrant de la sorte son discours dans la forme d'un texte d'histoire, Alberti recompose, au niveau même de son livre, un *analogon* de ces récits de fondation que, en les empruntant à Vitruve, il avait, à force d'ironie et par une implacable subordination à la situation d'énonciation, dépouillés de leur tonalité mythique ou religieuse. Le *De re aedificatoria* perd alors la transparence par laquelle il s'était imposé à notre attention.

Certes l'élaboration systématique par Alberti des règles de l'édification à partir d'un ensemble limité d'opérateurs logiques reste la première entreprise de ce genre, et son projet, avec le double rôle dont il charge le temps et le désir, est inaugural et demeure inégalé. Mais il apparaît pourtant que cette théorie branchée sur le réel occupe une strate superficielle du texte, subordonnée à une strate profonde, où à la faveur d'un récit héroïque écrit en filigrane, se déploie une dimension mythisante.

161

Récit parodique ou bien mimétique, composé avec délibération ou plutôt introduit de façon subreptice par l'inconscient de l'auteur? Peu importe. L'essentiel est le paradoxe auquel il nous confronte : le fait qu'il renvoie symboliquement à la tradition contre laquelle, d'entrée de jeu, s'inscrivait l'entreprise d'Alberti.

Pour interpréter ce paradoxe, qui confine au scandale, sans doute faut-il tenter de se reporter aux temps où Alberti consacrait son traité à libérer la raison, l'imagination et les désirs dans un champ d'où ils étaient exclus et que bornaient les prescriptions des dieux et de la cité. Supprimer ces antiques limites, s'affranchir de toute régulation transcendante ou non motivée, n'était pas un geste anodin. Ce qui était possible, quoique non sans danger [1], dans le domaine figuré de la peinture, s'avérait impossible dans le champ vécu du bâtir qui engage une activité pratique des humains. Alberti n'était pas en mesure d'assumer parfaitement une émancipation de l'acte d'édifier qui tenait du sacrilège. Son projet sans précédent, la conception d'une législation générative du bâtir, ne pouvait être énoncé qu'à condition d'être conjuré. C'est pourquoi il invente et construit, par ses seuls et propres moyens, un récit de fondation laïc en première personne, dont le héros bâtisseur à la fois échappe au temps de l'histoire, le domine et sait en reconnaître la fécondité. L'audace qui a entraîné Alberti à doter l'édification d'une législation propre est donc symboliquement niée au moyen de ce texte d'histoire insolite qui simule un mythe de fondation : concession dérisoire mais indispensable pour que soit délivrée la théorie souveraine du *De re aedificatoria*.

---

1. A propos du *Traité de la peinture*, dont il souligne, comme nous-même pour le *De re aedificatoria*, qu'il constitue à l'époque une entreprise sans exemple antérieur, R. Krautheimer ajoute que son ambition se situait même à la limite du subversif (*Lorenzo Ghiberti*, Princeton University Press, 1963. p. 316).

3. *Utopia* ou la traversée du miroir

Le deuxième paradigme des textes instaurateurs, l'*Utopie*[1] de Thomas More, ne soulève pas les mêmes problèmes de présentation que le *De re aedificatoria*. L'ouvrage est beaucoup plus court, plus familier au non-spécialiste. Il a fait l'objet d'innombrables commentaires que je ne souhaite pas redoubler[2] et dont le moindre enseignement n'est pas d'avoir fait apparaître la polysémie de l'*Utopie*. Le texte de More a pu et peut, en effet, être abordé à travers les dimensions morale, religieuse, économique, poétique. On a pu y lire la nostalgie d'un ordre révolu comme l'intuition futuriste de transformations sociales à venir, le conformisme comme la subversion et, pour reprendre la terminologie de K. Mannheim, l'idéologie comme l'utopie[3]. Ces diverses lectures ont en commun, même lorsqu'elles reconnaissent au texte de More une efficacité sociale, de situer celle-ci au plan des idées et des sentiments, la limite de cette attitude pouvant être illustrée par L. Marin pour qui l'*Utopie*, toute critique qu'elle soit, est à jamais prisonnière de son statut de livre, et par là même coupée de toute pratique politique[4].

1. Le titre qu'on utilise ici n'a prévalu qu'à partir de l'édition de Bâle (1563). Auparavant, More l'utilise seulement par ellipse dans sa préface, et le terme d'Utopie n'apparaît que dans le titre de la deuxième édition (Bâle 1517) : *Libellus vere aureus nec minus salutaris quam festivus de optimo reipublicae statu deque nova insula Utopia, authore clarissimo viro Thoma Moro* [...] Les citations en latin renverront à l'édition de E. Sturtz (cf. *infra*, n. 2) et celles en français à la traduction de M. Delcourt, Paris, Renaissance du Livre, 1936. Ces deux ouvrages seront respectivement désignés S. et D.
2. Nous renvoyons en particulier à ceux de l'édition de E. Sturtz et J. Hexter (More, *Complete Works*, t. IV, New Haven-Londres, Yale University Press, 1965) dans laquelle on trouvera une bibliographie quasi exhaustive, commentée — et depuis la parution de laquelle, le seul ouvrage majeur publié est l'interprétation de L. Marin, *Utopiques jeux d'espace*, Paris, Ed. de Minuit, 1973, à laquelle nous aurons l'occasion de nous référer à plusieurs reprises.
3. Cf. *supra*, p. 45.
4. « L'utopie n'est pas un projet politique et social et ne comporte ni une stratégie ni une tactique de réalisation » (*op. cit.*, p. 48).

J'ai, à l'inverse, choisi de lire l'*Utopie* en tant qu'elle propose un modèle d'organisation de l'espace susceptible d'être réalisé et qu'elle possède de la capacité de transformer le monde naturel, en instaurant des espaces non avenus : choix paradoxal, réducteur, certes, mais légitime dans la mesure même où il est porté par le texte. Renonçant donc aux autres lectures, je commencerai par recueillir, dans sa littéralité, ce que dit More de l'espace utopien.

I. ESPACE MODÈLE, MODÈLE D'ESPACE : APPROCHE PHÉNOMÉNOLOGIQUE

Nous nous reporterons pour cela au livre II, exclusivement consacré à cette île d'Utopie à laquelle Raphaël Hythloday n'a fait, au cours du livre I, que quelques brèves allusions. Avant d'en relater les mœurs et les institutions, Raphaël commence par décrire l'espace de l'île merveilleuse. Précédence significative qui tient à la problématique même du livre. Il s'agit d'abord, pour le porte-parole de More, de convaincre ses interlocuteurs du texte (et ses lecteurs) de l'existence d'Utopie. Et pour cela, il lui faut la leur montrer, objet et ensemble d'objets tout élaborés, telle que la fiction suppose qu'elle est *donnée* d'entrée de jeu et telle que lui, Raphaël, protagoniste-témoin du livre, a pu l'authentifier au cours d'une expérience fondamentale qui est une expérience visuelle [1]. D'où l'importance du cadre bâti [2] dont on verra, en outre, qu'il conditionne et la conversion qui a engendré la société utopienne et le fonctionnement de cette société.

Si paradoxal que ce soit, l'Utopie, qui n'est nulle part, est cependant d'abord un espace. Son témoin, Raphaël, est, à l'exclusion de toute autre qualification, présenté comme un parcoureur d'espaces, un voyageur et un voyeur, ainsi que le soulignent à trois reprises ses interlocuteurs du livre I [3]. Il reconnaît lui-même ce rôle lorsqu'à la

1. Sur la signification épistémique et épistémologique de cet appel à la vision, cf., *infra*, p. 201 *sq.*

2. Bien marquée par les commentaires marginaux apposés par Erasme au texte de la première édition : « situs *et* forma *Utopiae novae insulae;* locus *natura tutus unico praedisio definitur;* [...] *hoc plus erat quam* isthmum *perfodere;* [...] oppida *utopiae insulae;* similitudo *concordiam fecit;* urbium *inter se mediocre* intervallum; distributio agrorum [...] ». [*Nous soulignons.*]

3. D'abord, au moment de la rencontre avec Raphaël, quand Pierre Gilles dit à More qu' « il n'est personne sur la terre qui en ait aussi long à raconter sur les hommes et les terres inconnues » (D., p. 9); ensuite, au début du dialogue du Conseil, lorsque Pierre lui assure : « vous auriez de quoi le charmer

fin de ce même livre il réagit contre le scepticisme de More : « Rien d'étonnant à ce que vous pensiez ainsi puisque vous n'avez de la réalité aucune *représentation* [*imago*] qui ne soit fausse. Il vous faudrait avoir été en Utopie avec moi, avoir *vu de vos yeux* leurs coutumes et leurs institutions ainsi que j'ai pu le faire moi [*Mores eorum atque instituta vidisses praesens, ut ego*]... dans leurs pays que je n'aurais voulu quitter si ce n'avait été pour faire connaître cet univers nouveau. Vous confesseriez alors n'avoir jamais *vu* nulle part un peuple gouverné par de meilleures lois [1]. »

Espace portrait et espace modèle.

Pour Raphaël, l'Utopie *est* donc dans l'espace qui, en termes kantiens, constitue le « schème » et la condition de son expérience. Mais elle *a* aussi un espace dont les déterminations lui confèrent et donnent à lire sa particularité. En fait, la description de Raphaël fait apparaître deux espaces utopiens. Avec une grande adresse, elle superpose deux images d'Utopie, dont l'une est celle d'un lieu, l'autre celle d'un prototype. La première image, que j'appellerai *portrait* [2] parce qu'elle dépeint les traits spatiaux qui font d'Utopie une individualité unique, tient, jusque dans les particularités de ses constructions, aux contingences de sa géographie physique et de son histoire. La seconde image, que j'appellerai *modèle* parce qu'elle ne retient d'Utopie que des traits spatiaux délocalisés et reproductibles, relève, au contraire, exclusivement de l'ordre humain et d'un strict système de normes culturelles. Ces deux images demeurent distinctes, du début à la fin de la relation que Raphaël conduit avec méthode, en descendant de l'échelle du territoire à celle de la ville et de la maison.

Les premières paroles de Raphaël, à l'ouverture du livre II, dessinent le portrait physique d'Utopie. C'est une île, séparée du continent par un isthme de quinze mille pas; elle présente « l'aspect d'un croissant de lune », d'un périmètre de cinq cents miles, dont « un bras de mer de onze miles environ sépare les deux cornes [3] », et forme une sorte de lac maritime, parfaitement calme; l'accès de celui-ci est

---

par votre savoir, votre expérience des pays et des hommes » (D., p. 13); et enfin, juste avant l'ouverture du livre II, lorsque More le presse de raconter enfin son voyage en Utopie : « Donnez-nous un tableau complet des cultures, des fleuves, des villes, des hommes » (D., p. 56).

1. D., p. 54. *(Nous soulignons.)*
2. En reprenant la terminologie adoptée par les graveurs de la Renaissance pour désigner leurs « pourtraicts » des villes (cf. chap. i).
3. D., p. 57.

rendu difficile par un gros rocher, des écueils et de hauts fonds, tandis que du côté opposé, le littoral se signale par ses brisants rocheux. Ces traits naturels sont en relation directe, de cause à effet, avec un ensemble de traits bâtis qui donnent sa dimension culturelle au portrait d'Utopie : l'isthme est le résultat d'une prouesse technique conçue par le héros fondateur Utopus pour détacher (expulser) l'île du continent; une forteresse couronne le rocher qui barre l'entrée du golfe, sur les îlots duquel se dressent des phares destinés à guider les amis et perdre les ennemis; enfin, la côte opposée est hérissée d'ouvrages défensifs. La conjonction de la nature et de la culture produit donc un paysage original qui, s'il n'est pas sans évoquer l'Atlantide de Platon [1], renvoie néanmoins de façon à peine déguisée à l'Angleterre [2].

La capitale, personnalisée par le nom d'Amaurote, se singularise à son tour par une série de traits topographiques retentissant sur le cadre bâti. Elle est située « comme à l'ombilic de l'île [3] », à flanc de colline, proche de la mer, traversée et bordée par un grand fleuve, l'Anhydre, et un autre plus petit, qui se jette dans le premier. La pente du terrain et la distribution des eaux entraînent des aménagements originaux : le dispositif défensif qui convertit le petit fleuve intérieur en réserve d'eau potable dans l'éventualité d'un siège; les citernes qui assurent l'approvisionnement en eau de pluie des terrains où il est difficile de faire passer des canalisations [4]; l'absence de fossé

1. Dans le *Critias*, Platon donne à l'Atlantide un relief montagneux à l'exception d'une vaste plaine côtière où est établie la capitale, toute proche de la mer (113 a). Lorsque, dans le *Timée*, Socrate annonce le *Critias* et le mythe de l'Atlantide, il évoque les annales égyptiennes qui, beaucoup plus anciennes que celles des Grecs, ont conservé le témoignage de la prééminence et de l'ascendance hellénique des nations considérées comme originelles, telle l'Égypte; de même, les annales utopiennes conservent le récit d'un ancien contact avec le vieux monde, dont l'Utopie serait originaire (23 bc). Si la forme de la capitale des Atlantes est très différente de celle d'Amaurote, son noyau initial et insulaire, isolé par trois enceintes d'eau, est bien aussi le fruit d'un travail violent opéré sur la nature par le fondateur Atlas (113 d). Cf. *infra*, p. 200.
2. Cf. G. Ritter, *The Corrupting Influence of Power*, trad. R. W. Rick, Essex, Hadleigh, 1952, et R. Gerber, « The English Island Myth : Remarks on the Englishness of Utopian Fiction », *Critical Quarterly I* (1954), cités par Sturtz. Les dimensions d'Utopie sont, en particulier, celles que la géographie de l'époque attribuait à l'Angleterre.
3. D. 59.
4. Ces détails trahissent l'intérêt de More pour les travaux hydrauliques et l'expérience directe qu'il en avait. Ces passages techniques sont les seuls qui prêtent à un rapprochement avec le livre d'Alberti. En fait, More se trouve ici, comme l'auteur de *De re aedificatoria*, aux prises avec un problème d'invention, engendré par le croisement d'une demande (hygiène, sécurité, confort) et d'une situation (aire et région).

(remplacé par l'Anhydre) sur un des côtés de l'enceinte; la déviance de celle-ci par rapport au carré parfait qui est sans doute la forme modèle de la cité utopienne [1]; enfin, le pont qui relie les deux rives de l'Anhydre.

Dans sa particularité, Amaurote renvoie à Londres [2] comme précédemment l'île d'Utopie à l'Angleterre. On verra plus loin comment interpréter cette référence, à la fois élaborée et déguisée. Notons seulement, pour l'instant, que nombre de commentateurs semblent s'être posé de faux problèmes au sujet de ce tableau d'un espace individualisé dont More a emprunté les détails à la fois à sa culture classique et à son expérience de Londonien. Comme celui de l'île, le portrait d'Amaurote est destiné à attester la réalité de son existence réelle.

L'image modèle qui se superpose à l'image portrait présente, au contraire, les éléments du cadre bâti qui, à ce moment propres à la seule Utopie, sont néanmoins universellement reproductibles et déliés de toute dépendance à l'égard de sa géographie physique et de son histoire.

Raphaël commence par signaler la standardisation du cadre bâti, urbain et rural, des Utopiens : cinquante-quatre villes édifiées sur un même plan *(situs)*, d'aspect identique *(eadem rerum facies)*, et entourées d'une campagne semée d'un même modèle de maisons

---

1. Amaurote est « à peu près carrée » (D., p. 61). Cette *figura fere quadrata* (S., p. 116) a suscité de nombreuses interprétations, dont celle de L. Marin pour qui ce carré, qui n'en est pas un, signe précisément l'utopie. On peut également lire le « presque carrée » comme un emprunt à la description de la Jérusalem céleste par saint Jean : « la ville forme un carré : sa longueur est égale à sa largeur » *(Apocalypse,* 20-16, trad. Osty, Paris, éd. Siloé, 1961, p. 533). Le *presque* marquerait alors l'infériorité du statut ontologique d'Utopie par rapport à celui de la Cité de Dieu. Une explication plus prosaïque de cette anomalie, par les difficultés qu'offre, pour la construction, un terrain en pente, nous semble également possible.

2. Cf., en particulier, le témoignage des notes marginales d'Erasme : « *Anydri flumini descriptio : idem fit apud Anglos in Flumini Thamysi* » (correspondant à la description du flux et reflux parcourant l'Anhydre); et à propos du pont : « *In boc Londinum cum Amauroto convenit.* » Mais dans l'Atlantide aussi, la capitale communique avec la mer par un canal. Platon décrit minutieusement le système complexe de canaux circulaires de navigation et de canaux d'irrigation qui la caractérisent. A la fois douce et salée, comme le fleuve Anhydre, l'eau, à la présence obsédante, joue dans l'Atlantide un double rôle de moyen de séparation (mis en œuvre par le dieu) et de communication (mis en œuvre par les humains qui forcent l'accès à la mer et jettent des ponts sur les canaux circulaires). Sur le thème de la mer comme danger de perte de soi dans l'extériorité, cf. *Lois,* liv. IV, 705 a.

familiales agricoles. « Celui qui connaît une de leurs villes les connaît toutes, tant elles sont semblables, *pour autant que le terrain ne les distingue pas* [1]. » Amaurote, où il a séjourné longtemps, peut donc ainsi offrir à Raphaël l'espace modèle de la ville d'Utopie [2].

Un dispositif universalisable.

Les éléments constitutifs du modèle urbain résultent d'un choix rationnel. Ils ont été sélectionnés et organisés de façon à correspondre aux institutions clés d'Utopie. Chacun d'entre eux est lié, univoquement, à une pratique sociale essentielle dont il conditionne le fonctionnement, en même temps qu'il la donne directement à voir aux lecteurs comme aux habitants d'Utopie.

Les hautes et larges *murailles* flanquées de tours et de forts, qui ceignent Amaurote, assurent le *statu quo* démographique de la ville, qui ne doit jamais avoir plus de six mille familles [3] sur une surface maximale de vingt mille pas [4]; elles gardent Amaurote du monde extérieur en affirmant son identité et en confortant cette vocation d'intériorité et de présence à soi qui en fait comme l'habitacle d' « une seule famille [5] ». Les *rues* (de vingt pieds) bordées de deux rangs continus de maisons permettent la distribution régulière, entre deux séries de quinze maisons d'habitation, des *logis des phylarques* qui

1. D., p. 61. « *Urbium qui unam norit, omnes noverit, ita sunt inter se* (quatenus loci natura non obstat) *omnino similes* » (S., p. 116). [*Nous soulignons.*] La traduction littérale serait : « pour autant que la nature du terrain ne s'y oppose pas ».

2. Le fait qu'Amaurote soit la capitale (« *prima, princepsque habetur* », D., p. 59) n'en change pas les déterminations. Il y a là une certaine difficulté que More ignore délibérément. Cf., *infra*, p. 170. Amaurote est décrite en tant que cité-état. identique aux cinquante-trois autres, et non en tant que siège de leur confédération possédant, de ce fait, des fonctions (et des espaces) spécifiques.

3. Dont aucune ne doit avoir « moins de dix ou plus de seize membres » : « Ces normes sont aisément observées grâce au passage dans une famille trop peu nombreuse des membres qui sont en excédent dans une autre. Si, dans l'ensemble, une ville a trop de monde, le surplus va compenser le déficit d'une autre » (D., p. 74). L'idée du *numerus clausus* a été empruntée par More à Platon et la comparaison s'impose avec les chiffres avancés dans les *Lois*, où l'organisation de l'espace découle du nombre de 5 040 chefs de famille adopté pour la cité envisagée (737 c).

4. Pour ce qui est du modèle territorial, la plus courte distance entre les cinquante-quatre villes est de 24 miles (D., p. 58).

5. « *Ita tota insula velut una familia est* » (S., p. 148). La fonction des murailles n'est évoquée que bien après leur description, d'abord lorsque More indique les moyens (échanges inter-cités et colonat) de maintenir constant le nombre des familles, ensuite dans la séquence sur les voyages.

sont un des rouages politiques, administratifs et moraux de la cité, tandis que les *jardins communs,* situés à l'arrière des maisons, constituent l'instrument bucolique de la suppression de la propriété privée et se prêtent au loisir favori de la société utopienne, le jardinage.

Quant à la *maison* d'habitation standard, qu'on échange tous les dix ans, elle répond à l'importance du rôle attribué à la famille : trois étages, des murs de brique ou de pierre, un toit-terrasse et des fenêtres vitrées caractérisent la cellule fondamentale d'Utopie. Par ailleurs, les *portes* facilement ouvrables [1] de cette même maison donnent à lire l'anti-individualisme, le refus de la propriété privée et la haine du secret : l'utopie ne comporte pas de lieux cachés, tout s'y passe à découvert. De son côté, la *maison rurale,* disséminée dans les champs, est le siège des milices agricoles qui assurent la consommation alimentaire de l'île et dont les membres sont temporairement groupés en grandes « familles » artificielles, indépendantes des communautés urbaines.

Les divers éléments urbains sont eux-mêmes pris dans une organisation qui répond à la même sélection fonctionnelle. Tout d'abord, la ville est divisée en « quatre secteurs égaux [2] ». Partage à valeur politique : chaque quartier délègue, en effet, un représentant au Sénat à qui il appartient de choisir le prince parmi les élus. A l'exception du passage sur l'emplacement de la « syphograntie [3] » dans la rue standard, il s'agit là de la seule indication du livre concernant les lieux du politique en Utopie. Raphaël énumère des rouages complexes : un sénat, un conseil princier, des assemblées du peuple *(comitia),* des « syphograntes » et des « tranibores ». Aucun espace n'est décrit qui soit le siège de ces groupes.

Cette étrangeté déjà remarquée par E. Sturtz, mais sans commentaire, a reçu de L. Marin une explication qui en fait une des pierres angulaires du fonctionnement textuel de l'Utopie. Il est, pour lui, fondamental que le réseau des espaces politico-administratifs soit effacé au profit du réseau de l'espace économique. Le blanc, qui recouvre les lieux politiques dans la carte de l'Utopie, marque précisément

---

1. A l'opposé de celui des murailles, le rôle des portes des maisons est immédiatement indiqué : « Elles s'ouvrent d'une poussée de main et se referment de même, laissant entrer le premier venu. Il n'est rien là qui constitue un domaine privé *(ita nihil usquam* privati est) » (D., p. 63 S., p. 120).
2. « *Civitas omnis in quatuor aequales partes dividitur* » (S., p. 136).
3. Habitation du syphogrante, magistrat administrant trente familles et chargé de les représenter dans les assemblées politiques.

la place, vide, d'un nœud de concepts alors informulables [1]. Sans contester cette interprétation, on peut néanmoins faire observer que la figuration des lieux d'assemblée à Amaurote est rendue particulièrement difficile du fait que le double système des institutions politiques constitue le seul et unique trait par lequel cette ville ne peut être considérée comme un prototype. Possédant à la fois l'organisation de toutes les autres cités et, en plus, celle qui en fait la capitale d'une confédération, en toute logique, elle devrait posséder deux sénats. Ce double statut a gêné More jusque dans sa description des institutions, qui passe constamment, et sans notification au lecteur, des mécanismes locaux aux mécanismes confédéraux [2]. On peut aussi se

1. « Les lieux de délibération et de décision politiques sont effacés ou occultés par le jeu des réseaux spatiaux de la ville [...] L'utopie exécutive représente et résume (nulle part) l'ubiquité représentative (partout). Le prince est nulle part comme l'élection populaire est partout [...] Cette chaîne de délégations par laquelle le peuple utopien exprime son pouvoir ne trouve pas à s'inscrire dans l'espace référé par le discours, alors qu'elle se déploie et s'explique dans le discours constitutionnel de l'Utopie, c'est-à-dire dans le discours constitutif de l'Utopie même [...] Présent dans le discours, absent de la carte ou de l'espace référé par le discours, le politique, par cette absence même, désigne le procès économique qui, *indiqué* dans la carte, dans l'espace référé, supporte le sens de l'organisation politique, tout en se développant indépendamment d'elle dans le discours utopique » (*op. cit.*, p. 169, 170, 171).

2. Le rôle privilégié d'Amaurote dans le système confédéral d'Utopie est signalé par Raphaël, d'entrée de jeu, en même temps que sa position privilégiée « à l'ombilic de l'île » : cf., *supra*, p. 166. Raphaël indique que les députés des autres villes se réunissent chaque année à Amaurote, mais il ne dit rien alors de leur lieu de rassemblement dont il est seulement question plus tard, dans le chapitre sur les voyages, à propos de l'instance responsable de la répartition des biens de consommation, en cas de disette (D., p. 82). Dans l'intervalle de ces deux passages, les institutions politiques d'Amaurote semblent bien celles de la ville type. Toutefois, des problèmes demeurent. Lorsque Raphaël indique : « les deux cents syphograntes enfin, après avoir juré de faire leur choix sur le plus capable *(quem maxime censent utilem)* élisent le prince *(principum unum)* au suffrage secret sur une liste de quatre noms désignés par le peuple. Chacun des quartiers de la ville propose un nom au choix du sénat » (*ibid.*, p. 65), on peut se demander : 1. ce que deviennent les trois autres élus et s'ils ne correspondraient pas aux élus envoyés au sénat confédéral, encore que cette délégation soit annuelle et l'élection du prince à vie; 2. de qui et comment est constitué le sénat, dont il n'est dit nulle part qu'il soit composé par les tranibores comme l'entend Sturtz (*op. cit.*, commentaire de la ligne 27, p. 122) : « *Twenty two tranibores constitute the senate proper. In its legislative and judicial functions it resembles the Roman Senate.* » Par ailleurs, ce sénat n'est pas davantage constitué par des syphograntes, puisqu'il est bien précisé (D., p. 65) que « deux syphograntes sont convoqués par roulement à chaque séance du sénat *(semper in senatum duo adsciscunt)* ». Le conseil du prince serait bien plutôt composé des tranibores. Raphaël précise en effet (D., p. 124) que « les tranibores *ont une conférence avec* le prince *(in* consilium *principe veniunt)* tous les trois jours et

demander si le politique est vraiment « présent dans le discours » de More-Raphaël. En effet, à l'exception de ce qui concerne les relations extérieures, le rôle des nombreuses instances « politiques » de l'Utopie se réduit au contrôle d'un fonctionnement préétabli. De fait, c'est la coutume qui règle les activités économiques, morales et religieuses des Utopiens, de façon implicite et grâce à un cadre bâti immuable, dont la force de contrainte a remplacé celle de la loi écrite et du pouvoir exécutif. Prince, tranibores, conseillers et députés divers doublent le peuple utopien dont le consensus n'a à s'inscrire nulle part en particulier, dans la mesure même où il est appelé à se manifester partout. Situation inverse de celle décrite par Machiavel [1] : la personnalité du prince ou des hommes « politiques » ne compte guère, ceux-ci ne peuvent ni entrer en conflit avec le peuple, ni surtout rien inventer. On peut considérer leur activité comme un supplément, une ultime garantie. Ils procurent au fonctionnement des institutions un surcroît d'assurance si peu signifiant, que More n'a pas cru nécessaire de le loger dans un espace spécifique; l'absence de cet espace du politique dans la description de Raphaël peut fort bien ne pas être interprétée comme un acte manqué [2].

Un autre « blanc » de l'espace modèle d'Utopie ne laissera pas de surprendre. Comme chez Platon, et en accord avec des préoccupations que More partage avec son ami Jean Colet [3], l'éducation constitue un rouage essentiel d'Utopie où l'adulte lui-même est soumis à une véritable « formation continue [4] ». Or, mentionnées une fois seulement [5], les écoles concernant les différentes catégories d'enseignés, enfants, jeunes gens, futurs clercs et adultes divers, ne se voient attri-

---

plus souvent si c'est nécessaire. » *(Nous soulignons.)* La crainte d'une collusion entre prince et tranibores *(« conjuratione principis ac traniborum »)* exprimée *in* D., p. 65 (S., p. 124) va dans le même sens. On notera enfin que le sénat confédéral est désigné incidemment, dans la séquence sur les magistrats, comme conseil : « Il arrive que le problème soit soumis au *conseil* général de l'île *(ab totius insulae* consilium) » (D., p. 65). [*Nous soulignons.*]

1. Cf., *infra*, p. 204.
2. Cf. également notre propre interprétation in *Critique, op. cit.*
3. Qui met ses principes en application à l'école de Saint Paul de Londres. Cf. E. Garin, *L'Education de l'homme moderne*, Paris, Fayard, 1968.
4. Cf. notamment D. p. 68 : « Chaque jour, en effet, des leçons accessibles à tous ont lieu avant le début du jour. Mais, venus de toutes les professions, hommes et femmes y affluent librement. »
5. « Tous apprennent [l'agriculture] dès l'enfance par un enseignement donné à l'école et par la pratique, dans les champs voisins de la ville où les écoliers sont conduits en manière de récréations » (D., p. 66). Ch. Fourier n'oubliera pas cette notation.

buer ni localisation précise, ni locaux particuliers. Ce manque pourrait être expliqué par le fait que, pour More, l'activité pédagogique se résorbe dans les pratiques domestique et religieuse [1].

A cette absence de réseaux spatiaux politique et éducatif, s'oppose la présence détaillée des réseaux domestique, économique et religieux qui organisent le quartier.

Le premier et le second sont liés et structurés par des éléments complémentaires : les rues standard et deux marchés qui, implantés au centre de chaque quartier [2], sont l'emplacement de la distribution, sans numéraire, des marchandises. Dans l'un des marchés sont emmagasinés et classés les objets artisanaux produits à la ville par les familles, dans l'autre, les denrées alimentaires produites à la campagne par les milices agricoles. Si les maisons urbaines et les grandes maisons rurales sont les cellules de production, les deux marchés sont les espaces nécessaires de la distribution des biens de consommation, réglée par le seul jeu du juste besoin et des décisions sénatoriales. Le procès de la consommation alimentaire s'accomplit dans la salle à manger des syphograntes. Assorti d'une cuisine collective, cet espace où les repas sont pris en commun et où se déroulent les loisirs collectifs d'hiver joue un rôle essentiel dans la formation de la communauté utopienne. Aux effets d'un *Mit-sein* s'ajoute celui de la disposition des tables, qui donne immédiatement à lire [3] à tous les participants la hiérarchie des sexes et des âges et l'organisation sociale d'Utopie.

Le réseau des espaces religieux est présenté du double point de vue de l'implantation des temples dans la ville et de leur organisation intérieure. Bien que Raphaël ne le précise pas explicitement, le quartier est à nouveau ici le cadre de répartition des temples. Ceux-ci sont au nombre de treize, régis par treize pontifes, soumis à l'autorité

---

1. « Les enfants et les adolescents reçoivent [des prêtres] leur première instruction » (D., p. 140).

2. « Le centre [de chaque quartier] est occupé par un marché où les objets confectionnés dans chaque ménage sont acheminés et répartis par espèces dans des magasins » (D., p. 75). Raphaël ajoute, à la page suivante : « Aux marchés dont je viens de parler s'ajoutent des centres d'approvisionnement *(fora cibaria)* où l'on apporte des légumes, des fruits, du pain et aussi des poissons [...] des volailles et des quadrupèdes. »

3. « A la place d'honneur, au milieu de la première table, placée perpendiculairement aux deux autres, *et bien en vue*, est assis le syphogrante avec sa femme » (D., p. 79). Le texte latin est plus vigoureux : « *In medio primae mensae qui summus locus est et qui (nam ea mensea suprema in parte coenaculi transversa est) totus conventus conspicitur, syphograntes cum uxore considet* » [*Nous soulignons.*] (S., p. 142).

de l'un d'entre eux, dont il est facile d'imaginer que le siège se situe au centre de la ville [1]. Les autres sanctuaires seraient alors distribués à raison de trois par quartier [2]. Pour ce qui est de leur architecture, Raphaël indique seulement qu'ils sont vastes, et peu éclairés afin de faciliter le recueillement. Quant à la disposition intérieure du temple modèle, en face de l'autel et de la zone réservée au prêtre, elle affecte à chaque utopien une place déterminée, comme dans la salle à manger, par sa situation dans la cellule familiale et dans la philarchie. Elle associe ainsi sous les yeux des fidèles, et le spectacle du culte [3] et l'image de l'organisation sociale. L'espace religieux n'est donc ni unifonctionnel, ni vraiment indépendant des autres espaces. Son niveau d'élaboration témoigne du rôle fondamental joué par la religion dans l'*Utopie :* rôle justement souligné par J. Hexter [4], et qu'ont généralement fait méconnaître l'ambiguïté de la religion utopienne et les couplets de Raphaël sur la tolérance.

Hors les murs de la ville [5], dans une extériorité que connote l'impureté, sont relégués les abattoirs et les hôpitaux. Les premiers, gérés par des esclaves, ne pourront ainsi souiller la cité ni par leurs exhalaisons malsaines ni par le spectacle du sang et de la violence. Quant aux seconds, au nombre de quatre, correspondant aux quatre quartiers, dans la mesure où ils sont destinés à assister les habitants dans la maladie et sont, en même temps, l'espace obligé de la mort, ils répondent aux mêmes raisons d'hygiène et au même souci de conjurer, en la soustrayant au regard, la violence, danger suprême, dont la mort, même paisible, reste l'ultime manifestation [6].

Dispositif topographique chiffré, le modèle spatial utopien, qui permet de mettre chacun en place et à sa place, peut donc, sans restriction, être appliqué au champ entier des activités humaines. En ce sens, sa destination est aussi universelle que celle des règles albertiennes,

1. Notre interprétation semble confirmée par la disposition du réseau religieux de *Sinapia* dont l'auteur avait fait une lecture attentive de More, comme le prouvent de nombreuses « citations » (cf. *infra*, chap. IV, p. 255).

2. Seule autre indication sur la localisation des temples qu'on peut imaginer intégrés dans le tissu des rues, la mention faite des pontifes et de leurs femmes qui peuvent remplacer les deux vieillards préposés à encadrer le syphogrante et sa femme à table, au cas où « *templum in ea syphograntia situm est* » (D., p. 142).

3. Cf. *infra*, p. 175.

4. Cf. *infra*, p. 187.

5. « *Extra urbem* », pour les abattoirs, et « autour de chaque ville, un peu au-delà des murs *(in ambitu civitatis paulo extra muros)* » pour les hôpitaux (D., p. 76).

6. Cf. la façon dont Le Corbusier « oublie » les hôpitaux et les cimetières dans son projet de *La Ville radieuse*.

même s'il sert à contrôler des conduites précises et non à accueillir des projets et à engendrer des comportements imprévisibles.

Modèle et éternité.

Mais, et c'est là, en revanche, une limitation fondamentale, alors que la règle albertienne est une opération qui, identique à elle-même au fil du temps, engendre, au gré des circonstances et des désirs, des espaces indéfiniment différents, le modèle moréen, espace modèle et modèle d'espace, est condamné à la réplication à perpétuité.

De prime abord pourtant, la relation de Raphaël laisserait penser que la ville modèle et la maison type d'Utopie ont subi des transformations depuis le temps où, selon le témoignage des annales utopiennes, elles furent conçues par Utopus. Raphaël n'indique-t-il pas, en effet, qu'Utopus a « laissé à ses successeurs l'ornement *(ornatum)* et l'achèvement *(coeterumque cultum [1])* » d'Amaurote? N'oppose-t-il pas à l'humble cabane *(aedes humiles)* [2] des commencements *(initio)* la maison standard d'à présent *(at hodie)*, dont il admire les fenêtres vitrées et le toit-terrasse raffinés? N'est-ce pas dire clairement que les créations d'Utopus sont soumises au devenir? En réalité il n'en est rien. A condition, toutefois, de donner un contenu précis à la notion de changement. Mais, à cet égard, le discours de Raphaël ne présente aucune ambiguïté.

Utopus a légué aux Utopiens le plan complet de la ville : « *totam hanc urbis figuram* [3] ». Aux générations ultérieures, il n'a laissé que des tâches secondaires, inessentielles, épiphénoménales : l'habillage [4], la décoration, l'amélioration du confort, pour lesquelles il ne lui restait pas de loisir. Ces interventions ne peuvent en rien modifier la structure de la ville ou de la maison. Elles contribuent seulement à faciliter et à améliorer, en particulier par plus de confort, le fonctionnement du dispositif originel et immuable inventé par Utopus. Au plan du monde bâti et des conduites qu'il conditionne, elles n'entraînent pas davantage de changement véritable que les interventions du prince et des syphograntes au plan du politique.

Le concept d'espace modèle est solidaire d'une conception de l'his-

1. D., p. 64.
2. D., p. 120.
3. *Ibid.*
4. Aujourd'hui, ce même rôle d' « habilleur » est le seul que l'administration française reconnaisse à l'architecte dans les décrets marqués au coin de l'utopie qui ont organisé la politique dite « des modèles » en matière de logement social. Cf. *Logement social et Modélisation*, cité *infra*, p. 40 n. 1.

toire et du travail sous-tendue par un système de valeurs. Si la structure exemplaire élaborée par Utopus s'avère inaltérable, c'est qu'en Utopie le travail des humains n'a pas de rôle créateur; il effleure, sans l'entamer, la surface des choses établies. En d'autres termes, le désir et même la demande des Utopiens ne sauraient avoir prise sur le modèle d'Utopus. Celui-ci, soustrait à l'action du temps, n'a point part à la *commoditas* albertienne qui, à la fois, se déploie dans la durée et ne peut le faire qu'à la faveur d'un dialogue. La commodité, en Utopie, se dédouble en deux formes illusoires : l'une imposée au modèle par Utopus, lui est inhérente et relève donc de l'ordre de la nécessité; l'autre, ajoutée par les Utopiens, est superfétatoire, sans réalité au regard de cette commodité contingente et essentielle à laquelle est dédiée la deuxième partie du *De re aedificatoria*.

Le même raisonnement vaut pour la beauté : supplément inessentiel et inoffensif, pouvant être introduit au cours du procès de réplication du modèle, mais qui n'en modifie ni la nature, ni le fonctionnement. En font foi le laconisme et l'imprécision des descriptions de More dans les deux seuls passages de l'*Utopie* où la qualité esthétique de l'espace bâti soit évoquée. Dans un cas, il s'agit des jardins, et Raphaël se borne à indiquer qu'il ne connaît « rien de plus élégant »; dans l'autre, il observe que les sanctuaires sont « admirables, d'une construction magnifique [1] ». L'important, cependant, n'est pas la beauté du temple et le plaisir que peut offrir cet édifice, mais bien sa localisation dans la ville et la façon dont son espace intérieur oblige à pratiquer la religion et rappelle aux participants, par une vision immédiate, l'organisation sociale d'Utopie. En fait, le seul grand moment esthétique du livre ne concerne pas le domaine bâti. Contrepointé par l'émotion musicale, il se situe pendant la célébration du culte, lorsque les fidèles contemplent les prêtres vêtus de leurs manteaux de plume « composés avec tant d'habileté et de raffinement que nulle substance ne saurait égaler la richesse d'un tel ouvrage [2] ». Mais, ici encore, la beauté, fruit de l'ingéniosité humaine, n'est qu'un raffinement superficiel, qui ne change pas la fonction des manteaux sacerdotaux; ils sont destinés à délivrer aux fidèles un message divin dont seul importe le contenu et non la grâce des signes de plume servant à le transcrire.

Ainsi, sous la pellicule du travail utopien, l'espace-objet-modèle

1. D., p. 142. E. Sturtz éclaire le passage par une remarque de Vespuce *(Quatrième voyage)* sur l'absence de temples chez les Indiens : blanc de l'espace qui pour le voyageur correspond à un blanc dramatique dans les institutions. Sturtz renvoie également au dialogue de More *Concerning Heresies*.
2. D., p. 145.

demeure inchangé, fixe et fixé. Paradoxalement, son éternité matérielle est assurée aux moindres frais par une activité temporelle des Utopiens. Des réparations continuelles, entreprises dès l'apparition de la plus petite faille dans les édifices ou les voies de circulation, permettent de les maintenir indéfiniment identiques à eux-mêmes. La finalité des réparations décrites dans l'*Utopie* ne doit pas être confondue avec celle qui inspire le premier chapitre du livre X du *De re aedificatoria*. Un même souci d'économie [1] apparaît bien dans les deux livres. Mais, pour Alberti, certains édifices doivent aussi être conservés comme les marques d'une histoire en permanent devenir. L'incessant investissement de l'espace par l'édification ne peut être poursuivi sans une mémoire, sans que soient préservées des traces bâties d'un passé et d'un présent à continuer. En Utopie où, au contraire, « il arrive rarement que l'on choisisse un nouvel emplacement pour y bâtir [2] », la réparation affecte la totalité du cadre bâti; elle est indispensable pour maintenir l'intégrité d'un objet modèle, qui ne fonctionne qu'à ce prix. Pour More, la réparation n'est pas alors mise au service d'une remémoration, mais d'une répétition : répétition des conduites modèles sous l'action du stimulus, éternellement présent, qu'est l'espace modèle intégral.

Le pharmakon.

Lorsqu'on passe en revue les moyens qui permettent à ce dispositif d'annuler les effets du temps et d'assurer, par le conditionnement des utilisateurs, la reproduction des pratiques sociales, le contraste s'impose avec les procédures albertiennes de conception et d'engendrement du cadre bâti.

Le modèle d'espace utopien est taillé dans un continuum isotrope et homogène, qui exclut doublement la différenciation caractéristique des espaces hétérotropes. Comme on l'a vu, il ignore la particularité des paysages naturels dont Alberti s'était, au contraire, donné pour règle de la reconnaître et de la respecter. N'admettant pas davantage la particularité des demandes individuelles, il récuse le lieu au profit du prototype. Issu de l'univers lisse du dessin géométrique, le modèle — qui est aussi un plan coté — est transposable partout, dans

---

1. E. Sturtz indique que le thème du gaspillage dans la construction se trouve déjà dans le *Progymnasmata*, écrit avant l'*Utopie*, et qu'il est repris dans la *Passion* (*op. cit.*, p. 411, n. 132).
2. D., p. 72 (« *rarissime accidit uti nova collocandis aedibus area deligatur* », S., p. 132).

le champ entier de l'espace naturel. C'est bien là ce que signifie la formule selon laquelle les Utopiens sont « partout chez eux ».

Par ailleurs, ce modèle est limité dans ses possibilités d'extension. Amaurote ceinturée de murs qui l'empêcheront de se développer, la politique des réparations qui éliminent les nouvelles constructions, la nudité des campagnes, témoignent d'un même malthusianisme : l'investissement systématique et indéfini de l'espace naturel par le bâtir est rendu impossible, la dissémination du monde édifié est stoppée que vante et encourage le *De re aedificatoria*.

Enfin, l'espace modèle est dépouillé de toute opacité. Parois transparentes, portes sans fermeture, prototypes sans mystère[1] le livrent au regard, immédiatement et sans résistance : nul besoin pour son appropriation des parcours et des traversées qui s'accomplissent seulement dans la durée et avec la participation du corps entier.

L'espace modèle d'Utopie apparaît donc, à certains égards, comme un anti-espace, propre à empêcher le déploiement d'une spatialisation qui est, aux yeux d'Utopus, la conséquence directe de conduites mentales et de pratiques sociales condamnables. L'attitude de More-Utopus à l'égard du bâti témoigne ainsi d'une ambivalence qui évoque et ne laisse pas d'être éclairée par celle de Platon à l'égard de l'écriture.

On se souvient en effet que, dans le mythe du *Phèdre*, le philosophe grec présente l'écriture comme un *pharmakon*, poison et remède à la fois. J. Derrida[2] a longuement commenté ce double statut. Telle que Teuth l'offre au roi Thamous, l'écriture est un remède qui permet de pallier l'infirmité native des hommes. Elle soutient la mémoire et immobilise le temps. Mais aussi, et c'est pourquoi le roi (représentant du père des dieux) la refuse, son espacement rigidifie et médiatise sans appel la parole, il brise l'intériorité du logos, sa présence pleine et vivante.

More est fidèle au logocentrisme platonicien. Lui aussi redoute les détours, l'extériorité et la *différance* qu'impose l'espace comme signifiant. Avant Rousseau, il voit dans la musique un moyen de communication direct, incomparable à l'écriture et même supérieur à la parole[3]. Après Platon, il dévalorise l'écrit, moyen de transmission

---

1. D. p. 81-82. En Utopie, « pas de cabarets, pas de tavernes, pas de mauvais lieu [...] aucun repaire », chacun est « toujours exposé aux yeux de tous ».

2. Cf. J. Derrida, « La pharmacie de Platon » in *La Dissémination*, Paris, Seuil, 1972.

3. La musique est le mode de transmission immédiate du message religieux : « Leur musique exprime si fidèlement le sentiment, traduit si bien les choses par les sons — la prière, la supplication, la joie, la paix, le trouble, le deuil, la

du savoir mécanique et fragile, comme en témoignent semblablement l'épisode dérisoire du singe [1] et le commentaire sur le destin du livre en Utopie [2]. Quant à l'écriture à trois dimensions qu'est l'édification, elle présente dans le livre de More la même duplicité fondamentale que l'écriture graphique pour Platon. Avant la création de la république modèle et hors d'Utopie, elle apparaît effectivement sous sa face maléfique, comme un poison insidieux dont il faut se défier. En Utopie, au contraire, elle dévoile sa face bénéfique de remède. Le modèle spatial est l'instrument jamais neutre, d'une puissance extraordinaire, qui, non seulement assure le *statu quo* éternel des institutions, mais a, seul, permis, lors de sa conception par Utopus, le passage d'un état social négatif à un état positif, la transformation d'une société pervertie en une société vertueuse qui a nom Utopie.

II. STADE DU MIROIR ET STADE DE L'UTOPIE

Parmi les traits de la définition provisoire de l'utopie donnée au chapitre I, j'ai, jusqu'ici, essentiellement mis l'accent sur le cinquième, à savoir l'existence d'un instrument, un espace modèle, partie intégrante et nécessaire d'une société modèle [3]. Il faut maintenant étudier les relations qu'entretient cet instrument avec les autres traits, et en particulier avec la critique qui l'a engendré (trait 4).

L'expression de « critique modélisante » dit la relation qui lie, terme à terme, la société réelle critiquée par l'auteur et la société imaginaire idéale qu'il présente à ses lecteurs. La critique moréenne n'est pas seulement contestataire; elle n'a pas de signification en soi, mais comme matrice d'un modèle social. A chacun des défauts qu'inventorie sa lentille objectivante correspond, comme renvoyée par un miroir, une qualité inverse. En Europe, et plus précisément

colère —, le mouvement de la mélodie correspond si bien aux pensées, qu'elle saisit les âmes des auditeurs, les pénètre et les exalte avec une force incomparable » (D., p. 146).

1. Durant la quatrième traversée de Raphaël, un singe a arraché les pages de l'exemplaire de Théophraste qui devait servir à transmettre aux Utopiens une partie de la médecine grecque (D., p. 105).

2. Les Utopiens ont reçu de l'Europe l'imprimerie qui leur a servi à *reproduire* les livres classiques apportés par Raphaël, mais jamais à créer une œuvre originale (cf. *infra*, p. 191). Ici encore, on évoque Platon et sa conception de l'écriture comme instrument de la *mimésis*.

3. Cf. chap. I, p. 46.

en Angleterre, règne un prince voué à l'arbitraire, entouré de flatteurs et d'un conseil corrompu qui lui font prendre des décisions immotivées : en Utopie, le prince est assisté d'un conseil, d'un sénat et d'une assemblée qui contrôlent toutes ses décisions, dont une loi exige, par ailleurs, qu'elles soient longuement mûries. Au plan religieux, l'Europe et l'Angleterre sont caractérisées par leur intolérance, leurs superstitions, la somptuosité de leur liturgie, leur clergé exclusivement masculin, célibataire, nombreux, oisif, doté de pouvoirs temporels et dont une partie s'adonne à la mendicité, tandis que l'autre vit dans le luxe : en Utopie règne la tolérance; on ignore la superstition, la liturgie respecte la simplicité biblique, les prêtres, masculins ou féminins, sont mariés, peu nombreux, actifs; ils ignorent le luxe et sont démunis de pouvoirs temporels, mais ils sont responsables de l'éducation et jouent un rôle important à la guerre. De même, au plan juridique, l'Europe et l'Angleterre possèdent des lois nombreuses et compliquées; elles appliquent la peine de mort, font sans cesse la guerre au mépris des traités signés, connaissent seulement la propriété privée, n'exercent aucun contrôle sur les mariages, ce qui encourage la licence et le divorce : en Utopie, inversement, peu de lois, compréhensibles pour tous; peu de guerres, toujours motivées, et pas de traités de paix; pas de propriété privée; contrôle des mariages, sanctions contre la licence, divorce exceptionnel.

L'élaboration des institutions modèles ne se fait donc pas *ex nihilo*. Ce n'est pas dire qu'elle ne laisse pas place à l'invention. Mais celle-ci ne peut intervenir que secondairement, à partir d'un travail préalable sur et contre des données réelles dont il s'agit d'inverser la valeur.

Cette relation en miroir entre la société historique critiquée par More et Utopie, l'intimité qui les unit apparaissent mal dans le texte. Société réelle et société imaginaire sont traitées dans deux parties distinctes qui ne présentent ni homologie formelle, ni correspondance thématique. Au livre I, le réquisitoire contre l'Angleterre est mené cahotiquement, sans ordre apparent, épousant les sinuosités d'un dialogue dont les protagonistes, très différents, cèdent tour à tour à l'humeur, à l'humour, à l'amertume. Dans son monologue du livre II, Raphaël donne, au contraire, une description méthodique des accomplissements utopiens. Il revient au lecteur de découvrir comment, point par point, ceux-ci renvoient simultanément aux critiques du livre I et à la charge de l'Angleterre que Raphaël dessine, par dénégation[1], en abyme de son image modèle de l'Utopie.

Une autre particularité du texte pourrait encore laisser croire que, sans faire appel à son imagination, More a pu emprunter les institutions de son Utopie à des sociétés réelles, mais exotiques. Ne serait-ce pas là le sens des descriptions faites par Raphaël, au cours du livre I, de pays étrangers à l'Ancien Monde, qu'il a visités avant d'aborder en Utopie? Sinon, à quoi ces évocations pourraient-elles servir? Au cours des discussions du livre I, Raphaël est amené à citer deux types de sociétés non utopiennes, mais lointaines, qui contrastent par leurs mœurs et leur fonctionnement avec les sociétés contemporaines de l'Ancien Monde. Ce sont, d'une part, celles de l'Antiquité, et en particulier Rome dont il rappelle le système de droit pénal[2]; d'autre part, celles du Nouveau Monde, successivement représentées par les Polylérites, les Macariens et les Achoriens. Les séquences concernant ces peuples ont pu être interprétées comme de petites utopies[3] préparatoires, annonciatrices de la grande utopie du livre II. Mais cette lecture néglige l'affirmation réitérée de Raphaël, selon laquelle Utopie est d'une autre nature[4], incomparable à celle d'aucune société, aussi bonne fût-elle, par lui visitée. En revanche, il me semble significatif que les pays des Polylérites, Macariens et Achoriens soient placés sous l'invocation de Vespuce : loin de renvoyer à l'univers de la fiction, leurs appellations de fantaisie désignent des contrées réelles qui ne figurent pas encore sur les cartes et n'ont pas encore reçu de noms propres. Mais ce n'est pourtant pas pour livrer au lecteur une information ethnographique que More cite ces pays. Ils ne sont pas liés au contenu d'Utopie, mais à sa forme. L'escale

1. Cette dénégation revêt des formes plus ou moins directes. Par exemple : « les Utopiens ignorent complètement les dés et tous les jeux de ce genre, absurdes et dangereux » (D., p. 68); « pas de cabarets, pas de tavernes, pas de mauvais lieux » (p. 181); « eux-mêmes ne font aucun usage de la monnaie » (p. 84); « ils refusent radicalement l'intervention des avocats qui exposent les causes avec trop d'habileté » (p. 115). Cf. aussi la chasse (p. 98); la tolérance (p. 133 *sq.*); etc. Dans quelques cas, cependant, il peut arriver que l'inversion d'Utopie par rapport aux autres nations soit présentée au livre II de façon directe. Cf. : « Cette vie, pire que celle des esclaves, et qui est cependant celle des ouvriers dans presque tous les pays, sauf en Utopie » (p. 67); « vous me comprendrez aisément si vous voulez bien penser à l'importante fraction de la population qui demeure inactive chez les autres peuples, la presque totalité des femmes d'abord [...] Ajoutez à cela la troupe des prêtres et de ceux qu'on appelle les religieux, combien nombreuse et combien oisive» (p. 69). Cf. aussi le luxe (p. 72); les réparations (p. 71); le culte de l'or (p. 83-84); etc.

2. Rome est évoquée une première fois à propos des mercenaires (D., p. 21, puis p. 30).

3. En particulier par L. Marin.

4. Cf. *infra*, p. 181.

ou l'expérience qu'y fait Raphaël constitue une condition nécessaire et préalable à l'expérience de l'Utopie.

Sous la plume de More, ces voyages symbolisent une découverte mentale : la découverte de soi comme objet et comme autre, telle que l'impose aux (représentants des) sociétés européennes la prise de conscience de la différence des autres sociétés. Les voyages dans le temps (Rome) et dans l'espace (Nouveau Monde), la confrontation spatio-temporelle avec d'autres peuples et d'autres institutions sont la condition d'une critique de soi possible.

Alors seulement peut naître le projet d'un travail radical à opérer sur soi-même. Car, lorsqu'il aborde en Utopie, c'est bien chez soi qu'aborde finalement le voyageur. Plusieurs indices en font foi. D'abord la manière dont More oppose Utopie à l'ensemble de toutes les autres sociétés. Ainsi, à la fin du livre I, Raphaël excuse l'incrédulité de Pierre Gilles à qui il vient de confier son émerveillement devant les perfections qu'il a découvertes en Utopie : « *Non miror*[...] *sic videri tibi quippe qui ejus* imago *rei, aut nulla succurit aut falsa* [1]. » Il s'agit d'un monde sans égal, *nouveau (« novem illum orbem »)* plus encore que les continents découverts par Vespuce, et dont son nom même de *Nulle Part* indique qu'il est à part et dit son étrangeté, proche de l' « absurde [2] ». Ensuite, ce n'est pas une différence banale qui oppose Utopie à l'Ancien Monde, mais une véritable antinomie : « Les Utopiens font tout le contraire des autres peuples [3]. » Enfin, Raphaël indique que, si l'on veut corriger les défauts de la société européenne contemporaine, la voie utopienne est « non seulement la meilleure, mais la seule [4] ». Aucun palliatif, aucune demi-mesure ne sont envisageables, puisqu'il s'agit d'une expérience radicale, en un mot d'une conversion.

L'évidence de cette conversion s'impose dans l'inversion que subissent les adverbes de lieu *ici* et *là-bas* entre la fin du livre I et celle du livre II. Utopie, en effet, commence par être désignée comme le plus lointain des ailleurs, *là-bas*, à l'antipode du lieu où se situe le dialogue de Raphaël et de More, *ici et maintenant* [5]. Puis, à travers le livre,

---

1. S., p. 106. *(Nous soulignons.)*.

2. D., p. 105 : à cet « autre monde » Raphaël oppose précisément celui des Polylérites auxquels la catégorie de l'absurde ne peut être appliquée. Cf. aussi p. 107.

3. D., p. 84. Cf. aussi liv. II, D., p. 141 : « ces institutions, si différentes de celles des autres peuples, gravent dans le cœur de l'Utopien des sentiments et des idées *entièrement contraires* aux nôtres » *(Nous soulignons.)*

4. D., p. 147. Cf. également liv. I, D. p. 50.

5. « *Quod* hic *singularum privatae sunt possessiones,* illic *omàia sunt communia* » (S., p. 100). [*Nous soulignons.*]

court l'opposition entre cette Utopie, décrite par Raphaël, et son ailleurs, qui englobe le vieux comme le nouveau monde[1]. Et au terme du (récit de) voyage, là-bas, Utopie est devenue l'*ici*, à quoi s'oppose l'ailleurs lointain dont l'Angleterre fait partie[2].

L'île d'Utopie ne ressortit donc pas à un imaginaire débridé. Elle renvoie directement à l'Angleterre dont elle est, pour More-Raphaël, l'idéal. Lorsqu'il aborde enfin en Utopie, après les voyages préalables qui lui ont révélé la singularité de la société à laquelle il appartient et lui ont enseigné l'autocritique, Raphaël découvre la possibilité de transformer radicalement cette société familière. Cette inversion ou conversion radicale, dont on a vu qu'elle touche chaque élément signifiant de la pratique sociale, pourrait, semble-t-il, prendre une infinité de formes et ne jamais cesser de se poursuivre. Un monde vertigineux de possibles devrait s'offrir à qui éprouve sa liberté en décidant de se changer. Or il n'en est rien. Raphaël ne trouve en Utopie qu'une seule solution, la mise en place d'un dispositif spatial, autrement dit, d'un modèle spatial.

Cette anomalie par rapport aux possibilités qu'ouvre et découvre l'expérience de soi comme autre, qui est aussi une expérience de la liberté, permet de comprendre la fonction du modèle spatial. En effet, dès lors que More-Raphaël a critiqué la société à laquelle il appartient et qu'il procède à son inversion, il s'expose à des risques redoutables : désorientation, dépaysement, plus grave encore, dislocation de toutes ses références sociales, privation de toute appartenance. En construisant le modèle spatial d'Utopie, More s'oblige à choisir un modèle social parmi la multitude des possibles et, du même coup, il lui donne une cohérence et une individualité visuelles qui permettent sa désignation comme sujet, par un nom propre : Utopie, Amaurote. Grâce au modèle spatial, la critique peut fonctionner comme un miroir[3]; au lieu d'opérer l'inversion de la société qu'elle attaque, sous forme de concepts impalpables et sans prise, elle la fige en une image (More parle d'*imago*[4]), lui donne un corps et une identité. Car le modèle spatial d'Utopie est aussi l'image inversée et idéale de l'Angleterre en tant qu'espace. Cette référence est d'ailleurs clairement affirmée par le fait que le modèle ne soit pas dissociable du

---

1. Liv. II, D., p. 71, 72, 103-104.
2. « Hic *ubi nihil privati est* [...] *nam alibi quotus quisque est qui nesciat* [...] *contra* hic *ubi omnia omnium sunt* » (S., p. 328). [*Nous soulignons.*]
3. Peut-être faut-il voir un pressentiment de cette fonction dans le titre donné à la première traduction française d'*Utopia : la description de l'Isle* d'*Utopie où est comprins* le miroer *des républicques du monde* [...], Paris, 1550.
4. S., p. 106, passage cité *supra*.

portrait d'Utopie auquel il se superpose et qui renvoie, allusivement mais sûrement, à l'Angleterre [1].

Platon cherchait à éclairer la connaissance de l'âme par celle de la Cité. Inversement, il semble que la connaissance de certains processus mentaux soit susceptibles de faire comprendre le rapport insolite que le chancelier anglais entretient avec l'espace imaginaire et réel de la ville. Le lecteur actuel n'est-il pas fondé à comparer la façon dont More construit son modèle, ou image spatiale idéale, avec l'opération qui, au « stade du miroir », permet au jeune enfant de rassembler un moi épars et diffus dans son image spéculaire et d'établir ainsi « une relation de l'organisme et de sa réalité [2] »? On a montré [3] l'ambivalence de cette fixation qui ne peut être positive, c'est-à-dire sécurisante, qu'à condition de s'inscrire à un moment précis (stade) du développement et doit être ensuite abandonnée, sous peine d'aliénation. Moyen temporaire de faire face et de s'affirmer dans l'intersubjectivité à un moment de totale vulnérabilité, elle constitue pour la suite une menace permanente d'inhibition et de blocage. L'image spéculaire que constitue à sa manière le modèle spatial assure de même la recollection d'une identité menacée et permet d'affronter le changement avec sérénité. Mais en accaparant définitivement le miroir de la critique, le modèle spatial condamne lui aussi, à la longue, au narcissisme et à la stéréotypie. Par ailleurs, lorsque More-Raphaël dessine le portrait d'Utopie et d'Amaurote à grand renfort de cavités, d'orifices et de canalisations, le lecteur moderne voit bien que la construction spéculaire du modèle est indissociable de l'image d'un support fondamental, appréhendé au cours d'un stade précédent : le corps maternel [4] de l'Angleterre, produit de la terre et de la tradition.

Dans l'économie du projet moréen, le modèle spatial semble donc répondre à une problématique de l'identification qui surgit à un moment précis de l'histoire européenne. More découvre alors qu'une société peut se transformer, se construire *autre* que la tradition ne la fige. Il opte pour ce changement et cette *Bildung*. Mais dans le

---

1. Cf. *supra*, p. 167.
2. J. Lacan, *Ecrits*, Paris, Seuil, 1965, « Le stade du miroir », p. 96.
3. *Ibid.*
4. Melanie Klein, dans son « Analyse des jeunes enfants », montre comment l'intérieur du corps de la mère où ses jeunes patients veulent pénétrer est représenté comme une ville. Cf., en particulier, page 181 et note de la page 133 sur la « géographie du corps maternel », in *Essais de psychanalyse* (1921-1924), trad. fr. par M. Derrida, Paris, Payot, 1967. Les formes symboliques, cavités, replis, etc. baignés de fluides qui composent le portrait d'Utopie correspondent aux bouches, coins et recoins évoqués par M. Klein, p. 126.

même temps il se protège contre les vertiges de cette liberté, en annule l'action dissolvante. Il s'assure contre la dispersion et l'évanouissement de l'individualité sociale à laquelle il appartient, par la puissance recollective d'une image visuelle. En donnant à voir et en dessinant le modèle spatial de sa société idéale, More semble donc bien avoir reproduit symboliquement au plan social le procès d'autoprojection spatiale généré au plan de l'individu par l'expérience spéculaire. Dans le développement de l'individualité culturelle occidentale, il a ainsi élaboré ce que nous appellerons le « stade de l'utopie ».

III. LA CONSTRUCTION MYTHIQUE

Dans les pages qui précèdent, la description d'Utopie et de son modèle spatial donnée par Raphaël a été interprétée comme si elle était livrée sous la forme d'un discours, directement par l'auteur, qui a pu, pour cette raison, être désigné comme More-Raphaël. Mais la réalité littéraire est moins simple. La stratégie servie par le modèle spatial est enchâssée dans des réseaux textuels complexes; prise dans ce que L. Marin, en reprenant l'expression forgée par C. Lévi-Strauss à propos du mythe, désigne avec pertinence comme une « structure feuilletée [1] », et enveloppée dans une fiction.

Texte énigmatique, en vérité, que cette *Utopie*, du moment qu'on l'aborde dans l'épaisseur de sa formulation littéraire. Pourquoi More n'assume-t-il personnellement ni le rôle de concepteur-constructeur d'Utopie, ni même celui de témoin dont il se décharge au profit de Raphaël? Pourquoi attache-t-il un tel prix à faire paraître cette construction imaginaire comme réelle, *présente?* Pourquoi, enfin, en introduisant le fantastique dans la relation de Raphaël, tourne-t-il délibérément en dérision les artifices soigneusement déployés pour obtenir cette présence? Le modèle spatial doit donc être replacé dans et questionné en même temps que la forme littéraire adoptée par More, cette étrange fiction intégrée dans un discours et qui, pas mieux que le *De re aedificatoria*, ne se laisse étiqueter parmi les genres textuels. Pour en éclaircir le statut, je tenterai un découpage formel qui se fondera, une fois encore, sur l'usage des pronoms personnels et des temps verbaux.

L'*Utopie* apparaît, à première vue, composée de deux discours liés par une relation d'inclusion. More détient la parole dans le

1. C. Lévi-Strauss, *Anthropologie structurale*, Paris, Plon, 1958, p. 254.

premier, Raphaël dans le second, qui commence aux dernières pages du livre I, lors de la première mention d'Utopie[1], et s'achève sur l'évocation de l'éternité utopienne, peu avant la fin du livre II, où More reprend la parole. Chacun des deux discours contient ce qu'avec les linguistes nous avons nommé un texte d'histoire[2], qui, en l'occurrence, est une histoire. En effet, de part et d'autre, qu'elle représente More ou Raphaël, la première personne fonctionne une partie du temps avec le prétérit et pourrait, dans ces occurrences, être remplacée par *il*. « L'histoire de *je* est alors racontée comme le serait l'histoire d'un autre[3]. » Mais dans l'un et l'autre cas, la véritable première personne ne cesse d'intervenir, de renvoyer le lecteur à la situation d'énonciation, en commentant l'histoire, au présent de l'indicatif et en s'aidant de nombreux *shifters*. Les deux pseudo-discours présentent donc la particularité commune d'unir indissociablement les formes du discours et de l'histoire[4], la fiction n'étant

1. Outre le texte continu du livre II (jusqu'à : « Dès que Raphaël eut achevé ce récit »), il comprend donc trois fragments du livre I : « Quand je compare les instincts utopiens » (D., p. 107-109); « Je ne m'étonne pas [...] parfaitement organisé » (p. 109-111); « La question d'antiquité [...] choses utiles » (p. 111).

2. Cf. *supra*, p. 147 *sq.*

3. J. Simonin-Grumbach, *op. cit.*, p. 101. Cf. tout le paragraphe intitulé « Je *comme personne de l'histoire* S ». L'auteur cite deux exemples de textes d'histoire construits avec un *je* qui fait fonction de *il* ou *elle* (sans *shifters*) et où est offerte « la possibilité de repasser au plan du discours ». Mais il s'agit là d'une possibilité occasionnelle qui n'est pas utilisée systématiquement, comme dans l'*Utopie* où histoire et discours s'entrelacent, à force égale.

4. *Exemples de discours*. More locuteur : « J'avais pour compagnon... l'incomparable C. Tunstall à qui le roi [...] a récemment confié les archives de l'État. Je n'entreprendrai pas de le louer, non que je redoute qu'on récuse [...] le témoignage de l'amitié, mais parce que son caractère et son savoir sont au-dessus de tout éloge que j'en pourrais faire » (D., p. 7). « Ce que Raphaël nous a raconté avoir vu dans chaque région serait trop long à rapporter [...] Peut-être en parlerons-nous ailleurs » (p. 12). Raphaël locuteur : « Si je montrais ensuite que toutes ces ambitions belliqueuses bouleversent les nations [...] de quelle humeur, mon cher More, pensez-vous que mon discours serait écouté » (D., p. 42). « Car si je veux faire prévaloir la réalité, je ne peux pas dire ce qui en est le contraire. Est-ce l'affaire d'un philosophe de débiter des mensonges? Je ne sais mais, en tout cas, ce n'est pas la mienne » (D., p. 49). « C'est parce que je réfléchis à la constitution si sage, si moralement irréprochable des Utopiens chez qui [...] tout est réglé pour le bien de tous » (D, p. 51-52). « J'oppose à ces usages ceux de tant d'autres nations toujours occupées à la légiférer » (D., p. 52). « Je vous ai décrit le plus exactement possible la structure de cette république où je vois non seulement la meilleure, mais la seule qui mérite ce nom » (D., p. 147).

Exemples d'histoire. More locuteur : « Nous rencontrâmes à Bruges ainsi qu'il avait été convenu les mandataires du prince [...] » (p. 7). « Quant à moi, entre-temps, je me rendis à Anvers » (p. 8). « Dès que Pierre eût achevé ce

plus alors repérable que par la connaissance de la situation réelle[1]. Le premier pseudo-discours pourrait être intitulé « Histoire et commentaire d'un après-midi passé avec Raphaël ». Je le désignerai comme *fiction de la perspective* (R_1). Le second, qui pourrait être intitulé « Histoire et commentaire d'un voyage en Utopie » sera désigné par *fiction du motif* (R_2).

La fiction de la perspective a été ainsi nommée parce qu'elle met en perspective le personnage de Raphaël et opère ainsi un transfert de crédibilité, sur lui et sur ses propos. Dans le déploiement de ce texte, le *je* de Raphaël et ses propos acquièrent la même réalité que ceux de l'auteur du livre. Résultat obtenu d'une part grâce à l'ambiguïté entretenue entre les deux *je* de More, entre le sujet du discours et le personnage de l'histoire, d'autre part grâce à l'homologie, soigneusement construite, entre les *je* de More et de Raphaël[2]. Davantage, More coupe son récit au prétérit de la rencontre, puis de l'entretien avec Raphaël par une série de discours directs dans lesquels il cède le privilège de la première personne à d'autres sujets.

---

récit [...] j'abordai Raphaël [...] Alors, nous entrâmes dans la maison pour dîner ». Raphaël locuteur :
« Des délégués d'Anémolie vinrent à Amaurote pendant que j'y étais [...]. Deux jours suffirent aux ambassadeurs pour voir en quelle quantité l'or se trouvait là » (D., p. 86-88). « Il ne leur fallut pas trois ans pour se rendre maîtres de la langue » (D., p. 105). « Nous leur avons montré des volumes [...] imprimés [...]. Eux, aussitôt, à force de s'y appliquer, devinèrent le reste » (D., p. 107).

1. J. Simonin-Grumbach note justement que l'histoire « est aussi le registre du langage qui permet la fiction [...] C'est à l'interlocuteur (lecteur) que revient d'interpréter une sit. E comme réelle ou fictive (en fonction de ses connaissances, donc de sa sit. E au sens large); alors que dans le discours, c'est le locuteur qui pose la sit. E comme réelle » (*op. cit.*, p. 103).

2. Ainsi le premier grand monologue de Raphaël est construit exactement comme le récit englobant de More. D'abord une mise en situation historique dans un pays étranger : « J'y ai passé [en Angleterre] quelques mois, peu après la bataille où les Anglais de l'Ouest furent écrasés en une pitoyable défaite » (D, p. 17) — cf. la phrase liminaire du livre : « L'invincible roi d'Angleterre [...] eut récemment avec le prince Charles de Castille un différend portant sur des questions importantes. Je fus alors député orateur en Flandre » (p. 7). Ensuite, l'histoire d'une rencontre avec un personnage historique réel, inducteur de la suite du texte : « J'ai contracté alors une grande dette de reconnaissance envers le révérend John Morton, archevêque de Cantorbury » (p. 17) — cf. : « Je reçus souvent pendant ce séjour, parmi d'autres visiteurs, et bien venu entre tous, Pierre Gilles » (p. 8). Puis rencontre avec un personnage fictif, et identique marquage au début de l'histoire fictive : « J'étais *par hasard* à sa table *le jour* où s'y trouva aussi un laïque (p. 18) — cf. : « Je me trouvais *un jour* dans l'église Notre-Dame » (p. 8). Enfin, début du dialogue (p. 18 et 13).

Outre More et Raphael, cinq autres locuteurs sont ainsi conduits à prendre la parole[1]. Le mélange des personnages réels et fictifs, la multiplication des prises de parole accentuent l'effet d'homologie entre More et Raphaël. Discours et sujets cités sont contaminés par la situation d'énonciation du premier locuteur, mis en place et en perspective dans ce qui semble un espace textuel identique, que balisent les mêmes *shifters*. Au terme de ces alternances de parole, la frontière entre le réel et l'imaginaire cesse d'être perceptible. Raphaël a acquis la même épaisseur existentielle que More ou le cardinal Morton, et son Utopie la même crédibilité que leur Angleterre.

J. Hexter a démontré de façon convaincante[2] que l'*Utopie* avait été rédigée en deux temps. Selon toute vraisemblance, More a commencé par écrire en Flandre le début du livre I et le livre II. Puis, sous la pression des événements politiques et à la suite de la visite d'Erasme, il a, une fois revenu en Angleterre, rédigé sous forme de dialogue le long développement sur l'opportunité de conseiller les princes, qui est devenu l'essentiel du livre I. Pour raccorder ce texte à la rédaction initiale, il lui a suffi alors de rajouter une phrase de transition au paragraphe qui allait directement introduire le récit décrivant Utopie[3], de trouver, grâce à la diatribe sur la propriété privée, une occasion de faire retour aux Utopiens[4], et enfin de terminer le livre II sur une ultime intervention de lui-même[5].

Cette reconstitution conforterait la thèse du même auteur selon laquelle l'*Utopie* serait un livre double ou, plus précisément, deux livres. Je ne pense pas, pour ma part, que l'addition du dialogue du conseil, et l'importance prise de ce fait par la première partie du livre, change la structure de celui-ci, qui se résume dans la relation d'un texte englobant et d'un texte englobé. Non seulement l'allongement du livre I respecte ce rapport spécifique d'inclusion, mais le texte ajouté est construit de façon à renforcer l'effet d'homologie produit par le premier état du discours englobant.

1. Pierre Gilles, le juriste, le cardinal Morton, le bouffon, le frère mendiant.
2. *More's Utopia, the Biography of an Idea*, Princeton, Princeton University Press, 1952. Ses arguments sont empruntés aux deux lettres à P. Gilles et à Erasme accompagnant le texte de la première édition de l'*Utopie* et à une lettre tardive d'Erasme à Hutten, sur la vie de More.
3. D., p. 73 : « Auparavant je veux apprendre au lecteur [...] »
4. D, p. 107.
5. Cette intervention ferme le texte englobant, qui sertit ainsi complètement le texte englobé. Elle termine et le récit de More (avec rappel d'un événement du livre I) et son discours. La dernière phrase de More fait écho à celle prononcée un peu plus haut par Raphaël.

La petite phrase du livre I où More indique que l'unique propos de son ouvrage est de rapporter le témoignage de Raphaël sur l'Utopie[1], conserve donc toute sa portée. Elle désigne la *fiction du motif*. Celle-ci est ainsi nommée afin de marquer, en conservant la métaphore iconique, et le lien qui l'unit à la fiction de la perspective et sa prégnance sémantique. La fiction du motif présente deux singularités formelles.

La première est la longueur du texte occupé par la description au présent d'Utopie. Les constructions et les institutions de l'île ne sont pas abordées ici comme appartenant à l'*histoire* d'un voyage, mais comme objets d'un *discours*. Ils appellent le commentaire et l'appréciation du locuteur par rapport auquel Utopie acquiert progressivement une présence envahissante[2].

Par ailleurs, la fiction du motif contient deux histoires de type différent. D'abord, comme la fiction de la perspective, une histoire (R') associée à un discours, en l'occurrence celui de Raphaël : le *je* de Raphaël est le personnage du voyageur qui a rencontré les Utopiens comme More l'avait lui-même rencontré. Ensuite, une histoire différente, intégrée dans le discours de Raphaël, mais qui ne reproduit pas le rapport d'inclusion précédent puisqu'elle ne renvoie pas à un nouveau discours et clôt la série des prises de parole : cette histoire, en *troisième personne*, est celle du héros Utopus et des Utopiens. Fragmentée par la description, elle se réduit aux quelques brèves séquences puisées par Raphaël à la source des annales utopiennes. On les résumera rapidement : le fondateur d'Utopie conquit la terre d'Abraxa à laquelle il donna son nom. Il en soumit les habitants qu'il devait ensuite civiliser, et fit exécuter un formidable travail technique, le percement de l'isthme de 15 000 pas qui sépare Abraxa, devenue Utopia, du continent[3]. Utopus donna aux Utopiens l'amour des jardins. « La tradition veut que tout le plan de la ville ait été tracé, dès l'origine, par Utopus lui-même », mais il n'eut pas le temps de terminer et de construire entièrement son œuvre et laissa ce soin à la postérité[4]. Utopus fit régner en Utopie la tolérance religieuse. D'une part, il mesurait le danger que représentait pour la paix de la République le fanatisme et l'intolérance, d'autre part, il redoutait le dogmatisme du point de vue de l'intérêt de la religion elle-même.

---

1. D., p. 73 : « Dans [ce livre] je rapporterai seulement ce que Raphaël nous raconte des mœurs et des institutions du peuple utopien. »

2. « Il n'y a de réel que par rapport à un sujet » (J. Simonin-Grumbach, *op. cit.*, p. 103).

3. D., p. 58.

4. P. 121.

C'est pourquoi « une fois victorieux, il décida que chacun professerait librement la religion de son choix [1] ».

En citant ce nouveau témoignage, qui émane d'annales impersonnelles, Raphaël lui attribue la même fonction, confirmer l'existence d'Utopie, que remplissait, par rapport au discours de More, la parole de Raphaël. Mais la symétrie de la construction est rompue puisque le nouveau témoin cité, l'autre de Raphaël, non seulement ne prend pas la parole mais devient explicitement un personnage de fiction. Cette irruption du prétérit de la légende dans le présent réaliste du discours de Raphaël paraît à première vue incompréhensible et absurde.

Pourquoi en effet avoir utilisé avec système le présent de l'énonciation et déployé tant de soin à marquer le discours par les *shifters* appropriés, si c'est pour en réduire les effets à néant par l'intervention d'Utopus? L'usage du présent de l'indicatif n'était pas nécessaire pour peindre au lecteur le tableau d'une société imaginaire et lui en faire sentir la valeur. More pouvait la décrire au conditionnel, comme une réalisation possible; ou même en faire l'objet d'une simulation, comme au livre I, dans le scénario où il se décrit au présent en conseiller du roi de France, soulignant par ce procédé, mis en œuvre au moment pertinent [2], la différence du présent utopique. Il pouvait aussi adopter le futur pour désigner Utopie comme solution à venir. Dans l'un et l'autre cas, l'intervention d'Utopus était exclue par la logique de l'énonciation.

Il faut donc comprendre pourquoi More a délibérément opté pour une solution qui nous apparaît contraire à la logique de son entreprise, et à quoi lui sert de maintenir l'antinomie qui oppose l'histoire d'Utopus et celle de Raphaël, le passé fabuleux évoqué par l'une et la description réaliste d'Utopie, faite au présent et renvoyée à une situation d'énonciation, que contient l'autre.

Étudions d'abord la partie centrale de la fiction du motif, la légende (R) d'Utopus et des Utopiens. On peut la lire comme la mise en communication, par le héros, de deux ensembles de termes contradictoires dont il annule les incompatibilités. Utopus fait la guerre et établit la paix; provoque une catastrophe et une crise en séparant

---

1. P. 134-135.
2. Entre la description de l'Angleterre et celle de l'Utopie. Cette simulation permet à More de montrer qu'il n'ignore pas ce genre platonicien, et d'en démarquer l'*Utopie*. Le scénario est bien écrit au présent, mais précédé de la règle du jeu : « *Imaginez* que je me trouve chez le roi de France, siégeant dans un conseil » [D., p. 39] (Age, finge *apud regem esse Gallorum, atque in ejus considere consilio*, S., p. 84), et ponctué de plusieurs conditionnels. (*Nous soulignons.*)

violemment les Utopiens du continent et supprime toute crise possible sur l'île ainsi isolée; est engagé dans le temps hétérogène et mouvant de l'histoire et instaure le temps homogène et étale d'une quasi-éternité; affirme son individualisme et la liberté souveraine de ses actes dans un travail de création et promeut la reproduction des conduites sociales par un labeur réplicatif, dans l'anonymat du consensus; autorise la pluralité des religions et impose la religion chrétienne[1]. Bref, Utopus joue sur les deux tableaux (I^1) et (I^2); il est le médiateur qui transforme l'un dans l'autre, au moyen d'un instrument devenu « magiquement » opératoire entre ses mains : le modèle spatial, le *plan* d'Utopie qui fige l'innovation, convertit la liberté d'Utopus en loi, met un terme aux transgressions sociales du héros. L'intervention d'Utopus, par la médiation de son modèle, confère ainsi à la légende des Utopiens (R) des caractéristiques dont C. Lévi-Strauss a fait le propre du mythe[2] : elle permet, en effet, au niveau symbolique, de résoudre des contradictions, d'opérer des transformations, de supprimer le temps. Au moyen du modèle spatial, Utopus réalise le désir informulable et inassumable de More, d'accomplir une révolution dans les pratiques et les institutions de la société à laquelle il appartient. Il convertit dans la terminologie familière de la tradition les notions de liberté et de création individuelles indispensables à l'accomplissement du changement social et que More ne pouvait penser qu'en termes de transgression.

Mais l'histoire de Raphaël (R′) dans laquelle s'inscrit R, que je désignerai provisoirement comme le « mythe d'Utopus », permet, elle aussi, à sa manière, de résoudre une série d'antinomies. Le rôle du héros médiateur est alors joué par Raphaël à qui, au lieu d'actions contradictoires, il appartient de réconcilier des modes d'énonciation et des statuts d'existants incompatibles entre eux. Raphaël est l'intermédiaire et le fauteur de communication entre le vieux continent et Utopie, entre More et Utopus, entre le réel et l'imaginaire, entre la critique et le modèle. L'instrument qui lui permet de convertir les termes antagoniques l'un dans l'autre, l'opérateur de connexion, n'est plus un parcours figé, tel le plan d'Utopus, mais un parcours en acte, un voyage[3].

Ce voyage permet à Raphaël de voir et d'explorer Utopie, qui

---

1. Que les problèmes religieux soient intégrés dans R témoigne à nouveau de l'importance, déjà signalée plus haut, à propos de la place des temples dans le plan d'Amaurote, de ce thème pour More.

2. Cf. *Le Cru et le Cuit*, Paris, Plon, 1964, « ouverture », et références p. 35.

3. Cf. M. Serres, « Discours et parcours », in *L'Identité*, séminaire dirigé par C. Lévi-Strauss, Paris, Grasset, 1977, p. 38-39.

n'existe dans aucun espace, comme il a vu et visité les pays qui occupent l'espace du vieux continent; et même d'imprimer en Utopie, qui vit hors du temps et de l'histoire, la marque de son passage sous la forme d'un événement historique (introduction du livre et de l'imprimerie). C'est, en outre, à travers le voyage de Raphaël que More lui-même est mis en communication avec Utopie, averti de l'histoire d'Utopus, informé de son modèle spatial.

Mais, en dépit de ces passages, de ces transmissions et de ces intermissions, l'histoire de Raphaël (R′) ne fonctionne pas comme un mythe. Contrairement à (R), elle est tout entière énoncée à la première personne que le mythe exclut, et traversée par un présent qu'il ne connaît pas : le mythe s'énonce toujours à la troisième personne et au passé.

Comment, dès lors, caractériser l'histoire de Raphaël (R′) et expliquer pourquoi elle est articulée, d'une part, sur le mythe d'Utopus (R), et d'autre part, sur la fiction de la perspective (R^1) qui met en scène son héros comme elle-même met en scène celui de (R)?

On a vu le rôle que joue la première personne du singulier dans R′ : les termes antagonistes réconciliés par la médiation de ce *je* n'appartiennent plus à l'univers de l'action mais à celui du discours. Comme le *il* d'Utopus, le *je* de Raphaël se déplace simultanément sur deux tableaux. Mais, dans son cas, il s'agit d'un jeu qui, et par la structure feuilletée du relais des paroles conduisant de More (dans (R^1)) à Utopus, et par l'ambivalence effrontément accordée à un présent renvoyant à la fois au réel et à l'imaginaire, constitue une parodie du mythe. Car ce *je*, partie intégrante d'une situation d'énonciation, n'a, par définition, aucun pouvoir de transformer ou de supprimer une incompatibilité, celle du réel et de l'imaginaire, qu'il laisse subsister entière et sciemment, même lorsqu'il la nie avec le plus d'opiniâtreté.

Ce caractère ludique est confirmé par la comparaison des instruments médiateurs dont se servent respectivement les héros de (R) et de (R′). Ces instruments possèdent la caractéristique commune d'avoir pour référents des découvertes spatiales de la Renaissance : les débuts de l'homogénéisation de l'espace du dessin, par les architectes et les peintres, et de l'espace géographique, par les premiers savants-navigateurs. Le modèle spatial ressortit à une démarche qui, en ayant permis l'invention de la perspective artificielle et la systématisation de la planigraphie, ouvre la voie à la science. Il est aussi, ce que pointe à sa manière le présent utilisé pour sa description, lié à l'expérience nouvelle de la subjectivité puisque l'espace théorique des peintres et des architectes s'énonce dans le même temps que le pouvoir des constructeurs [1]. Pourtant, tel qu'il permet au héros mythique d'opérer les transformations nécessaires, il n'est pas l'instrument lisse élaboré par les artistes de la Renaissance. Il est, véritablement, un instrument opératoire symbolique. More en a découvert la puissance réelle sans parvenir à la penser autrement qu'en la dénaturant et en la mythifiant. L'espace modèle de l'*Utopie* est contaminé par le héros fondateur. Il est bien homogène et isotrope, doté d'efficace mondaine. Mais, en même temps, il participe d'un système de valeurs, il est posé par le héros comme vrai et bon, déterminations qui n'ont pas de sens pour l'espace des géomètres. Cette adultération du modèle par le travail du mythe fait mesurer l'importance accordée par More à cet instrument et aux problèmes qu'il doit servir à résoudre.

Le voyage, au contraire, demeure, dans l'histoire de Raphaël, abstrait, privé de toute détermination concrète. Il ne correspond pas à un questionnement de More qui en fait un pur usage ludique. Ce voyage à bord de navires jamais décrits, qui accostent indifféremment sur des rives familières ou fabuleuses, est la métaphore du voyage dans le phantasmatique qui, seul, peut donner à un sujet écrivant en première personne les moyens de résoudre les antinomies énonciatives posées par (R'). Dès qu'on admet cette hypothèse, More peut dire *je* et être un autre en les personnes de Raphaël, puis du héros Utopus, affirmer son ignorance d'Utopie et assumer la paternité de son modèle, signer un livre sans accepter d'y être impliqué, noyer tous les événements, réels et imaginaires, sous l'ambivalence d'un identique présent.

L'*Utopie* apparaît alors comme l'intégration d'un noyau mythique dans une forme textuelle phantasmatique qui procède, elle aussi, selon des schèmes empruntés au mythe, mais sur le mode de la parodie et de la dérision. Parodie et dérision sont les seuls moyens que trouve More pour, écrivant en première personne dans un moment crucial pour la formation de la pensée rationnelle et scientifique, conserver

---

1. La perspective, E. Panofsky l'a bien montré, résout *iconiquement* des antinomies. En ce sens, elle ressemble à une opérateur mythique. Cf. *La Perspective comme forme symbolique*, trad. fr., Paris, Ed. de Minuit, 1975. « [La perspective] crée une distance entre l'homme et les choses. [...] Mais elle abolit en retour cette distance en faisant en un certain sens pénétrer jusque dans l'œil humain ce monde des choses dont l'existence autonome s'affirmait en face de l'homme; enfin elle ramène le phénomène artistique à des règles stables, d'exactitude mathématique même, mais d'un autre côté, elle le fait dépendre de l'homme, de l'individu même. [...] C'est pourquoi on est tout aussi justifié à concevoir l'histoire de la perspective comme un triomphe du sens du réel, constitutif de distance et d'objectivité que comme un triomphe de ce désir de puissance qui habite l'homme [...] » (p. 60). Le passage entier mériterait d'être cité.

la part de mythe nécessaire à l'expression de sa pensée. Affinant l'analyse qui a permis, au premier chapitre, de dégager des traits discriminatifs de la figure utopique, nous pouvons donc ajouter maintenant que l'*Utopie* est une forme textuelle originale, intermédiaire entre un mythe (anonyme, impersonnel et symbolique) et une simulation (signée, assumée par un sujet et imaginaire).

IV. MORE ET PLATON

Mythe et simulation, dont Platon use alternativement dans ses dialogues, renvoient au problème des rapports qu'entretient l'*Utopie* avec l'œuvre du philosophe grec, qui passe souvent pour le créateur de l'utopie comme genre textuel. J'ai déjà eu l'occasion, à propos du *pharmakon*, de souligner les affinités qui lient More et Platon. Comme pour Alberti à l'égard de Vitruve, il est nécessaire de s'interroger sur la nature des emprunts faits par More et de se demander si l'*Utopie* ne serait pas d'aventure une version moderne d'une série littéraire, de type mythique, initiée par Platon qui aurait, le premier, paradoxalement associé le *je* des dialogueurs au *il* du héros mythique.

L'usage que fait More du concept de modèle et le soupçon dont il charge la temporalité sollicitent l'hypothèse d'une filiation qui pourrait être définie comme une simple transposition dans l'*Utopie* des thèmes et thèses du philosophe grec. On peut se demander si More n'a pas, purement et simplement, repris la conception platonicienne de la cité idéale et de son espace. La démarche de More et son modèle spatial ne seraient-ils pas issus, en ligne directe, de la *République* et des *Lois*, pour lesquels le chancelier anglais n'a jamais caché sa prédilection[1]? Pour répondre à ces questions, on se reportera, en particulier, aux trois dialogues qui traitent de l'État idéal ou d'États exemplaires, et décrivent avec plus ou moins de laconisme leur espace, c'est-à-dire la *République*, les *Lois* et *Critias*.

Pour qui confronte l'*Utopie* à la *République*, le contraste s'impose entre l'abondance des descriptions spatiales d'une part et leur quasi-

---

1. L'inventaire des emprunts que More a faits à ces deux textes est impressionnant. Cf. L. Berger. « Thomas More und Plato : ein Beitrag zur Geschichte des Humanismus », *Zeitschrift für die Gesammte Staatswissenschaft*, n° 35, Tübingen, 1879.

absence de l'autre. Les quelques notations qu'on découvre dans le dialogue de Platon sont toutes négatives et restrictives, liées au thème de l'espace-poison, fauteur de dispersion. Elles ont d'ailleurs toutes été reprises par More dans son *Utopie*. La plus longuement développée concerne la nécessité, pour l'État imaginé par Socrate au livre IV, de réduire son territoire « jusqu'au degré où sa croissance ne l'empêchera pas de vouloir être un [1] » : dans le cadre de la simulation « de la naissance d'une société politique » au livre II, Socrate avait souligné la relation de la croissance démographique avec celle des besoins, et l'avait assimilée à une perversion [2]. La deuxième notation concerne la maison, objet d'aliénation que les gardiens de l'État aristocratique ne devront jamais posséder en propre, pas plus que rien « où ne puisse entrer quiconque le désire [3] ». Enfin, de façon moins directe, l'espace est encore mis en cause par l'interdiction de voyager qui frappe ces mêmes gardiens [4]. Ces trois indications concernent donc les cités des sociétés humaines et terrestres évoquées au cours de la démarche dialectique. Elles participent du système de contrôle nécessaire pour assurer leur fonctionnement.

Or, ces cités, même « idéales », n'ont rien à voir avec l'État modèle de Platon [5]. Celui-ci est, par définition, étranger au monde sensible. Il appartient à l'être véritable, au monde des formes, modèles de tout devenir, et qui sont inlocalisables [6] et indescriptibles en termes d'espace. On voit que More emprunte à Platon le thème et les motifs de sa critique du monde sensible des États politiques, mais nullement sa conception du modèle, qui n'est pas physiquement visible et auquel on ne peut accéder par le *logos*. Selon Platon, c'est précisément dans la mesure où notre monde spatialisé est un monde déchu [7] que le philosophe a besoin, pour le penser et le vivre, d'un modèle. Mais non d'un modèle physique dont le concept serait irrecevable.

---

1. Liv. V, 423 c. Nous citons dans l'édition Robin, Paris, Gallimard, « Bibl. de la Pléiade », 1940.
2. Liv. II, 372 et 373 b. La métaphore de la maladie est également utilisée pour stigmatiser la société avide d'extension.
3. Liv. III, 416 d. (cf. les portes ballantes des maisons utopiennes).
4. Liv. IV.
5. Cf. liv. IX, 592 b., confirmé par *Timée*, 28 a, qui indique que pas plus que l'univers visible, la cité idéale ne se confond « avec son modèle dressé dans le ciel ».
6. Cf., pour toute cette analyse, V. Goldschmidt, *La Religion de Platon*, Paris, PUF, 1949, republié in *Platonisme et Pensée contemporaine*, Aubier, 1970, particulièrement le chapitre « Cité et univers ».
7. « Tout l'ordre matériel est discrédité en bloc » (V. Goldschmidt, *op. cit.*, p. 18).

Cependant, le doute a pu subsister, et il a été entretenu dès le temps de More, à cause de la métaphore de la vision que Platon utilise pour décrire le contact du philosophe avec les idées. Socrate lui-même ne s'exprime pas sans ambiguïté lorsqu'il tire les conclusions du mythe de la caverne et indique qu'il « faudra mener [ceux qui auront obtenu la première place en tout] au terme, en les obligeant à tourner leurs regards vers ce qui fournit à toute chose la lumière; et, quand ils auront vu le Bien en lui-même, à se servir de ce modèle suprême pour l'État...[1] ». En fait, l'expérience de la vision est ici employée par métaphore, afin de qualifier une relation pour laquelle le lexique n'offre pas de désignation, et parce qu'elle procède d'un sens moins matérialiste que le toucher. Mais, Platon le dit explicitement, les enjeux de la République ne sont pas physiquement visibles, ils appartiennent à une réalité supérieure, d'un autre ordre, « le réel qu'est l'invisible[2] ». Pour reprendre la formule de V. Goldschmidt, tout modèle visible n'est qu'une *fiction impie*[3].

Mais si le Platon de la *République* maintient cette attitude en toute rigueur, ne serait-on pas en droit de trouver un véritable modèle spatial dans une œuvre de vieillesse, les *Lois*? Ce dialogue pose des problèmes pratiques dans un esprit réaliste bien éloigné de la perspective métaphysique adoptée par les interlocuteurs de la *République*. N'est-ce pas, cette fois, un plan modèle de la ville et de son territoire qu'élaborent les trois sages, l'Athénien, Mégille et Clinias, au cours du débat destiné à aider ce dernier dans la mission que lui ont confiée ses compatriotes crétois, d'établir les lois d'une nouvelle colonie? Pour J.-P. Vernant, la réponse n'est pas douteuse. Avec les *Lois*, « la tentative la plus rigoureuse pour tracer le cadre territorial de la cité conformément aux exigences d'un espace social homogène, nous avons affaire, et Platon le dit expressément, à un modèle. Ce modèle est à la fois géométrique et politique. Il représente l'organisation de la cité sous la forme d'un schéma spatial. Il la figure dessinée

---

1. 340 a b.
2. 529 b.
3. *Platonisme et Pensée contemporaine, op. cit.*, p. 59. V. Goldschmidt évoque le moment où « *Timée* se demande si le Démiurge a porté ses regards sur le Modèle intelligible ou le modèle visible ». Il poursuit : « ce second modèle est une pure fiction rejetée aussitôt comme impie. Elle est surtout en contradiction avec tout le platonisme : du moment que l'on pose un bon artisan, il est clair qu'il ne peut prendre pour modèle que la Forme intelligible ». V. Goldschmidt montre admirablement les relations de symétrie qui lient l'ordre du monde et l'organisation de la cité avec les lois cosmiques et politiques, l'âme du monde et les gouvernants de la *République*. Cf. aussi *Lois*, liv. X, 898 c.

sur le sol[1] ». J.-P. Vernant souligne ici la spécificité des *Lois* en employant le mot *modèle* dans un sens inhabituel chez Platon, puisqu'il désigne cette fois une projection spatiale, construite au terme d'une expérience sensible. S'agit-il pour autant d'une entité comparable à l'organisation spatiale d'Utopie telle que la décrit Raphaël? Malgré les similitudes évidentes, les deux « modèles » doivent être soigneusement distingués.

Leur différence est commandée par deux conceptions de l'espace-*pharmakon*, dont l'opposition tient elle-même, en définitive, et malgré le réalisme des *Lois*, à la différence, déjà mise en évidence à propos de la *République*, des deux statuts respectivement accordés à l'espace par Platon et par More. Ces frontières subtiles se dessineront, infranchissables, à analyser dans les deux textes aussi bien les rapports respectifs des espaces modèles avec la situation d'énonciation que leur place, leur mode d'engendrement et leur importance relative dans l'énoncé.

D'abord, à l'encontre de l'espace modèle d'Utopie, celui de la cité anonyme des *Lois* n'est pas d'entrée de jeu posé dans la réalité, saisi par le locuteur dans l'immédiateté d'une présence visuelle. Il est l'objet d'une simulation, désignée d'emblée comme imaginaire par le « comme si » du conditionnel[2]. En termes contemporains, les trois sages des *Lois* bâtissent un scénario auquel, à aucun moment, ni Platon ni eux-mêmes ne feignent de prêter une existence réelle.

Aussi, toujours à l'opposé d'Amaurote qui est dévoilée immédiatement dans sa totalité, la cité des *Lois* est-elle construite par étapes, à mesure que progresse le dialogue. Lorsque commence leur concertation, au début du livre IV, les sages ne disposent que d'une seule donnée spatiale, la situation géographique et topographique du futur État. Il faut ensuite attendre tout le livre IV et, au livre V, une série de débats sur la question agraire, la démographie et la répartition des richesses, pour que soient enfin simulés l'organisation territoriale et le découpage parcellaire de la Cité-État[3]. Quant à la

---

1. J.-P. Vernant, *Mythe et Pensée chez les Grecs*, Paris, Maspero, 1965, p. 179.

2. « Entreprenons de constituer un État *comme si* nous en étions les fondateurs originaux, et, en même temps que nous procéderons à un examen qui est l'objet de notre enquête, en même temps, j'en ferai éventuellement mon profit, moi, pour la constitution du futur État » (*op. cit.*, liv. III, 702 d).

3. « La ville sera divisée en douze portions dont la première, qui recevra le nom d'acropole, sera affectée au temple de Hestia [...]; une enceinte l'entourera et c'est à partir du centre que se fera, en douze portions, le sectionnement tant de la ville même que de tout le territoire. Les douze portions devront être égales sous le rapport du rendement de la terre [...] Quant au nombre de lots à diviser, il est de 5040. A son tour, chacun de ces lots sera partagé en deux portions, loties

construction proprement dite, elle n'est abordée que bien plus tard, après qu'ait été établie une série de lois concernant les rapports sociaux. Quelques pages rapides sont alors consacrées essentiellement au problème des remparts [1] et à la localisation hiérarchisée des édifices. Après cette « esquisse [2] », la cité « modèle » des *Lois* n'est plus évoquée que par des indications ponctuelles relatives aux prisons [3], aux tombeaux et à l'accueil des étrangers [4].

La place minime occupée par ces notations dans le texte fleuve des *Lois* contraste avec l'abondance et la complaisance des relations que Raphaël consacre au modèle spatial des Utopiens. Mais surtout, l'emplacement de la (ou des) description(s) de l'espace modèle diffère dans les deux textes. Alors que, dans l'*Utopie*, More commence par montrer l'espace où sont logées les institutions modèles, qu'il décrit seulement ensuite, dans les *Lois*, la description de cet espace vient toujours en second, après les débats concernant les institutions et l'élaboration des lois qui en régleront le fonctionnement. Comme l'indique le titre du dialogue, la loi est première. Et, de même que la vérité du *logos* précède la loi écrite qui ne peut en livrer qu'une forme à jamais dégradée, le cadre de la loi écrite précède et l'emporte à jamais sur celui de l'espace bâti. Cette précédence des lois dans le texte de Platon est une marque supplémentaire du statut irrémédiablement bâtard que, conformément à sa philosophie, il réserve à l'espace, et que récuse au contraire le triomphalisme spatial de l'*Utopie*.

Pourtant, n'est-ce pas Platon qui, dans les *Lois*, a découvert et développé, avant que More ne la lui emprunte, la relation qui lie

---

ensemble et qui, chacune, sont l'une à proximité, l'autre éloignée : un lot unique étant ainsi formé d'une portion touchant à la ville et d'une portion touchant aux extrémités [...] Comme de juste aussi, aux douze dieux seront après cela attribués ces douze groupes de lots de population et de terre, la portion échue à chaque dieu portant le nom de ce dieu et lui ayant été consacrée [...] La ville, de son côté, comporte aussi douze sections distribuées de la même manière [...] » (liv. V, 745 b, c, d, e). Cette description est complétée par celle des villages (*ibid.*, 848, d, e).

1. L'Athénien se prononce contre les remparts. Toutefois, s'il en faut absolument, « quand on construira les maisons des particuliers, on jettera de telle sorte les fondements que toute la ville forme un unique rempart grâce à l'uniformité, la similitude de ses habitations qui auront toutes une solide clôture face aux voies d'accès [...] L'aspect extérieur d'une unique maison [serait ainsi] celui de la ville entière » (*ibid.*, 779 b). (Campanella reprendra l'idée de ce rempart de maisons.) L'identité des maisons trahit, ici encore, la défiance à l'égard de l'espace qui, en se prêtant à l'expression des différences et des singularités, ouvre la voie à l'*hubris*.

2. 778 c.

3. 908 a *sq.* dans le même livre IX consacré au droit criminel.

4. Liv. XIII.

les espaces aux sociétés et qui sous-tend la notion de modèle spatial? N'est-ce pas précisément afin d'en rendre les lois immuables en les fixant et les enracinant dans le sol, qu'il élabore le cadre spatial de la cité modèle, de la même façon que More, près de deux millénaires plus tard, confiera à l'espace modèle d'Utopie la tâche de mettre en place et de perpétuer les institutions créées par Utopus? Sans doute. Mais une différence se fait jour à nouveau. La relation entre espaces et sociétés n'est pas entendue identiquement de part et d'autre, ses référents ne sont pas de même nature. More a arraché la découverte de Platon à son contexte et à son champ originel d'application, et il a ainsi déplacé et subverti la signification platonicienne de l'espace modèle.

Dans les *Lois*, Platon traite simultanément l'espace de la cité modèle de deux façons, en ethnographe et en mystique. D'une part, grâce à la dialectique de la simulation et au terme d'un travail de remémoration par *mnémè*, la mémoire vivante, il reconstitue et décrit une structure spatiale qui est celle d'une société disparue, l'Athènes préclisthénienne, qu'ont peu à peu corrompue le cours du temps et le désir des hommes. Pour être précis, ce schéma spatial n'est pas l'œuvre de la seule *mnémè*. Ou plutôt, le souvenir par elle retrouvé d'un espace qui sous-tendait un système de relations sociales et politiques, système de savoir et de valeurs à dominante religieuse [1] — ce souvenir a été ensuite réélaboré, simplifié, « amélioré » par un traitement géométrique [2]. Le philosophe obtient ainsi une sorte d'organigramme dont l'espace homogène et indifférencié [3] marque la supériorité ontologique par rapport à l'espace effectivement bâti et indique la fonction instrumentale. D'autre part, au moyen de ce modèle, Platon s'assigne de rétablir dans leur pureté originelle des lois (également reconstituées) dont les dieux firent don à la cité. Le procès de reconstitution (thétique) a donc pour fin (religieuse et morale) le rétablissement d'un ordre transcendant, à la conception duquel les hommes n'ont aucune part, et qu'ils ont seulement le pouvoir d'altérer et de pervertir.

Autrement dit, le modèle spatial de Platon sert à faire retrouver un ordre perdu. Celui de More, au contraire, sert à promouvoir un ordre nouveau, imaginé et créé par le héros humain, Utopus.

1. V. Goldschmidt, *op. cit.*, p. 105.
2. *Lois*, liv. V, 746 e.
3. J.-P. Vernant a bien montré l'anomalie que représente pour l' « anti-Clisthène », défenseur inconditionnel de la tradition, cette figuration de l'espace « rendu de façon plus systématique encore que chez Clisthène parfaitement homogène et indifférencié » (*op. cit.*, p. 181).

More déplace et subvertit le modèle spatial des *Lois* en le désacralisant. Le plan d'Amaurote résulte de la seule activité créatrice de son concepteur, le héros, politique et architecte, Utopus, qui est le masque ultime de More. Il ne doit plus rien aux dieux [1]. Dans un cas, le modèle est restaurateur, dans l'autre, instaurateur.

En tant que *pharmakon*, ces modèles n'ont donc ni la même nature ni la même efficace. Dès que, dans les *Lois*, *mnémè* a accompli son travail d'anamnèse, elle en fige et en fixe le résultat dans la loi écrite et dans le schéma spatial de la cité idéale. Mais, dans la mesure même où l'écriture et le bâti participent tous deux du non-être de l'espace [2], le modèle, comme la loi écrite, ne peut plus jouer qu'un rôle mécanique. Il ne met plus en jeu qu'*hypomnésis*, la fausse mémoire des formes extérieures, et assure seulement l'indéfinie réplication des procès et conduites redécouverts par la vraie mémoire. Pour Platon, l'espace demeure une puissance occulte et suspecte, qu'il soit envisagé comme mal ou comme remède : contrepoison (sous forme de modèle), il reste cependant poison. More reprend à son compte une partie des réserves de Platon à l'égard d'un espace qui, à chaque instant, menace l'intériorité du sujet; il lutte contre les sortilèges de l'espace par des moyens directement empruntés à la *République*, aux *Lois* et au *Critias* : insularité du territoire, réduction de la surface urbaine, standardisation des villes et des édifices, interdiction des voyages [3], condamnation implicite de l'art architectural [4]. Pour More, cependant, le modèle est bien un remède, non un poison. Il est la forme d'un jamais dit et jamais vu. Il entame et marque l'histoire, quitte à l'arrêter ensuite par sa puissance réplicative, héritée de Platon, mais à laquelle More attribue une valeur positive. Il n'est pas un moyen de remémoration et de rectification, mais un instrument de création.

Dans l'ordre éthique où tous deux s'inscrivent, le modèle de Platon aide, sous conditions; celui de More sauve inconditionnellement. L'efficacité bâtarde de l'espace modèle des *Lois* tient aux options profondes de la philosophie platonicienne, au fait déjà noté que, pour le philosophe grec, l'espace n'a pas d'être propre, qu'il est pour les hommes l'occasion par excellence de leur perdition.

1. Je ne songe pas à contester la tonalité profondément religieuse du livre de More, dont J. Hexter a pu, à juste titre, faire une méditation sur le péché, mais je veux souligner le fait que l'*Utopie* met en scène la transformation radicale d'une société par le pouvoir d'un homme. Pour Platon, la loi de la cité est et demeure d'origine divine, comme la loi de la géométrie.
2. Cf. J. Derrida, *op. cit.*, p. 125 *sq.*, 142.
3. *Lois*, 958 d, e.
4. *Ibid.*, 950 d.

Cette vocation maléfique de l'espace, la prévalence de sa face négative reçoivent sans doute leur expression la plus vigoureuse dans le mythe des Atlantes du *Critias* qu'il faut mettre en parallèle avec le mythe de l'écriture du *Phèdre*. En confrontant l'austérité de la cité primitive de Poséidon, entièrement fermée sur elle-même, à la splendeur de la capitale en permanente expansion qu'elle est devenue grâce à l'art des Atlantes[1], Platon entend désigner et stigmatiser la perversité du bâtir. La sophistication de son organisation ouverte au devenir et la somptuosité de son architecture signent la perte d'une société que son *hubris* conduit à la catastrophe[2]. Pour More, quels que soient ses dangers et ses mirages, l'espace est réellement ambivalent. Il comporte une face authentiquement bénéfique.

Faisons retour aux deux mots inducteurs — mythe et simulation — qui ont conduit à placer l'*Utopie* sous l'invocation de Platon : au fil des dialogues cités nous avons effectivement rencontré ces deux formes dont l'utilisation trahit un nouvel et irréductible écart entre le philosophe grec et l'humaniste anglais.

Dans son cheminement spéculatif, Platon fait toujours le départ entre le mythe et la pensée rationnelle, quitte à jouer alternativement des deux. Le mythe est pour lui un mode de connaissance second et une béquille de la dialectique. Même lorsqu'il lui arrive d'exprimer des doutes à son égard, la nature transcendante de ce legs des dieux exige que lui soit conservée sa pureté, et interdit à quiconque, sous peine de sacrilège, de s'immiscer dans son récit, totalement déconnecté de la situation d'énonciation. Platon peut donc seulement transmettre des mythes, tels ceux du *Phèdre* ou du *Critias;* il n'a point part à leur élaboration : ce qu'on appelle improprement le « mythe de la caverne » n'en possède que le nom, c'est une fable ou une allégorie. Créer, comme More l'a fait un millénaire et demi plus tard, un analogon fonctionnel du mythe, l'énoncer en première personne, aurait d'ailleurs eu d'autant moins de sens pour Platon qu'il n'en avait nul

1. A la clôture totale d'une île isolée par « de véritables roues de terre et de mer, deux de terre et trois de mer, comme si, à partir du centre de l'île, [Poséidon] eût fait marcher un tour de potier [...] rendant ainsi inaccessible aux hommes le cœur de la forteresse » (*Critias*, 113 d), Platon oppose le système complexe de communication au moyen duquel les Atlantes unissent tous les lieux du territoire entre eux et avec l'extérieur. Quant aux édifices eux-mêmes, remarquables par la richesse de leurs matériaux, ils sont disposés dans un ordre hiérarchique, assez proche de celui de la cité des *Lois*.

2. « Et chaque roi, en recevant [le palais] d'un autre roi, embellissait les embellissements antérieurement réalisés, enchérissant toujours autant qu'il le pouvait sur son prédécesseur » (*op. cit.*, 115 c).

besoin. Il n'avait aucune transgression à conjurer. Sa morale et sa politique se situent dans le droit fil du sacré. Sa philosophie assume les ruptures qu'elle opère.

Quant à la simulation, moment du travail de la dialectique, elle est une méthode heuristique qui distingue nécessairement les trois plans du monde sensible, du monde des idées et de l'imaginaire.

Ce détour platonicien aura confirmé la singularité de l'*Utopie* et permis de préciser la dette de More à l'égard du philosophe grec. La philosophie de Platon a marqué l'*Utopie* d'une empreinte proportionnelle à sa grandeur : puissance du logos, espace-pharmakon, modèle idéal, toutes ces notions, More les doit à Platon dont l'œuvre a constitué une étape préparatoire et une condition nécessaire à l'émergence de son *Utopie*. Mais l'auteur des *Dialogues* n'est pas pour autant le créateur du genre utopique. Tout comme Alberti, More a utilisé des matériaux anciens pour construire un édifice neuf et original. Et la notion de modèle spatial, telle qu'elle fonctionne dans l'*Utopie*, et la figure textuelle dans laquelle s'inscrit ce modèle sont des créations de More. Elles sont éclairées par certaines problématiques propres à la Renaissance, dont elles ne sont pas dissociables et que j'évoquerai brièvement pour donner une dimension historique à ma lecture de l'*Utopie*.

V. MORE ET LES PROBLÉMATIQUES DE LA RENAISSANCE

Le rôle dévolu à l'espace bâti dans l'*Utopie* est solidaire d'un ensemble de recherches antérieures et contemporaines qui transitent par le champ du dessin et de la peinture, et consacrent la double valeur gnoséologique et créatrice de l'espace perçu, conçu et construit par les hommes. Le rôle de l'observation visuelle dans différentes pratiques discursives s'est affirmé au cours du xve siècle; le témoignage de l'œil commence à devenir critère de vérité, moyen privilégié de contrôle, contre le témoignage du verbe et de la tradition [1]. Lorsqu'à

1. Cf. *infra*, travaux de E. Panofsky. Pour W. Ong, le processus est amorcé bien plus tôt avec la quantification de la logique médiévale « which gave occasion to think of mental operations less by analogy of hearing and more by analogy with more or less overtly spatial or geometric forms » (« System, Space and Intellect in Renaissance Symbolism », *Bibliothèque d'Humanisme et Renaissance*, 1956). Le même auteur insiste, par ailleurs, sur la différence avec l'Antiquité

l'encontre de tous les auteurs d'éloges, plus d'un siècle avant l'*Utopie*, le chancelier Bruni commençait sa *Laudatio*[1] de Florence par la description spatiale de la ville, il préparait le terrain pour Raphaël Hythloday dont on a vu plus haut le rôle de témoin visuel. Si, en vertu d'un identique rapport avec la vérité, l'espace bâti occupe dans le livre de More la place de la loi chez Platon, c'est que désormais, pour More, homme du XVIe siècle, la vérité s'inscrit dans l'espace : le lieu de la certitude est déplacé, il se situe dans la vision et non plus dans la parole.

Entendons bien qu'il ne s'agit plus d'une vision naïve. E. Panofsky, l'un des premiers, a montré comment la construction de la perspective artificielle par les artistes du *Quattrocento* avait eu pour double effet d'exalter la subjectivité en conférant un pouvoir quasi démiurgique aux nouveaux créateurs d'espace[2] et de contribuer à l'émergence de la science moderne[3]. Même si sa formulation mathématique n'a été donnée que bien plus tard par Desargues (1636), puis Poncelet (1822), la perspective artificielle crée un espace mathématisé, continuum homogène et indifférencié que n'a pas connu l'Antiquité. Celle-ci est demeurée attachée à un espace perspectif naturel, « agrégatif » et non « systématique »[4]. Mais l'espace systématique de la perspective est aussi celui du système de coordonnées, celui qui permet à Brunelleschi de construire le premier plan à l'échelle[5]. Or l'espace modèle d'Utopie est un plan. Il renvoie à une pratique qui, disparue depuis l'Antiquité, venait de réapparaître, métamor-

---

dans laquelle le savoir se communique de personne à personne, au moyen de la parole (d'où la faveur du dialogue) et non par l'observation, au moyen de la vue. Mais il ne faut pas pour autant négliger un autre courant de pensée de l'Antiquité et faire abstraction des travaux d'histoire d'Aristote.

1. Cf. *supra*, p. 68.

2. La conquête de la perspective « pousse si loin la rationalisation de l'impression visuelle du sujet que c'est précisément cette impression subjective qui peut désormais servir de fondement à la construction d'un monde de l'expérience solidement fondé et néanmoins infini » (*La Perspective comme forme symbolique*, p. 159). Cf. aussi *L'Œuvre d'art et ses significations*, p. 129 et 128, n. 48. C'est bien cette ingérence et cette exaltation de la subjectivité que vise Platon lorsqu'il stigmatise l'encore modeste perspective *naturelle* (E. Planofsky, *Perspective*, p. 179). Cf. aussi, *supra*, chap. II, p. 144 et 160.

3. « Essai de synopsis historique », p. 115, 117 et 119. La perspective permet la transcription précise et exacte d'une observation, son contrôle et sa reproduction. Elle s'offre immédiatement aux sciences naturelles en gestation, pour la reproduction de planches anatomiques et botaniques. Cf. Panofsky, *L'Œuvre d'art*, *op. cit.*, p. 118.

4. Termes de Panofsky in *La Perspective*...

5. Cf. R. Krautheimer et T. Hess-Krautheimer, *Lorenzo Ghiberti*, p. 234.

phosée et systématisée par l'esprit de la Renaissance[1], mise au service d'une volonté d'efficace étrangère, on l'a déjà vu[2], à la pensée antique.

Par ailleurs, cette liberté productrice d'histoire que, dans l'*Utopie*, More accueille et supprime à la fois, l'octroyant sans réserves à Utopus, la refusant sans appel aux Utopiens, renvoie aux deux concepts solidaires de liberté individuelle et de transformation sociale que les philosophes de l'Antiquité n'avaient pas pensés de façon systématique, et que les humanistes de la Renaissance ont élaborés lentement, sur fond d'Antiquité. En effet, la Grèce et Rome ont pratiqué et théorisé une liberté essentiellement politique[3] et n'ont pas tenté une approche systématique du concept de transformation sociale.

On peut penser que c'est la distance qu'elle a su prendre par rapport au monde antique, à la faveur d'une mise en perspective critique que l'Antiquité n'avait jamais pratiquée à l'égard ni des autres sociétés, ni de soi-même, qui a permis à la Renaissance de de ne pas projeter ses propres valeurs sur celles des autres cultures[4],

1. Cf. *supra*, chap. i, p. 25 *sq.*, 65 *sq.*
2. Cf. *supra*, chap. ii, p. 145 *sq.* Cf. aussi, sur l'incapacité de l'Antiquité à penser en termes de rendement et d'efficacité : M. Finley, « Technical Innovation and Economic Progress in the Ancient World », *Economic History Review*, 2e semestre, no 18, 1965 ; A. Koyré, « Du monde de l' " à peu près " à l'univers de la précision », *Critique*, Paris, 1948 ; P. M. Schuhl, *Machinisme et Philosophie*, Paris, 1947 ; J.-P. Vernant, « Remarques sur les formes et les limites de la pensée technique chez les Grecs », *Mythe et Pensée chez les Grecs, op. cit.*
3. Cf. J. de Romilly, *Problèmes de la démocratie grecque*, Paris, Hermann, 1975.
4. Ce processus culturel a été mis en évidence et décrit, pratiquement dans les mêmes termes, par E. Garin et E. Panofsky. La « passion [de la Renaissance] pour l'antiquité [...] qu'elle regarde avec nostalgie [...] n'est plus une *confusion* " *barbare* " avec elle, mais une *critique* qui a pris du recul et a pu la situer dans l'histoire. Découverte et restauration de la pensée antique, cette réflexion nouvelle apparaît non comme une confusion avec son objet mais comme une mise à distance [...], recul du critique qui se met à l'école des classiques non pour se confondre avec eux, mais pour se définir par rapport à eux [...]. Une certaine image du monde antique n'était plus prise comme matériau pour une construction neuve, mais intégrée à jamais dans un moment de l'histoire en devenir » (E. Garin, *Moyen Age et Renaissance*, p. 86-87). Cf. aussi le chapitre sur « L'histoire dans la pensée de la Renaissance ». E. Panofsky montre dans tous ses ouvrages comment, à la différence de la Renaissance, le Moyen Age, qu'il s'agisse d'architecture, de sculpture ou de peinture, a intégré directement, sans recul, les signes (thèmes et motifs) qui lui parvenaient de l'Antiquité. « La *distance* créée par la Renaissance priva l'Antiquité de sa réalité. Le monde classique cessa d'être à la fois une *possession* et une menace. Il devint au contraire l'objet d'une *nostalgie* passionnée qui trouva son expression symbolique dans la réapparition, après quinze siècles, de cette vision enchanteresse,

en adoptant, à l'égard de celles-ci et de soi-même, une attitude réflexive qui aboutissait à la fois à une mise en histoire *des* sociétés et à l'attribution aux humains d'un pouvoir de rupture nouveau. Dans l'histoire des sociétés antiques qu'ils redécouvraient en même temps que s'imposait à eux leur irrémédiable distance, les humanistes italiens trouvaient non pas les vestiges d'une tradition à reconstituer dans la rétrospection, mais les éléments d'un projet dicté par la raison [1], l'idée d'une liberté [2] individuelle et radicale sans exemple, qui, par le truchement du concept de création, faisait de l'homme politique comme de l'artiste des fauteurs de rupture.

Ce moment vertigineux où se lève le vent de la critique et où meurent les dieux de la cité trouve son expression la plus lucide et la plus audacieuse dans l'œuvre de Machiavel. Lorsqu'il écrit *le Prince* ou mieux encore les *Commentaires*, ce contemporain de More assume comme nécessaire le corps à corps de l'homme politique avec une temporalité créatrice de situations toujours nouvelles et imprévisibles [3], qu'informent seules, au mépris et à l'exclusion de tout modèle [4], la force de son intelligence et la puissance de son désir.

More, lui, est moins téméraire. Pour résoudre le conflit idéel (bientôt factuel) qu'affronte l'Occident à un tournant de son destin;

---

l'Arcadie. [...] Le passé classique fut considéré pour la première fois comme une totalité séparée du présent; et de ce fait, comme un idéal à rechercher au lieu d'une réalité à utiliser et à redouter. » (*La Renaissance et ses avant-courriers.*) [*Nous soulignons.*]

1. « Imiter les cités antiques dans leurs constructions et leurs ornements signifie obéir à la raison et à la nature » (E. Garin, *Scienza e vita civile nel rinascimento italiano*, p. 46).

2. Pour l'impact de leurs lectures sur les conceptions et la pratique politique des chanceliers Salutati et Bruni, cf., en particulier, *in* E. Garin, *op. cit.*, le chapitre sur « Les chanceliers humanistes de Florence », et aussi E. Baron, *From Petrarch to Leonardo Bruni*, où le processus est admirablement analysé et résumé en une phrase, à propos de la démarche de Bruni : « The greek model served to induce patterns of thought that accelerated or even made possible the intellectual mastery of the humanists'own world » (p. 159).

3. Cl. Lefort, qui interprète les textes de Machiavel comme annonciateurs de la dialectique marxienne, montre bien la valeur que Machiavel accorde à l'instable, à la mouvance, à la discordance qui, loin d'être, comme ils le seraient chez More, signe de dégradation de l'être, en sont la substance même *(op. cit.*, p. 425 *sq.).*

4. Cf. *ibid.*, p. 433. La page fameuse du *De re aedificatoria* uniment consacrée à la ville du bon prince et à celle du tyran pourrait symboliser l'affinité qui lie le théoricien de la perspective et le théoricien de l'État, l'un et l'autre à jamais étrangers à la notion de modèle, qu'il s'agisse de l'utiliser dans l'espace ou dans le temps.

pour pouvoir intellectuellement admettre l'exercice d'une liberté individuelle dont notre époque, obnubilée par la dénonciation du « pouvoir », a oublié le scandale et la violence alors suscités par la possibilité de son déploiement, More écrit l'*Utopie*. Il invente une forme conjuratoire originale qui, en un temps de critique qui moquerait l'usage du mythe, exclu par la souveraineté du sujet énonciateur, lui permet d'enfouir l'activité d'Utopus sous les interventions en première personne de More, de Pierre Gilles et de Raphaël Hythloday, et de dissimuler un noyau mythique derrière l'apparence de la dérision.

Ainsi, tout en affirmant son appartenance à la pensée critique et réflexive, l'*Utopie*, en tant que figure textuelle ou utopie, fonctionne comme le mythe qu'elle ne peut et ne veut reconnaître : elle résout contradictions et antinomies au plan symbolique. En ce sens, L. Marin en dénonce à juste titre le caractère livresque, le fait qu'elle court-circuite le travail du réel et qu'elle n'est sous-tendue par aucune stratégie politique. En ce sens, l'*Utopie* demeure un texte oblique et non réalisateur, que seule une fausse symétrie peut opposer au *De re aedificatoria*.

Pourtant ce qu'on peut considérer comme la vocation « idéologique » de l'*Utopie* ne doit pas faire négliger le sens et les conséquences du rôle que celle-ci attribue à l'espace, des pouvoirs exorbitants dont elle le dote au plan de l'imaginaire ou de la fiction. Le noyau mythique de l'*Utopie* met en œuvre le dispositif extraordinairement ingénieux imaginé par More pour réaliser ce que nous avons appelé le stade de l'utopie et qu'on pourrait aussi désigner comme le stade du miroir social. Le héros Utopus est nécessairement un architecte. L'Utopie annonce et énonce une nouvelle efficace de l'espace bâti dont, à nouveau, comme dans le cas de la liberté, elle permet à la fois de déployer et de supprimer les pouvoirs.

Mais si se révèlent de la sorte la valeur sacrée de l'édification et la puissance des transgressions à quoi elle peut exposer ses concepteurs, une fois libérés de la tradition, le modèle spatial conçu par More n'en est pas moins un instrument réalisable. Le moment venu, lorsque les problèmes que More se posait de façon abstraite confronteront concrètement les sociétés occidentales, il pourra apparaître comme un moyen conjuratoire non plus seulement symbolique, mais opératoire.

Ainsi, avec l'*Utopie*, More a créé une figure textuelle paradoxale — un mythe en première personne — si justement accordée aux problématiques des sociétés et de la culture occidentale qu'elle n'a cessé de proliférer dans le temps, jusqu'à nos jours : permanence qui témoigne à la fois de la vitalité de certains interdits et de notre incapacité à nous libérer des démarches mythiques. Car, bien qu'à l'encontre d'un mythe la figure utopique soit la création signée d'un auteur et possède donc une version originelle, comme dans le cas des mythes, elle est partie intégrante d'un procès de reproduction. Le sens de l'*Utopie* s'accomplit dans la série des versions, plus ou moins riches et complètes, produites par les successeurs de More. On verra à la faveur d'un ultime paradoxe et d'une nouvelle déviance, certaines d'entre elles arrachées à leur vocation symbolique pour participer directement à l'instauration du monde édifié.

4. La postérité des deux paradigmes

Si le *De re aedificatoria* célèbre le temps, qui porte en soi la vie et la mort, la création et la destruction, si l'*Utopie* veut, au contraire, échapper au temps et exalte l'éternité, chacune de ces deux figures a connu, au fil des siècles classiques, le destin dont elle avait prévu qu'il devait être celui des espaces édifiés : la dégradation inévitable dans un cas, la permanence dans l'autre.

I. LE DESTIN DES TRAITÉS D'ARCHITECTURE

La première génération.

Légèrement postérieurs au *De re aedificatoria*, deux autres traités ont été écrits au XVe siècle, le *Trattato d'architettura* de Piero Averlino, dit Filarète, composé à Milan entre 1451 et 1465, et le *Trattato d'architettura civile e militare* de Francesco di Giorgio Martini, vraisemblablement élaboré entre 1481 et 1492. Ces deux ouvrages demeurèrent manuscrits jusqu'au XIXe siècle [1]. Leur diffusion et leur influence ne furent donc pas comparables à celles du *De re aedificatoria* qui les domine, en outre, par la rigueur de sa composition, par son niveau d'abstraction, par l'étendue et la qualité de la culture dont il témoigne. Filarète évite les contraintes d'un exposé théorique systématique, en choisissant d'illustrer les règles de l'édification par un véritable

1. Où ils ne connurent que des éditions partielles. Ils seront cités ici dans deux éditions critiques récentes : Filarete, *Treatise on Architecture*, éd. cit. *supra*, p. 70; nos citations en français renverront aux pages de la traduction anglaise (t. I) et aux folios correspondants du manuscrit sur lequel celle-ci a été établie, celles en italien, seulement aux folios du même manuscrit, publié en *fac-simile* par J. Spencer à la suite de sa traduction (t. II); Francesco di Giorgio Martini, *Architettura civile e militare*, t. II de l'édition des *Trattati di architettura ingegneria e arte*, établie par C. Maltese et L. Maltese Degrassi, Milan, Il Polifilo, 1967.

« roman[1] » qui lui permet de donner libre cours à sa fantaisie. De plus, la connaissance remarquable de la culture contemporaine[2] dont il fait état ne s'allie pas à une érudition historique équivalente : au fil des pages, on relève des inexactitudes ainsi que des naïvetés qui, sous le sérieux de l'humaniste introduit à la culture grecque par Filelfe, trahissent le néophyte. Quant à Francesco di Giorgio, il n'a, de son côté, ni équilibré les volumes respectifs des sept parties de son *Trattato*[3], ni lié celles-ci par un véritable enchaînement chronologique ou une relation générative, ni même jamais, nulle part, tenté de dissocier théorie et pratique[4].

Cependant, les traités de Filarète et de Francesco di Giorgio se réfèrent tous deux explicitement au *De re aedificatoria*[5], s'en inspirent et participent de la même démarche instauratrice que celui-ci. De part et d'autre, un identique recours au récit autobiographique[6] traduit la même jubilation d'un sujet créateur, au désir insatiable : « Les inventions [concernant les temples] peuvent procéder à l'infini », écrit Francesco, et, de même, « ce serait un procès infini » que de décrire toutes les forteresses inventables par l'esprit humain[7]. Comme chez Alberti, l'engendrement du bâti et sa dissémination, jamais achevable, dans l'espace, sont effectués par l'application d'un petit nombre de principes qui, s'ils ne sont pas formulés avec la même

1. C'est d'ailleurs bien comme un roman, et de la façon la plus inattendue, que commence ce « traité » : « Je me trouvais un jour dans un endroit où festoyaient un seigneur et plusieurs autres personnes » (p. 4, liv. I, 1re ligne, fo IV).
2. Cf., par exemple, la liste des peintres évoqués à propos de la décoration de la « maison du vice et de la vertu ». Déplorant la mort de Masaccio, Masolino, Veneziano..., Filarète suggère les noms d'artistes ultramontains encore vivants : Van Eyck, Rogier de la Pasture, Fouquet (liv. IX, fo 6 gr., p. 120).
3. Le premier a vingt-deux pages, le cinquième soixante-dix, le septième douze.
4. Cf. C. Maltese, *op. cit.*, p. xvii : « il présentait la particularité de ne pouvoir concevoir que l'exposé théorique pût être séparé de sa pratique personnelle de tous les jours ».
5. En ce qui concerne Filarète, dès le début du livre I, fo 1 v. Pour les rapports de Francesco di Giorgo Martini et Alberti, cf. la préface de C. Maltese, *op. cit.*, p. xlvi, où celui-ci explique, en particulier, comment la publication par Politien en 1485 du *De re aedificatoria* obligea Francesco di Giorgio à reprendre entièrement la première version de son projet de traité.
6. Cf. en particulier, d'une part, la dédicace du *Traité* de Filarète, puis les nombreuses allusions à ses différentes œuvres architecturales et aux conditions de leur création; d'autre part, le « Préambule » de Francesco di Giorgio, *op. cit.* p. 294-295.
7. *Op. cit.*, « Perochi le invenzioni possono procedere in infinito » (*Quarto Trattato*, p. 411), « pro ceno infinito » (*Quinto trattato*, p. 483).

netteté que dans le *De re aedificatoria*[1], sont cependant dominés par le postulat-métaphore de l'édifice-corps. Filarète l'énonce dès le début du livre I pour ensuite le commenter longuement, tandis que Francesco di Giorgio le développe dans les dessins anthropomorphiques de colonnes, d'églises et de villes dont son texte donne l'explication et précise les correspondances, organe après organe. De même, ces principes sont maniés avec une souveraine autorité par l'auteur-architecte-héros, grand ordonnateur du monde bâti, que Filarète compare à Dieu. Méditant sur la diversité inépuisable des édifices, parmi lesquels, comme dans le monde des créatures humaines, on ne découvre jamais deux exemplaires identiques, Filarète y lit le signe que « Dieu ayant fait l'homme à son image et désirant qu'à son tour il puisse créer conformément à cette image, l'homme exprime sa divinité dans l'infini diversité de ses bâtiments[2] ».

Si les constructions textuelles de Filarète et de Francesco di Giorgio n'accusent pas la même perfection que celle d'Alberti, du moins donnent-elles identiquement à lire l'histoire d'un sujet, que contrepointe le même jeu de règles et de schémas de fondation, et que marquent pareillement, au plan sémiotique, la première personne du singulier et ses *shifters*, avec les alternances verbales entre un présent de l'indicatif, dominant en apparence, un passé insidieux et les temps et modes (impératif, subjonctif, indicatif futur) propres à la formulation des règles.

Cet ensemble de traits communs permet de conclure à une première tradition trattatiste au XVe siècle, à laquelle chacun des deux traités postérieurs au *De re aedificatoria* apporte une contribution spécifique, et pour nous anticipatrice, dans la mesure où l'un approfondit, développe, certains aspects de la création albertienne, tandis que l'autre semble déjà la déconstruire.

Pour exposer la théorie de l'édification à un public qu'il veut plus étendu et moins lettré que celui d'Alberti[3], Filarète choisit donc la fiction. Il feint d'avoir rencontré, lors d'un banquet, un convive

1. Cf., par exemple, les six chapitres du premier livre du *Trattato* de Francesco di Giorgio, et la façon dont, dans le deuxième, celui-ci traite certains des six principes d'Alberti comme des *parties* de la maison (portes, fenêtres, escaliers, cheminées étant dissociés), auxquelles il ajoute les cabinets d'aisances, garde-manger, écuries et greniers. Pour Filarète, cf., entre autres, les difficultés de sa classification tripartite (publics, privés, sacrés) des diverses catégories d'édifices.
2. *Op. cit.*, p. 5, fº 5 r et v.
3. A son interlocuteur fictif au début du livre, Filarète précise : « [Alberti] est l'un des hommes les plus érudits de notre temps. [...] Il a écrit son très élégant

passionné d'architecture, qui serait prêt à « payer gros quelqu'un qui [lui] apprendrait comment et à partir de quelles mesures on peut réaliser un édifice bien proportionné, quelles sont les sources de ces mesures et pourquoi on raisonne et construit de la sorte, et aussi quelles sont les origines du bâtir [1] ». Après avoir rapidement indiqué les principes généraux de son art, ainsi que les origines et la taxinomie des édifices [2], Filarète décide d'en faire comprendre le maniement à son interlocuteur au moyen d'un exemple concret. Au cours d'un deuxième récit, qui s'inscrit dans le premier, il lui raconte alors comment il a, pour un client privilégié [3], procédé à la construction d'une ville [4], Sforzinda. Celle-ci ne sera pas décrite comme un modèle donné en exemple, proposé à la réplication [5]. Elle sert à illustrer une démarche et l'application d'une méthode; elle est, pour l'architecte, l'occasion d'une véritable simulation qui reprend, dans leur ordre de succession, les étapes du procès d'édification et les redouble encore, en reproduisant simultanément le dialogue de l'architecte avec son « seigneur » : dialogue qui, à la fois, donne la précédence à la théorie sur la pratique, et commente les moments successifs dont les deux interlocuteurs ont l'initiative.

Filarète relate donc d'abord la conception, puis l'exposition gra-

---

[traité d'architecture] en latin [...] quant à moi qui ne suis pas trop expert dans les lettres, j'écris en italien, et j'entreprends ce travail uniquement parce que j'aime et je connais ces disciplines, le dessin, la sculpture et l'architecture, ainsi que plusieurs autres choses et parce que j'ai accompli des recherches que j'aurai l'occasion de mentionner plus loin. C'est pourquoi je suis assez présomptueux pour penser que ceux qui ne sont pas aussi érudits seront satisfaits de mon ouvrage et que ceux qui sont plus habiles et ont plus d'érudition en matière littéraire, liront les auteurs mentionnés plus haut [Vitruve et Alberti] » (liv. I, p. 5, f⁰ 2 r).

1. P. 4, f⁰ 1 v.

2. Liv. I et liv. II (soit dix-huit pages sur trois cent huit), jusqu'au liv. I f⁰ 11 r, où commence le deuxième récit.

3. Double de Francesco Sforza qui avait commandé à Filarète l'hôpital de Milan.

4. P. 21, liv. I et début du liv. II, jusqu'à f⁰ 11 r : « J'envisage de construire une ville dans laquelle nous bâtirons tous les édifices nécessaires, chacun selon les ordres qui lui conviennent [...] Mais avant de pouvoir bâtir, il faut que je m'en entretienne avec celui qui assumera la dépense [...] Et d'abord je lui proposerai un dessin [...] Je crois que j'ai découvert le moyen de le satisfaire et je vais aller le trouver en ce moment où il n'est pas trop occupé. »

5. C'est à tort que de nombreux commentateurs ont considéré Sforzinda comme une utopie. Construite progressivement, n'étant à aucun moment érigée en modèle ou chargée de transformer des pratiques sociales, elle n'a, à l'encontre de la Gallisforma du Livre d'Or qui en présente au moins quelques traits (cf., *supra*, p. 50 *sq.*), rien à voir avec une utopie.

phique du projet, compte tenu d'un site dont le choix préalable résulte d'observations approfondies. Après discussion et acceptation du dessin exécuté par l'homme de l'art, viennent la construction d'une maquette, puis le stockage des matériaux et le rassemblement de la main-d'œuvre nécessaire. Tout est alors prêt pour entreprendre la fondation des murs, qui sera précédée par la pose de la première pierre. Ensuite, l'auditeur-lecteur assiste successivement, et toujours selon la même méthode, à la mise en place du réseau des voies et des places[1], puis à la localisation et à la construction individuelle des différents édifices publics (sacrés ou profanes) et privés, dont l'ensemble forme une ville. Chaque fois, le programme est détaillé avec une minutie à quoi concourent, par leur déploiement dialectique, l'imagination de Filarète et la volonté politique de son prince. Souvent, la discussion concernant les usages que doivent servir les différents édifices est l'occasion de propositions originales et novatrices : ainsi, dans le cas des hôpitaux[2], ou de l'école expérimentale pour vingt-cinq enfants où chacun doit pouvoir développer ses dons particuliers, à la faveur d'un enseignement modulable qui comporte à la fois les disciplines intellectuelles et manuelles[3].

Les aventures[4] des protagonistes[5] du *Trattato* de Filarète ne sont fantaisistes qu'en apparence : il n'en est pas une qui ne serve à introduire, dans la logique de la fiction, un moment précis de l'exposé des règles de l'édification, à marquer l'une des articulations d'un livre qui, bien que de façon plus attrayante, est cependant construit comme le *De re aedificatoria*, à l'aide des mêmes opérateurs[6], et dont le temps du déroulement textuel redouble le temps réel des opérations constructives. Ne voulant ici développer dans le détail l'homologie des deux ouvrages d'Alberti et Filarète, on se bornera à signaler quatre particularités du *Trattato* concernant respectivement la ville,

1. « Quand les murs furent achevés, il [le seigneur] me fit chercher et me demanda ce que je voulais faire ensuite. Je répondis que je voulais mettre la ville en place, organiser les rues, les places [...] » (p. 65, f° 37 v).
2. Liv. XI, spécialement p. 139, f° 80 r.
3. Liv. XVII, p. 228 *sq.*, f° 132 r.
4. Parties de pêche et de chasse, séjour improvisé chez des manants seront, par exemple, l'occasion de juger de la qualité du site choisi pour la ville et d'énoncer les règles ayant présidé à ce choix, tandis que la découverte de carrières de marbre introduira à la théorie des matériaux.
5. L'architecte, le prince, le fils de ce dernier, auxquels il faut ajouter tous les personnages secondaires qu'ils rencontrent (hobereaux, bergers, pêcheurs...) ou sollicitent (l'anachorète, l'interprète de la cour, la femme du prince...).
6. Non désignés comme tels par l'auteur.

le désir et le plaisir, le dessin et les rapports de la structure mythisante du texte avec les récits d'origine.

A mesure que Filarète poursuit son deuxième récit et que s'écoule le temps de la fiction, l'auditeur-lecteur assiste à l'engendrement des mêmes catégories d'édifices urbains [1] que dans le *De re aedificatoria*, mais plus étroitement subordonnées à la *totalité* du projet urbain. Si, pour Filarète, l'objet de son traité est d'énoncer les règles du bâtir, la ville en est bien la fin dernière, comme Sforzinda est celle d'un récit qui s'achève lorsque enfin elle se profile tout entière sur le ciel de Lombardie. Loin d'être un moment et une modalité particulière de l'édification, la ville, comme ensemble d'édifices, en devient l'expression synthétique. Jamais, jusqu'à la *Théorie générale de l'urbanisation* de Cerdà, à la fin du XIXᵉ siècle, la ville ne connaîtra, dans les œuvres des théoriciens, une présence aussi impérative.

Jamais non plus n'aura été marqué avec une pareille force le rôle du désir et du plaisir dans la genèse du monde édifié. Alberti, le premier leur avait ouvert le domaine du bâtir, mais à mots couverts, en taisant quasiment le nom du désir, sans désigner son lien avec le plaisir dont il faisait l'emblème du troisième niveau sans que l'office médiateur du corps dans cette relation fût clairement affirmé. Filarète, lui, introduit dans son traité le terme désir *(desiderio)* avec son halo de connotations libidinales, et présente la relation désir-plaisir *(piacere)* dans une mise en scène dramatique qui révèle toutes les implications du postulat métaphore du corps, en particulier la dimension érotique de l'esthétique architecturale. « Construire, dit-il, n'est rien d'autre qu'un plaisir voluptueux, comme celui d'un homme amoureux. Quiconque en a fait l'expérience sait qu'il y a dans l'acte de construire une telle quantité de plaisir et de désir, qu'autant qu'en fasse un homme, il en voudra toujours davantage [2]. » Cette déclaration n'est pas univoque. Elle vise en fait deux points d'ancrage différents du désir dans le procès du bâtir.

D'une part, le désir d'édifier s'exprime à la faveur de la relation privilégiée qu'entretiennent l'architecte et son client et au cours de laquelle, à tour de rôle, chacun exprime une demande que l'autre doit satisfaire : au prince qui énonce son désir et, à la demande de l'architecte, en explique et en justifie le détail, ce dernier répond par

---

1. La taxinomie de Filarète est plus détaillée que celle d'Alberti. Ainsi, parmi les édifices profanes « communs », il compte les tavernes, les bordels et les auberges dont son prédécesseur ne dit mot.

2. Liv. II, p. 16, fᵒ 8 r : « *Non e altro lo hedificáre se none un piacere volunptario chome quando l'huomo e innamorato chi la provató ilsa chenello hedificare et tanto piacere et desiderio che quanto piú l'huomo fa piú vorrebbe fare.* »

un projet qui intègre son propre désir [1] et auquel, à son tour, le prince doit répondre. D'entrée de jeu, Filarète donne à ce rapport, dont la dialectique scande son livre entier [2], sa dimension amoureuse. A ses yeux, les deux protagonistes forment un couple, uni par un véritable amour [3], où l'homme est le client, incapable de concevoir par ses seuls moyens, et la femme l'architecte qui porte en lui leur commun projet avant de mettre au monde, comme un corps vivant [4], l'édifice dont il est la « mère [5] ».

Car, d'autre part, et tel est le deuxième objet du désir de l'architecte, l'édifice est un corps. La lecture du *Trattato* de Filarète donne son sens et sa portée à l'affirmation d'Alberti [6]. Dès la dédicace à Piero de Médicis, le corps humain est posé comme paradigme et *analogon* [7]. La métaphore de l'édifice-corps, beaucoup plus insistante et développée [8] que dans le *De re aedificatoria*, apparaît comme le principe fon-

1. « Il lui faut faire divers dessins de la conception qu'il a mise au point avec le patron, en les accordant à son propre désir *(secondo la volumpta sua)* » (p. 15, f⁰ 7 v).

2. Ce rapport est décrit de façon générique dans la première partie théorique du traité (liv. II, p. 15-16). Il est ensuite repris dans le récit de la construction de Sforzinda, pour la première fois f⁰ 11 r, p. 21, puis reformulé, de livre en livre, sur le schéma initial, où le désir, que ce soit celui de l'architecte ou celui du prince, est identiquement désigné par « *la sua volunpta* ».

3. Filarète insiste à de nombreuses reprises sur la nécessité, pour le client, non seulement de respecter mais d'*aimer* son architecte (p. 18, p. 200) et, pour lui, l'apologue de Dinocrate se résume dans l'amour qu'Alexandre portait à l'architecte (p. 21).

4. « Dans le deuxième livre, nous verrons comment l'édifice est engendré de la même façon que le corps de l'homme » (p. 15, f⁰ 7 r).

5. « De même qu'aucun homme ne peut concevoir sans une femme, [...] l'édifice ne peut être conçu par un homme seul [...] celui qui désire construire a besoin d'un architecte. Il conçoit l'édifice avec lui et ensuite l'architecte le porte. Quand l'architecte a accouché, il devient la mère de l'édifice. Avant l'accouchement, il doit rêver de sa conception, y penser et la retourner dans son esprit de nombreuses façons, durant sept à neuf mois, exactement comme une femme porte un enfant dans son sein [...] Quand la naissance a eu lieu, c'est-à-dire quand il a réalisé en bois une petite maquette de l'édifice, donnant avec précision sa forme et ses proportions, alors il le montre au père » (liv. II, p. 15-16, f⁰ 7v). Filarète reprend la métaphore de la conception et de la génération pour décrire la mise au point du projet de Sforzinda. La ville réalisée portera le nom de son père (Sforza); sur le dessin initial, elle s'appellera Averliano, du nom de sa mère (Averlino) (p. 22, f⁰ 11 v).

6. Cf. *supra*, p. 89-90, 100, 134.

7. P. 10-11, f⁰ v r et v.

8. On ne trouve dans le *De re aedificatoria* ni la métaphore de l'engendrement avec ses différentes phases, ni celle de la croissance, de l'alimentation et de la formation, alors que le *Trattato* indique, par exemple : « L'édifice est vraiment un homme *(lo dimosterro ledificio esse proprio uno huomo)*. Tu verras qu'il doit manger pour vivre exactement comme l'homme [...] » (p. 12, liv. I, f⁰ 6 r). Le

damental de la théorie et de l'esthétique filarétienne. Une deuxième relation érotique informe donc le bâtir. Elle unit, cette fois, non plus deux hommes, l'architecte et son patron, mais chacun d'entre eux au bel édifice.

Devançant plus explicitement qu'Alberti la théorie freudienne du beau [1], Filarète implique directement le corps dans la genèse du sentiment esthétique. L'édifice acquiert sa beauté du fait qu'il est construit comme un corps. Et ainsi il procure à chacun des deux partenaires un plaisir indéfiniment renouvelable, en même temps qu'il suscite indéfiniment le désir de nouvelles créations. Le rôle fondateur que le *Trattato* attribue au corps, le statut qu'il désigne à l'espace terrestre, toujours déjà offert au désir d'édifier, l'affleurement permanent du plaisir charnel qu'il donne à lire comme référent du plaisir d'édifier, cet ensemble de marques, qui récusent la thèse d'un platonisme de Filarète [2], confirment du même coup mon interprétation de l'esthétique architecturale d'Alberti.

Le désir d'édifier, qu'il soit celui du prince ou celui de l'architecte, ne peut engendrer des bâtiments que par la médiation du dessin. Non que le bâti ne soit tout aussi irréductible au dessin qu'aux mots [3].

---

thème de la maladie et de la décrépitude est traité de façon dramatique par Filarète, en particulier à l'occasion de l'épisode de la découverte de Plusiapolis (liv. XIV, p. 184). Cf. aussi p. 45 : « Une ville devrait être comme le corps humain et, pour cette raison, pleine ce ce qui ouvre la vie à l'homme [...] Il n'y a rien d'autre dans ce monde que la vie et la mort. Une cité dure le temps qui lui a été accordé. »

1. Cf. *supra*, p. 134. Cf. aussi : « Il me paraît indiscutable que l'idée du " beau " a ses racines dans l'excitation sexuelle, et qu'originairement, il ne désigne pas autre chose que ce qui excite sexuellement » (*Trois Essais sur la sexualité*, *op. cit.*, p. 173).

2. Tout en reconnaissant l'intérêt du travail entrepris par J. Onians (« Alberti and Filarete, a study in their sources », *Journal of the Warburg and Courtault Institute*, t. 24, 1971) pour montrer l'apport de l'helléniste Filelfe au travail de Filarète, et comment, en particulier, il lui a permis d'être le premier des trattatistes à privilégier le rôle de l'architecture grecque par rapport à la romaine, nous pensons cependant que J. Onians surestime le platonisme de Filarète (de la même façon qu'il exagère l'influence du *De officiis* sur le *De re aedificatoria*). Les emprunts de Filarète aux trois livres de Platon (*Timée, Critias, Lois*) sont anecdotiques, et on retrouve d'ailleurs une partie d'entre eux chez le « latinisant » Alberti. Le sens du livre n'est pas donné par ses thèmes mais par l'usage qui en est fait et le propos auquel ils sont ordonnés et subordonnés. Quant à l'analogie, alléguée par J. Onians, avec la composition des *Lois*, elle est encore plus superficielle et formelle. L'hédonisme de Filarète, sa délectation dans la création architecturale s'inscrivent à l'opposé de l'ascétisme platonicien et ne trahissant aucune volonté de réforme ou de modélisation sociale.

3. Ce que sera l'édifice une fois réalisé, « ni le dessin ni les mots ne peuvent le laisser prévoir » (p. 128, liv. X, fs 74 v).

Le premier, Filarète insiste sur le fait que l'impression produite par un édifice réel est imprévisible à partir d'un projet dessiné. Mais, à la différence d'Alberti qui, essentiellement préoccupé par le rôle de la théorie dans la genèse du monde édifié, se borne, dans le chapitre consacré à la formation de l'architecte, à citer le dessin parmi les techniques nécessaires, Filarète ne cesse de se référer à l'activité graphique du praticien et d'étayer par elle sa démarche théorique. Le dialogue le montre bien qui, tout au long du récit de la construction de Sforzinda, fait alterner le « dessine-moi ce que tu vas faire » du prince [1] avec le « je vais te faire le dessin de ce à quoi correspond le désir que tu viens d'exprimer [2] » de l'architecte. La nécessité de l'intermédiaire graphique est d'ailleurs si bien ressentie par le client qu'il demande à l'architecte de lui en enseigner la pratique pour faciliter leurs rapports et une heureuse gestation de la ville [3].

Cette référence insistante à la méthode graphique est complétée par les dessins qui font partie intégrante du manuscrit de Filarète. Certains d'entre eux ont une simple fonction narrative, liée à celle du « roman » : un croquis fixe alors un paysage ou une rencontre. Cependant, la majorité des illustrations se répartissent trois rôles indissociables dans le procès de production du bâti. Ces illustrations apparaissent d'abord comme le moyen pour l'architecte de faire comprendre intuitivement, avec facilité et rapidité, à son interlocuteur-lecteur, certaines opérations qui exigeraient de longues explications ou seraient condamnées à demeurer obscures : tel est le cas aussi bien pour un récit d'origine comme celui de la voûte [4] que pour un procédé technologique comme celui de la fabrication du fer [5]. Ensuite, le dessin est le moyen de tester la bonne entente du praticien et de son client dont le désir est inscrit en deux dimensions avant d'accéder à la tridimensionnalité [6]. Enfin, le dessin soutient la créativité de l'architecte, lui donne son assise et

---

1. Cf. : « Veux-tu que je te dise comment [notre ville] sera ? Dessine-la d'abord et ensuite explique-la moi, partie par partie, avec le dessin » (t. I, p. 127, liv. X, f⁰ 73 r).
2. Cf. : « Quand j'eus compris ses désirs, je me mis rapidement à dessiner et à déterminer la situation et le style des palais qui devaient se trouver sur la place des Marchands » (t. I, p. 123, liv. X, f⁰ 70 v).
3. P. 104, liv. VIII, f⁰ 60 v; p. 92, liv. VII, f⁰ 53 v; et p. 93, fs 54 r.
4. Liv. VIII, f⁰ 59 r, p. 101 : « La voûte fut découverte lorsque la personne qui construisit la première habitation, de paille ou d'autre chose, en vint à faire la porte. Je pense qu'elle prit un morceau de bois flexible, le recourba et fit ainsi un demi-cercle. » Tous les récits d'origine de Filarète sont illustrés. Cf. Adam sous la pluie (liv. X, f⁰ 4 v), ou encore le corps humain comme référence de base des formes, mesures, proportions du bâti (f⁰ 5 v).
5. Cf. liv. XI, f⁰ 127 v.
6. P. 99, liv. VIII, f⁰ 57 v; p. 105, f⁰ 61 r; p. 106, f⁰ 62 r.

la stimule. Non seulement, c'est à travers lui que le concept prend forme, mais il possède son autonomie, son dynamisme propre, qui défie l'attente et ouvre sur l'imprévu.

On voit donc que chez Filarète le dessin s'affirme comme partie intégrante et instrument indispensable de la création architecturale. Aussi bien comme illustration du texte que par la place qu'il y occupe, il apparaît comme un véritable medium entre le verbe et le bâti. A ce titre, la figuration graphique de Filarète se relie à la fois au corps d'opérations et de principes généraux qui sous-tend tout acte constructeur en général, et à l'opération concrète, particulière et exemplaire, qu'est la construction de Sforzinda. Alors que les traités de l'âge classique attribueront au dessin pour fonction principale de constituer des catalogues de bâtiments types, Filarète, en excluant du *Trattato* toute illustration qui ne renverrait pas aux conditions *hic et nunc* de la simulation, demeure fidèle à la démarche générative d'Alberti, mais en la développant et en l'explicitant.

Enfin, le grand récit mythisant du paradigme albertien prend chez Filarète, une dimension nouvelle et, à la faveur d'autres procédés littéraires, dit clairement la relation qui lie le *Trattato* au sacré. D'une part, en effet, ce traité se pose d'emblée comme un récit historique auquel, de surcroît, les schémas de fondation de l'architecture, de la maison, de la colonne... sont clairement intégrés, sans l'écran des références littéraires qui contribuent à masquer le mouvement réel du *De re aedificatoria*. D'autre part, il inclut un autre et étrange récit[1], à tort interprété comme une fantaisie ou une utopie, et dont aucun interprète de Filarète ne semble avoir compris qu'il a pour fonction de redoubler le récit principal et fondateur pour lui donner, à son tour, une fondation.

On doit considérer avec attention cette histoire merveilleuse qui commence au livre XIV et, entrecoupée par la poursuite du récit principal relatant la construction de Sforzinda, ne s'achève qu'au livre XXI[2]. Le « seigneur » de Filarète ayant désiré compléter Sforzinda par un port qui sera nommé Plusiapolis, l'architecte se met en quête d'un site propice et, au lieu élu, découvre, enfoui dans la terre, un mystérieux coffre de pierre. Une fois ouvert, celui-ci livre des vases, des joyaux et surtout un Livre d'Or, écrit en grec, qu'il faudra faire traduire, et qui relate pour la postérité comment une ville superbe et son port furent, en des temps très anciens, élevés par un prince sur ce site.

1. Cf. *supra*, chap. I, p. 90 *sq.*
2. Il court donc de la page 177 f⁰ 101 r et v à la page 295.

Le coffre, avec les inscriptions dont il est couvert et son contenu, est l'archétype de ceux [1] (pierre gravée, coffre de marbre contenant des vases et un livre de bronze) que Filarète a voulu faire déposer, en mémorial, dans le sol de Sforzinda, lors de la cérémonie de fondation qu'il a conçue pour la ville. Davantage, la structure du Livre d'Or est reproduite par le *Trattato* de Filarète, qui en constitue une réplique, mais significativement inversée quant à la personne de son auteur. Le déchiffrement du manuscrit par l'interprète révèle, en effet, que c'est le prince disparu, Zogalia [2] (et non son architecte), qui a rédigé, à la première personne, l'histoire de l'édification de la ville de Gallisforma. Comme Filarète, Zogalia énonce d'abord les principes généraux qui y présidèrent, puis décrit, dessins à l'appui, édifice par édifice, les étapes de la construction, et reproduit sous forme de dialogue les discussions qu'il a eues avec son architecte [3].

Cette histoire, enfouie dans le *Trattato* où l'on ne peut la découvrir qu'après la traversée de deux autres récits et par l'intermédiaire d'un intercesseur, le traducteur [4], apparaît alors comme le fondement à la fois de Sforzinda (double de Gallisforma) et du traité. Pas un instant Filarète ne met en question l'autonomie de sa propre démarche. Mais ne pouvant, pas plus qu'Alberti, assumer pleinement son rôle de créateur d'espaces, non content d'avoir construit comme son prédécesseur un grand récit héroïque, il donne à celui-ci une tonalité initiatique et lui assure une double assise supplémentaire dans la légende et, métaphoriquement, dans la terre-mère.

Cette volonté de fonder l'acte de bâtir et les voies détournées qu'elle emprunte pour transgresser les lois de la tradition sacrée ne se retrouvent pas chez Francesco di Giorgio Martini, dont les récits d'origine ressemblent plus à des citations qu'à des opérateurs textuels [5]. Et s'il est conscient de la richesse de son propre apport à la pratique architecturale, s'il souligne avec fierté tout ce qui dans son livre est de son

1. *Op. cit.*, p. 44, liv. IV, f° 25.
2. Anagramme de Galeazzo, nom du fils de Francesco Sforza, le prince du récit de Sforzinda (p. 181).
3. Par exemple, p. 228, f° 132 r. De cette façon sont d'ailleurs introduits des modèles antiques, plus ou moins fantaisistes, qui fourniront à Filarète des occasions d'interprétation ou d'innovation.
4. L'accès au Livre d'Or par l'intermédiaire de la transcription du traducteur peut être interprété comme la dernière des épreuves d'un rite d'initiation.
5. Le récit d'origine des villes précède celui de la construction qu'on trouve seulement dans le quatrième traité (ou livre), consacré aux temples (*Architettura civile e militare*, p. 373-374).

cru et ne doit rien à Vitruve[1], Francesco di Giorgio ne manifeste cependant jamais à l'égard de l'architecte romain la condescendance ou la désinvolture d'Alberti et de Filarète[2]. Le respect est son attitude dominante et, plutôt que du *De re aedificatoria*, c'est du *Trattato d'architettura civile e militare* que la critique aurait été bien avisée de faire un « nouveau Vitruve[3] ».

Certes Francesco ne produit ni une copie ni une démarcation du *De architectura*. Mais, bien que son ouvrage porte la marque d'autres préoccupations, il n'a pas fait subir au traité de Vitruve la même mutation qu'Alberti. En dehors de la composition, la différence essentielle qui le sépare du *De re aedificatoria* réside dans ce rapport avec le *De architectura*. Qu'il s'agisse de texte ou de bâtiments[4], Francesco di Giorgio demeure avant tout archéologue. Ses conflits avec Vitruve portent essentiellement sur l'exactitude et la fidélité du témoignage de l'architecte romain quant aux formes et aux mesures des édifices antiques. Ils ont donc pour enjeu le « relevé » de ces monuments. L'importance du rôle joué par le relevé[5] dans le *Trattato d'architettura civile e militare* marque l'ambivalence de cette œuvre qui, tout en s'inscrivant dans le cadre de l'instauration albertienne, en prépare déjà la désintégration ultérieure par la canonisation de l'architecture antique et par la recherche typologique qui en est le corrélatif.

La régression vitruvisante.

Paradoxalement, loin de poursuivre et d'approfondir l'instauration albertienne dans le cadre tutélaire de la figure textuelle créée par l'auteur du *De re aedificatoria*, la longue lignée des traités qui ne cessent de se succéder à partir de la deuxième Renaissance jusqu'au xixe siècle est caractérisée par la valeur paradigmatique qu'ils accordent au *De architectura* et leur commune polarisation sur ce

1. Par exemple : « Mais les formes et figures variées des temples, des demeures privées [...] sont les inventions de mon modeste esprit à moi » (*op. cit.*, p. 297).
2. Cf. *op. cit.*, dédicace, fo 1 r.
3. Cf. *supra*, p. 137 *sq.*
4. C. Maltese fait très justement de Francesco di Giorgio Martini le fondateur de « la tradition de l'architecte archéologue, mieux, de l'architecte archéologue et théoricien-vulgarisateur » (*op. cit.*, p. xix). Selon lui, Francesco « veut refaire un Vitruve plus " moderne " que celui d'Alberti » (*ibid.*, p. xviii), objectif sans doute atteint au plan de la technique constructive.
5. Dès les années 1470 se développe le « recueil de relevés », genre dont celui de Sangallo offre l'exemple le plus systématique. Cf. A. Chastel, *Art et Humanisme, op. cit.*, p. 143-144.

livre. C'est pourquoi, bien que les traités d'architecture postérieurs au XVe siècle ne fassent pas retour à une mentalité pré-renaissante et que la volonté de progrès dont ils sont animés interdise de les taxer d'archaïsme, le rôle central par eux attribué au *De architectura* autorise à parler à leur endroit de régression *vitruvisante*.

Certes, la grande dimension volontariste et rationaliste conquise par Alberti demeure vivante et affirmée avec vigueur, depuis le traité de Serlio (1537[1]) jusqu'à celui de J.-F. Blondel (1771-1777). Toujours sûre d'elle lorsqu'elle cautionne les énoncés, la prise de parole en première personne en arrive même parfois, chez Palladio [2] par exemple, à friser la complaisance dans le récit autobiographique. Dans chacun de ses *quatre livres d'Architecture*, le maître de Vicence revendique ses apports personnels, renvoie à ses propres œuvres construites [3] (référence qui deviendra un trait constant des traités) et, à travers l'éloge formel de l'architecture [4], toujours entendue comme activité édificatrice au sens le plus large, continue de faire coïncider les deux figures de l'architecte-auteur et de l'architecte-héros.

Certes, les traités d'architecture vitruvisants conservent aussi leur rôle à l'histoire et à la temporalité : certains iront jusqu'à intégrer, sous forme d'esquisses encore schématiques, les éléments d'une histoire

1. Date de publication des *Regole generale sopra le cinque maniere degli edifici* (Venise) qui deviendront le « Troisième livre » de son traité complet.

2. Cf. l'Avant-propos du Premier Livre d'architecture. Le pronom personnel *je* est employé dix fois dans la première page, et les pronoms réfléchis et personnels quinze fois. Le texte commence par : « Une inclination naturelle me porta dès mon jeune âge à l'étude de l'architecture. » Cf. aussi liv. II, chap. III, où Palladio décrit ses rapports avec ses patrons. Nos citations de Palladio sont tirées de la traduction en français des *Quattro Libri* par Leoni, publiée à La Haye en 1726.

3. Celles-ci sont mises en parallèle avec celles de l'Antiquité. Serlio inaugure cette démarche d'autocitation qui s'appuie essentiellement sur le dessin. Cf. *infra*.

4. Cf., par exemple, l' « Epistre au lecteur » du *Premier Tome de l'architecture* de Philibert de l'Orme (édit. 1568), qui fait venir de Dieu « la dignité, l'origine et l'excellence de l'architecture », dont il souligne qu'elle est « nécessaire au monde ». Cf. aussi Scamozzi, *L'Idea dell' Architettura universale*, Venise, 1615, liv. I, chap. I; et surtout, de J.-F. Blondel, un des plus beaux éloges de l'architecture dans le style albertien. Deux phrases en donneront la tonalité :

« C'est l'Architecture qui fait éclore tous les genres de talents relatifs aux besoins des hommes, qui fait naître l'émulation des Citoyens voués aux Beaux-Arts [...]

« Si nous considérons ce que nous devons à l'Architecture, et tous les avantages que nous en recevons, nous trouverons que les trésors de la nature ne sont véritablement à nous que parce qu'elle nous en assure une tranquille possession. » (*Cours d'Architecture*, Paris, 1771-1777, t. I, introduction, p. 118-119.)

de l'architecture occidentale[1]; tous, se proposent de contribuer au progrès d'une discipline en constant développement depuis ses modestes débuts.

Mais malgré ces traits formels et thématiques, et par une étrange ruse de l'histoire si l'on songe qu'Alberti s'était servi de Vitruve, comme plus tard Machiavel de Tite-Live, pour mieux prendre ses distances à l'égard de l'Antiquité et imposer l'originalité de sa propre création, le premier chaînon de la tradition textuelle dont se réclament les trattatistes à partir du XVIe siècle n'est pas le *De re aedificatoria*, mais les *Dix Livres d'architecture*.

Le procès-verbal de la première séance régulière de l'Académie d'architecture[2], tenue à Paris le 4 février 1672, énonce exemplairement la valeur référentielle de ce livre que l'Académie lira et relira jusqu'au milieu de la Révolution[3] : « Ayant esté mis en délibération quelle est l'authorité de Vitruve et quelz sentiments l'on doit avoir de sa doctrine, tous ont esté d'avis qu'il fault le considérer comme le premier et le plus sçavant de tous les architectes, et qu'il doit avoir la principale authorité parmy eux. Que, pour le fait de sa doctrine, elle

---

1. Cf. Palladio, liv. IV, chap. XVII, p. 35 : l'architecture sort des « ténèbres ». « car, sous le pontificat de Jules II, Bramante, le plus excellent des architectes modernes et très grand observateur des antiques, bâtit à Rome de très beaux ouvrages; après lui vinrent Michel Angelo Bonaroti, Giacomo Sansovino, Baldasare da Siena, Antonio da Sangallo, Michel de San Michele, Sebastiano Serlio [...] ». Cf. aussi Scamozzi qui, dans l'*Idea dell' architettura universale*, 1re partie, liv. I, chap. VI *(Alcuni architetti e scrittori moderni d'architettura)*, réintègre les siècles obscurs, mentionne des réalisations anonymes et fait commencer la liste nominative à Lappi (1250) pour continuer avec Brunelleschi, Michelozzo, Michelozzi, Alberti... Cf., enfin, J.-F. Blondel qui introduit son *Cours* par un « Abrégé de l'histoire de l'architecture », structuré par l'idée d'une progression constante, mais qui, avant de faire partir « la renaissance de la belle architecture » de « la fondation de la basilique de Saint-Pierre de Rome », ne néglige cependant pas le Moyen Age français. Ce n'est point dire que des tentatives n'aient antérieurement été faites dans ce domaine. E. Panofsky fait remonter à Filarète le « premier récit de cette *Geschichtskonstruktion* » dont, pour lui, les étapes ultérieures auraient été écrites par Manetti puis, au XVIe siècle, par les auteurs de la lettre à Léon X, *la Renaissance et ses avant-courriers (op. cit.*, p. 25-26).

2. A la séance inaugurale, le 31 décembre 1671, il a été précisé : « Tous les jeudis de la semaine, à pareille heure, se feront des assemblées particulières des personnes nommées par Sa Majesté pour conférer sur l'art et les règles de l'architecture et dire leur avis sur les matières qui auront été proposées, selon l'estude et les observations que chacun aura faites *sur les ouvrages antiques et sur les escrits de ceux qui en ont traité* [...] » (*Procès-verbaux de l'Académie royale d'architecture*, t. I, p. 3). [*Nous soulignons.*]

3. Le lundi 18 juillet 1791, « l'Académie s'est entretenue de plusieurs chapitres de Vitruve » (*ibid.*, t. IX, p. 179).

est admirable en gros et à suivre sans s'en départir, aussy bien que dans la meilleure partie du détail, dont il sera fait le discernement par l'assemblée dans son temps [1]. »

Vitruve, détenteur de l'autorité, objet d'étude nécessaire, référent obligatoire de tout travail architectural (théorique et appliqué), tel est bien le *credo* de tous. Par exemple, Palladio, dès l'avant-propos du premier livre de son traité, précise qu'il se « propose de prendre Vitruve pour maître et pour guide [2] », et F. Blondel, dans le titre même de la première partie de son livre, indique qu'y « sont expliqués les termes, l'origine et les principes d'architecture et les pratiques des cinq ordres *selon la doctrine de Vitruve* [3] ».

Comment expliquer cette faveur et l'empire exercé par Vitruve, sinon en tant que corrélats de l'empire et de la faveur stylistiques dont jouissaient les modèles antiques remis à l'honneur par la culture et l'architecture de la Renaissance? Dans cette optique qui, on l'a vu, est déjà celle de Francesco di Giorgio, Vitruve devient un témoin privilégié. Non seulement il est détenteur de règles que l'observation méticuleuse des vestiges de l'Antiquité ne permet qu'à grand-peine de retrouver, mais lui seul peut en expliquer certaines particularités. Son autorité résulte de la dialectique qui lie le travail d'exégèse des humanistes (philologues, historiens et philosophes) au travail archéologique des architectes, pour lesquels les mensurations de ruines antiques inaugurées par Alberti, archéologue avant d'être architecte, deviennent, comme les relevés graphiques, partie intégrante de la formation et de la pratique architecturale [4].

---

1. *Ibid.*, t. I, p. 6. La lecture de Vitruve se poursuit jusqu'au 28 février 1672, date à laquelle l'assemblée décide de repousser ses travaux jusqu'à la publication de la traduction de Perrault, celle de Jean Martin lui semblant trop défectueuse. Elle commence alors la lecture de Palladio, en confrontant la traduction de Fréart de Chambray au texte original (*ibid.*, t. I).

2. *Op. cit.*, p. 1.

3. *(Nous soulignons.)* La référence vitruvienne n'implique pas pour autant que Vitruve ne puisse être amélioré. C'était déjà la position d'Alberti avant d'être celle de Francesco di Giorgio, de Serlio et puis de l'Académie d'architecture dès 1708 (*op. cit.*, t. III, p. 285). Significativement, c'est sous la couverture de Vitruve, que, dans sa traduction, et plus encore dans son *Abrégé des dix livres d'architecture de Vitruve* (Paris, 1674), Perrault exprimera ses propres idées. Cf. les dernières lignes de l'avertissement de l'*Abrégé* : « Car on ne peut douter que Vitruve estant un aussi grand personnage qu'il est, son autorité jointe à celle de toute l'antiquité, qui est renfermée dans ses écrits, ne soit capable en prévenant les Apprentis et en confirmant les Maistres, d'établir les bonnes maximes et les véritables règles de l'Architecture. »

4. Cf. le livre III de Serlio : « *Ne quale sono descritti e disegnati la maggior parte de gl'edifici antichi di Roma* [...]. » Cf. aussi la remarque significative de l'introduction biographique de l'édition française de Palladio : « Sa principale

R. Wittkower [1] a montré l'impact des échanges entre philosophes-philologues et architectes sur les caractères d'une architecture devenue « savante » et qui cite Platon. Les études vitruviennes sont prises dans la même problématique que les études platoniciennes, quand d'ailleurs elles n'en sont pas une retombée. Pour déchiffrer les dix livres du *De architectura*, abondants en obscurité et en énigmes, les humanistes appellent les architectes à leur aide et les mettent à contribution pour élucider le problème des relations entre les arts libéraux et les arts mécaniques [2] et poser à l'écrivain romain la question de la méthode. Il leur faut cerner et définir la démarche que Vitruve propose au bâtisseur, puis confirmer la justesse de leur analyse, et éventuellement la modifier, par l'étude directe des édifices antiques et de leurs vestiges. C'est dans cet esprit que Trissino, le premier, introduit Palladio à Vitruve, avant que Danièle Barbaro ne l'associe étroitement à son édition critique du *De re architectura*, publiée en 1556.

Du fait de la curiosité des lettrés et des difficultés de son interprétation, le texte de Vitruve échange sa valeur relative de témoin contre une valeur absolue; et, par un processus métonymique, le livre qui pouvait offrir la clé d'une pratique disparue devient la clé de la pratique contemporaine.

Il est significatif que les auteurs du XVIIe et du XVIIIe siècle classent les traités modernes selon une hiérarchie que détermine leur fidélité à Vitruve, ainsi que la valeur de leur contribution à la compréhension du *De architectura* et de la véritable tradition antique. Si l'appréciation, et donc l'ordre de classement des traités, varie d'un auteur à l'autre, le même principe de classement vaut pour tous. Ici encore, on peut, à titre illustratif, renvoyer aux travaux de l'Académie d'architecture qui, au cours des réunions qui suivent immédiatement sa séance inaugurale, discute et établit le palmarès en fonction duquel sera déterminé l'ordre de ses lectures : Palladio à qui l' « on peut donner la première authorité parmi les architectes modernes et [qu'on peut] suivre sans hésiter dans ses enseignements généraux [3] » occupe, dans le classement absolu, la première place après Vitruve, et avant

---

étude fut d'examiner les monuments de l'ancienne Rome; et il le fit avec un soin et une recherche tout extraordinaires [...] et ce fut en fouillant dans les masures [des anciens] qu'il déterra les véritables règles d'un art qui jusqu'à son temps était demeuré inconnu [...]. » Palladio indique lui-même qu'il fit des ruines « sa principale étude » et se transporta « exprès en divers lieux [... pour] les réduire en dessin » (*op. cit.*, p. 1).

1. *Architectural Principles in the Age of Humanism, op. cit.*
2. Cf. L. Puppi, *Andrea Palladio*, Londres, Phaidon, 1975, p. 18.
3. *Op. cit.* t. I, p. 6.

Scamozzi qui « doit avoir le second rang entre les modernes [1] », puis Vignole, Serlio et, loin derrière eux, Viola et Cataneo. A Alberti, l'Académie reconnaît un statut particulier et quelque peu contradictoire, puisque après avoir officiellement couronné Palladio, elle indique, au cours de la séance ultérieure du 17 mars 1672, qu' « après Vitruve, il est celuy qui a le plus doctement escrit de l'architecture [2] ». Ainsi, Alberti ne peut, dans la meilleure hypothèse, que venir second, après Vitruve [3], quand il n'est pas simplement ignoré [4] ou relégué à une place de figurant [5].

La focalisation des nouveaux trattatistes sur le *De architectura* est lourde de conséquence. Se tourner vers ce texte c'est se détourner d'Alberti, déplacer son propos qui était de dépasser Vitruve en allant plus loin, mais surtout ailleurs, dans un questionnement et une ouverture qui attendaient d'être poursuivis et développés par les générations suivantes. Que peut, à l'inverse, signifier le retour à Vitruve, dont l'information scientifique ou technique est anachronique et la contribution à une théorie de la création architecturale réduite, sinon s'enfermer dans une stylistique?

Aussi est-ce une quasi-ordination [6] que cette entrée dans la spécu-

---

1. *Ibid.*, p. 7.
2. « Ayant rempli ses ouvrages d'une infinité de conoissances très utiles aux architectes, et qu'ainsy il doit estre considéré comme un autheur plustost que comme un ouvrier de bon goust, comme l'on le fera voir plus amplement » (*ibid*, p. 12).
3. Comme c'est le cas dans les *Quattro Libri* où Palladio le cite après Vitruve, dès la première page de son avant-propos. Philibert de l'Orme, qui renvoie très fréquemment à Alberti, semble également lui accorder la deuxième place. De même, Henry Wotton, qui prend le *De re aedificatoria* comme modèle de ses *Elements of Architecture* (Londres, 1674), indique dès sa préface que : « *our principal master is Vitruvius* », pour ajouter aussitôt qu'à ses yeux Alberti est « *the first learned architect beyond the Alps* ».
4. Serlio ignore superbement Alberti et ne le mentionne même pas dans son deuxième livre sur la perspective, placé sous le signe de Vitruve.
5. Scamozzi, dont on verra plus loin qu'il est l'un des seuls à être demeuré fidèle à l'esprit d'Alberti, lui attribue la quatrième place après Filarète et Sanese, avant Serlio, Bluon, Cataneo, Philibert de l'Orme et Palladio. Pour F. Blondel, parmi les principaux sectateurs de Vitruve, « les trois plus habiles architectes ayant écrit entre les modernes sont Vignole, Palladio et Scamozzi ». Dans sa préface, il distingue ces architectes, « qui ont l'approbation la plus universelle », des « principaux interprètes ou imitateurs [de Vitruve] comme sont Philander, Daniele Barbaro, Cataneo, Serlio, Léon-Baptiste Albert et d'autres [...] ».
6. « L'ordination vitruvienne » présente une double face métaphorique, car la rupture avec le monde imprévisible du désir s'accompagne de l'entrée dans l'ordre architectural. C'est le début du ghetto professionnel, si souvent dénoncé depuis ces dernières années, où se sont enfermés les architectes.

lation sur les ordres, qui oblige du même coup à renoncer à la mondanité albertienne, à l'historicité et à l'univers de la demande et du désir qui sous-tendaient le projet de l'auteur du *De re aedificatoria*. L'élaboration d'un système de règles génératives, la construction d'un édifice méthodologique à valeur métaphorique cessent d'être le propos des nouveaux trattatistes, du moment qu'ils optent pour les règles vitruviennes.

La disparition de ces objectifs condamne la figure textuelle créée par Alberti à disparaître ou, chez les nombreux auteurs qui voudront la conserver, à perdre sa signification. L'ordre qui lie les livres et les chapitres des nouveaux textes se relâche, quand il ne devient pas arbitraire. Qu'on se reporte seulement aux *Sept Livres* de Serlio. Loin de constituer une totalité, ils se présentent comme une juxtaposition de sept textes autonomes dont les deux premiers, un traité de géométrie élémentaire et un traité de perspective appliquée au problème du théâtre[1], proposent une méthode d'analyse et de conception; les cinq autres sont des inventaires : un recueil d'édifices célèbres empruntés à la Rome antique, à la Rome moderne et à l'Égypte, des catalogues typologiques respectivement consacrés aux ordres, aux temples, aux portes et enfin à des édifices variés, publics ou privés.

De même, les principes et postulats, s'ils sont encore mentionnés[2], perdent leur fonction d'opérateurs du texte où ils n'ont plus leur emplacement réglé. Ils sont cités au hasard, comme par acquis de conscience, amalgamés à des directives pratiques[3]. Les six principes albertiens sont totalement abandonnés par les trattatistes de l'âge

1. Seule la liaison des deux premiers traits est affirmée : « *havendo io trattato nel primo libro di geometria, senzo laqual la prospettiva non sorebbe* » (*Tutte l'opere d'architettura el prospetiva di Sebastiano Serlio*, Venise, 1619, p. 18). C'est seulement à partir de cette introduction au deuxième livre que Serlio utilise la première personne du singulier, qui n'était apparue qu'incidemment dans la conclusion du premier livre.

2. Serlio est sans doute celui chez qui l'utilisation du dessin supplante le plus complètement le recours aux principes et aux règles. Non seulement ceux-ci n'engendrent plus la construction du livre, mais ils ne servent pas davantage à celle des édifices.

3. « Avant que de commencer à bâtir, il faut considérer et examiner soigneusement le plan et l'élévation de l'édifice qu'on se propose de faire. Vitruve enseigne de prendre garde à trois choses, sans lesquelles un édifice ne peut être estimé; savoir la commodité, la solidité et la beauté », telles sont les lignes introductives du premier chapitre du premier livre de Palladio. On voit qu'il place sa démarche méthodologique sous l'autorité de Vitruve, donne priorité au dessin sur l'analyse conceptuelle, altère l'ordre logique de succession de la triade *necessitas, commoditas, pulchritudo*, montrant par là qu'elle a cessé de jouer un rôle dans la construction de son texte.

classique. Au XVIᵉ siècle, ils gardent encore une résonance, confuse dans les *Quatre Livres* de Palladio, précise dans le traité de Philibert de l'Orme, seul à conserver des opérateurs directement empruntés au *De re aedificatoria*. Mais la régression est impressionnante, que trahissent les sept « parties » de ce dernier : ayant perdu l'exhaustivité et la valeur structurale des six opérations albertiennes, elles ne servent plus à construire le texte et sont, de surcroît, rattachées individuellement aux « sept estoilles errantes appelées Planettes [1] ».

De même encore, les récits de fondation, quand ils ne se bornent pas à reproduire la lettre de Vitruve sur les ordres et les colonnes, ne représentent plus que des vestiges anecdotiques, parfois faiblement fonctionnels. Au mieux servent-ils localement à fonder certaines règles, comme c'est le cas chez F. Blondel [2], mais ils ne sont jamais intégrés dans la construction du livre [3].

L'impact le plus spectaculaire de la régression vitruvisante sur la structure textuelle des nouveaux traités est cependant représenté par la rupture de l'équilibre élaboré par Alberti entre les trois niveaux de la nécessité, de la commodité et de la beauté, au profit de ce dernier. Le niveau de la délectation esthétique, à peu près entièrement absorbé par les règles concernant les ordres, cesse d'être envisagé dans sa rela-

---

1. C'est dans son « Epistre au lecteur » que de l'Orme énumère les « parties [des bâtiments] qui sont en nombre sept : sçavoir est, murailles sans lesquels le bastiment ne peult estre [...]; portes pour y entrer; cheminées pour le chauffer; fenestre pour y donner clarté; l'aire et pavé pour le soustenir et cheminer; plancher où sont les poutres et solives pour fermer et serrer les salles [...] et pour la dernière et septième partie, les couvertures et charpenteries [...] pour ouvrir le logis et défendre les habitants contre les injures de l'air et les larrons ». On voit que les principes de situation et de partition ont complètement disparu, tandis que portes, fenêtres, cheminées d'une part, plancher et couverture de l'autre, ont cessé d'être réunis sous les principes d'ouverture et de couverture. Philibert note cependant : « Desdictes sept parties, l'architecte ne peult aucunement ayder séparément et à part [...] mais bien les agglutinant et accomodant ensemble » (*op. cit.*, a, i, j, recto et verso).
2. Cf. la description de la cabane grecque « manière de bâtiment qui en effet est la plus simple et la plus naturelle de toutes et que les anciens architectes de la Grèce se sont proposée pour modèle à imiter dans leurs plus beaux édifices et se sont servis de tous les membres comme de patrons [...] » (*Cours d'Architecture*, Paris, 1675-1683, 1ʳᵉ partie, liv. I, chap. I, p. 3).
3. Le récit de fondation conserve, exceptionnellement, une trace de sa fonction d'opérateur du texte chez Palladio, qui justifie sa décision de traiter les édifices privés avant les édifices publics en invoquant les premiers temps de l'humanité : « Étant encore fort vraisemblable que les premiers hommes avaient leurs demeures séparées : puis connaissant avec le temps que pour leur commodité et pour vivre heureux [...] la compagnie des autres hommes leur était aussi nécessaire que naturelle, ils se recherchèrent les uns et les autres et en s'approchant formèrent d'abord les villages dont ils firent des villes [...] » (*op. cit.*, p. 3).

tion avec les deux niveaux précédents dont il représentait la finalité et le couronnement, mais sans lesquels, en revanche, il n'avait pas d'existence possible : aucune beauté ne pouvant être obtenue du moment que ne sont, au préalable, appliquées et respectées les règles de la solidité et de la commodité. Détaché de l'ensemble du procès constructif par un jugement de valeur[1], le troisième niveau devient l'objet privilégié des auteurs de traités et, à la limite, le seul digne d'intérêt. Les deux premiers niveaux, tout importants qu'ils puissent être dans le déroulement réel de la construction, sont considérés comme ne méritant pas que le théoricien s'y attarde : ils ressortissent à la trivialité du quotidien, vont de soi, en quelque sorte, puisque « tout ce qui fait la salubrité, la solidité et la commodité d'une habitation est à peu près autant naturel que la nécessité de nous vêtir, de manger et de chercher tout ce qui nous est propre et de fuir tout ce qui nous nuit[2] ».

A la limite, cette conception aboutit à l'exclusion pure et simple des deux premiers niveaux, comme c'est le cas dans le traité de Vignole[3], qui ne traite que des ordres. Chez les autres auteurs, le nouveau statut de la beauté est marqué par des traits précis. Tout d'abord, lorsque les concepts de commodité et de nécessité conservent un minimum de pertinence et d'impact sur l'organisation du livre et ne sont pas absorbés et intégrés dans le traitement typologique des édifices, on constate une inversion de l'ordre chronologique ou

1. Le processus peut être illustré par la façon dont a été traduite *l'Idea dell' architettura universale* de Scamozzi, que l'Académie avait inscrite une première fois à son programme en 1681, et dont la lecture fut remise ensuite jusqu'à la publication de la traduction de D'Aviler (1685). Celle-ci, qui demeurera la seule traduction française (augmentée en 1713 des additions de Samuel du Ry, consistant en deux pages [sur quatre-vingt-dix-sept] du livre I et trois pages [sur cent vingt] du livre II de Scamozzi), est le résultat d'une coupe sombre opérée sur le livre VI (qui représente environ un quart de l'ouvrage total). La préface dans laquelle D'Aviler justifie sa sélection mérite d'être citée car elle éclaire la signification et la valeur nouvelles des ordres : « on a jugé à propos de donner seulement au public ses ordres tirés du VIe livre [...] qui est la matière dont l'usage a plus d'étendue et qui est la plus pratiquée par les architectes [...] l'on a pas jugé à propos de traduire tout entier ce sixième livre [...] on sait que tout ce qu'on en a retranché est fort beau, mais aussi qu'il est *fort peu convenable au sujet*, telles que sont quantités d'histoires et fables, tout ce qui regarde la géographie ancienne et les raisonnements de physique et de morale *qui sont de pure spéculation et pour entretenir tout autres gens que ceux de la profession*. Mais lorsqu'il a fallu expliquer ce qui estait *purement d'architecture*, on a suivi l'autheur mot à mot, comme dans la description du chapiteau ionique ». (*Nous soulignons.*) Sur la portée de ces lignes, cf. *infra*, p. 238 et 240 *sq.*

2. F. Blondel, *op. cit.*, p. 765.

3. Cf. *supra*, chap. I, p. 42 *sq.*

génératif dans lequel le *De re aedificatoria* faisait se succéder les trois registres du bâtir[1]. Renversement encore mal assumé et à demi-masqué chez Palladio qui aborde les ordres dès son premier livre consacré aux principes généraux de l'édification[2], mais ne va pas jusqu'à leur donner la première place parmi ceux-ci et les traite après les règles concernant les matériaux, le choix du terrain et les fondations, et avant les chapitres consacrés aux galeries et chambres[3], voûtes, portes, fenêtres, cheminées, escaliers et couvertures. Renversement triomphant chez les Blondel qui précisent d'emblée leur décision de commencer par « [la] partie de l'architecture [...] la plus considérable [...] celle qui sert à la beauté des Bâtiments[4] », ou encore, selon la terminologie de Jean-François, « par la décoration, avant de parler des deux autres parties qui [...] regardent la distribution et la construction[5] ».

La prise de position de J.-F. Blondel ne va cependant pas sans ambiguïté pour le lecteur attentif qui pourrait être abusé par des déclarations ultérieures. En effet, l'architecte qui consacre l'essentiel de son traité à étudier comment les ordres contribuent à la beauté des édifices, qui, le premier, dans le cadre d'une esthétique, tente explicitement d'élaborer une sémiotique architecturale[6], cet architecte met cependant ses élèves en garde contre les abus du grand style : « Nous saurons nous interdire l'application [des ordres] si le bâtiment est sulbalterne [...] enfin si le propriétaire est d'une condition et d'une fortune qui ne puisse le lui permettre [...] Nous abusons des objets les plus sublimes, nous en décorons jusqu'à nos maisons à loyer[7]. » En outre, après avoir désigné la distribution[8] comme « la seconde branche de l'architecture [...] pour ainsi dire ignorée de nos anciens architectes » et « la seule partie sur laquelle nos architectes [contemporains, qui lui ont pourtant fait accomplir de grands progrès] ont le moins écrit[9] », il cherche à en étayer l'importance par un récit

---

1. Il faut aussi noter les cas (cf. Serlio) où le livre sur les ordres a été composé en premier, puis rangé *a posteriori* à une place prédéterminée.

2. Parmi lesquels on reconnaît, disloqués, mêlés à des éléments hétérogènes et réifiés, les six principes d'Alberti, auxquels Palladio ne fait jamais de référence explicite.

3. Chap. XXI. Les chambres donnent l'occasion de traiter la partition.

4. F. Blondel, *op. cit.*, préface.

5. J.-F. Blondel, *op. cit.*, t. I, préface, p. XVII.

6. Cf. *infra*, p. 229, n. 3.

7. *Ibid.*, t. II, avant-propos, p. XXVIII et XXIX.

8. Notion plus restreinte que la *partitio* d'Alberti. Dans un seul cas (liv. IV, chap. IX), Alberti emploie *distributio* au sens de *partitio*.

9. *Ibid.*, t. IV, p. 100 et 107.

d'origine qui prend comme archétype les constructions de cire des abeilles, et il déclare sans ambages que « *la convenance doit être regardée comme la partie la plus essentielle de toutes les productions de l'architecte* [1] ». Cependant, une fois posées ces prémisses, qui évoquent les mises en garde d'Alberti et semblent reprendre ses positions sur la *commoditas*, la réflexion sur la distribution n'occupe qu'une trentaine de pages du volume pour s'achever dans l'analyse de la distribution de châteaux célèbres. En fait, les remarques les plus intéressantes sur la convenance sont situées non pas au livre V, mais, au mépris de la logique, dans la partie du livre II consacrée au « caractère qu'il conviendrait de donner à chaque genre d'édifices [2] ».

Autre signe du privilège de la beauté et des ordres, l'inversion de la séquence albertienne s'accompagne dans les traités post-albertiens d'une réduction drastique de l'espace consacré aux premier et deuxième niveaux. François Blondel dédie seulement soixante-quinze de ses huit cent quarante-deux pages aux problèmes de construction tandis que, sur les six volumes de Jean-François, quatre et demi concernent la beauté et les problèmes soulevés par les règles des ordres.

Rien d'étonnant, dans ces conditions, que la ville, en tant qu'édifice spécifique et global, disparaisse des traités de la deuxième Renaissance et de l'âge classique qui tendent à éliminer la commodité. La figure de la ville s'estompe derrière certains types d'édifices qui, dans le registre désormais premier et presque exclusif de la beauté, ont seuls le privilège de la représenter. Au XVIᵉ siècle, le traité de Palladio est le seul à conserver une place à la ville, mais sans commune mesure avec celle que lui réservait le paradigme albertien. Par la suite, c'est principalement comme support de la circulation des personnes, des véhicules et des eaux au moyen de rues, ponts, aqueducs et égouts, que la ville en tant que totalité conservera, dans certains traités [3],

---

1. *Ibid.*, p. 109. *(Nous soulignons.)*
2. Au chapitre IX de ce livre, concernant les édifices « érigés pour l'utilité publique », on signalera, en particulier, les pages consacrées aux manufactures (398-399), aux marchés (424-428), halles (428-430) et boucheries (434-439). Encore une fois, la comparaison s'impose avec les règles « organiques » d'Alberti.
3. Cf. F. Blondel, *op. cit.*, 5ᵉ partie, liv. I (ponts), liv. II (aqueducs, cloaques) : les références aux travaux antiques sont plus nombreuses que les mentions des réalisations contemporaines. Chez J.-F. Blondel, en revanche, on perçoit la fascination exercée au XVIIIᵉ siècle par les travaux des ingénieurs. Cf. *op. cit.*, avant-propos du t. II, p. XXXVII, ou encore la notation suivante, à propos des réalisations parisiennes : « ne quitons pas ce séjour enchanté sans parler d'une des plus belles entreprises qui se soient faites en France dans ce siècle et même dans les siècles précédents, c'est le pont de Neuilli » (*ibid.*, t. I, p. 107).

une présence spécifique, non exclusivement métonymique et esthétique.

Dans la mesure où les traités néo-vitruviens tendent ainsi à limiter leur propos au champ des ordres et de la beauté, ils réduisent l'étendue des pouvoirs de l'architecte et sa puissance créatrice. En dépit des éloges de l'architecture qui subsistent et constituent de véritables morceaux de bravoure, le démiurge albertien a déserté ces textes. A l'organisateur du cadre de la vie des humains, à l'architecte-héros, succède l'architecte-artiste qui n'a plus de transgressions à conjurer et peut théoriser en paix les règles de la beauté. Une nouvelle thématique envahit les traités, qu'on a vu s'esquisser dans la troisième partie du *De re aedificatoria*. La théorie de la beauté absolue des ordres enferme l'architecture et les architectes dans un système stylistique.

Il ne peut être question d'évoquer ici les polémiques qui opposent beauté positive et beauté relative [1], ordres et disposition, ordres et proportion. Ce sont les limites du système stylistique qui sont là en jeu et la marge, faible, d'intervention possible de l'architecte dans l'application de ses règles. Que ce système (sémiotique) lui soit imposé par la nature ou par la société, la créativité de l'architecte est désormais cantonnée dans le champ d'une poétique [2]. Autrement dit, le seul pouvoir qui lui reste est un pouvoir d'expression : « L'architecture, comme la musique et la poésie, est susceptible d'harmonie et d'expression [3]. » En la transposant dans le champ du bâtir, J.-F. Blondel est, à l'âge classique, le premier théoricien à donner un contenu élaboré à la célèbre métaphore d'Horace, « *ut poesis, pictura* », et à détailler le pouvoir d'expression de l'architecture. Il a, non sans fermeté, dessiné la silhouette de l'architecte-poète, seul susceptible de se substituer et de succéder à l'architecte-héros, comme protagoniste d'un texte d'où les domaines de la nécessité et de la commodité

---

1. Cf., en particulier, sur cette question, W. Herrmann, *The Theory of Claude Perrault*, Londres, A. Zwemmer, 1973, qui fait le point sur la querelle Perrault-Blondel en montrant les contresens auxquels a conduit la notion de beauté positive.

2. Cf. E. Benvéniste, *Problèmes II*, p. 65, et aussi I. Lotman, *op. cit.*

3. J.-F. Blondel, *op. cit.*, t. II, avant-propos, p. XLVI. La comparaison est développée au profit de l'architecte, p. 230 et 231. Cf. aussi, t. IV, Dissertation, p. IV : « Le style dans l'ordonnance des façades et dans la décoration des appartements est au figuré la poésie de l'architecture, coloris qui contribue à rendre toutes les compositions d'un architecte véritablement intéressantes. C'est le style convenable aux différents objets qui amène à cette variété infinie dans les divers bâtiments [...] En un mot, le style dont nous parlons, semblable à celui de l'éloquence, peut parvenir à faire peindre à l'architecte le genre sacré, le genre héroïque [...] »

ont été effacés. Ce thème ne laissera pas d'inspirer les romantiques. Il trouvera sa forme extrême dans un livre de A. Saint-Valéry Seheult [1] qui fait de l'architecture « la plus riche des langues [2] », mais dans lequel déjà le *je* de l'architecte écrivant s'efface au profit d'une énonciation impersonnelle.

L'architecture, en tant que bel art, a simultanément pour promoteur et pour signe le dessin qui occupe désormais une place codifiée dans les traités : le texte renvoie nécessairement à l'image reine, à quoi il est subordonné, qu'elle soit intégrée au fil des pages ou qu'elle se présente sous la forme d'un ensemble séparé de planches. Mais la fonction dévolue au dessin est bien différente de celle que lui conférait Filarète et elle subvertit la finalité tout albertienne qui inspirait celui-ci. Elle ne consiste plus à faire saisir des opérations et à traduire des projets, mais à présenter des objets.

S'il commence par être le moyen de fixer avec précision, intuitivement et sans ambiguïté [3], grâce à un substitut bidimensionnel, les exemples qui permettront de découvrir et de formuler les règles de l'architecture, le dessin, mieux adapté qu'il est au nouveau propos des traités, finit par supplanter le discours verbal. En effet, il rend possible la confrontation et la comparaison visuelle immédiates des objets architecturaux. Il permet l'analyse et la décomposition des membres

1. *Le Génie et les grands secrets de l'architecture historique*, Paris, 1813.
2. *Op. cit.*, p. 36. Il poursuit : « C'est elle qui prête aux langues vulgaires une sorte de charme; elle a des expressions douces et formidables, riantes et mélancoliques, tendres et cruelles [...] C'est la connaissance de cette langue qui fait le véritable architecte » *(ibid.).* Cf. également le chapitre sur la « naissance de l'architecture » qui transforme les édifices en « poèmes » (*ibid.*, p. 16).
3. Cf. *ibid.*, préface du t. I, p. XXVI : « Cet ouvrage contiendra six volumes, et environ deux cents planches nécessaires à l'intelligence du Discours : persuadé qu'un dessin bien rendu, soit qu'il représente un plan, une élévation, une coupe ou quelques développements des différentes parties d'un Bâtiment, prouve *mieux et plus promptement* que la narration la plus satisfaisante; les phrases les plus claires suppléant mal au dessin [...] il y a toujours une très grande différence entre des Leçons purement spéculatives, et celles aidées de la *démonstration.* Combien de fois n'avons-nous pas éprouvé qu'une ou deux figures légèrement tracées sur l'ardoise, épargnoient dans nos Conférences une *circonlocution* [...] L'esprit le plus méthodique enfante quelquefois des chimères, qu'un dessin bien rendu détruit. Certainement il faut être très versé dans l'Architecture, pour imaginer avec quelque précision, et pour rendre ses idées aux autres sans le secours d'une figure qui parle aux yeux. Nous pouvons le dire ici : Vitruve n'a paru obscur à ses Commentateurs que parce que les planches dont il avoit accompagné ses explications, ont été perdues [...] ». *(Nous soulignons.)* Francesco di Giorgio disait déjà : « Mais pour ne pas multiplier les descriptions et pour fuir tout superflu, je m'appuierai sur le dessin *(al disegno mi riferisco)* » *(op. cit.*, p. 382).

et des unités stylistiques des édifices, dont l'appréhension par le verbe est inadéquate[1]. Le dessin est donc l'instrument constitutif d'une théorie figurée des éléments architecturaux, qui repose à la fois sur cette décomposition analytique en éléments et sur une critique comparative. Cette dimension critique est essentielle à la démarche classique. C'est dans une confrontation permanente, par le dessin, des œuvres (graphiques ou architecturales) des autres architectes[2], soit entre elles, soit avec leurs propres œuvres (graphiques ou architecturales), que les trattatistes établissent les systèmes typologiques auxquels ils donnent valeur d'exemple et qu'ils livrent à l'imitation de leurs disciples. De plus, tout en demeurant partie intégrante du processus de production de l'architecture, cette méthode de comparaison graphique et d'analyse élémentaire des édifices par le dessin peut devenir l'auxiliaire et l'instrument d'une véritable critique d'architecture dont les meilleures pages, telles celles que Serlio consacre au Panthéon[3], demeurent inégalées.

Grâce à sa puissance analytique, qui lui permet de décomposer et d'isoler avec précision les éléments des ordres, le dessin offrait aux néo-vitruviens un instrument privilégié pour formuler les règles de la beauté. Mais, dans leurs tracés, la fonction dominante du dessin n'est ni de formuler des règles ni de les illustrer (à la manière de Filarète). L'analyse des éléments et de leurs combinaisons y est sacrifiée à la description de types architecturaux. L'architecte ne cherche pas

---

1. Cf. Palladio, liv. III, avant-propos : « Voyant sur le papier plusieurs exemples des meilleures choses et pouvant facilement mesurer les bâtiments tout entiers et séparément chacune de leurs parties, on gagnera le temps qu'il eût fallu à une longue lecture et à étudier des paroles qui, après tout, ne donnent que de faibles et incertaines idées des choses dont le choix est encore difficile à faire quand on en vient à l'exécution. »

2. La qualité et la fidélité de leurs relevés sont, plus encore que la pertinence de leur discours, le critère de hiérarchisation des traités, tant pour l'Académie d'architecture que pour la plupart des trattatistes. Cf. F. Blondel, *op. cit.*, préface : « J'ay ajoûté quantité de petites choses dans les figures que je mets à chacun des Ordres de ces Architectes, afin de faire plus facilement comprendre leurs intentions. Il y a même des fautes dans leurs desseins que j'ay corrigées, car, à dire le vray, Palladio et Scamozzi ne sont gueres soigneux ny exacts dans le détail des mesures de leurs moulures dont les chiffres ont souvent peu de rapport aux nombres qu'elles devroient avoir par les règles générales. La plus grande peine que j'ay euë a été dans la réduction de celles de Scamozzi. » Cf. aussi J.-F. Blondel (*op. cit.*, t. III, p. XXI), chez qui il est question de « l'expérience [...] essentielle [...] qui nous apprend à juger par l'examen des édifices anciens et modernes de la route que les grands maîtres ont suivie [...]. C'est par là que l'architecte arrive à *imiter* avec fruit les ouvrages les plus célèbres ». (*Nous soulignons.*)

3. *Op. cit.*, liv. III, p. 50.

à montrer la manière de composer un bel objet, il présente un choix de beaux objets exemplaires, qu'il s'agisse d'édifices entiers ou de leurs parties [1]. C'est ainsi que sont constitués des catalogues ou répertoires typologiques, offerts au choix des lecteurs, clients ou praticiens. On ne saurait imaginer propos plus étranger à celui du *De re aedificatoria*. A la place de l'écrivain-héros, s'installe un producteur d'images dont la vocation est d'inventer des variantes, et le destin de promouvoir un ordre esthétique, enfermé dans la clôture de son code.

En reprenant le terme de Spengler [2], il semble donc qu'on puisse qualifier les traités d'architecture postérieurs au xve siècle de pseudomorphiques. Tout en paraissant reproduire l'archétype discursif élaboré par Alberti, ils n'en juxtaposent que des signes, privés de leur pouvoir de signifier. Leur apparente modernité masque une régression qui contribue, pour beaucoup d'entre eux, à leur donner un caractère composite et même à les rapprocher de la catégorie des manuels. L'émasculation du héros albertien dont l'horizon est barré et le projet réduit et dévoyé, la désertion de la ville et la fixation presque exclusive des traités néo-vitruviens dans le registre d'une stylistique architecturale qui en résulte tiennent sans doute, en partie, au fait que, dans la pratique historique et sociale, les problèmes du cadre bâti ne se posent plus dans les mêmes termes qu'au temps matinal de leur première théorisation.

Parmi un ensemble complexe de facteurs je me bornerai à rappeler deux faits qui n'ont pu manquer de contribuer au développement de ces traités. Ce sont la transformation de la structure du pouvoir politique dans les États européens où sont nés les traités d'architecture, et l'institutionnalisation corrélative de l'activité architecturale.

D'abord, la relation qu'entretenaient Alberti, Filarète ou Francesco di Giorgio avec leur prince n'existe plus. Leur dialogue se pour-

1. Cf. Serlio (*op. cit.*, liv. IV), où le texte montre bien que les suites d'éléments typologiques présentent ceux-ci en tant qu'objets autonomes et non, fonctionnellement, en tant qu'unités significatives élémentaires. On lira par exemple : « L'architecte distingué pourra se servir de cette porte en différents lieux [...] La porte suivante pourra servir à tous les édifices mentionnés au début comme rustiques » (p. 131-132), ou encore : « L'architecte judicieux pourra utiliser la figure ci-après pour différentes choses » (p. 149). Le rôle joué par le dessin dans ce traité paraît dans le titre même de ses livres, dont le quatrième, ici cité, est intitulé « Dans lequel il est traité *par le dessin* (in designo) des caractéristiques des cinq ordres. » (*Nous soulignons.*)
2. *Le Déclin de l'Occident*, Paris Gallimard, 1948.

suivait sur un pied d'égalité dans le cadre traditionnel de la Cité-État où l'un exerçait le pouvoir politique, tandis que l'autre découvrait son pouvoir, homologue, de créateur. Avec le XVIe puis le XVIIe siècle, le prince incarne la puissance de l'État national et l'architecte cesse d'être un interlocuteur à part entière, pour entrer, toujours davantage, dans un rapport de soumission [1] quant à la détermination du programme. Le temps n'est plus où la belle métaphore érotique de Filarète pouvait effectivement servir à décrire la collaboration du prince et de son architecte. On conçoit que, dans ces conditions, l'architecte ait été progressivement conduit à se désintéresser, au plan théorique, des problèmes de la ville et des grands projets d'aménagement dont il était exclu au plan de la pratique [2], pour assumer la condition de l'artiste, détaché de la rugueuse réalité propre aux registres de *necessitas* et *commoditas* [3]. La création de l'Académie d'architecture par Louis XIV, le succès de l'institution et sa longévité témoignent de cette sublimation, qui est en même temps une mise à l'écart, organisée par le pouvoir politique, consentie et gérée par les intéressés.

De plus, la mise en place de la profession, en même temps qu'elle consacre l'intégration de l'architecture dans les Beaux-Arts, réclame que soit précisé le nouveau statut social de l'architecte-artiste [4]. Elle appelle l'élaboration et d'une pédagogie et de son support discursif. Les traités néo-vitruviens sont conçus en fonction de ces exigences.

1. La destination de la dédicace des traités est un critère trompeur, car celle-ci est presque toujours adressée au prince, quelle que soit l'époque considérée.
2. Une retombée de cette exclusion est la relève des architectes par les « savants » dans l'élaboration des grands projets d'aménagements du XVIIIe siècle français. Cf. B. Fortier *et alii*, *La Politique de l'espace parisien*, Paris, 1975.
3. Cette affirmation appelle des nuances. De l'Orme comme Palladio conservent une fidélité à Alberti qui leur fait commencer leurs livres par les règles concernant la salubrité et la commodité. Mais si de l'Orme affirme que « véritablement, il est trop plus honneste et utile de sçavoir bien dresser un logis et le rendre sain que d'y faire tant de mirelifiques, sans aucune raison » (*op. cit.*, p. 19), il ne s'en écarte pas moins de la méthode, de l'ordre et de l'équilibre du *De re aedificatoria*.
4. Souci qui éclate chez de l'Orme dont tout le Premier Livre est occupé, de chapitre en chapitre, à stigmatiser les pseudo-architectes et leurs œuvres : « Il y a aujourd'huy peu de vrais architectes et plusieurs qui s'en attribuent le nom doivent plustost estre appelez maistres maçons » (*op. cit.*, préface); de même, il faut dénoncer « la témérité de plusieurs contrefaisant les architectes » (*ibid.*, p. 22); cf. aussi l'éloge du « sage, docte et expert architecte » dont la nature des relations qu'il doit entretenir avec le seigneur ou client est spécifiée jusqu'à avertir ce dernier qu'il devra « regarder que [l'architecte] ne soit fâché par les domestiques ou parents de sa maison, car véritablement cela détourne beaucoup ses entreprises, inventions et dispositions, comme je l'ay veu par expérience en divers lieux [...] » (*ibid.*, p. 11, r).

Et c'est bien pourquoi, comme on l'a vu, ils tiennent à la fois du cours [1] à finalité pratique immédiate et du catalogue pour professionnels [2]. Le *De re aedificatoria* s'adressait certes aussi aux praticiens, mais c'était un discours de la méthode sous-tendu par un hymne à la création, un texte instaurateur à sonorité philosophique, un récit inaugural.

Deux exceptions : les traités de Perrault et de Scamozzi.

Doit-on en conclure que le genre discursif créé par Alberti n'a pratiquement pas survécu à son inventeur, qu'à part le *Traité* de Filarète, le *De re aedificatoria* n'a pas eu de véritable postérité, et que sa structure archétypale ne subsiste chez les trattatistes ultérieurs qu'à l'état de fragments et d'avatars formels? En ce qui concerne les traités évoqués dans les pages précédentes, il faut bien répondre oui. Mais on peut leur opposer deux exceptions : l'*Idea dell'architettura universale* qui, publié à Venise en 1615 par Vicenzo Scamozzi, reproduit le fonctionnement de l'archétype albertien et constitue ainsi un cas, à notre connaissance unique, et de toute façon exceptionnel; et l'inclassable *Abrégé des Dix Livres d'architecture de Vitruve* [3] de Claude Perrault qui, derrière l'hommage de son titre et les louanges habilement empoisonnées de sa préface, manifeste une fidélité paradoxale à l'esprit et à la forme albertiens.

La parenté de Perrault avec Alberti tient peut-être au fait qu'à l'encontre des autres trattistes français, ce médecin-physicien et lin-

1. La volonté didactique apparaît à l'évidence dans le rapport du texte à la figure. Cf., parmi des centaines d'exemples, ces indications de De l'Orme (liv. VIII p. 251, r) : « Pour mieux vous monstrer et faire entendre comme l'on doit accommoder les fenestres, portes [...] par les moyens des ordres des colonnes, je vous ay cy-après encore mis pour exemple la face du devant du bastiment du susdit château de Saint-Maur. » La dénégation du même auteur concernant la formulation de certaines règles est également symptomatique : « N'estoit qu'aujourd'huy plusieurs en tiennent escholes et font profession de les enseigner, je mettrois peine d'en escrire plus au long » (*ibid.*, p. 31, v). C'est avec F. Blondel qu'apparaît la première mention de *cours* (composé pour l'Académie après avoir été enseigné publiquement, indique la préface). J.-F. Blondel se proposera, dans son *Cours d'architecture ou Traité* [...] d'améliorer la prestation de F. Blondel et de « fondre en un seul corps de leçons tout ce qui s'est dit d'excellent sur cet objet [...] et tout ce qui regarde les autres arts de goût qu'elle [l'architecture] dirige et fait valoir en se les associant » (préface).

2. A la limite, ces catalogues d'édifices privés et publics constituent aussi une manière de publicité pour leurs auteurs.

3. Paris, 1674.

guiste possédait une formation polyvalente et appartenait à la lignée des architectes-humanistes, non à celle des architectes-praticiens. Dans ce petit texte qui prétend abréger Vitruve, Perrault se débarrasse prestement de « toutes ces excellentes et curieuses recherches qui sont pour les Sçavants qui trouvent là mille belles choses tirées d'une infinité d'Auteurs que Vitruve a lûs et dont les ouvrages sont à présent perdus », pour conserver « seulement ce qui peut servir précisément à l'architecture », en reléguant à part, dans une brève deuxième partie, « ce qui appartient à l'architecture ancienne » et ne nous concerne plus qu'au point de vue historique. La première partie est ainsi consacrée « aux maximes et préceptes qui peuvent s'accommoder à l'architecture moderne ». Autrement dit, l'auteur y accommode Vitruve à la Perrault : « On a disposé ces matières selon un autre ordre que celui de Vitruve [1] », indique-t-il modestement, sans préciser qu'il a du même coup rétabli la tripartition albertienne [2], envisagé, en premier, dans le chapitre de la commodité, le problème de la ville en tant qu'édifice, donné enfin une version originale et tripartite des récits d'origine. Celle-ci comporte d'abord « la première occasion de travailler à l'architecture [3] », qui est une genèse de l'édification, présentant la pratique du constructeur comme départ de toutes les autres pratiques humaines; ensuite une genèse de l'objet bâti [4]; et enfin une genèse de l'objet architectural, « troisième origine de l'architecture qui se prend des inventeurs des ordres [5] ». L'originalité de l'*Abrégé* n'a, à ma connaissance, jamais été comprise, même par W. Herrmann [6], auteur de la seule monographie consacrée à Cl. Perrault. Il serait important d'étudier cet ouvrage complexe, dont les liens qui l'unissent au *De re aedificatoria* sont masqués par la référence affichée au *De architectura*.

La critique contemporaine ne semble pas avoir été sensible au fait que le traité de Scamozzi est, lui, une réplique théorique du paradigme albertien. Gros *in-folio* de plus de huit cents pages serrées, écrit

1. *Op. cit.*, édition de 1681, Amsterdam, p. 10.
2. Dans l'édition citée, 22 pages sont consacrées aux généralités, 43 à la solidité, 14 à la commodité, 53 à la beauté.
3. Indication marginale de Perrault, en italique.
4. « Les premiers modèles que l'architecture a suivis ont été rationnels ou artificiels » (italiques marginales de Perrault).
5. *Op. cit.*, p. 25.
6. *The Theory of Claude Perrault, op. cit.*

par Scamozzi durant les vingt-cinq dernières années de sa vie [1], l'*Idea* est, en dépit de son volume, un ouvrage inachevé et hâtif. L'auteur avait formulé un projet ambitieux dont il voulait publier l'essentiel avant sa mort. Aussi n'a-t-il pas hésité à donner à l'imprimeur un texte incomplet, à quoi manquent non seulement les deux livres terminaux (livres IX et X), mais aussi les livres IV et V, également prévus dans l'introduction [2].

L'ouvrage est divisé en deux parties comportant chacune un *proemium* introductif et trois livres. A la différence du *De re aedificatoria*, il n'offre pas de préface générale, les deux premiers chapitres du livre I en tenant lieu. Le premier fait l'éloge de l'architecture, « science absolument indispensable tant au niveau de la vie politique et civile que pour la commodité qu'elle apporte au genre humain [3] » et « la plus digne parmi les sciences morales, naturelles et mathématiques [4] ». Le second donne le plan de l'ouvrage, non pas tel que Scamozzi l'a réalisé, mais tel qu'il l'avait initialement conçu, en quatre parties concernant respectivement : la *precognitione* ou ensemble des connaissances nécessaires à l'architecte (livre I); l'*edificatione* ou construction, qui traite du choix des lieux et de l'édification de la ville (livre II), des édifices privés (livre III), des édifices publics profanes (livre IV, non publié), des édifices publics sacrés (livre V, non publié), des ordres nécessaires à l'ornementation extérieure et intérieure (livre VI), des matériaux pour la construction et l'ornementation (livre VII), et enfin des procédures à observer pour fonder, en quelque lieu que ce soit, toutes sortes d'édifices (livre VIII); le *finimento* ou finition (livre IX, non publié); la *restauratione* ou restauration des bâtiments anciens (livre X, non publié).

Scamozzi ne se soucie pas de justifier cet ordre, dont on conçoit qu'il ait perturbé les théoriciens néo-vitruviens de l'âge classique ou

---

1. On trouvera une chronologie précise des œuvres écrites de Scamozzi dans F. Barbieri, *Vincenzo Scamozzi*, Vicenza, La cassa di Risparmio da Verona, Belluno, 1952. Cette monographie, la seule récente dont nous disposions, vise à restituer son originalité à l'œuvre de Scamozzi, généralement méconnue au profit de celle de Palladio. Barbieri distingue bien les deux aspects pratique et théorique de cette œuvre, mais il ne consacre à l'*Idea* qu'une sommaire analyse de contenu, sans ouverture critique.
2. F. Barbieri rappelle que pour T. Temanza (*Vita di Vicenzo Scamozzi*, Venise, 1770) les livres manquants auraient été écrits ou au moins esquissés. Pas plus que dans le cas, à bien des égards comparables, de la *Teoria* de Cerdà (cf. *infra*, chap. VI), on n'a pu retrouver la trace de ce texte complémentaire.
3. *Op. cit.*, p. 5.
4. P. 6.

post-classique [1]. Cependant, nous ne devons nous laisser abuser ni par l'apparente confusion de ce plan, ni par l'aristotélisme militant qui a laissé son empreinte sur l'ensemble de l'*Idea* et contribue à dissimuler une structure semblable à celle du *De re aedificatoria* et un plan qui, dans son déroulement formel comme dans l'équilibre de ses parties, reste comparable à celui d'Alberti.

Le livre I correspond schématiquement à la préface et au livre I du *De re aedificatoria*. Il rassemble d'abord un ensemble de considérations générales sur l'architecture, sa nature et son histoire, ainsi que sur la profession d'architecte et les qualités intellectuelles, culturelles et morales qu'elle exige; ensuite les principes directeurs de l'architecture dont les uns concernent la conception (géométrie et métaphore du corps [2]) et les autres la pratique (observation, instrumentation).

Consacrés à l'*edificatione* [3], les cinq livres suivants sont articulés entre eux par l'opposition de la forme et de la matière, dont on a vu que, témoignage d'un même lien et d'une semblable affinité avec la philosophie d'Aristote, elle sous-tend la construction de la première partie du *De re aedificatoria*. On se souvient que l'exposé des règles formelles de l'esprit (livre I) y précédait ceux des règles de la matière (livre II) puis de l'information (construction) de la matière par l'esprit (livre III).

Dans le cas de Scamozzi, une conception hautement intellectualiste [4] de la tâche de l'architecte, qu'il ne cesse d'opposer à celle de

1. Cf. l'attitude des traducteurs français du XVIIe siècle (*supra*, p. 226, n.1) qui ne conservent de tout l'ouvrage qu'une partie du livre VI, sous le prétexte que tout le reste du texte se réduirait à de la pure spéculation, autrement dit qu'il serait de la digression hors sujet. Cf. aussi l'édition italienne de 1838 (Milan, Boronni et Scotti) dont l'auteur, Tibozzi, a inversé l'ordre de succession des livres, en faisant commencer l'ouvrage par le livre VI afin, selon lui, d'en rétablir la logique.

2. Liv. I, chap. XII.

3. Terme emprunté à Vitruve. Dans le *De architectura*, l'*aedificatio* comprend, en matière de construction, tout ce qui ne relève ni de la gnomonique ni de la *machinatio*.

4. Cf. liv. I, chap. XVI, passage où Scamozzi commente Vitruve pour lui opposer Aristote. Dans sa définition de la *fabrica*, Vitruve confond la tâche de l'architecte (« *continuata ac trita usus meditatio* », « voilà la tâche spéculative propre à l'architecte », remarque Scamozzi) et celle du contremaître (« *quae manibus perficitur e materia cujuscunque generis opus est ad propositum de formationis* », « c'est ici qu'on découvre la pratique des maîtres maçons »). Et Scamozzi poursuit : « Mais selon nous, c'est une méthode scientifique qui tient à l'esprit de l'architecte qu'il met en œuvre pour les choses particulières ou universelles qu'il lui plaît de faire construire. » Puis il ajoute, à propos d'une citation d'Aristote : « Et Aristote veut dire que l'édifice reçoit son nom de

l'ouvrier du bâtiment, lui fait reprendre ce schéma tripartite pour l'appliquer à l'ensemble de l'édification. Les règles concernant la ville (livre II), les édifices privés (livre III) et les ordres (livre VI) sont ainsi successivement abordés du point de vue de la forme, avant que ne viennent le livre VII consacré à la matière et le livre VIII qui traite du passage à l'acte, autrement dit des règles de la construction concrète. On voit donc que les trois premiers livres de l'*edificatione*, dédiés « *alla speculatione delle forme* [1] », recoupent une partie du projet du premier livre d'Alberti, tout en englobant une matière beaucoup plus vaste. Scamozzi n'a pas repris les six principes. En revanche, la tripartition structure tout le premier étage formel de l'*edificatione*, qui commence par traiter les règles de la nécessité (première partie du livre II), se poursuit par celles de la commodité (deuxième partie du livre II et livre III), pour s'achever avec les règles du plaisir esthétique (livre VI). Autrement dit, la pyramide du *De re aedificatoria* se retrouve dans l'*Idea*, avec cette réserve qu'elle gouverne la première section de l'*edificatione* (livres II-VI). Dans cette section, qui occupe les quatre sixièmes du traité [2], l'équilibre albertien est respecté. Le fameux livre VI tant vanté par les théoriciens français et présenté par eux comme la quintessence de l'*Idea* n'y occupe donc, sans privilège d'extension ou de localisation, que le seul niveau de la beauté dépendant, comme dans le *De re aedificatoria*, des deux niveaux précédents.

Les quatre livres « formels » de l'*Idea* constituent en fait un ensemble textuel homogène et une manière de traité autonome, dans lequel se résume pour Scamozzi, la théorie de l'activité édificatrice. La forme n'étant pas séparable de la matière qu'elle informe, le souci d'établir un ensemble de règles abstraites et formelles n'empêche pas d'ailleurs Scamozzi d'évoquer dans le cours de ces quatre livres un éventail de problèmes concrets, dont l'étendue déborde largement le cadre du deuxième niveau d'Alberti. La dialectique aristotélicienne de la forme

---

l'architecte, qui lui donne forme en idée et dans son esprit [...]. » Le passage se termine par la désignation des cinq causes (générique, spécifique, formelle, matérielle et finale) de l'édifice.

1. P. 173.

2. L'équilibre de l'*Idea* est remarquable. Le premier volume comprend 352 pages : 97 pages pour les trente chapitres du livre I, 120 pages pour les trente chapitres du livre II; 133 pages pour les trente chapitres du livre III. Le deuxième volume occupe 370 pages : 172 pour les trente-cinq chapitres du livre VI (qui concerne à la fois les ordres et les ornements), 98 pages pour le livre VII et 100 pages pour le livre VIII.

et de la matière articule également cet ensemble aux deux derniers livres de l'*Idea*.

Fidèle à la volonté de son auteur de se démarquer de tout manuel professionnel, rompant avec le deuxième livre de Vitruve et plus rigoureux même que celui d'Alberti, le livre VII aborde la matière seulement en tant que matière *intelligible*, objet de la science naturelle à quoi l'architecte doit s'initier [1]; il fait silence sur la matière *sensible* qui est du ressort des tailleurs de pierre [2]. Le livre VIII termine la séquence imposée par la logique aristotélicienne et peut enfin proposer les règles qui président à l'union de la forme et de la matière, à ce passage à l'acte (« *atto dell'edificare tutti i generi di edifici cosi publici come privati, in ogni positura di luogo* [3] ») qu'est la réalisation proprement dite de tous les genres d'édifices. Ce découpage différent de celui d'Alberti, qui fait ainsi placer la construction à la fin du texte, ne doit pas dérouter le lecteur. Malgré des raccourcis et des ellipses, le livre VIII de l'*Idea* est construit selon l'ordre génético-chronologique défini dans la première partie du *De re aedificatoria* [4]; il est organisé par les mêmes opérateurs métaphoriques [5] qui pourraient bien avoir été directement empruntés à Alberti.

Finalement, si l'*Idea* apparaît construite comme la première partie du *De re aedificatoria*, dont elle serait une sorte de gigantesque *ana-*

---

1. P. 174.
2. Cf. liv. VII, chap. I, p. 173, où Scamozzi distingue les deux types de formes qu'est susceptible de revêtir la matière : l'une est de l'ordre de la préparation et concerne le tailleur de pierre, l'autre est l'élaboration qui revient à l'architecte. Suivant Aristote (*Physique*, chap. III), Scamozzi fera correspondre la première à la matière sensible et la seconde à la matière intelligible. Dans la logique de cette conception de la matière, Scamozzi emprunte son information scientifique sur les divers matériaux et leur genèse aux auteurs anciens (Aristote, Théophraste, Pausanias, Tite-Live, Avicenne et même Albert le Grand) dont il ne met pas un instant le savoir en question : cf., par exemple, p. 179, le chapitre sur la génération du marbre dont la cause efficiente « est une certaine vertu minérale, qui produit ou marbres ou métaux par l'agglutination dans la terre de l'humide et du chaud digestif [...] ». Curieusement, cet archaïsme est contrebalancé par une information directe, précise et précieuse, sur l'usage des différents matériaux chez les différents peuples et dans les différentes localités.
3. « L'acte d'édifier tous les genres d'édifices, publics et privés » (liv. VIII, chap. I, p. 271).
4. « Nous commencerons par les fondations en suivant [la construction des édifices] partie par partie jusqu'à leurs toits. »
5. L'édifice étant un corps, ses *parties (parti)* sont les différentes pièces, ses *membres (membra)* les portes, fenêtres, cheminées, escaliers; ses *os (ossa)* sont les murs, colonnes, pilastres; les *nerfs (nervi)* sont les architraves, corniches et toits (p. 272). Cette vision structurale n'a évidemment pas la valeur de celle d'Alberti.

logon, cette construction ne loge pas seulement le contenu du premier niveau albertien, mais, également celui des deux suivants. En dépit de l'interprétation que nous en ont transmise les trattatistes néovitruviens, la théorie des ordres et l'esthétique sont loin de jouer dans l'*Idea* le même rôle que dans leurs propres traités. Le registre du plaisir de la beauté y occupe même une place moins importante que chez Alberti. Il ne constitue pas une des scansions majeures du texte et n'en est pas davantage désigné comme le couronnement. Mieux, et sans qu'un champ textuel précis lui soit davantage assigné, c'est, dans l'*Idea*, le registre de la *commoditas* qui l'emporte sur les autres, accueillant avec une générosité nouvelle les demandes les plus humbles de la vie quotidienne [1].

En axant la construction de l'*Idea* sur la dialectique aristotélicienne de la forme et de la matière, Scamozzi manque à jamais la rigueur et la grâce que sa structure pyramidale conférait à l'édifice albertien. Mais, ce n'est là que carence ou imperfection de surface, qui n'empêche pas l'*Idea* de présenter les traits structuraux essentiels du *De re aedificatoria* et d'affirmer un propos comparable. Car c'est bien le procès général de l'édification et ses règles que vise Scamozzi. C'est selon cette perspective qu'il réintroduit dans son texte la figure de la ville, tâche fondamentale de l'architecte [2], et qu'à en scruter la genèse, il y découvre les problématiques nouvelles concernant la démographie [3], les relations avec les autres villes et avec la région [4], enfin la circulation urbaine, qu'il est sans doute le premier théoricien à envisager en termes d'instrument [5]. Et c'est, en définitive, pour confirmer

1. Cf. liv. VIII, chap. i, p. 275; chap. XIV, p. 318.
2. Cf. liv. II, chap. xvii, p. 152 : « La répartition des voies et des places, et le choix de l'emplacement des temples, du Palais du prince et des édifices administratifs et de tant d'autres genres d'édifices liés aux circonstances *(per opportunità)* et besoins divers : voilà une série de tâches qui *incombent à l'architecte* [...] » *(Nous soulignons.)*
3. Cf. liv. II, chap. xviii, p. 158-159.
4. Cf. liv. II, chap. xvii, p. 155 et chap. xviii, p. 160, où Scamozzi utilise la métaphore du cœur situé au milieu du corps de l'animal *(collocato nel mezo del corpo dell'animale)* pour désigner la meilleure position d'une ville à l'intérieur de son territoire (« afin de pouvoir alimenter vite et bien toutes ses parties »). Cf. aussi l'importance accordée aux facilités pour le commerce et la circulation parmi les critères servant au choix du site (liv. II, chap. viii, p. 52).
5. Cf. le chapitre xx du livre VIII qui, à l'exception d'une page, est exclusivement dédié à la circulation. Dans ce chapitre remarquable, Scamozzi développe la classification amorcée par Alberti. En se battant contre l'étroitesse des voies héritées du Moyen Age (« elles apportent incontestablement une atmosphère de

ces règles génératives qu'il joue, avec une allégresse sans précédent, sur tous les claviers de la temporalité, afin d'entrelacer inextricablement le récit de la construction, les récits d'origine, le récit biographique et une nouvelle histoire de l'architecture.

Peu importe que Scamozzi conteste l'approche albertienne des ordres et veuille leur donner une nouvelle formulation géométrique [1], ou encore qu'il conçoive le champ de la nécessité essentiellement en termes de géographie physique et de « climatologie [2] ». Ce qui est important, c'est qu'il installe nécessité et beauté dans la même relapion qu'Alberti, à l'intérieur du même schéma opératoire tripartite. Peut importe que la métaphore du corps ne soit pas explicitement posée parmi les principes méthodologiques, si elle soutient, de part en part, le récit de la genèse du monde bâti. Peu importent aussi les répétitions et les incohérences : que Scamozzi traite à deux reprises des devoirs professionnels de l'architecte, qu'il s'y prenne à trois fois pour définir l'architecture, que son premier chapitre sur la ville soit un capharnaüm, que sa terminologie fluctue avec désinvolture à l'intérieur d'un même livre ou d'un même chapitre [3]. Ces ratés tiennent à la personnalité de Scamozzi qui ne peut être comparé à Alberti, dont il ne possède ni le génie ni même l'esprit de méthode ou la clarté. La confrontation des deux architectes serait oiseuse, et inutile une comparaison des deux textes qui se situerait au niveau de ces différences qualitatives.

En revanche, d'autres différences méritent d'être soulignées qui tiennent à la différence des époques et des mentalités et qui, sans altérer la figure sous-jacente à l'*Idea*, impriment la surface de ce texte. Ainsi, on a vu qu'Alberti, plus confiant dans le témoignage du bâti que dans celui des écrits, appuyait fréquemment sa démarche sur des exemples. Il privilégiait alors les vestiges de l'Antiquité et ne citait

---

tristesse à toute la cité, rendent les maisons obscures et, en outre, l'air qui n'y circule pas devient plus grossier et moins sain », p. 169), il y souligne la nécessité de rues mieux appropriées à leurs usages divers (« La largeur des rues [...] doit être déduite de ce qui aura besoin d'y circuler, charrettes, carrosses, chevaux [...] »), et insiste sur l'importance de la fonction circulatoire des rues (« ces rues doivent être faites très larges puisque *la circulation doit y primer tout le reste* », p. 170, nous soulignons), sans omettre les problèmes du piéton (« rues mineures [...] réservées aux citadins », p. 169).

1. Très proche de celle de Perrault, à la lumière de l'analyse qu'en donne Herrmann *(op. cit.)*.

2. Cf. les seize premiers chapitres du livre II et la façon dont Scamozzi reconnaît les difficultés insurmontables présentées par certains sites (par exemple, p. 160).

3. Liv. VIII, chap. I et III.

que très peu d'édifices contemporains. L'inverse vaut pour Scamozzi. Les réalisations du passé ne présentent généralement à ses yeux qu'un intérêt archéologique. En termes d'usage, elles n'ont plus de sens. On croit, avec cinquante ans d'avance, entendre le Perrault de l'*Abrégé* lorsque le Vénitien oppose les éléments de la demeure antique que la tradition a maintenus vivants (il s'agit essentiellement de l'atrium) et ceux « que leur forme ou leur usage différent a fait pratiquement tomber en désuétude ou dans l'oubli[1] ». Le présent, Scamozzi y insiste, pose des problèmes spécifiques[2]. Bâtir est question d'époque et de lieu. Et l'auteur de multiplier les références contemporaines, en variant les contextes.

De fait, et c'est ici qu'il innove, pour la première fois dans les traités, Scamozzi adopte une perspective « comparatiste ». On a déjà vu que, dans son étude des matériaux, il prend en compte les usages des différents peuples de l'Europe; il note ainsi non seulement les variations imposées par la nature du sous-sol, mais les différentes façons de mettre en œuvre, par exemple, la pierre à Paris, Vienne, Buda ou Strasbourg, l'ardoise à Angers ou Luxembourg[3]. Et, dès qu'il quitte le niveau de la nécessité pour aborder celui de la commodité, il élabore, avant la lettre, une véritable anthropologie culturelle de la ville et de la maison[4]. La masse d'observations accumulée pendant ses voyages à l'étranger[5] lui permet de mettre en évidence et d'illustrer, à une échelle ignorée d'Alberti, la diversité des désirs, la puissance d'invention et la créativité des humains.

Il n'est pas insignifiant que l'architecte vénitien ait introduit dans le titre de son traité le concept d'architecture *universelle*. D'ailleurs, il ne se prive pas de critiquer ceux qui refusent le changement et

1. Liv. III, chap. XVIII, p. 303.
2. Cf. liv. II, chap. XVIII, p. 159. « La différence d'époque entre les anciens et nous a entraîné de grands changements, y compris dans la façon de faire les villes : car dans l'Antiquité il n'y avait pas beaucoup d'habitants et il ne régnait pas entre eux le désir de domination. »
3. Cf. l'extraordinaire chapitre IX du livre VII.
4. « On construit autrement en Espagne qu'en France ou en Allemagne. Et même en Italie, les usages de Rome sont différents de ceux de Venise, de Naples, de Gênes, de Milan et de tant d'autres villes » (liv. III, chap. II, p. 222). Cf. aussi, sur les différences entre les palais dans les diverses villes d'Europe, liv. III, chap. VI, p. 241-242. Il existe de plus, chez Scamozzi, une anthropologie des modes de construction (liv. VIII, chap. VIII et IX).
5. En dehors des voyages italiens, ceux-ci se situent en 1599 et 1600 et le mènent en particulier à Prague et à Paris, en compagnie de deux ambassadeurs. Scamozzi en a rapporté un *Taccuino di viaggio da Parigi a Venezia*, édité et commenté par F. Barbieri, Venise-Rome, Instituto per la collaborazione culturale, 1959.

récusent toute pratique étrangère à la tradition de leur cité ou de leur région, et il souligne l'avantage qu'ils gagneraient à connaître les legs architecturaux de l'Antiquité [1]. Car, à défaut de règles appartenant à la *commoditas*, celle-ci peut livrer, dans leur pureté, certaines règles universelles qui, Scamozzi ne le dit pas explicitement mais tout son livre le laisse entendre, ressortissent aux registres de la nécessité et du plaisir. En revanche, et parallèlement à ce solide noyau de règles universelles, le registre de la commodité est le champ de règles relatives et particulières. C'est pourquoi il peut mettre en jeu toutes les histoires et toutes les cultures, bien qu'il fixe l'attention de l'architecte sur le présent. S'il existe des règles constantes et générales du bâtir, chaque bâtiment ressortit aussi à la législation spécifique et fluctuante de la commodité. On mesure le rôle, déjà souligné, de celle-ci à la façon dont Scamozzi module les programmes en fonction des régions, à la complaisance avec laquelle il détaille ce qui est désirable et varie selon qu'on se trouve à Venise, à Rome ou à Naples [2]. Au gré de ces évocations illustratives, on comprend que l'*Idea* récuse toute forme de typologie.

Cette exclusion est confirmée par la critique scamozzienne du dessin, qui est jugé impropre à faire saisir la réalité individuelle des bâtiments [3]. Le texte et les illustrations de l'*Idea* pourraient être opposés à ceux des traités néo-vitruviens pour montrer la différence entre le type et l'exemple architectural. Qu'il suffise de se reporter aux auto-citations [4] dont Scamozzi ne se prive pas plus que ses contemporains : à aucun moment, elles ne constituent les éléments d'un catalogue (même si elles ont pu être lues ainsi). Les dessins des édifices que l'architecte a construits sont proposés comme illustrations d'une démarche. Ils sont destinés à faire comprendre, en deux dimensions, comment le praticien a su traduire dans l'espace à trois dimensions un

---

1. Liv. I, chap. xxiii, p. 55. Ailleurs, Scamozzi attribue le manque de qualité de l'architecture dans les pays voisins de l'Italie à l'ignorance où sont leurs architectes de la tradition et des exemples antiques (liv. VII, chap. i, p. 273).

2. Cf. p. 242, n. 14.

3. Cf. liv. VI, chap. xxx, p. 140 : « C'est un bien faible profit que retirent ceux qui étudient les dessins des monuments antiques et ne voient pas les œuvres elles-mêmes : la hauteur plus ou moins grande, la distance, l'angle sous lequel on regarde l'édifice [...] et tant d'autres facteurs peuvent lui donner une apparence tout autre que celle représentée à nos yeux par le dessin. » Cette analyse montre bien que, dans l'approche théorique adoptée par l'*Idea*, l'objet bâti ne peut être dissocié ni de son contexte ni de l'expérience. Cf. aussi (liv. II, chap. xxviii) l'insuffisance du dessin par rapport à la maquette, qui permet l'intuition immédiate et dont l'usage est comparé à celui du cadavre en anatomie : « *quasi a simiglianza delle'anatomia che fano i medici del corpo humano* ».

4. Cf. liv. III, chap. i, p. 222 et les illustrations correspondantes.

ensemble de besoins et de demandes; ils donnent à voir l'expression spatiale de programmes, indissociables des circonstances particulières et des protagonistes qui les dictent, comme du contexte vénitien où ils se situent généralement[1]. L'*Idea dell'architettura universale* est bien un livre relativiste[2] dans la mesure même où il découvre, développe et libère dans sa plénitude le champ de la demande et du désir humains découvert par Alberti.

Par ailleurs, Scamozzi transforme et élargit aussi la conception albertienne de l'histoire du cadre bâti. La leçon de Vasari est intégrée. A l'histoire de l'architecture antique, qui seule intéressait Alberti, vient se joindre, dans l'*Idea*, l'histoire à part entière de l'architecture moderne. Celle-ci est marquée par la suprématie de l'Italie[3] et elle est divisée en deux périodes. La première est celle des œuvres anonymes; l'autre, inaugurée au XIIIe siècle[4], est celle des premiers monuments signés. L'histoire des écrits sur l'architecture[5] est également prise en compte. L'histoire mythique de la maison originelle est poursuivie et complétée par l'histoire réelle des transformations de la maison pendant et depuis l'Antiquité[6]. Entre un récit de fondation plus détaillé que ceux des textes inauguraux du XVe siècle et une histoire fondée sur des témoignages écrits, il reconstitue une préhistoire de la maison, comparable à celle que Cerdà proposera deux siècles et demi plus tard à ses lecteurs[7].

Impossible, en revanche, d'attribuer à l'intégration d'attitudes mentales nouvelles ou de nouveaux savoirs la façon dont l'*Idea* déve-

1. Sur la spécificité des problèmes (en particulier de pollution) posés par la ville de Venise, cf., par exemple, liv. II, chap. XIX, p. 163 : « Venise ne souffre pas peu, dans ses ports comme dans sa lagune, des immondices et des sables qu'y apportent la mer et les fleuves »; liv. III, chap. VI, p. 242-243 : « De même que la forme des maisons de cette ville est différente de celle des autres villes, la façon de vivre de la noblesse et des habitants n'est pas non plus conforme à celle des autres. »

2. Ici encore, il faut noter la convergence de Scamozzi et de Perrault, même si le thème de la relativité est développé par ce dernier à l'occasion de la beauté et non de la commodité. Il y a tout lieu de penser que le polyglotte Perrault avait lu Scamozzi dans le texte avant la rédaction de l'*Abrégé* (1re éd. 1674). La première lecture du traité de Scamozzi à l'Académie est consacrée à des extraits du livre III choisis par d'Aviler. Elle n'a lieu qu'en 1681.

3. Liv. I, chap. II; liv. VIII, chap. I, p. 273.

4. Liv. I, chap. VI. Cf. *supra*, p. 220, n. 1.

5. Liv. I, chap. VI, p. 18; liv. VI, chap. V *sq.* (littérature concernant les ordres liv. VI, chap. IXXX : ce dernier passage se montre particulièrement sévère pour les générations antérieures à celle de Vignole et Palladio, auteurs dont Scamozzi estime qu'ils marquent une ère nouvelle dans la réflexion théorique.

6. Liv. III, chap. I, p. 220.

7. Cf. *infra*, chap. VI.

loppe et systématise le rôle de la métaphore de l'édifice-corps comme celui des modèles offerts par la nature. Il faut voir dans ce naturalisme exaspéré du Vénitien la marque de son attachement à l'aristotélisme. Omniprésente à travers le texte, et plus radicale que dans le *De re aedificatoria*, l'assimilation du bâti, et en particulier de la ville, à un corps vivant[1] le conduit à des formules qui pourraient faire illusion, comme, par exemple, lorsqu'il pose pour la première fois, le problème de la circulation urbaine en termes de circulation sanguine[2]. Loin d'être inspirée par les travaux des médecins contemporains ou d'anticiper les développements ultérieurs des sciences de la vie[3], cette comparaison s'appuie sur le savoir transmis par Aristote et sur la vision finaliste du philosophe grec. Mais Scamozzi n'est jamais complètement prisonnier d'une mentalité anachronique, son œuvre se situe à la charnière de deux systèmes de savoir. Comme dans son livre VII sur les matériaux où il utilise la « physique » d'Aristote pour promouvoir un rôle nouveau du désir dans la genèse du bâti, de même, en matière de circulation, le vitalisme d'Aristote est mis au service d'une conception contemporaine et innovante de la *commoditas*, de l'*usage* des bâtiments. Scamozzi cesse de penser la ville, ou les édifices individuels, en termes statiques de morphologie, il commence à les penser en termes de fonctionnement. Ce n'est pas dire qu'Alberti ou Filarète aient dissocié le cadre construit de son usage; j'ai moi-même insisté sur le « fonctionnalisme » d'Alberti; l'auteur du *De re aedificatoria* a dit, le premier, la nécessité d'une adaptation des bâtiments à leur fonction et a proposé pour modèle la morphologie du cheval qui traduit la bonne adaptation de cet animal à la course. Mais, précisément, dans ces analyses, l'adaptation harmonieuse demandée aux règles de la commodité demeure surtout attestée par des critères visuels, subordonnée à la satisfaction de l'œil. L'usage reste absorbé dans ses signes.

Pour Scamozzi, la métaphore de l'édifice-corps permet de franchir la surface des apparences, elle désigne un dynamisme caché, un système de pratiques occulté par les architectes. L'emploi de l'image du système veineux pour expliquer les exigences de la circulation

1. Cf. liv. II, chap. xviii, p. 159 : « Les villes sont comme des corps humains »; liv. III, chap. i, p. 220 : « L'édifice n'est rien autre que la construction d'un corps artificiel, de forme excellente et ne manquant d'aucune partie qui convienne à un corps parfait »; chap. vi, p. 241; liv. vi, chap. xxx; liv. VIII, chap. i, p. 272, etc.
2. Liv. II, chap. xx.
3. Le vitalisme de Scamozzi s'oppose ici au mécanisme de Perrault (cf. F. Jacob, *La Logique du vivant*, Paris, Gallimard, 1970) qui est, lui, à l'avant-garde du savoir contemporain, comme le montrent ses travaux d'anatomie.

urbaine [1] ou domestique [2] permet à Scamozzi de s'avancer plus loin dans la voie de ce qui sera, au XIXe siècle, l'analyse des fonctions urbaines [3].

Cette naturalisation systématique du procès de construction vaut à l'*Idea* un récit d'origine particulier qui participe encore, lui aussi, de deux univers mentaux, dans la mesure où il renvoie à la fois à l'histoire naturelle de l'Antiquité, et à l'œuvre critique de la modernité. Pour Scamozzi, les principes fondamentaux de la pratique architecturale ne constituent plus un don miraculeux des dieux. Ils ne jalonnent plus la frontière infranchissable qui sépare le domaine (bâti) des hommes de celui des autres vivants. Ils ont été empruntés par les premiers hommes aux animaux bâtisseurs, tels les oiseaux ou les abeilles [4].

La laïcisation du récit d'origine, comme les diverses modulations introduites par la place nouvelle ou plus importante que prennent dans l'*Idea* l' « anthropologie », l'histoire et la naturalisation du processus constructif ne laissent pas de marquer, mais n'altèrent pas en profondeur, le grand récit héroïque que déroule l'*Idea*. Celle-ci demeure bien un texte d'histoire habité par le même auteur-héros, histoire légendaire de l'architecte au même titre que le *De re aedificatoria*, mais alourdie par une plus longue généalogie [5] et par un parcours plus sinueux dans un champ de compétences plus vaste.

1. « Les rues des villes sont semblables aux veines du corps humain, c'est pourquoi il doit y en avoir des royales et des principales, des grandes, des ordinaires et des petites, différant les unes des autres selon les services qu'elles sont appelées à rendre. »

2. « Les escaliers sont aussi nécessaires dans les édifices que les veines caves et mISSÉRAÏQUES dans les corps humains : si celles-ci *servent* naturellement à distribuer le sang à toutes les parties du corps, les escaliers principaux et secrets n'ont pas une autre *fonction* : ils desservent les édifices en commençant par les parties les plus intimes » (liv. III, chap. XX, p. 312). [*Nous soulignons*,]

3. Cf. chap. VI.

4. Scamozzi construit, en fait, deux récits, l'un, concernant les origines de la maison, est présenté comme une hypothèse étayée par le témoignage de Pline sur les constructions des abeilles (*op. cit.*, liv. III, chap. I, p. 221); l'autre, concernant les origines de l'édification, révoque les récits de Pausanias et de Pélasge, et poursuit : « Mais si nous considérons plus attentivement l'industrie des animaux, nous pouvons apprendre beaucoup de choses qui sont autant de *documents sur la manière de bâtir :* comme les hirondelles font leurs nids de la façon que nous voyons tous les jours dans les maisons particulières de toute l'Italie, avec des ouvertures et couvertures en racines, *les hommes des premiers âges ont pu suivre l'exemple de ces oiseaux pour édifier leurs cabanes et leurs petites maisons* [...] » [*Nous soulignons*.] (liv. VIII, chap. I, p. 271).

5. Cf. *proemio* du liv. VI et l'idée, chère à Scamozzi, des progrès qu'accomplit la théorie du bâtir au fil du temps. Cf. aussi liv. VII, chap. IV, p. 13; chap. X, p. 30.

En outre, l'utilisation des catégories aristotéliciennes permet à Scamozzi de donner une dimension supplémentaire à la figure de son héros. L'architecte devient un rival, quasi divin, de la nature [1], *cause formelle* du monde édifié [2]. Son client est alors relégué au rang de *cause primaire* ou motrice. Il ne peut donc plus être question d'établir avec lui la relation de complémentarité définie par Filarète. Scamozzi inverse le rapport qui, à partir du XVIe siècle, tend à soumettre l'architecte à la domination de son prince. La supériorité que lui confèrent son savoir et sa compétence vaut au bâtisseur une autorité souveraine sur *tous* ses clients [3]. On aurait tort d'imputer ce triomphalisme et l'accent héroïque de l'*Idea* à un décalage épistémique et à des appartenances anachroniques. Il ne faut pas oublier, et il se charge lui-même de nous le rappeler tout au long de l'*Idea*, que Scamozzi œuvre à Venise, dans un cadre qui demeure celui d'une Cité-État. Bien que, dès la génération précédente, dans le même contexte vénitien, Palladio ait déjà presque entièrement déplacé le problème théorique de la création architecturale au plan de l'esthétique, sans doute est-ce ce contexte politique et social qui, au seuil du XVIIe siècle, dans l'Europe des États nationaux, permit à Scamozzi d'envisager l'acte bâtisseur dans la totalité de ses dimensions et la plénitude de sa liberté, d'en assumer les deux faces, exaltante et dangereuse, bref d'écrire encore un véritable traité instaurateur.

---

1. Liv. VIII, chap. I, p. 274. Cf. aussi « Dédicace au lecteur » : « Et si l'homme qui se met au service des autres mérite de s'appeler un Dieu... » Le privilège de l'architecte par rapport aux autres créateurs est exprimé aussi vigoureusement que chez Alberti : cf. liv. I, chap. XVI, p. 53 : « On en conclut donc clairement que la pérennité des œuvres de l'architecture place (les architectes] au-dessus de tous les autres hommes. »

2. « La cause formelle, qui est l'architecte, lequel invente et ordonne toutes choses » (liv. VIII, chap. I, p. 274).

3. Cf. liv. VIII, chap. I, p. 273-274 : l'architecte doit venir en aide à son client (« comme à un faible d'esprit, comprenant peu aux choses »), se soumettre à son jugement n'ayant pas plus de sens que si le médecin demandait son avis à son malade. D'où la qualité de chef, de guide, et même une sorte de royauté, attribuées à l'architecte, dans une terminologie qui, pour le lecteur du XXe siècle, évoque celle de Le Corbusier (cf. *infra*). Cf., par exemple, liv. I, chap. VI, p. 53 : il est impossible aux hommes de construire « sans les conseils et la direction, à valeur universelle, d'un excellent architecte » (« *senza* l'universal consiglio e commando d'*eccelente Architetto* ») qui est comparé à un général. [*Nous soulignons.*]

La figure de l'utopie n'est pas, de son côté, exposée aux mêmes vicissitudes que celle du traité : le projet utopique ne peut être menacé par les décisions du pouvoir politique puisque, par nature, il est élaboré contre lui. La permanence de l'utopie comme forme textuelle se confirme, au contraire, à mesure que s'affirment, dans la culture occidentale, la réflexion et la critique sociales et politiques.

L'utopie réduite de Morelly.

On a vu [1] qu'au fil du temps, le paradigme moréen a également engendré ou contaminé une abondante littérature parallèle qui ne possède qu'une partie des traits discriminatifs de la figure de l'utopie.

A côté de l'ensemble hétérogène de ces textes et des utopies rhétoriques [2] qui possèdent les sept traits distinctifs du genre utopique mais ne les font servir qu'à des fins parodiques ou ludiques, il faut encore signaler une forme simplifiée, excluant la dimension narrative du texte d'histoire au profit exclusif du discours, mais qui conserve l'esprit du paradigme moréen.

Nous en prendrons pour exemple *le Code de la nature* (1755) de Morelly. Ce livre a exercé une influence considérable, en particulier sur l'œuvre de Fourier, au profit de laquelle il est méconnu par notre époque. De plus, le rapport du *Code* avec l'utopie, la réduction qu'il lui fait subir peuvent être éclairés par comparaison avec un autre livre utopisant, la *Basiliade* (1753) [3], dans lequel, au contraire, Morelly a fait une part démesurée à la fiction.

Sans doute est-ce le désir d'augmenter le nombre de ses lecteurs qui a inspiré à Morelly les dimensions et la nature de l'intrigue de la *Basiliade*. Néanmoins, dans ce texte, la critique modélisante est éclipsée par la fiction, qui multiplie les épisodes fabuleux [4] et perd sa

---

1. Chap. i.
2. Cf. *supra*, p. 54 *sq.*
3. *Naufrage des îles flottantes ou Basiliade du célèbre Pilpaï*, Paris, 1753.
4. Cf., par exemple, le récit du cataclysme qui isole les « îles flottantes » où se situe l' « utopie » de Morelly : « La tyrannie de ces monstres provoque la colère du ciel [...] Il se détache de ce vaste continent une infinité d'îles emportées par les flots, chargées des hommes et des animaux qui s'y sont réfugiés [...] Deux enfants, un frère et une sœur, déplorable reste de ce peuple nombreux [...] se trouvent séparés de cette multitude par un précipice [...] Ils trouvent un vallon charmant » et deviennent la souche de la société idéale (parce que conforme à la nature) dont s'émerveillera le porte-parole de l'auteur.

fonction d'écran, son rôle médiateur, pour devenir divertissement. La fiction de la perspective $(R^1)^1$ est très élaborée, bien articulée à la fiction du motif (R^2). Mais celle-ci, centrée sur l'histoire [2] du royaume modèle, ne laisse pratiquement pas place à sa description. Cette image spéculaire idéale d'une société dont l'image critique n'est guère davantage détaillée n'apparaît que subrepticement et presque hors texte, fournie non pas directement par le voyageur-voyeur-revenant et autre de l'auteur (S^2), mais par un habitant du royaume de Zeinzemein, logée dans le seul espace de (R^2), et commentée en note[3] par Morelly (S^1). L'intrigue foisonnante et irréaliste de la *Basiliade*, où la critique modélisante ne s'introduit que par ruse, ne doit-elle pas être lue comme une parodie des écrans de l'utopie? Ne les désigne-t-elle pas à la critique des lumières, préparant ainsi le lecteur à la forme dépouillée du *Code de la nature*?

Après cet apparent divertissement dont le parti narratif dissimule une charge sociale assortie de contre-propositions, Morelly a effectivement adopté une autre forme textuelle dans *le Code de la nature* qui énonce le même propos sans détour, sans la médiation de feuilletages mythisants. Il élimine seulement (R^1) et (R^2) et se contente d'opposer, dans une structure de discours, les deux images, positive et négative, caractéristiques de l'utopie. Dans les trois premières parties, il présente le tableau de la société corrompue du XVIIIe siècle européen et dresse le bilan de ses défauts. Dans la quatrième, il oppose à cette image celle d'une société modèle, d'un « modèle de législation conforme aux intentions de la nature », dont les douze types de lois correspondent point par point aux défauts dénoncés et ont pour support une organisation spatiale modèle régulièrement ordonnée[4]. Énoncées au futur, ces « lois » prescriptives ne permettent pas un rapprochement avec les règles des traités. Il s'agit de lois éthiques destinées à assurer la répétition des conduites et la réplication des institutions. Il suffit d'en mettre le texte au présent pour obtenir un

1. Cf. *supra*, chap. III, p. 186 *sq.*
2. Ou plus précisément les aventures politiques ou amoureuses de ses chefs, Zeinzemein et son père, le Fondateur. Le rôle du temps et du progrès est d'ailleurs particulièrement important dans la *Basiliade*, où il est la marque de l'idéologie des lumières.
3. *Naufrage des îles flottantes ou Basiliade* [...], *op. cit.*, ch. III, p. 9 *sq.*
4. « Lois édiles II » : « Autour d'une grande place de figure régulière seront érigés, d'une structure uniforme et agréable, les Magazins publics de toutes provisions et les salles d'assemblée publiques », ou : « A l'extérieur de cette enceinte seront régulièrement rangés les quartiers de la cité, égaux, de même figure, et régulièrement divisés par rues » (Paris, Éd. Chinard, Clavreuil, 1950, III, p. 293-294).

équivalent de la description utopienne [1]. Ainsi, à partir de la deuxième moitié du XVIIIe siècle, cette forme réduite et « laïcisée » s'ajoute à la forme canonique créée par More [2].

L'utopie canonique: Sinapia et la surspatialisation.

Quant aux vraies utopies, elles ne cessent de se succéder, affirman chaque fois leur identité discursive par la citation systématique que font les textes plus tardifs de leurs prédécesseurs dans la lignée [3]. Et, malgré la transformation des mentalités et des psychologies dont elles relèvent, malgré la diversité des sociétés qu'elles appellent — vertueuses ou heureuses, naturelles ou artificielles, misant sur la tradition ou sur le progrès, sur la religion ou sur la libre pensée —, elles conservent et continuent de faire fonctionner l'organisation textuelle de l'archétype moréen.

Pour illustrer la pérennité de ce type discursif par l'analyse d'un exemple unique, notre choix n'a pas été facile. Parce qu'elles sont trop proches du livre de More dans le temps et par leurs thèmes [3], parce qu'aussi leurs espaces sont moins fermement dessinés que ceux d'Amaurote et de son territoire, nous avons renoncé ici aux utopies religieuses du XVIe et du début du XVIIe siècle. Malgré l'intérêt qu'aurait offert le repérage de leurs différences, nous n'évoquerons donc ni la circulaire Eudemona, capitale du pays de Macarie qui est pour Stiblin l'autre de l'Allemagne [4], ni l'autre « communiste » de Florence, la

1. Cf. : « Chaque tribu sera composée d'un nombre égal de familles, chaque cité d'un nombre égal de tribus » (« Lois distributives, II », p. 287).

2. La citation n'est pas nécessairement nominale. Dans le cas de *Sinapia*, étudié *infra*, et qui utilise, parfois de façon littérale, les textes de More, Campanella et Morelly, l'auteur ne mentionne aucune de ses sources.

3. Leurs emprunts à More, au niveau des grands thèmes (suppression de la propriété privée, éradication de l'oisiveté, proscription du faste vestimentaire et cérémoniel, élimination du spectacle de la mort...) comme à celui du détail, sont considérables. A titre d'exemple on se reportera à la description, par Valentin Andreae, des maisons de Christianopolis qui a, comme Amaurote, la forme d'un carré *(figura quadrata)* : « Les maisons ne sont la propriété de personne ; elles sont toutes attribuées et concédées pour leur usage à ceux qui les utilisent *(omnes in usum concessae et assignatae)* [...] Chaque maison donne à l'arrière sur un petit jardin entretenu avec beaucoup de soin et d'élégance *(A tergo singulis aedibus hortuli subjacent magna et diligentia culti)* » *(op. cit.* p. 61 et 24). Cf. avec More, *op. cit.*, S., p. 120 : « *nihil usquam privati est* » et « *Posterioribus aedium partibus* [...] *hortus adjacet* » *(ibid.*, p. 120).

4. G. Stiblin, *De Eudaemonensium Republica commentariolus*, Bâle, 1555. La comparaison est permanente de la Macarie et de ses institutions avec celles de l'Allemagne, en particulier dans le chapitre sur les lois : « *Quid enim corruptius luxu hodie est quam Germania omnis generis voluptatibus addictissima? Ubi*

grande ville au temple central décrite par Doni[1], ni la majestueuse Christianopolis de Valentin Andreae, avec sa triple muraille, ses quatre portes et sa curie centrale[2]. On ne reprendra pas davantage ici l'analyse d'utopies célèbres ayant fait l'objet de travaux approfondis. Il ne sera pas plus question de l'éblouissante et inquiétante *Cité du Soleil*[3] de Campanella que du populaire et fort médiocre *Voyage en Icarie* de Cabet[4]. On se bornera à l'étude d'un seul texte, mais quasi inconnu parce que demeuré inédit jusqu'en 1976[5], *Sinapia*, « une utopie espagnole du siècle des Lumières ».

La structure discursive de *Sinapia* est canonique. Elle se résume dans un récit de mise en scène à la première personne du singulier $(R^1 + S^1)$[6] qui englobe un récit du motif (R^2) dans lequel un texte d'histoire racontant une action héroïque (R) est associé à la description au présent (I^2) d'une société modèle, Sinapia. (R^1), (R^2), (R), (I^2) présentent, par rapport à leurs homologues de l'*Utopie* de More, des différences de présentation et/ou de contenu, en partie dues à la différence des époques où ont été écrits les deux textes, mais qui n'altèrent pas leur identique fonctionnement, d'autant plus intéressant à observer.

En ce qui concerne (R^1), l'auteur de *Sinapia* ne feint plus d'avoir un

---

leones, beluones, ganeones asylum ac profugium habent » (*op. cit.*, p. 102). La description de la capitale a lieu une première fois à l'arrivée de l'auteur en Macarie, puis à la fin de l'ouvrage.

1. A. F. Doni, *Mondi celesti, terrestri, e infernali degli academici pelligrini*, Venise, 1552. La cité modèle que les deux pèlerins décrivent au narrateur et qu'ils ont vue « *in un mundo muovo, diverso, da questo* » (p. 173), se signale à la fois par ses mœurs ascétiques (la propriété privée n'existe pas; le faste est interdit; les funérailles sont supprimées, on meurt à l'hôpital, où sont également recueillis les vieillards...) et par l'aspect grandiose de l'espace modèle qui se découvre dans sa totalité (« *Veniva a vedere in una sola volta tutta il città* », *ibid.*) à qui se place au centre du temple aux cent portes dont partent cent rues rayonnantes en direction des cent portes de la ville. (*Nous soulignons.*)

2. V. Andreae, *Rei Publicae Christianopolitanae descriptio*, Strasbourg, 1619.

3. *Civitas solis politica idea republicae philosophiae*, Francfort, 1623.

4. Brièvement évoqué au chap. v, p. 278.

5. Date de sa publication par Miguel Aviles Fernandez sous le titre *Sinapia, una utopia Española del Siglo de las Luces*, avec une introduction critique (Madrid, Editoria Nacional, 1976). Le manuscrit de ce texte, qui ne porte pas de nom d'auteur, fait partie du « Fondo documental de Dr Carmen Dorado y Rodriguez de Compomanes », aujourd'hui déposé à la Fondation universitaire espagnole. Un certain nombre d'indices laissent présumer à M. Aviles Fernandez que ce texte est de la main du comte de Campomanes, économiste et conseiller du roi Charles III et qu'il aurait été écrit pendant le dernier tiers du XVIIIe siècle.

6. Pour cette terminologie et ces symboles, cf. *supra*, chap. III, en particulier p. 186 *sq.*

jour, par hasard, rencontré le *navigateur* (imaginaire), témoin de son Utopie. Il prétend avoir trouvé par hasard le *manuscrit* (imaginaire) dans lequel un navigateur *réel*, Abel Tasman [1] a relaté son voyage en Sinapia. Le problème qui se pose alors est l'inverse de celui que rencontrait More : il ne s'agit plus de donner une sonorité véridique au témoignage d'un protagoniste imaginaire, mais de déréaliser celui d'un personnage historique. La difficulté est identiquement résolue par l'élaboration d'une structure feuilletée. La fonction d'écran, assurée dans l'*Utopie* par le relais des paroles, est obtenue dans *Sinapia* par la conjugaison de trois moyens : la distance temporelle [2] où se situe Tasman (qui a vécu un siècle et demi avant l'auteur du livre), la langue étrangère dans laquelle aurait été écrit son manuscrit, le style indirect [3] dans lequel le traducteur a choisi de rendre le récit en première personne de Tasman.

Mais ce « récit du motif » (R^2) formulé à la troisième personne conserve à la description de la république sinapienne (I^2) le présent et la présence utopiques grâce à l'intervention active du traducteur (S^1) qui, en la renvoyant à une situation d'énonciation et en la marquant de *shifters*, se glisse dans le rôle de (S^2).

Comme celle d'Utopie, l'image de Sinapia est l'inverse spéculaire [4] d'un référent réel (I^1). Toutefois, la description de la société critiquée est moins développée que dans le texte de More et, à une ou deux exceptions près [5], elle procède seulement par dénégation. Plus que l'inégalité sociale, c'est le mode d'ingérence de l'Église dans la vie des citoyens qui est visé, les démarches inquisitrices, l'obscurantisme et le despotisme d'un clergé pléthorique et gaspilleur. L'image ainsi inscrite en abyme est celle de l'Espagne. Indirectement, mais clairement

---

1. Navigateur hollandais (1603-1659) qui découvrit la Tasmanie et la Nouvelle-Zélande.

2. Le locuteur-traducteur présente le récit de Tasman comme celui d'un contemporain. Il est donc sous-entendu qu'il est un intermédiaire entre Tasman et l'auteur réel du livre (Campomanes?), qui, loin de revendiquer son identité comme More, a gardé l'anonymat.

3. Après avoir indiqué les raisons qui lui font révéler le contenu du manuscrit de Tasman, l'auteur commence son deuxième chapitre par : « *En aquel largo rodeo con que Abel Tasman dio vuelta a la Nueva Holanda, Tierra de Concordia* [...] » (*op. cit.* p. 70-71). Tasman ne réapparaîtra plus ensuite nommément qu'à de brèves occasions (cf. p. 114), et la description de Sinapia l'emportera sur le récit de ses aventures.

4. P. 72. Cette inversion de l'image spéculaire qui, pour nous, signe l'utopie, est signalée par M. Aviles Fernandez pour qui elle marque, au contraire, que *Sinapia* « n'est pas une utopie, mais bien une sorte d'*antitopie* » (p. 24).

5. Cf. p. 70 où est évoqué ce qui se passe « chez nous ».

identifiable par le nom propre [1] (Sinapia = Ispania) de son inverse spéculaire et à travers les détails de son « image-portrait » : Sinapia est une péninsule, séparée du reste du continent par une haute chaîne de montagnes; sa situation inversée dans l'hémisphère austral est exactement celle qui, dans l'hémisphère nord correspond aux latitude et longitude de la péninsule ibérique [2]; les végétaux qui y croissent, comme les animaux qu'on y élève, sont ceux mêmes que chantent les éloges traditionnels de l'Espagne [3], et le climat aussi est « comme celui de l'Espagne [4] ».

Le modèle de Sinapia diffère de celui d'Utopie par son contenu, qui reflète la problématique des lumières. Si, comme en Utopie, la communauté des biens règne à Sinapia et si la famille y constitue pareillement la cellule sociale de base, et même un paradigme pour les institutions économiques et politiques, la religion et avec elle l'ensemble des pratiques sociales qu'elle colore plus complètement qu'en Utopie [5] sont néanmoins profondément rationalisées et transformées par le cartésianisme [6] et la philosophie du XVIIIe siècle. Davantage, la société sinapienne est ouverte aux progrès des savoirs théorique et technique, et semble, comme celle de la Nouvelle Atlantide, accueillir l'efficace du temps. La médecine et les techniques agricoles, en particulier, sont soumises aux perfectionnements. Il n'est jusqu'au modèle social qui se constitue progressivement [7]. Pourtant, une fois établi [8], il demeure aussi intangible que dans le cas d'Utopie, fixé par une batterie de moyens qui sont, en partie, les mêmes que ceux imaginés par More : *numerus clausus* [9] limitant la population urbaine; contrôle des voyages [10] et des importations [11], à quoi l'auteur ajoute l'interdiction des

---

1. De même, les voisins des Sinapiens sont les Lagós (Galos) et les Merganes (Germanes). Le nom antique de la péninsule était Bireia (Iberia).

2. P. 71.

3. M. Aviles Fernandez renvoie aux *Laudes hispanides* de saint Isidore et d'Alphonse X.

4. P. 72.

5. Cf. p. 54, le commentaire de M. Aviles Fernandez.

6. P. 128. Descartes est le seul auteur cité favorablement dans *Sinapia*.

7. « Dans la formation des plans et des lois de cette république, les législateurs furent prudents, en les mettant en pratique non pas d'un coup, [...] mais petit à petit » (p. 76).

8. L'importance prise par la notion de modèle dans *Sinapia* peut être commentée par une incidente acerbe visant ce qui en est l'inverse, les « rodomontades » de Machiavel (p. 70).

9. P. 84.

10. P. 123.

11. P. 123-124.

livres étrangers, sauf sous la forme de « traductions en langue sina-pienne par ordre du Sénat [1] ».

Quant au modèle spatial, son rôle peut être mesuré par la situation et les dimensions de sa description. Comme dans l'*Utopie*, la description de l'espace modèle (I^2) précède [2] celle des institutions modèles qui s'y logent et s'y enracinent, mais elle est beaucoup plus longue et détaillée. Issu d'une démarche à laquelle le XVIIIe siècle finissant prête une valeur scientifique [3], élaboré avec une extrême minutie, le modèle spatial de Sinapia rappelle celui d'Utopie par certains de ses traits [4], mais en diffère par la hiérarchisation systématique des espaces et leur rigoureuse articulation au moyen d'unités modulaires.

Il présente quatre types d'unités quadrangulaires emboîtées les unes dans les autres : le pays, la province (neuf provinces égales, de chacune quarante-neuf lieues sinapiennes de côté), la région [5] (quarante-neuf régions de sept lieues de côté par province) et la zone urbaine (quarante-neuf unités d'une lieue de côté par région). A chacune de ces entités territoriales correspond un type d'agglomération; la capitale, la métropole ou capitale provinciale, la cité et la ville [6]. C'est cette dernière qui constitue le modèle ou la cellule urbaine élémentaire. Les trois autres en diffèrent seulement par l'échelle, ou plus précisément par le nombre de cellules qu'ils comprennent.

---

1. P. 127. Idée empruntée à Campanella.

2. Les divisions territoriales (chap. VI), la maison familiale (chap. VII), le *barrio* (chap. VIII), la ville (chap. IX), la cité (chap. X), la métropole (chap. XI) et la capitale (chap. XII) sont décrits dans leurs formes spatiales avant que ne soit évoquée (chap. XIII) « la forme de la république ». Il n'entre pas dans notre propos d'exposer en détail le fonctionnement de cette « figure pyramidale dont le peuple constitue la base, les magistrats le corps et le prince le sommet », la magistrature étant constituée par « l'ensemble des pères » de *barrios*, de villes, cités et provinces.

3. Qu'il s'inspire de son œuvre ou non, l'auteur de *Sinapia* appartient à la même constellation épistémique que Morelly, pour qui, comme plus tard pour Fourier, la physique newtonienne était le modèle d'une science de l'homme à venir. Cf. *Code*, 3e partie, « Analogie entre l'ordre physique et le moral » : « Notre foiblesse est en nous comme une espèce d'*inertie;* elle nous dispose comme celle des corps, à subir une loi générale qui lie et enchaîne tous les êtres moraux. La raison, quand rien ne l'offusque, vient encore augmenter la force de cette espèce de gravitation » (p. 244-245). Cf. aussi, *ibid.*, p. 262-263, « Principal motif de toute action humaine et principe de toute harmonie sociale ».

4. Par exemple les deux portes des maisons et les jardins communs.

5. Notre appellation. L'auteur se contente du même terme de *cuadrados* pour désigner les diverses échelles de carrés : « *Cada provincia se vuelve a dividir* en cuarenta y nueve cuadrados [...] *Cada partido se subdivide* en otros cuarenta y nueve cuadrados » (p. 81). [*Nous soulignons.*]

6. Dans la terminologie de l'auteur : *corte, metropoli, ciudad, villa.*

La ville est, en effet, une entité fonctionnelle de base, qui sert à composer, par juxtaposition, les entités urbaines des niveaux supérieurs. En revanche, les trois types d'éléments — *barrio*, maison des pères, église — qui s'articulent pour composer cette cellule ne sont pas autonomes et ne peuvent être dissociés dans leur fonctionnement. Ils sont combinés selon un schéma quadrangulaire très simple. Les *barrios*, « unités de voisinage » pour dix familles, sont disposés dans la ville au nombre de huit, quatre sur deux faces opposées du carré de base. Les deux autres faces sont occupées par quatre (deux fois deux) « maisons communes » ou « des pères de la ville », dont les modules de surface sont le double de ceux d'un *barrio*[1]. Enfin, au centre, sur une place carrée, règne, seul édifice circulaire de Sinapia, l'église, qui rassemble les lieux du culte et de l'éducation, la demeure du clergé et le cimetière. Le *barrio* présente, lui aussi, un plan carré qui permet la même interaction des espaces public et privé : deux côtés parallèles sont garnis de maisons unifamiliales, disposées en bande continue, à raison de six d'une part, et de quatre seulement de l'autre où elles encastrent symétriquement la « maison du père de *barrio* ». Celle-ci est dotée d'une double largeur modulaire et d'un étage supplémentaire, qui ajoute au logement personnel du père de *barrio* la salle de réunion des habitants de l'îlot, les magasins pour stocker les vivres et les instruments de première nécessité, enfin, sur le flanc de la maison, les cachots : il s'agit donc là d'un centre social élémentaire, total et totalitaire. Le milieu du carré est occupé par le jardin rectangulaire commun, dont les dimensions sont déterminées par un module correspondant à la largeur de la maison. Un autre type de *barrio*, à dix maisons *séparées*, disposées autour de la maison du père, caractérise les quatre quartiers (*cuarteles*) d'un genre particulier qui forment le territoire agricole suburbain de chaque ville.

1. « Les pères de la ville sont quatre. Ils forment un conseil, gouvernent les maisons communes, président la juridiction criminelle en première instance et châtient les pères de *barrios* [...] » (p. 87). Chacun possède en outre ses fonctions propres. « Le premier qui a par excellence droit au nom de père de la ville préside le conseil »; il a par ailleurs « charge de la défense, des relations publiques, des fêtes, des passeports, du remplacement des charges vacantes, de l'éducation et des études » (p. 88). Les autres « ministères » sont moins polyvalents, le second père étant chargé de tous les problèmes de santé, le troisième de la subsistance de la ville (aussi bien en ce qui concerne les vivres que pour la conservation des édifices), et le quatrième étant responsable du travail et supervisant à la fois les moyens et lieux de travail, la qualité des produits et le comportement des travailleurs (p. 88-89). Les bâtiments afférents à ces diverses fonctions comportent tous les mêmes appartements privés destinés aux quatre pères. Pour le reste, « leur construction et leur distribution varie [...] selon ce qu'il s'agit d'administrer » (p. 92).

La cité est composée de paroisses qui sont autant de villes. Elle possède une église centrale supplémentaire qui, dans la métropole, s'appellera cathédrale et abritera des instances éducatives supérieures. Quant à la capitale, métropole de la province centrale, elle a pour spécificité d'abriter dans ses maisons communes l'académie, les archives et les conseils de la nation. Provinces, régions et zones urbaines son bornées par des canaux bordés d'arbres et de largeur proportionnelle à l'importance de l'unité territoriale qu'ils délimitent. Les diverses entités urbaines sont reliées entre elles par des routes dont la largeur varie aussi selon leur importance et qui, dans les agglomérations, se transforment en rues à arcades[1].

Cette organisation complexe est donc construite à partir d'un nombre réduit d'unités soigneusement définies et articulées selon des règles identiques. A la base, des éléments insécables, le jardin et la maison individuelle[2]. Ils se combinent pour former, au second niveau, une unité de type supérieur, le *barrio*, homologue de deux nouvelles unités, la maison commune et l'église. Au sommet, *barrio*, maison commune et église, s'associent à leur tour pour constituer la ville, unité ultime qui n'entrera plus dans de nouvelles compositions que par réplication. On voit ainsi apparaître une série de prototypes hiérarchisés, et l'auteur, reprenant et généralisant la formule moréenne, peut affirmer avec une égale pertinence, de la maison, de l'église[3] ou de l'entité urbaine, que « qui en connaît une les connaît toutes[4] ». En dépit d'une plus grande élaboration et de son caractère modulé, le modèle spatial décrit au présent de l'indicatif dans *Sinapia* exerce donc la même fonction de conversion et de stabilisation sociales que le modèle moréen de l'*Utopie*.

Enfin l'identité formelle et fonctionnelle constatée au niveau de

1. « Toutes les rues sont rectilignes et bordées de portiques de façon que partout on puisse cheminer à couvert » (p. 84).
2. « Chaque maison possède deux niveaux avec seize pièces et au milieu un petit patio avec une fontaine ou un puits; deux portes ouvrent l'une sur la rue et l'autre sur le jardin, identiquement bordés de portiques avec une galerie [...] Toutes les maisons particulières sont uniformes dans toute la péninsule et toutes possèdent leurs chambres à coucher, leur chapelle, leur atelier, leur cuisine et leur salle commune » (p. 92).
3. Cf. la longue description du temple standard (p. 94).
4. « Qui a vu une ville, les a toutes vues puisque toutes sont égales et semblables. Et qui a vu celles-ci, a vu les cités, les métropoles et la capitale même, puisqu'elles diffèrent seulement par le nombre de leurs *barrios*, la qualité des matériaux et la taille de leurs édifices publics » (p. 85). Cf. p. 94 : « qui a vu un temple les a tous vus puisqu'ils ne diffèrent que par le volume, la richesse des matériaux et l'abondance des peintures et des sculptures ».

(R[1]), (R[2]) et (I[2]) se retrouve pour (R), l'histoire légendaire narrée au prétérit. « La création de l'admirable république de Sinapia » n'est plus l'œuvre d'un protagoniste unique, elle « est due à l'association de trois héros[1] ». Deux d'entre eux sont des Persans convertis au christianisme[2], le troisième un philosophe chinois[3]. Leur action conjuguée, qui s'est exercée sur une population associant aux Persans et aux Chinois un fond de Malais et de Péruviens, témoigne de la valeur universelle de leur modèle. Les épisodes variés de leur histoire commune[4] reflètent le cosmopolitisme des lumières et en particulier l'intérêt témoigné par le XVIIIe siècle à la linguistique. Mais cette histoire légendaire (R), plus longue et compliquée que celle d'Utopus, et paradoxalement située dans les temps historiques puisque liée au développement du christianisme, conserve, clairement affirmée, la dimension mythique qui caractérise (R) dans l'*Utopie* de More.

Parmi les variations de surface, imputables à des changements épistémiques et dont on a vu qu'elles n'altèrent pas le fonctionnement moréen du texte, deux différences semblent cependant annoncer une transformation à venir du paradigme.

La première, plus formelle, concerne l'importance donnée par l'auteur de *Sinapia* à la description de l'espace modèle. Certes, nous avons fait de I[2] un trait structurel de la figure de l'utopie. Mais la différence de proportion entre les espaces textuels qu'occupent respectivement ces descriptions à l'intérieur des deux livres de More et de l'anonyme espagnol désigne un écart fonctionnel entre les deux textes. Alors que l'*Utopie* de More demeurait un exercice spéculatif, il semble bien que l'élaboration abondante et méticuleuse du modèle spatial de *Sinapia* soit l'indice d'une visée pratique, que Sinapia ait été destinée à être réalisée. Hypothèse que confirmerait l'identification de l'auteur avec l'économiste physiocrate chargé par Charles III d'un projet de restructuration de l'Andalousie, le comte de Compomanes[5].

Quoi qu'il en soit de la personnalité de son auteur, *Sinapia* a été écrite dans le pays qui, le premier en Occident et le seul aussi systématiquement, a lié dans sa pratique colonisatrice les concepts d'espace et

---

1. P. 75.
2. Un prince, Sinap, et un patriarche de l'Église, Godabend.
3. Si-ang, dont la culture qu'il symbolise jouerait dans *Sinapia* le même rôle que la culture gréco-latine dans l'*Utopie* de More. Cf., p. 74, la note 124 de M. Aviles Fernandez.
4. Essentiellement développée au chapitre III.
5. Cf. le commentaire de M. Avilès Fernandez, p. 64.

de société, et imposé aux territoires conquis [1] des modèles spatiaux spécifiques, de véritables prototypes urbains.

Cette expérience de la colonisation, en même temps que la nombreuse littérature de voyages publiée depuis le XVIe siècle, a confronté le XVIIIe siècle avec le pouvoir réalisateur que l'utopie détient en puissance. D'où une évolution de la figure textuelle. La forme originelle, pour laquelle l'avènement de la société idéale n'est pas réalisable, se maintient. Mais parallèlement une forme surspatialisée exprime une nouvelle tendance qui part du postulat inverse et privilégie la description d'un espace modèle (I^2) qu'elle projette de réaliser effectivement. Bien qu'il n'ait pas écrit d'utopie au sens strict [2], Morelly livre l'esprit de la figure originelle, lorsque, avant d'exposer son « modèle de législation » et de définir, en onze articles de quelques lignes chacun, le schéma spatial de sa cité modèle, il prévient le lecteur qu'il ne donne « cet esquisse » que « par forme d'Appendix comme un hors d'œuvre, puisqu'il n'est malheureusement que trop vrai *qu'il serait comme impossible de nos jours de former une pareille république* [3] ». Le présumé Campomanes, lui, tout lecteur de Morelly [4] qu'il soit, illustre la forme surspatialisée de l'utopie.

Mais la volonté de réalisation s'exprime aussi par une deuxième différence au regard du paradigme moréen. Il ne s'agit plus, cette fois, de l'hypertrophie d'un trait structurel utopien, mais de l'introduction, dans le *contenu* de (I^2), d'éléments étrangers à la démarche de More et concernant le rôle attribué en Sinapia à l'architecture et à l'esthétique. L'auteur emprunte aux traités d'architecture la distinction entre *soliditas, commoditas* et *pulchritudo*. Il indique que les maisons d'habitation de Sinapia ressortissent exclusivement au registre de la solidité et de la commodité [5] dont il n'évoque d'ailleurs pas les règles, mais dont il est implicitement entendu qu'elles sous-tendent la conception de *tous* les prototypes d'édifices. Le registre de la beauté, et donc de l'art [6], est réservé aux édifices publics, civils et religieux. D'une part, leurs prototypes sont parachevés selon les lois des propor-

1. Cf. *Planos de Ciudades iberoamericanas y filipinas existentes en el archivo de Indias*, introduccion por F. C. Goitia y L Torres Balbas, Instituto de estudios administracioni local, Seminario de Urbanismo, 1951.

2. Cf. *supra*, p. 248 *sq.*

3. *Op. cit.*, p. 285. *(Nous soulignons.)*

4. Il s'inspire directement de certains passages de la *Basiliade* (cf. M. Aviles Fernandez, *op. cit.*, p. 59).

5. « L'architecture des édifices privés vise seulement à la commodité *(comodidad)* et à la durée *(duración*, symbole de solidité) » (p. 130). Cf. aussi, p. 92, les maisons communes conçues « pour l'usage et non pour l'ostentation ».

6. Un chapitre entier (XXXI) est réservé aux arts.

tions (*simmetria*, au sens vitruvien)[1]. D'autre part, dans le même temps, églises et monuments civils rivalisent par la qualité des ornements que leur prodiguent la peinture et la sculpture, et toute trace de modélisation disparaît alors d'une démarche esthétique dominée par l'individualisme [2].

Hypertrophie du modèle spatial (I^2), rôle dévolu à l'art grâce à la distinction, empruntée aux traités, entre construction et architecture, tels sont les signes qui, à la surface de *Sinapia*, annoncent une perturbation prochaine du paradigme moréen.

Mon objectif était de vérifier l'hypothèse selon laquelle les deux organisations textuelles archétypales auraient engendré une postérité séculaire. On a vu les réserves qu'appelle cette proposition. Figure quasi mythique accordée à la vocation que la culture occidentale affirme toujours davantage, l'utopie manifeste sa fonctionnalité par une production surabondante qui reproduit la structure de la version canonique et lui ajoute deux variantes importantes, l'utopie réduite illustrée par le *Code de la nature* de Morelly et l'utopie surspatialisée, illustrée par *Sinapia*. Figure au caractère mythisant moins affirmé et que tempèrent le jeu et l'ironie, figure perturbée dès le XVIe siècle par une régression vitruvisante, le traité d'architecture résiste moins bien au temps que l'utopie. De l'extérieur, pour qui se contenterait d'un inventaire formel, par la grâce des titres et le marquage unifiant du *je* constructeur, par la présence des récits d'origine et de certaines histoires, l'édifice paraît intact. Mais, à quelques exceptions près, qui confirment la dégradation générale, il n'en subsiste que la façade, derrière laquelle le texte fonctionne mal, ou plus du tout. Le jeu des séquences est brouillé, le temps du bâtir et celui du scripteur ne coïncident plus, les récits d'origine sont devenus inutiles, ont perdu leur fonction, du moment que l'édification a perdu son ouverture et ne demande plus à être fondée en raison.

1. P. 130.
2. P. 120. Le rôle de l'ornement est comparé à celui de la poésie, et ceux qui pratiquent les divers arts admis en Sinapie, arts logique, médical, et arts mécaniques (parmi lesquels se situe l'architecture) sont considérés comme des inventeurs. Les temples qui sont les édifices les plus ouverts à l'art, sont néanmoins considérés par l'auteur comme « identiques », c'est-à-dire ressortissant, malgré la diversité profuse de leurs ornements, à un modèle constructif unique.

5. Une nouvelle figure en préparation : dérives et déconstruction

Au début de ce livre, j'ai émis l'hypothèse selon laquelle un nouveau type de texte instaurateur serait apparu dans la dernière moitié du XIXe siècle, établissant les fondements d'une discipline nouvelle, l'urbanisme. Le chapitre VI montrera que les écrits de l'urbanisme intègrent à la fois des éléments du traité et de l'utopie et qu'ils sont effectivement sous-tendus par une figure comparable à celle des deux paradigmes.

Mais cette figure n'a pas surgi *ex nihilo*. Son émergence, en apparence brutale, a, en réalité, été préparée au cours d'une période de transition et de gestation. Période à laquelle il est nécessaire de se reporter, même brièvement, comme ce sera le cas ici, pour pouvoir ensuite comprendre la signification de l'amalgame, à première vue déconcertant, réalisé par la troisième figure instauratrice.

Le grand dérangement, occulte ou manifeste, qui, dès la deuxième moitié du XVIIIe siècle, a ébranlé les pratiques traditionnelles des sociétés occidentales et fait surgir de nouvelles relations avec le monde et le savoir, retentit également sur l'organisation des paradigmes instaurateurs. Trois facteurs, en particulier, y contribuent : le développement des sciences physiques et de leurs applications techniques; la médicalisation du savoir et des pratiques sociales; la mise en place de la « disciplinarité[1] ».

La maturation de la nouvelle figure sera donnée à lire à travers les déconstructions, les dérives, les transformations que les deux paradigme subissent alors sous cette poussée, dans deux ensembles d'ouvrages aux formes non canoniques, les « traités en éclats » et les « utopies » du pré-urbanisme.

---

1. Cf. *infra*, p. 273.

I. LA SCIENCE ET L'UTOPIE CONTRE LE TRAITÉ D'ARCHITECTURE : LE TRAITÉ EN ÉCLATS DE PATTE

La façade derrière laquelle le traité d'architecture masque son délabrement interne a pu, dans certains cas, grâce à l'académisme des milieux professionnels, être préservée jusqu'en plein XIXe siècle. En général, elle s'effondre sous la pression de facteurs extérieurs, et tout particulièrement sous l'effet de l'application des découvertes scientifiques de l'époque à l'aménagement de l'espace habité par de nouveaux acteurs, les savants [1] et les ingénieurs.

Le procès de déconstruction de la figure du traité sera illustré par un ouvrage indûment négligé par les historiens, le *Mémoire sur les objets les plus importants de l'architecture*, publié en 1769 par Pierre Patte, architecte du roi Louis XV [2]. Les appartenances multiples de ce livre, dont le lieu d'inscription est situé à la fois dans et hors de la tradition des traités, sont déchiffrables à l'échelle de l'œuvre de Patte tout entière, écrite et gravée, qui participe simultanément de la littérature architecturale classique, de la littérature scientifique, de la critique utopiste.

A l'encontre des amateurs éclairés qui, tel Laugier [3], s'essaient alors à des dissertations sur l'architecture et le monde édifié, Patte est un véritable architecte, théoricien et praticien. Il appartient à la lignée des trattatistes : après la mort de J.-F. Blondel, c'est lui qui a achevé son *Cours d'architecture;* en outre, il a, au début de sa carrière, écrit un *Discours sur l'architecture* [4] où il pratique encore la religion

---

1. Cf., *La Politique de l'espace parisien, op. cit.*, en particulier la contribution de B. Fortier.
2. Le nom de Patte a été rendu célèbre par les *Monuments élevés à la gloire de Louis XV*, Paris, 1765, et essentiellement à cause des gravures de cet ouvrage. Par ailleurs, Patte n'a pas de place dans l'historiographie de l'art du XVIIIe siècle, ni dans l'abondante littérature critique concernant les traités. Une seule monographie lui est dédiée, *Pierre Patte, sa vie, son œuvre*, par Mahé Mathieu, Paris, PUF, 1940. Encore, cette thèse qui, au prix d'une laborieuse recherche, a pu livrer toute l'information dont on dispose actuellement sur les nombreuses facettes du personnage ne tente-t-elle pas de situer Patte dans la problématique de son époque et ne se propose-t-elle aucune approche critique du théoricien.
3. Cf. *infra*, p. 263, n. 1 et 265, n. 1.
4. *Discours sur l'Architecture, où l'on fait voir combien il serait important que l'Étude de cet Art fît partie de l'éducation des personnes de naissance; à la suite*

des ordres et sacrifie au parti esthétisant de l'Académie[1]. Mais Patte est aussi le grand graveur pour qui le dessin, débordant le champ esthétique, est avant tout un instrument d'investigation scientifique[2], qui lui permet d'accumuler et de contrôler des connaissances[3]. Il s'intéresse directement à la chimie, à l'hydrologie, à la géologie, à l'hygiène, qu'il veut voir œuvrer à la production du cadre bâti[4]. Enfin, il est l'auteur, quatre ans avant le *Mémoire*, d'un ouvrage insolite consacré aux *Monuments élevés à la gloire de Louis XV*[5], dont la plus importante partie concerne des projets non réalisés et dresse contre la capitale de la France un réquisitoire féroce[6]

---

duquel on propose une manière de l'enseigner en peu de temps. Paris, 1754. Dans ce bref opuscule, où il se soumet entièrement aux « règles qu'un usage raisonnable a consacrées et dont le bon sens ne peut suggérer la connaissance, [...] transmises par les Grecs et les Romains » (p. 11), et où la question des ordres occupe une place centrale, Patte manifeste cependant déjà et son intérêt pour les problèmes urbains, saisis encore exclusivement sous leur angle esthétique (*ibid.*, p. 15, 17 *sq.*), et son goût de la critique par oppositions binaires.

1. Le plan d'enseignement de Patte se divise en trois articles : « Dans le premier on démontrera les proportions générales des cinq Ordres, & des membres d'Architecture qui ont un rapport nécessaire avec eux. Dans le second on expliquera les principes généraux de l'Architecture. Dans le troisième enfin, on procédera à la manière d'examiner les Édifices anciens et modernes » (*ibid.*, p. 28).

2. Patte a dirigé de 1757 à 1759 la publication des planches de l'*Encyclopédie*, qu'il a quittée pour celle des *Arts et Métiers* de l'Académie, après avoir dénoncé le scandale du vol, par les encyclopédistes, des gravures de Réaumur. Il n'a, par ailleurs, cessé d'avertir les architectes des dangers de l'usage du dessin dans leur pratique essentiellement tridimensionnelle. Cf. *Mémoires*, p. 96.

3. Sur les techniques; sur l'antiquité; sur les villes contemporaines : Patte dirige l'illustration de la *Description de la ville de Paris* de Piganiol de la Force (1765).

4. Outre les passages du *Mémoire* qui renvoient à ces disciplines, cf. les passages des *Monuments* concernant les « arts méchaniques » et, parmi les sciences, la géographie, l'histoire naturelle et la physique, la médecine et la chimie. On se référera aussi aux brochures techniques de Patte : *De la manière la plus avantageuse d'éclairer les rues d'une ville pendant la nuit en combinant ensemble la clarté, l'économie et la facilité de service*, 1766; *Observations sur le mauvais état du lit de la Seine* [...], 1779.

5. Le terme de *Monument* est entendu par Patte au sens étymologique d'œuvre devant *demeurer* pour la postérité. Aussi, dans la première partie de cet ouvrage, consacrée aux arts, aux sciences et à la littérature, l'architecture ne représente-t-elle que le premier des arts libéraux, avant les ponts et chaussées, l'architecture navale, la peinture, la sculpture, la gravure, et enfin la musique et la danse. La critique de Paris se situe, en bonne logique, avant les projets d'embellissement qui constituent la troisième partie du livre, mais, non sans impertinence, à l'intérieur de la troisième section consacrée à un bilan détaillé des monuments de l'architecture.

6. Cf., en particulier : « [Paris] est un amas de maisons entassées pêle-mêle, où il semble que le hasard seul ait présidé. Il y a des quartiers entiers qui n'ont

qui anticipe la critique utopisante de Sébastien Mercier [1]. Et, trente-cinq ans après le *Mémoire*, il publie les *Fragments* d'une utopie [2].

Le titre même du *Mémoire sur les objets les plus importants de l'architecture* indique une rupture : non plus traité d'architecture, mais *mémoire*, qui rassemble, au besoin l'hétéroclite, pour prendre note, acte, date, à des fins que le superlatif trahit polémiques. L'esprit critique de l'auteur lui fait découper son texte en « éclats », bien différents des parties que Serlio [3] empruntait à la figure traditionnelle du traité, et juxtaposait, sans intention critique ni désir de questionnement.

---

presque pas de communication avec les autres ; on ne voit que des rues étroites, tortueuses, qui respirent partout la mal-propreté, où la rencontre des voitures met continuellement la vie des citoyens en danger, et cause à tout instant des embarras. La Cité surtout n'a presque point changé depuis trois siècles [...] Mais ce qui frappe le plus dans cette Capitale, c'est de voir dans son centre et dans l'endroit le plus peuplé, l'Hôtel-Dieu qui est le réceptacle de toutes les maladies contagieuses, et qui, en infectant une partie de l'eau de la rivière, exhale de toutes parts l'air le plus corrompu et le plus mal sain [...] Après le mauvais air que l'on respire à Paris, le manque d'eau est le plus sensible [...] Les Romains [...] pensaient bien différemment de nous à cet égard [...] Il n'y a pas de ville plus mal approvisionnée d'eau » (suit une statistique impressionnante), *op. cit.*, p. 212-213.

1. *L'An 2440* paraît en 1770, et la première édition de son *Tableau de Paris* date de 1781. Les *Monuments* de Patte sont en revanche postérieurs de douze ans à l'*Essai sur l'architecture* de Laugier (1re édition, Paris, 1753) dont il semble que Patte ait repris jusqu'aux termes : « Nos villes sont toujours ce qu'elles étaient, un amas de vieilles maisons entassées pêle-mêle, sans système, sans économie, sans dessein. Nulle part ce désordre n'est plus sensible et plus choquant que dans Paris. Le centre de cette capitale n'a presque point changé depuis trois cents ans : on y voit toujours le même nombre de petites rues étroites, tortueuses, qui ne respirent que la malpropreté et l'ordure et où la rencontre des voitures cause à tout instant des embarras [...] Paris au total n'est rien moins qu'une belle ville. Les avenues en sont misérables, les rues mal percées et trop étroites, les maisons [...] trivialement bâties, les places en petit nombre [...], les palais presque tous mal disposés » (*op. cit.*, 1re éd., chap. v, p. 209-210). On notera cependant qu'en dépit de ses invocations à la commodité (essentiellement réduite à la circulation), la critique de Laugier, en ce qui concerne la ville, relève encore surtout de l'esthétique, et n'est pas, comme celle de Patte, inspirée par des considérations d'hygiène.

2. Pas au sens strict, puisqu'il n'y est, en particulier, pas proposé de modèle spatial. Néanmoins, ces *Fragments d'un ouvrage très important qui sera mis sous presse incessamment*, intitulé *L'Homme tel qu'il devrait être ou la nécessité de le rendre constitutionnel pour son bonheur* [...] écrits par Patte, en 1804, à l'âge de quatre-vingts ans, fournissent un indice qui confirme notre analyse du *Mémoire*.

3. Cf. *supra*, p. 224 *sq.*

Car ce sont bien des éclats, fragments acérés et scintillants d'un objet irrémédiablement brisé, que les chapitres du *Mémoire* : présentant les dimensions des livres des traités traditionnels, ils sont successivement consacrés à la ville (71 pages), aux ordres (23 pages), à des indications didactiques sur la construction (71 pages), aux fondations (50 pages), aux quais (6 pages), aux ponts (38 pages), aux différentes méthodes pour « construire les plates-bandes et plafonds des colonnades » (60 pages) et à la colonnade du Louvre[1] (23 pages). La hiérarchie des niveaux albertiens est disloquée, la nécessité (construction) se trouvant traitée après la commodité (ville) et la beauté (ordres). L'espace accordé à la beauté est réduit, sans doute par dérision, au tiers de celui occupé par les deux autres niveaux. Quant aux autres chapitres, ils ne sont pas situés sur le même plan sémantique que les trois premiers et ne présentent aucune relation logique entre eux. Leur seul lien réside dans l'arbitraire du *je* tout-puissant qui les a assemblés et qui, conformément à l'usage des trattatistes, affirme sa présence au long du texte et la confirme par de nombreux *shifters*.

Le premier chapitre du *Mémoire*, où se trouve concentré l'héritage du paradigme albertien, servira à mettre plus précisément en évidence la déconstruction que Patte fait subir à la figure du traité.

Livre dans le livre, divisé en « articles » qui sont autant de chapitres, ce premier chapitre, dédié à la ville, exprime par sa situation liminaire la volonté qui anime Patte de restituer à la commodité, dans le procès d'édification, une place et une signification censurées par l'âge classique[2]. La construction de la ville est abordée successivement selon les trois niveaux albertiens qui confèrent sa structure au chapitre-livre, et les règles et principes utilisés sont cautionnés par un double récit d'origine de l'architecture et des villes, placé en ouverture, au seuil du premier article.

Cependant, l'ordre et l'équilibre des niveaux albertiens ne sont mieux respectés que dans l'ensemble du *Mémoire*. Si le niveau de la beauté conserve son statut et sa spécificité, son champ est tellement réduit que Patte ne parvient plus, ni à l'articuler avec celui de la

---

1. Particulièrement engagé, ce dernier fragment *mémorialise* les conflits de Levau, Perrault et Le Bernin, dans la perspective d'une histoire, à faire, de l'architecture.

2. Pour Patte, le seul accomplissement de son siècle, en matière de commodité, a été la façon dont on a distribué les appartements privés, en inventant le couloir et en spécialisant les pièces (cf. *Monuments*, p. 6 : « [Auparavant] on était logé uniquement pour représenter et l'on ignorait l'art de se loger commodément et pour soi, toutes ces distributions agréables [...] qui dégagent les appartements avec tant d'art [...] n'ont été inventées que de nos jours. »)

commodité, ni à lui désigner un lieu propre dans l'espace du texte. Et c'est, comme Laugier, en termes de recommandations négatives, et non de règles positives, que Patte énonce son esthétique urbaine [1].

Quant au récit d'origine, il est réduit à une parodie qui accumule les citations et, au bel enchaînement traditionnel, substitue le hasard [2] comme principe générateur du bâtir. Comment mieux que par cette promotion du hasard, tourner en dérision l'opérateur qui, dans le traité, fonde les règles de l'édification et pose la continuité de ses opérations dans l'histoire? C'est pourquoi, s'il n'étaye plus la construction du texte et l'ordre de ses séquences, le récit parodique du *Mémoire* ne laisse point d'y signifier. Il métaphorise la volonté qui anime Patte de rompre avec les anciennes procédures discursives de l'aménagement spatial, de marquer l'avènement d'une ère nouvelle.

1. Selon Patte : « Pour la beauté d'une Ville, il n'est pas nécessaire qu'elle soit percée avec l'exacte symmétrie des Villes du Japon ou de la Chine, et que ce soit toujours un assemblage de quarrés, ou de parallélogrames [...] Il convient surtout d'éviter la monotonie et la trop grande uniformité dans la distribution totale de son plan, mais d'affecter au contraire de la variété et du contraste dans les formes, afin que tous les différens quartiers ne se ressemblent pas. Le Voyageur ne doit pas tout appercevoir d'un coup-d'œil. Il faut qu'il soit sans cesse attiré par des spectacles intéressants, et par un mélange agréable de places, de bâtiments publics et de maisons particulières » (*Mémoire*, p. 11). Selon Laugier : « Nous avons des villes dont les rues sont dans un alignement parfait : [...] il y règne une fade exactitude et une froide uniformité qui fait regretter le désordre de nos villes [...] On ne voit partout qu'une ennuyeuse répétition des mêmes objets; et tous les quartiers se ressemblent si bien, qu'on s'y méprend et on s'y perd [...] » (*Essai, op. cit.*, p. 223).
2. « L'origine de l'Architecture se confond avec celle du monde. Les premiers habitants de la terre songèrent vraisemblablement de bonne heure à se construire des habitations capables de les mettre à l'abri de l'injure de l'air. A mesure qu'ils se multiplièrent, les enfants élevèrent des logements à côté de ceux de leurs pères et les parents placèrent leurs demeures dans le voisinage de celles de leurs parents. Telle a été l'origine des différentes peuplades qui ont donné naissance aux villes, aux cités, aux bourgades, aux hameaux, etc. Avec le temps, la population s'étant trop augmentée, les familles furent obligées de se disperser pour trouver de nouvelles terres à cultiver; c'est ainsi que toutes les parties du monde ont été successivement habitées [...] De la terre grasse, des troncs, des branchages d'arbres furent les premiers matériaux. Peu à peu, on s'appliqua à rendre les maisons plus solides [...] et enfin l'on parvint à leur donner de l'élégance, en rendant leur extérieur plus agréable et leur intérieur plus commode. On n'apporta pas sans doute beaucoup d'attention pour situer avantageusement les premières habitations. Il est à croire que *le hasard seul en décida* » (p. 1 et 2). [*Nous soulignons.*] La contingence est partout dans cette histoire parodique où s'impose seulement l'évidence d'un progrès. Le hasard, qui « n'a pas moins présidé à [la] distribution générale [des villes] qu'à leur emplacement », est à nouveau invoqué au moment où Patte quitte l'histoire mythique pour l'histoire tout court, au début de l'article 2.

Il conserve donc, dans le texte de Patte, une fonction qui, même dévoyée, l'oppose aux récits inertes et saugrenus qu'on trouve encore au XIXᵉ siècle dans nombre de traités et de manuels. Car cet opérateur fondamental du paradigme albertien s'est révélé, peut-être à cause des profondeurs où il fonctionnait, le plus résistant à l'érosion du temps, et il subsiste dans des formes textuelles où il ne joue plus aucun rôle : tel est, par exemple, le cas dans les célèbres *Leçons d'architecture* [1] où J.N.L. Durand a conservé un récit d'origine, tout en réduisant l'aménagement spatial aux seules dimensions et règles des sciences et des techniques.

Signes d'une volonté de changement, ces altérations délibérées de la figure du traité sont accompagnées par des transformations plus profondes qui signent l'investissement de cette figure et par un discours scientifique et par l'utopie. Les rôles respectifs de ces deux types de textes se confortent souvent et sont parfois difficiles à dissocier.

Lorsque Patte ouvre, délibérément, son *Mémoire* sur la ville, il ne s'agit plus seulement pour lui d'une réhabilitation de la commodité albertienne. Le titre de ce premier chapitre l'indique sans ambiguïté : « Considérations sur la distribution vicieuse des Villes et sur les moyens de rectifier les inconvénients auxquels elles sont sujettes. » Nous voici soudain confrontés à l'opposition du bon et du mauvais, du vice et de la vertu, à la critique qui toujours accompagne l'utopie et n'a jamais eu place chez aucun trattatiste, pas même chez Filarète ou Scamozzi, en dépit du rôle qu'ils accordèrent à la ville comme lieu privilégié de l'expression de la commodité.

Le chapitre est parcouru tout entier par cette opposition, organisé par une structure en miroir que souligne l'emploi de la terminologie critique et éthique de l'utopie [2], déjà contrepointée par celle de la médecine [3]. A l'encontre des procédures trattatistes qui se déploient

1. *Précis des leçons d'architecture données à l'École polytechnique*, Paris, t. I, an X (1802); t. II, an XIII (1805). Curieusement, le récit d'origine de cet ouvrage (p. 16) introduit un principe de base nouveau, le principe d'économie, qui vient s'ajouter au principe de convenance (comprenant pour Durand les notions de solidité, salubrité et commodité) et sans doute se substituer au principe du plaisir et de la beauté. Durand affirme, en effet, dans son introduction que « plaire n'a jamais été le but de l'architecture ».
2. Qui oppose le mal (génie malfaisant, p. 6), l'inconvénient (p. 7, 14), le défaut (p. 17), le vice (p. 28, 60), les abus (p. 60), les fléaux (p. 61), le désordre (p. 5) à l'ordre par le moyen de la prévention (p. 60), de la réforme (p. 63) ou de la *rectification* (p. 7, 34, 39, 59, 61, 64, 65, 66).
3. Le « remède » (p. 7) à la mauvaise « constitution physique » (p. 7) des villes contemporaines est assimilé à une purge (p. 28, 39).

dans un champ et sur un horizon libres, à investir, la démarche de Patte est donc d'emblée réactionnelle, contre-propositionnelle, générée par l'expérience des villes de l'époque qui présentent « de toutes parts le séjour de la malpropreté, de l'infection et du mal être [1] ». Chaque critique renvoie à une contre-proposition qu'elle justifie. Cependant la critique de Patte concerne des espaces et non la société qui les utilise. Elle est, on le verra plus loin, plus utopisante qu'uto-piste. D'ailleurs, même si l'idée en est abstraitement suggérée par l'auteur, elle n'a pas pour destination de proposer un modèle spatial. Patte a beau déclarer au seuil de son second article que « malgré la multitude de villes qui ont été bâties jusqu'ici dans toutes les parties du monde, il n'en a pas encore existé que l'on puisse vérita-blement citer pour *modèles* [2] », il a beau se référer souvent à *la* ou à *notre* « nouvelle ville [3] », ce recours à la *nouvelle ville* lui sert seulement à marquer la nécessité d'une coupure radicale dans la conception du monde édifié qui, pour lui comme pour les trattatistes, se fonde toujours sur des principes [4] et des règles, et ne consiste pas dans la reproduction d'un objet modèle.

En fait, la marque la plus solide de l'utopie dans le *Mémoire* est apposée sur la personne du locuteur, à propos duquel nous avions pourtant évoqué la fierté du sujet trattatiste. Mais, simultanément, dans ce premier chapitre-livre, Patte se glisse dans le rôle du héros utopien, soudain mondanisé. Il se présente, en effet, comme l'homme de la coupure et des temps nouveaux [5], qui largue le passé de la ville comme Utopus le continent d'Abraxa. Il annonce le royaume de l'ordre qui succédera au règne du désordre et du hasard, un demain qui niera à jamais hier et aujourd'hui. Il devient donc celui qui porte

1. P. 6. Cf. aussi p. 28 : les principales villes du monde « sont toujours demeu-rées des espèces de cloaques ».
2. P. 5. *(Nous soulignons.)*
3. Cf., entre autres : « La multiplicité des fontaines ferait encore un des orne-ments de *notre ville* » (p. 14); « dans une *nouvelle ville*, pour dégager les carre-fours [...] et rendre le tournant des voitures plus aisé [...] il serait toujours à propos [...] » (p. 21); « il serait intéressant, dans une *nouvelle ville* de garnir les deux voies [...] » (p. 25); « j'ai distribué *notre nouvelle ville* [...] » (p. 60); cf. aussi p. 23. *(Nous soulignons.)*
4. Par exemple : « Par l'application des principes que j'aurai établis, je prou-verai que mes villes [...] peuvent à bien des égards, être rectifiées » (p. 7); « On jugera par cet exemple combien les principes que j'ai établis sont féconds en applications » (p. 61). Cf. *infra*, p. 269 et 270.
5. Cf. l'importance des adverbes « *toujours* », « *jamais* », « *jusqu'ici* », l'évo-cation de « nos descendants » qui achèveraient « ce que nous aurions *commencé* » (p. 66), le mépris qui embrasse, sans distinction, l'ensemble des villes en désordre.

remède, une manière de sauveur [1], dont la volonté, exprimée à plusieurs reprises, de « faire le bonheur des habitants [2] » traduit une nouvelle vocation de l'architecte (pas encore urbaniste) : non plus occupé à transcrire la demande des autres, cessant de faire face à un horizon illimité de possibles, il impose aux habitants des villes une vérité.

Cette vérité n'est cependant pas celle de l'ordre éthique qui a cours en Utopie. C'est celle de la science et de ses applications techniques. La « rectification » de la ville du XVIIIe siècle qu'elle inspire à Patte relève, en dépit de sa sonorité utopisante [3], de la démarche qui, un siècle plus tard, commandera la « régularisation [4] » de Paris par Haussmann. L'analogie des termes « rectification » et « régularisation » désigne une identique volonté d'optimaliser le fonctionnement de la ville par l'intégration des fins et des moyens mis à sa disposition par les sciences et les techniques.

Contrairement aux utopistes, l'architecte de Louis XV comme le préfet de Napoléon III tiennent pour acquises les valeurs et les institutions de la société où ils vivent. Leur critique ne porte que sur les défauts d'un espace urbain mal adapté aux performances qu'on lui assigne. Les griefs de Patte contre une « constitution physique » qui échoue à satisfaire les exigences de la société moderne peuvent être rangés sous deux chefs, le désordre et l'absence d'hygiène.

Son analyse, qui s'est d'ailleurs exercée sur le cas particulier de Paris, dans les *Monuments* [5], avant d'être transposée à celui des villes en général, anticipe, elle aussi, à bien des égards, la critique haussman-

---

1. Cf., p. 6 : il rend « un vrai service ».
2. Cf. p. 7, 59.
3. La notion de rectification est l'une de celles où l'apport de l'utopie vient, chez Patte, confirmer celui de la science. Le terme même comporte une nuance morale absente du mot régularisation. Surtout, la rectification des villes implique pour Patte des destructions dont l'ampleur tend vers la *tabula rasa* des utopistes. « Les maisons de dessus les ponts seroient supprimées, ainsi que tout ce qui est mal bâti, mal décoré, d'une construction gothique, ou dont les dispositions seroient estimées vicieuses par rapport aux embellissements projetées. On feroit ensuite graver l'ensemble général du local de Paris » (*Monuments*, p. 221). On évoque les démolitions systématiques de Haussmann, mais plus encore le Plan Voisin de Paris de Le Corbusier. Mais Patte imagine la réalisation de son projet de façon beaucoup moins brutale, sans traumatisme pour les habitants, au gré d'un procès lent et continu, réalisable pour la simple interdiction de réparer les édifices condamnés (*ibid.* et *Mémoire*, p. 65).
4. Cf. notre analyse de ce concept dans *City Planning in the XIXth Century*, cité *supra*.
5. Le *Mémoire* reprend brièvement le cas de Paris, à titre illustratif, p. 61-63.

nienne. Si le désordre urbain affecte la vue et empêche le plaisir esthétique, au plan de la commodité il gêne encore bien davantage la circulation qui est une des préoccupations dominantes de Patte. La voirie ne forme pas un ensemble cohérent, les rues ne sont pas rationnellement reliées entre elles; leur morphologie n'est pas plus adaptée que leur revêtement à la double circulation des véhicules et des personnes. Quant à l'hygiène, elle est abordée tantôt de façon préscientifique, lorsqu'il s'agit de dénoncer « le germe des maladies et de la mort [1] » que les exhalaisons nauséabondes diffusent à travers la ville, tantôt de façon scientifique, lorsque l'architecte déplore des échecs, parfois complets, en ce qui concerne la distribution de l'eau, de l'air et de la lumière. Les problèmes de la circulation, de l'adduction d'eau, des égouts... sont posés par Patte de façon globale et renvoient implicitement à la notion de système, même si ce vocable, plus tard cher à Haussmann, ne figure pas dans le *Mémoire*.

Les solutions sont formulées sous forme de principes généraux [2]. « De dire ce qu'il conviendrait de faire positivement en particulier, c'est ce qu'il n'est guère possible, attendu que les positions des villes se modifient d'une infinité de façons et que ce qui convient à l'une ne saurait convenir à une autre [3]. » Patte reconnaît l'inéluctabilité du changement. Ses propositions se résument dans des stratégies ou des schémas opératoires, universellement applicables aux villes anciennes comme aux « nouvelles villes ». Parmi les plus généraux, l'un de ces principes exige la mise en communication de tous les éléments urbains. Un autre concerne l'élimination obligatoire des nuisances, elles-mêmes classées en diverses catégories : des règles particulières prescrivent ainsi d'exclure de la ville non seulement les chantiers et les

---

1. « Vous observerez au centre des lieux les plus fréquentés, les hôpitaux et les cimetières perpétuant les épidémies et exhalant dans les maisons le germe des maladies et de la mort » (p. 6); « la corruption qui sort de ces endroits [hôpitaux et cimetières] infecte l'air et les eaux » (p. 10); cet air « infect et corrompu » des hôpitaux se retrouve dans les salles de spectacles (p. 40). Les « immondices » qui « infectent », « empoisonnent » ou « corrompent » les eaux sont aussi évoquées à maintes reprises. Cette hantise se traduit par l'opposition systématique de deux séries de concepts : corruption, ordure, saleté, putréfaction, d'une part, salubrité (dix occurrences), propreté, de l'autre. Cette terminologie se retrouvera, à peu près inchangée, malgré l'avènement de l'ère pastorienne, chez Le Corbusier pour qui le mal urbain sera connoté par la pourriture et la moisissure.

2. « Par l'application des *principes* que j'aurai établis, je prouverai que nos villes [...] peuvent à bien des égards, être rectifiées » (p. 7); « On jugera par cet exemple combien les *principes* que j'ai établis sont féconds en application » (p. 61). [*Nous soulignons.*]

3. P. 63-64. Cf. même idée p. 7.

industries polluantes, mais les hôpitaux et les cimetières, pour le remplacement desquels il imagine, au passage, un scénario funéraire aussi minutieusement élaboré que celui proposé par Haussmann dans ses *Mémoires*[1]. Les principes ou les règles plus techniques sont tirés des recherches concernant la géologie, l'hydrologie, la résistance des matériaux.

La rectification de Patte ne passe donc pas par l'intermédiaire d'un objet modèle. Toutefois, ses principes rectificatifs[2] réactionnels lui font traiter la ville elle-même comme un objet technique réel, ressortissant à un nouveau savoir scientifique. La preuve en est offerte lorsque, illustrant sa méthode par le cas de Paris, il pose, pour la première fois, cette ville comme un objet global et préconise pour le corriger l'usage d'un instrument précis, le « plan total » assorti des courbes de niveaux[3], ce « plan général suffisamment détaillé qui rassemblât toutes les circonstances locales[4] », qui ne verra pas le jour avant la nomination de Haussmann à l'Hôtel de Ville[5].

Mais cette approche de l'espace urbain ne laisse pas place aux contingences de la demande et des désirs particuliers des habitants. Elle ne peut être située au second niveau d'Alberti. Ce que Patte réclame sous le nom de commodité n'est qu'une nécessité hypertrophiée. Dans le *Mémoire*, la ville est déjà, en partie, transformée en instrument.

A la fois travail d'anamnèse et mémorial, ainsi que le laisse doublement lire son titre de *Mémoire*, le texte en éclat de Patte livre donc des marques ou citations de trois formes textuelles absentes : le traité laisse son empreinte dans le récit parodique de fondation et dans la description — cahotique — du processus de production de l'espace à l'aide de principes générateurs; l'utopie appose sa signature au bas de l'image négative de la ville contemporaine et sur le personnage du

---

1. *Mémoires*, t. III, chap. XIII, p. 435 *sq.*
2. Patte conserve parallèlement à ses principes rectificatifs d'authentiques principes et règles albertiens, énoncés lorsqu'il traite successivement la situation, l'aire et la partition de la ville, du point de vue de la beauté.
3. P. 5, *sq.*
4. P. 63. Il doit intégrer identiquement circulations, égouts, adductions d'eau (p. 55) et monuments à conserver (p. 63). Au sujet de cet « inventaire » avant la lettre, cf. *Monuments*, p. 222.
5. En 1853, quatre-vingt-quatre ans après la publication du *Mémoire*, Paris ne possède pas encore de plan d'ensemble fiable, établi scientifiquement. En faire établir un par triangulation et y faire reporter les courbes de niveaux est le premier soin d'Haussmann (cf. *Mémoires*, t. III, chap. I, spécialement p. 13 *sq*).

héros qui la dénonce, bien qu'il soit impuissant à en opérer le recollement dans une image modèle; c'est, enfin, au discours de la science et de la technique que renvoient l'analyse de l'objet urbain contemporain et l'exposé des principes qui permettront de le rectifier. Mais, allusions ou remémorations, citations ou vestiges, ces fragments arrachés à des figures ou discours spécifiques, ces éclats jamais ne se soudent en une totalité. Ils composent un texte inclassable, insaisissable où concepts et structures se chevauchent, glissent les uns dans les autres, où la figure de l'urbain comme totalité tend à se substituer à l'édification comme projet, où l'espace tend à prendre la place de la société et la vérité scientifique celle de la vérité éthique, où le sujet architecte devient héros moral, où la commodité se fige en nécessité, et où enfin se dessine en filigrane l'approche instrumentale et technocratique de la ville qui sera celle de Haussmann.

D'autres exemples pourraient illustrer, selon d'autres modalités, la déconstruction de la figure du traité. Je mentionnerai seulement, à titre indicatif, les textes des architectes « révolutionnaires », Ledoux et Boullée. *L'Architecture*[1] de Ledoux, qui contient une manière de projet social, subit plus fortement que le *Mémoire*, l'emprise de la figure de l'utopie et reflète l'esprit de la « disciplinarité ».

Il est surprenant que, trente ans après les travaux pionniers[2], cette œuvre reste à déchiffrer et qu'aucune étude décisive[3] n'ait, à ce jour, été consacrée à Ledoux écrivain. En particulier, l'attention des historiens ne semble pas avoir été attirée par la double appartenance de l'*Architecture* aux deux catégories textuelles du traité et de l'utopie, et par les perturbations que cette ambivalence entraîne, au plan de la logique et de la cohérence sémantique comme au plan de

1. Cl.-N. Ledoux, *L'Architecture considérée sous le rapport de l'art, des mœurs et de la législation*, Paris, 1804.

2. Cf. E. Kaufmann, « Die Stadt des Architekten Ledoux zur Erkenntnis des autonomen Architektur », *Kunstwissenschaftlichen Forschungen*, Berlin, Frankfürter Verlags-Anstalt, t. II 1933. *Three Revolutionnary Architects*, Philadelphie, The American philosophical Society, 1952.

3. Nous attendons beaucoup du travail entrepris depuis de longues années par A. Vidler qui semble seul à avoir saisi le paradoxe de la place faite à l'utopie dans l'*Architecture*. Ce n'est pas un hasard s'il juge nécessaire d'éclairer le texte de Ledoux par l'œuvre de Fourier. Cf., pour un aperçu de ces thèses, *Les Salines de Chaux, de la réforme à l'utopie*, Rome, Edizioni officina, à paraître. A. Vidler a également montré l'importance qu'il convient d'accorder à la franc-maçonnerie pour comprendre la part utopiste du livre de Ledoux (cf. en particulier « The Architecture of the Lodges; Ritual Forms; Associational Life in the Late Enlightmen », *Oppositions*, New York, 1976).

la cohérence et de l'unité formelles. Il serait nécessaire d'étudier comment les énoncés, classiquement trattatistes, sur la méthode en architecture, et sur les règles applicables dans le champ de l'esthétique sont périodiquement coupés par la fulgurance d'une vision, la description d'un modèle donné à voir au présent de l'indicatif. *L'Architecture* de Ledoux comporte moins d'éclats et de facettes que le *Mémoire* de Patte. A la limite, elle pourrait être définie comme un assemblage de morceaux appartenant à deux livres, un traité et une utopie. Mais ces fragments, moins hétérogènes, ne sont pas plus articulés entre eux. Pas plus que ceux du *Mémoire* de Patte, ils ne composent une figure identifiable.

Moins éclatante et mieux masquée par l'emploi du conditionnel, la même dualité apparaît dans l'*Essai* de Boullée [1] qui n'a, pas plus que *l'Architecture*, été analysé sous cet angle. Ce serait pourtant là le moyen de donner un sens à la fois plus large, plus précis et moins conventionnel au qualificatif de révolutionnaire qu'utilisent désormais les historiens pour désigner les deux architectes des Lumières, contemporains de la Révolution française, Ledoux et Boullée.

II. LE PRÉ-URBANISME

L'ensemble des textes plus tardifs, que j'ai déjà groupés ailleurs sous la dénomination de pré-urbanisme, présentent une organisation plus franche. La structure de l'utopie y est affirmée et lisible. C'est pourquoi dans *Urbanisme, utopies et réalités*, je pouvais suivre l'usage terminologique et les habitudes culturelles reçues, et considérer ces écrits comme des utopies. Ils sont abordés aujourd'hui dans une autre problématique. Ce n'est plus seulement la présence de plusieurs traits utopiques qui intéresse, mais les écarts et les dérives que ces textes présentent par rapport à l'ensemble des traits discriminatifs du paradigme moréen. Il s'agit de définir les perturbations qu'ils font subir à la forme canonique de l'utopie et ainsi de faire apparaître des différences entre les œuvres du pré-urbanisme, dont certaines seront exclues du corpus.

En dépit de ces différences, un caractère commun à tous les textes du pré-urbanisme justifie leur groupement. Tous accordent au modèle spatial une place beaucoup plus importante que ne faisait le para-

1. *Architecture, Essai sur l'art*, présenté par J.-M. Pérouse de Montclos, Paris, Hermann, 1968.

digme moréen. Différemment organisés, selon que les auteurs accordent plus ou moins d'importance aux échanges, à l'éducation, à l'hygiène..., espaces collectifs et logements privés sont décrits avec une égale minutie par Owen, Fourier, Cabet, Richardson : c'est la *surspatialisation* du modèle, déjà observée dans l'analyse de *Sinapia* [1].

Cette hypertrophie du modèle spatial signale le moment où l'utopie se mobilise pour tenter de dépasser son statut de livre et de passer à l'acte, c'est-à-dire à l'édification d'espaces réels. Sans chercher à approfondir les conditions et les raisons de ce changement de projet, il me faudra cependant évoquer deux processus, dont nous ne finissons pas de subir l'impact. Leur analyse éclaire l'arraisonnement de l'utopie par la pratique et facilite le repérage des perturbations infligées de ce fait à la figure moréenne.

Le premier processus a été mis en évidence et analysé avec pénétration par Michel Foucault. Il s'agit de « l'extension progressive des dispositifs de discipline au long des XVIIe et XVIIIe siècles, [de] leur multiplication à travers tout le corps social, [de] la formation de ce qu'on pourrait appeler en gros la société disciplinaire [2] ». L'auteur de *Surveiller et Punir* montre comment, dans chaque secteur où elle s'exerce, la disciplinarité prend appui sur une organisation spatiale qui en est le support obligé. La signification de ces opérations réside pour lui dans la volonté économique du pouvoir, dans la vocation qu'il s'assigne de réaliser une productivité maximale, qui passe par la mise en ordre des personnes et des activités. Le paradigme de la disciplinarité serait à lire dans les dispositions et dispositifs mis en place au Moyen Age, lorsqu'une ville se trouvait atteinte par la peste [3]. Dans « cet espace clos, découpé, surveillé en tous ses points, où les individus sont insérés en une place fixe », M. Foucault voit l' « utopie de la cité parfaitement gouvernée ».

L'image de la peste est suggestive. Elle parle à notre sensibilité. Elle fait comprendre les mécanismes et l'efficace de la contrainte par l'espace. Mais elle ne livre pas une généalogie. La recherche des soubassements de cette contrainte demande à être poursuivie dans des strates de signification plus profondes que celles de l'économie, jusqu'aux sources mêmes de l'utopie. Car loin d'engendrer l'utopie, la disciplinarité est produite par elle. Plus exactement, en

1. Cf. *supra*, p. 257.
2. *Surveiller et Punir*, Paris, Gallimard, 1975, p. 211.
3. « La peste comme forme à la fois réelle et imaginaire du désordre a pour corrélatif médical et politique la discipline » (*ibid.*, p. 199-200).

face de la même situation historique, elle procède de la même attitude mentale et de la même réaction de défense que l'*Utopie*.

Il ne s'agit pas pour autant de méconnaître l'importance des facteurs économiques ayant contribué à la genèse de l'opération disciplinaire. Nous avons nous-même montré, au cours de notre analyse de l'*Utopie*, comment le rôle qu'y joue l'espace, par sa modélisation, témoigne d'une vocation nouvelle des sociétés occidentales et ne peut être conçu ni compris hors l'horizon de la productivité. Mais nous avons aussi repéré le traumatisme qui a conduit More à écrire son livre. Il nous est alors apparu que le dispositif utopien lui permettait de surmonter symboliquement l'effroi ressenti devant les possibilités de déploiement de la liberté individuelle, dans un monde que ne régissait plus la seule loi divine. On a vu que Machiavel affrontait les mêmes périls, mais à découvert, et que sa réaction, inverse, confirmait notre interprétation du modèle moréen. Quoi qu'il en soit, il s'agissait alors de commencements. L'horizon médiéval s'entrouvrait sur la problématique qui allait devenir celle des sociétés occidentales. L'expérience d'un univers soudain offert à la création, et au changement, la prise de conscience d'une vacance partielle de l'ordre sacré étaient le privilège d'un petit groupe de clercs qui les assumaient au plan symbolique, dans l'écriture.

Au fil des XVIe et XVIIe siècles, à mesure que s'affirmait le projet occidental, la béance du sacré, l'ébranlement des anciens interdits tacites, l'afflux des libertés allaient être vécus à une échelle sociétale. Plus question, alors, de substitution symbolique et de jeux d'écriture. La solution décrite par More allait être transposée du plan du livre à celui de la quotidienneté concrète. Mais le même manque et les mêmes vertiges devaient engendrer une réponse similaire : l'autorité de la Loi absente était remplacée par ce qui en avait été le signe dans l'espace social. Des dispositifs spatiaux servaient à imposer un ordre nécessaire, mais vidé de sa signification transcendante et appropriable à des fins mondaines et contingentes, telle l'efficacité économique. A cet égard, l'*Utopie* constitue la préfiguration livresque de procédures institutionnelles, propres aux sociétés occidentales, dont elle contribue à éclairer le sens et le fonctionnement. L'une plus précoce, littéraire et élitique, les autres plus tardives, pratiques, destinées au plus grand nombre, l'utopie et les institutions disciplinaires sont nées sur le même sol culturel. Elles procèdent des mêmes besoins d'identification et d'autorité, mais se sont développées indépendamment, avant d'interférer au XVIIIe siècle.

L'interprétation de M. Foucault doit donc être complétée par la mise au jour d'une dimension archaïque de la disciplinarité. Le quadrillage de l'espace urbain, destiné à juguler la peste, n'est qu'un dispositif temporaire, économique, unidimensionnel, et presque bénin au regard de l'investissement total et définitif instauré par Utopus, dont le modèle spatial ordonné permet, *comme faisait la Loi sacrée* à quoi il se substitue implicitement, de fixer immédiatement chacun à sa place, sans réplique et pour toujours. Évoquer l'*Utopie* et la figure utopique pour comprendre les institutions disciplinaires progressivement mises au point et léguées à notre époque par les XVIIe et XVIIIe siècles permet de retrouver cette finalité cachée qui, à l'encontre des objectifs économiques de la disciplinarité, ne s'inscrit pas dans le droit fil de l'histoire, mais à rebours. Surveiller et punir est, autant que le choix explicite d'un pouvoir temporel nouveau, la suggestion tacite d'un pouvoir sacré, menacé de disparaître.

Le deuxième processus, qui contribue à expliquer les avatars de la figure de l'utopie dans les textes du pré-urbanisme, est la médicalisation dont la société européenne est l'objet à partir de la fin du XVIIIe siècle. « La naissance de la clinique [1] » exerce son impact dans deux directions qui nous concernent. D'une part, au plan épistémologique, les « sciences humaines », alors en voie de constitution, sont marquées par la démarche médicale [2] et s'approprient les concepts de normal et de pathologique par lesquels passera désormais la réflexion sur le « corps » social. D'autre part, au plan pratique de l'aménagement du cadre de vie, l'espace urbain en général est soumis au regard clinique, « la ville avec ses principales variables spatiales apparaît comme un objet à médicaliser [3] », tandis que l'espace hospitalier, en particulier, devient l'enjeu de réflexions et de stratégies nouvelles.

Les approches disciplinaires et thérapeutiques sont associées dans des formes discursives et/ou spatiales qui n'ont pas laissé de contaminer directement les utopies postérieures. Ce sont d'abord certains projets hospitaliers élaborés dès avant la Révolution française, puis les projets et réalisations panoptiques qui se sont multipliés dans le sillage de l'œuvre de J. Bentham. Les uns et les autres présentent avec l'utopie des traits communs, tenant à leurs communes origines et, sans doute, aussi au fait que la littérature utopique a pu déjà les influencer avant d'en subir l'impact à son tour.

1. M. Foucault, *Naissance de la clinique*, Paris, PUF, 1963.
2. M. Foucault montre de façon magistrale « l'importance de la médecine dans la constitution des sciences de l'homme » (*ibid.*, p. 199).
3. *Les Machines à guérir*, ouvrage collectif, Dossiers et documents d'architecture, Paris, Institut de l'environnement, 1976, « La politique de la santé au XVIIIe siècle », par M. Foucault, p. 17.

Les projets hospitaliers résultent en effet d'une critique qui les propose comme espaces modèles. Tous ont pour point de départ une analyse de l'institution hospitalière de l'époque, dont l'image négative sert à engendrer une image modèle. En France, cette approche naît avec l'incendie de l'Hôtel-Dieu en 1772 [1]. Sans se satisfaire des nombreux rapports concernant les défauts de cet établissement, Tenon passe en revue la situation des hôpitaux parisiens [2] et commence par entreprendre une enquête exhaustive sur l'état des hôpitaux européens [3] avant d'élaborer un modèle. « Quand on se donne les hôpitaux il faut tellement enchaîner la volonté des hommes, et par leur construction et par leur ameublement, qu'on ne laisse plus, par la suite, d'ouverture aux abus [4] » : le dispositif spatial conçu par le médecin, nouvel avatar du héros utopien, prend pour destination une conversion d'un genre nouveau, la guérison. L'espace hospitalier « parfait [5] », modélisé une fois pour toutes, devient un *pharmakon* au sens médical : l'expression même de « machine à guérir [6] » forgée par Tenon donne la mesure et la particularité de cette réduction.

Dans le même temps, la prise en charge de la conception de l'hôpital par le savant ou le médecin, au détriment ou même à l'exclusion de l'architecte [7], dépouille cet édifice de ses dimensions esthétiques. Cette « architecture normative, modèle fixe et modèle d'État auquel tout projet d'hôpital devra désormais se plier [8] » est coupée de la tradition monumentale. Elle est privée de tout accès au registre de la beauté, qu'il s'agisse d'y satisfaire par l'harmonisation des parties, le principe finaliste de la *concinnitas*, ou l'ornementation [9].

---

1. Cf. la bibliographie des *Machines à guérir*. Ne pouvant évoquer l'ensemble de ce mouvement de modélisation hospitalière, nous en avons choisi Tenon pour figure exemplaire.

2. J. R. Tenon, *Mémoire sur les hôpitaux de Paris*, Paris, 1788.

3. Sur les voyages de Tenon, dont on trouve la relation dans ses *Papiers* inédits, cf. *Machines à guérir*, « Architecture de l'hôpital » par B. Fortier. L'auteur fait état des enquêtes critiques analogues menées dans les autres pays d'Europe par Howard, Hunczovsky... (*op. cit.*, p. 72).

4. Cité par B. Fortier, *ibid.*, p. 79-80.

5. *Ibid.*, p. 76.

6. *Papiers* de Tenon, Bibliothèque nationale, Nouvelles acquisitions, 11 357, fol. 129. Sur ce concept, on se reportera à l'analyse de F. Béguin, « La machine à guérir », art. cit.

7. Sur cette dépossession de l'architecte par les médecins, physiciens et chimistes, et sur la corrélative « disqualification du savoir architectural classique », cf. B. Fortier, « Architecture de l'hôpital », cité *supra*, p. 72 *sq*.

8. *Ibid.*, p. 71.

9. *Ibid.*, p. 85.

Le « panoptique » auquel J. Bentham a donné son nom [1], et dont il a été le plus fervent apôtre et théoricien, généralise cette notion de bâtiment-machine à destination normative. Il en achève la transparence et, sans se spécialiser davantage, offre indifféremment ses services à chacun et à tous les secteurs possibles de l'activité. Bentham a lui-même élaboré des versions panoptiques de prison, d'école, d'orphelinat, de fabrique, de crèche, de maison pour filles-mères [2]. C'est que le schéma panoptique est applicable « à tous les établissements où, dans les limites d'un espace qui n'est pas trop étendu, il faut maintenir sous surveillance un certain nombre de personnes [3] ».

La plupart de ses interprètes, notamment français, ont réduit la disciplinarité benthamienne à une application des idéaux économiques du XVIII\e siècle finissant. Ceux-ci n'en épuisent cependant pas davantage le sens que la médicalisation de l'espace à quoi elle ressortit également. Se suffire de ces analyses, c'est oublier que les dispositifs sectoriels de Bentham s'inscrivent dans un projet de société global, et qu'avant d'être l'inventeur du panoptique, Bentham est le père de l'utilitarisme. Or l'utilitarisme est une philosophie « morale », que le panoptisme a précisément pour rôle de réaliser, et dont il est l'instrument de propagation. La morale utilitaire n'ayant pas un contenu spécifique comparable à celui d'un projet politique, ce que cherche Bentham, pour lui donner son assise, c'est un instrument spatial sans contenu ni destination particulière [4], dont la valeur réside

---

1. *Panopticon*, écrit en 1787, édité à Londres en 1791, année où une adaptation française en est publiée par les soins de l'Assemblée nationale, sous le titre *Panoptique, mémoire sur un nouveau principe pour construire des Maisons d'Inspection ou des Maisons de Force.* Pour un résumé illustré et une analyse critique du *Panopticon*, cf. en particulier le remarquable article de R. Evans, « Bentham's Panopticon, an Incident in the social History of Architecture », *Riba Journal*, version anglaise d'un article paru en italien in *Controspazio*, octobre 1979. Cf. aussi J.-A. Miller, « Le Panopticon de Bentham », *Ornicar*, 3, Paris, mai 1975.

2. Manuscrits inédits de J. Bentham, Londres, University College.

3. Cité par M. Foucault in *Surveiller et Punir, op. cit.*, p. 207 ; J. Bentham, *Panopticon* in *Works*, Bowring éd., t. IV, p. 40.

4. R. Evans ne voit pas la dimension utopique du panoptisme. Il ne cherche pas davantage à donner un sens à la quête monoïdéique, par Bentham, d'un mode de contrainte spatial. Néanmoins, il décrit avec une rare perspicacité comment Bentham opère au moyen de formes *vides*, dotées d'une puissance exceptionnelle : le dispositif panoptique lui apparaît comme « *a catalytic agent inducing human goodness or reformation as part of a purely mechanical operation* » (*op. cit.*, p. 24). Selon lui, « *Bentham perceived that an operative set of artifacts, stripped of meaning in the symbolic sense, could nevertheless be transmittors of human intention : could be as essentially meaningful as any more metaphysical system of language* » (*ibid.*, p. 35).

dans sa seule puissance (vide ou indéterminée) : « moyen d'obtenir le pouvoir, un pouvoir de l'esprit sur l'esprit, en quantité jusque-là sans exemple [1] ». La phrase de Bentham est révélatrice. La puissance de l'instrument « magique [2] » qu'il propose conforte son projet d'être le « Newton de la *législation* [3] ». D'une façon générale, l'autorité accordée à cette forme spatiale qui désigne une absence souligne la parenté du panoptisme avec l'utopie. Au reste, le plan d'Utopus, immédiatement délivrable au regard, n'était-il pas déjà panoptique? La différence est que le panoptique de Bentham concerne une société plus complexe et porte un projet abstrait (l'utilitarisme) : il ne peut plus posséder la globalité du modèle moréen et doit nécessairement éclater en dispositifs multiples et particuliers. Conçus à des fins carcéraires, pédagogiques, hospitalières..., les textes panoptiques sont autant d'utopies parcellaires et monosémiques, privées de leur mise en scène et de leurs locuteurs-témoins.

A cette promotion pratique des espaces modèles et correctifs correspond la surspatialisation de la figure de l'utopie, accusée, avec ou sans autres perturbations, par tous les textes du pré-urbanisme. Cette seule surspatialisation ne peut être tenue pour une altération du paradigme moréen, et une série d'ouvrages appartenant à cet ensemble conservent donc leur place dans le corpus.

Tel est le cas du *Voyage en Icarie* [4] dont la visée réalisatrice, assez attestée par les tentatives successives faites par Cabet pour fonder des communautés « icariennes » aux États-Unis [5], ne se manifeste que par l'hypertrophie du modèle spatial. On ne rappellera pas comment le modèle par la réplication duquel Cabet espère transformer et sauver les sociétés, la métropole d'Icara, allie certains traits du Paris napoléonien à une standardisation radicale des quartiers (différenciés seulement par leur couleur), de l'habitat et même du mobilier. Par ailleurs, l'emboîtement de (R¹), (R²) et (R), les différents rôles joués

---

1. Cité par R. Evans in « Bentham's Panopticon », *op. cit.*, p. 21.
2. La dimension magique du panoptique apparaît dès l'ouverture de l'ouvrage : « La morale réformée, la santé conservée, l'industrie revigorée, l'instruction diffusée, les fardeaux publics allégés... tout cela par une simple idée d'architecture », (cité par R. Evans, *ibid.*, p. 24). Cf. aussi les formules de Fourier, *infra*, p. 282, et celles de Le Corbusier, citées *infra*, p. 320.
3. C'est ainsi qu'était désigné Bentham à l'époque (*ibid.*, p. 23). [*Nous soulignons.*]
4. E. Cabet, *Voyage et Aventures de Lord William Carisdall en Icarie*, traduits de l'anglais de Francis Adams par Th. Dufruit, Paris, Souverain, 1840.
5. Cf. E. Cabet, *Une colonie icarienne aux Etats-Unis*, Paris, 1856.

par leurs trois protagonistes (le supposé traducteur Dufruit, substitut de Cabet ; le témoin, Lord Carisdall, homologue de Raphaël Hythloday ; et le héros Icar, homologue d'Utopus), la description d'Icarie au présent de l'indicatif par Lord Carisdall et le récit en troisième personne des exploits d'Icar sont autant de traits qui témoignent de l'intégrité de la figure utopique.

Utopie également, au sens canonique, l'*Hygeia*[1] de Richardson, bien qu'elle ait perdu la globalité et la polysémie du projet social moréen. Elle a pour seul objectif d'apporter la santé à ses habitants. L'hygiène est la valeur unique qui détermine la localisation et le plan des demeures privées et des édifices publics. *Hygeia* n'est qu'un projet panoptique, agrandi aux dimensions d'une ville-hôpital, mis au présent de l'indicatif et adroitement intégré dans la structure feuilletée de l'utopie.

Les Nouvelles de Nulle part[2] de W. Morris présentent elles aussi l'organisation canonique de l'utopie. Toutefois, l'utilisation que fait cet ouvrage de la surspatialisation aboutit au paradoxe que rencontrera plus tard l'urbanisme culturaliste : échapper à l'utopie par l'utopie. Autrement dit, la puissance du dispositif utopiste s'impose à celui-là même qui tente de s'y soustraire.

L'espace bâti est, en toute orthodoxie, la vedette des *Nouvelles* : le voyageur-témoin-héros est, d'emblée, fasciné par le Londres modèle du xxie siècle, dont la visite lui permet de dénoncer les tares du Londres où il a vécu. Cependant, à l'inverse des dispositifs utopiens, la nouvelle cité a pour vocation de laisser les habitants exprimer leurs différences. La démarche reprend celle de Ruskin[3] qui, après avoir critiqué la morne standardisation des espaces victoriens, s'exclamait : « Je voudrais donc voir nos habitations ordinaires [...] construites pour être belles [...], je les voudrais voir avec des différences capables de convenir au caractère et aux occupations de leurs hôtes, susceptibles de les exprimer et d'en conter en partie l'histoire[4]. » Ce vœu est réalisé par la Nowhere de Morris avec ses « magnifiques constructions » où « un homme peut montrer tout ce qu'il a en lui, et

---

1. *Hygeia, A City of Health*, Londres, Macmillan, 1876.
2. *News from Nowhere*, publié en feuilleton, en 1884, dans le *Commonweal*, en livre en 1891.
3. *The Poetry of Architecture*, Londres, 1837 ; *the Seven Lamps of Architecture*, Londres, 1849 ; *the Stones of Venice*, Londres, 1851-1853 ; *Lectures on Architecture and Painting, delivered at Edimburgh in November 1853*, Londres, 1854.
4. *The Seven Lamps of Architecture*, trad. tr. par G. Ewall, Paris, Laurens, 1916, p. 250.

exprimer son esprit et son âme dans le travail de ses mains [1] ».
Il ne s'agit pas là d'une attitude trattatiste. Leur critique lucide
d'une certaine forme de modélisation spatiale ne permet ni aux néo-
gothicistes anglais, ni à Ruskin ou Morris de penser l'instauration
de l'espace en termes de projet ouvert. Leur connaissance des mécanismes de l'utopie et des dispositifs disciplinaires ou panoptiques leur
a révélé la puissance d'un conditionnement par l'espace bâti, dont
ils dénoncent les aliénations, mais auquel ils ne voient d'échappatoire
que par un conditionnement inverse.

Car, en définitive, à Nowhere, l'éloge de la différence ne laisse
guère aux habitants plus d'autonomie qu'en Utopie le plan d'Utopus.
Un ordre totalitaire leur est, d'entrée de jeu, imposé : non plus celui
d'un héros et de son modèle, mais celui d'une culture (imaginaire),
qui se substitue à la religion comme valeur transcendante et se fixe
dans des formes (vides) appartenant au passé.

La modélisation spatiale issue du paradigme moréen exerce donc
ses sortilèges au mépris de toute logique, jusque sur les tentatives
faites pour la renverser. Celles-ci ne trouvent une cohérence que chez
les tenants du *Gothic Revival*, lorsque la modélisation spatiale est
préconisée sous la forme du gothique, pour opérer un retour à l'ordre
disparu de la religiosité médiévale. La démarche moréenne est ainsi
inversée qui, partie de l'autorité du sacré et de sa transcription
dans l'espace, aboutissait à donner une autonomie et une valeur
propre à un pur dispositif spatial.

Dans d'autres cas, la transformation de la figure utopique est
plus profonde. On en prendra pour exemple les écrits d'un auteur
dont Marx a paradoxalement fait, pour la postérité, un des hérauts
de l'utopisme : Fourier. Il n'est certes pas question de contester que
son œuvre porte la marque vive de l'utopie. Aussi bien, la plupart
de ses livres, qui ne sont ni des romans, ni des discours philosophiques,
ni des textes d'histoire, brossent-ils deux images de deux sociétés,
qui se posent en s'opposant. Avec une férocité qui enchantait Marx,
Fourier se livre à la critique de la société mercantile du début du
XIXe siècle. Corrélativement, il décrit ce que serait l'autre en tous
points de cette société « à rebours », le « monde à droit-sens » ou le
« régime de vérité [2] » qu'est la société harmonienne.

1. Trad. fr. par P. G. La Chesnais, Paris, Société nouvelle de librairie et
d'édition, 1902, p. 244-245.
2. *Nouveau Monde industriel et sociétaire, Œuvres complètes*, Paris, Bureau
de la Phalange, 2e éd., 1841-1845, t. VI, p. 13 et 14.

Située non pas en un lieu mais en un temps autre[1], qui coïncide avec une immobilisation de l'histoire, l'Harmonie est effectivement donnée à voir par son témoin au présent de l'indicatif, exactement comme l'Utopie par Raphaël : « Tous les enfants, riches ou pauvres, *logent* à l'entresol [...]. Les rues-galeries *sont* une méthode de communication interne qui suffirait seule à faire dédaigner les palais et les belles villes de civilisation. Une Phalange qui *peut* contenir jusqu'à 1600 ou 1800 personnes, dont plusieurs familles très-opulentes, *est* vraiment une petite ville [...]. La Phalange n'*a* point de rue extérieure ou voie découverte exposée aux injures de l'air; tous les quartiers de l'édifice hominal *peuvent* être parcourus dans une large galerie, qui *règne* au premier étage et dans tous les corps de bâtiment; aux extrémités de cette voie, *sont* des couloirs sur colonnes, ou des souterrains ornés, ménageant dans toutes les parties et attenances du Palais, une communication abritée, élégante et tempérée en toutes saisons par le secours des poêles ou des ventilateurs. Cette communication abritée *est* d'autant plus nécessaire en Harmonie, que les déplacements y *sont* très-fréquents, les séances des groupes ne durant jamais plus qu'une heure ou deux, conformément aux lois des 11e et 12e passions. [...] Un harmonien des plus misérables, un homme qui n'*a* ni sou, ni maille, *monte* en voiture dans un porche bien chauffé et fermé; il *communique* du Palais aux étables par des souterrains parés et sablés; il *va* de son logement aux salles publiques, et aux ateliers, par des rues-galeries qui *sont* chauffées en hiver et ventilées en été[2]. »

Le modèle spatial ordonné, ce « palais social » qui a nom Phalanstère s'avère ainsi l'instrument nécessaire, irremplaçable, pour assurer la conversion à l'Harmonisme, puis le fonctionnement et la diffusion de ce système d' « association composée ». Le rôle clé et pivotal que lui attribue Fourier est clairement affirmé dans la première gazette qui lui sert à propager ses idées : elle ne porte pas le nom de la commu-

1. A partir du moment où la planète est à peu près entièrement explorée, le temps est substitué à l'espace comme « non lieu » de l'utopie.
2. *Théorie de l'unité universelle* (1825), *Œuvres complètes*, t. II-V, réédition, Paris, Bureau de la Phalange, 1841-1845, p. 462 et 464. *(Nous soulignons.)* Le futur ou le subjonctif présent, précédé de « il faut que », ou encore le verbe devoir associé à l'infinitif sont souvent substitués au présent de l'indicatif : « Les logements, plantations et établies d'une Société qui opère par Séries de groupes, *doivent* différer prodigieusement de nos villages ou bourgs affectés à des familles qui n'ont aucune relation sociétaire : au lieu de ce chaos de maisonnettes. [...] Le centre du Palais ou Phalanstère *doit être* affecté aux fonctions paisibles, aux salles de repas, de bourse, de conseil, de bibliothèque, d'étude, etc. Le Phalanstère ou Manoir de la Phalange *doit contenir*, outre les appartements individuels, beaucoup de salles de relations publiques » (*ibid.*, p. 456-458-459) [*Nous soulignons.*]

nauté, la Phalange [1], mais celui de son espace, le *Phalanstère*. Aucun autre édifice ne peut être substitué à celui-ci [2]. Mais, dès lors qu'il est construit, il permet de « métamorphoser subitement le monde social [3] », de transformer « le genre humain tout entier [4] ». Le modèle agit de façon quasiment mythique, comme celui de More. L'émerveillement de Fourier devant la simplicité [5] et la puissance du dispositif spatial qui permet cette conversion radicale à l'échelle de la planète, est le même que celui de Bentham. Dans le *Nouveau Monde*, la description du modèle est même complétée par un schéma de la main de Fourier, qui transforme en île le palais harmonien et ses dépendances. Coupé de la société pervertie par une rivière à laquelle ne conduit aucune route extérieure et que ne franchit aucun pont, le Phalanstère est ainsi iconiquement transporté dans ce nulle part consubstantiel à l'utopie où l'auteur-témoin l'aurait visité [6].

Mais le dessin de cette rivière, dont le texte ne souffle mot, est la seule trace d'une mise en scène utopienne, totalement absente. La présentation de la communauté idéale ne comporte pas de « récit de la fiction ». Dans le *Nouveau Monde*, comme dans le reste de ses écrits, Fourier a supprimé (R^1), rendu inutile par sa détermination de construire effectivement le Phalanstère. En revanche, il conserve un récit, qui tient à la fois de (R) et de (R^2) et dont le narrateur cumule les fonctions des trois protagonistes de l'utopie (S^1), (S^2) et (S), l'auteur, le témoin et le héros. Ainsi Fourier tient-il à la fois les rôles de More et de Raphaël, mais aussi celui d'Utopus, dont il change la personne verbale et le langage. Au témoin s'adjoint le héros qui pour s'exprimer à la première personne, emprunte le discours de l'édificateur. Il lie son activité de constructeur à sa biographie et la projette dans la

1. Ce nom sera celui de la deuxième feuille fouriériste, qui commencera à paraître un an avant la mort de Fourier.
2. L'utilisation d'anciens bâtiments conventionnels ne peut que faire manquer l'expérience, cf. en particulier *Nouveau Monde industriel et sociétaire*, *Œuvres complètes*, Bureau de la Phalange, 2e édition, 1841-1845, t. VI, p. 118, et avant-propos de la *Théorie de l'unité universelle*, *op. cit.*
3. *Théorie de l'unité universelle*, *Œuvres complètes*, t. III, p. 307.
4. *Nouveau Monde*, *op. cit.*, avertissement, p. xv.
5. « Un essai borné à une lieue carrée », *ibid.* Cf. aussi *Théorie des quatre mouvements*, *Œuvres complètes*, t. I : le Phalanstère est « l'invention qui va délivrer le genre humain du chaos civilisé », p. 29, il va « changer le sort du genre humain », p. 12, car « c'est avec un moyen aussi simple qu'on peut mettre un terme à toutes les calamités sociales », p. 9 ; et *Théorie de l'unité universelle*, qui en fait « la découverte la plus précieuse pour l'humanité », argument du sommaire, p. xx.
6. Avec l'absence des chemins extérieurs, contraste l'importance des circulations intérieures, soigneusement tracées.

durée [1]. Bref, il se loge dans le temps à la manière des trattatistes, avant de le figer à la manière des utopistes. La figure du traité pénètre ainsi dans celle de l'utopie dont elle entame la cohérence et la stabilité en prétendant confondre le *je* du héros bâtisseur avec le *il* du héros magicien.

Le père du Phalanstère, qui condamnait lui-même ce « rêve du bien sans moyen d'exécution, sans méthode efficace [2] », n'a donc pas écrit d'utopie. La distorsion qu'il fait subir au paradigme moréen tient, en partie, à une connaissance directe et approfondie des traités d'architecture. La pratique de cette littérature, dont on retrouve également la marque dans les développements de Fourier sur l'esthétique architecturale, confère une valeur particulière au *Nouveau Monde* et à la *Théorie de l'unité universelle*, qui illustrent de façon plus franche que certains autres ouvrages — également non canoniques — tels ceux de Owen [3], les possibilités de déviance offertes par le pré-urbanisme à la figure de l'utopie.

La constance de la surspatialisation dans les textes du pré-urbanisme est significative : le modèle spatial du paradigme moréen impose sa valeur opératoire et instauratrice. Aussi, même lorsque, comme chez Fourier, la figure de l'utopie perd son intégrité et son identité, on ne peut assimiler cet avatar à l'éclatement subi par la figure du traité à l'époque de Patte. Dans le premier cas, il s'agit d'une mise en mouvement, dans le second d'une déconstruction. La comparaison de ces évolutions montre, une fois encore, la grande fragilité du traité d'architecture et laisse pressentir le poids dont va peser l'utopie dans la constitution d'une nouvelle figure textuelle instauratrice d'espace.

1. Cf., par exemple : « Comme je n'avais de rapport avec nul parti scientifique, je résolus d'appliquer le doute aux opinions des uns et des autres [...] je résolus de ne m'attacher qu'à des problèmes qui n'eussent été abordés par aucun d'entre eux » (*Œuvres complètes*, t. I, *Théorie des quatre mouvements*, discours préliminaire, p. 5 et 7). Ou encore : « Je ne décris pas l'ordonnance des plantations, qui n'ont rien de semblable aux nôtres ; ce sera le sujet d'un chapitre spécial : nous n'en sommes qu'aux détails de l'édifice » (*Théorie de l'unité universelle*, p. 461).
2. *Manuscrits de Fourier*, Paris, Librairies phalanstérienne, Année 1867-1858, p. 356 (« Généralités sur l'équilibre en composé », 1818). Cf. aussi sa « Revue des utopies » dans *Le Phalanstère*, 5 juill. 1832 et deux numéros suivants, où il s'oppose aux diverses « sociétés utopistes », chrétienne, franc-maçonne et saint-simonienne.
3. Cf. *An Address delivered to the Inhabitants of New Lanark*, Londres, 1816, et *Rapport au comité de l'Association pour le soulagement des classes défavorisées employées dans l'industrie*, 1817, publié in *A Supplementary Appendix to the first Volume of the Life of Robert Owen, Containing a Series of Reports* [...], Londres, 1857. Comme ceux de Fourier, ces textes se signalent d'ailleurs par l'absence de la mise en scène utopique, et par la cumulation des rôles de (S^1), (S^2) et (S) par un locuteur unique, l'auteur.

6. La théorie d'urbanisme

Aucun terme spécifique ne désigne à ce jour les écrits de l'urbanisme qui prétendent offrir une théorie de l'aménagement de l'espace [1]. Ce manque ne dénoncerait-il pas une irréductible hétérogénéité? Je me propose de montrer que la déconstruction du traité d'architecture ainsi que la mobilisation de l'utopie par le pré-urbanisme ont, au contraire, abouti à la constitution d'une nouvelle figure textuelle, qui sous-tend semblablement les ouvrages intitulés *Teoria general de la Urbanizacion, Der Städtebau, La Cité industrielle, La Ville radieuse, The disappearing City, Notes on the Synthesis of Form*... Nous appellerons désormais théorie d'urbanisme la catégorie discursive qu'habite cette figure, jusqu'ici non reconnue et non nommée. Cette dénomination, inspirée par le titre de l'ouvrage inaugural de Cerdà, marque la prétention, explicite et nouvelle, à faire œuvre scientifique en s'appropriant les méthodologies propres à la science.

En dépit de leurs divergences, les textes ressortissant à la catégorie de la théorie d'urbanisme présentent trois ensembles de traits communs. D'abord, ils se désignent eux-mêmes comme discours scientifique. Il ne s'agit plus, comme c'était le cas chez Patte, de demander leur secours à certaines disciplines scientifiques et techniques, indépendantes, mais bien d'affirmer l'autonomie d'un domaine propre dans le vaste territoire, en voie d'émergence, des « sciences humaines ». Ensuite, comme l'utopie, ces textes opposent deux images de la ville, l'une négative, qui dresse le bilan de ses désordres et de ses défauts, l'autre positive qui présente un modèle spatial ordonné. Enfin, comme le traité d'architecture, ils relatent une histoire dont le héros est un constructeur.

---

1. Ces textes ne doivent pas être confondus avec les nombreux manuels pratiques d'urbanisme inventoriant problèmes et solutions techniques, produits par les ingénieurs depuis le dernier quart du XIXe siècle, et dont le prototype est *Der Städtebau*, publié par J. Stübben en 1890, un an après et presque sous le même titre que *Der Städtebau nach seinen künstlerischen Grundsätzen*, la théorie d'urbanisme de Sitte.

Nous allons tenter de montrer comment, sans la volonté délibérée de leurs auteurs, sans même qu'ils en aient eu conscience, certains éléments des deux structures textuelles qu'on a vu apparaître entre 1452 et 1516, ont été conservés, intégrés et articulés, dans un discours à prétention scientifique.

I. LA *Teoria* COMME PARADIGME

Comme celle des traités d'architecture et des utopies, l'analyse de la structure textuelle des théories d'urbanisme sera pratiquée sur un ouvrage paradigmatique, la *Teoria general de la Urbanizacion*[1]. Cette théorie, publiée en 1867 par l'ingénieur espagnol Ildefonso Cerdà pour fonder et justifier les partis d'aménagement qu'il avait adoptés pour son Plan d'extension de Barcelone (1859)[2], est, en effet, à la fois la première en date et celle dont la forme est la plus parfaitement développée[3]. Cerdà lui-même a revendiqué la nouveauté de son entreprise : « Je vais initier le lecteur à l'étude d'une matière complètement neuve, intacte et vierge[4] », prévient-il au début de son livre, quelques pages avant de proposer, pour désigner cette discipline nouvelle, un néologisme qui a été universellement adopté, « urbanisme », ou plutôt son équivalent espagnol, *urbanizacion*. Après avoir justifié l'adoption de la racine latine *urbs*[5], Cerdà définit « le mot *urbanisation*[6] » qui, pour lui, désigne à la fois un fait concret, le pro-

1. Madrid, Imprenta Española, 1867. Cette édition originale a été reproduite en *fac-simile* et assortie d'une étude critique de F. Estapé, Barcelone, Ediciones Ariel y Editorial Vives, 1968, à l'occasion du centenaire de la *Teoria*. Dans ce qui suit, nos citations sont empruntées à la traduction française, *La Théorie générale de l'urbanisation*, *présentée et adaptée par A. Lopez de Aberasturi*, Paris, Seuil, 1979, désormais désignée *Lop.*, dont les pages de référence sont suivies des pages correspondantes de l'édition Estapé, désignée *Est.*
2. Conçu à une échelle aujourd'hui encore exceptionnelle, ce plan a été tronqué au cours de sa réalisation. Cf. A. Lopez de Aberasturi, *op. cit.*, première partie, présentation de l'œuvre de Cerdà.
3. Il ne s'agit pas là d'un hasard. L'œuvre de Cerdà ne surgit pas *ex nihilo*. Elle prend son sens à être resituée dans une tradition ibérique qui, depuis le Moyen Age, a tenté de rationaliser l'organisation du cadre bâti. Cf. J. Astorkia, thèse de troisième cycle en cours à l'Institut d'urbanisme de Paris VIII.
4. *Lop.*, p. 81 ; *Est.*, p. 27.
5. *Lop.*, p. 81 ; 82, 83 ; *Est.*, p. 29-31.
6. Dans nos citations, nous distinguerons les deux acceptions du terme *urbanisation* en le faisant suivre du mot (urbanisme) lorsqu'il s'agit effectivement de cette discipline.

cessus que nous appelons aujourd'hui urbanisation, et la discipline normative qu'est l'urbanisme; autrement dit, d'une part « un groupement de constructions mises en relation et en communication de telle sorte que les habitants puissent se rencontrer, s'aider, se défendre [...] », et d'autre part un « ensemble de connaissances, de principes immuables et de règles fixes [1] » permettant d'organiser scientifiquement les constructions des hommes.

Mais le caractère inaugural de la *Teoria* n'a été reconnu ni au plan du contenu ni à celui de la forme et, à l'encontre des livres d'Alberti et de More, ce texte n'a pas eu de postérité directe. Cette occultation d'une œuvre exceptionnelle peut être attribuée, en partie, au contexte politique et culturel dans lequel fut élaboré le Plan de Barcelone, aux polémiques et aux passions qu'il déchaîna contre son auteur [2]. Elle tient sans doute surtout à la *Teoria* elle-même, aux redondances qui en rendent parfois la lecture fastidieuse, à sa longueur (deux volumes de huit cents pages chacun) qui en a empêché la diffusion et la traduction en langue étrangère [3]. Toujours est-il que la *Teoria* n'a été lue ni par les historiens qui, tel H. Lavedan [4], n'ont retenu de Cerdà que son Plan de Barcelone, ni par les théoriciens de l'urbanisme. A l'exception de son compatriote A. Soria [5], les théoriciens postérieurs à Cerdà ne lui doivent directement rien. Que leurs écrits soient travaillés par la même figure textuelle que la *Teoria* est le fait de leur commune appartenance à une strate épistémique.

Le paradoxe de ce paradigme sans postérité directe et l'émergence multipolaire de la nouvelle figure ont retenti sur la construction de ce chapitre. A l'encontre de ceux consacrés au *De re aedificatoria* et à l'*Utopie*, il n'a pu être réservé à l'œuvre d'un seul auteur. Nous y

1. *Lop.*, p. 83; *Est.*, p. 31-32.
2. Cf. A. Lopez de Aberasturi, *op. cit.*
3. Celle de A. Lopez de Aberasturi est la première. Il ne s'agit pas d'une traduction complète, mais d'un découpage soigneux, qui respecte le mouvement de la *Teoria* et en livre les grands thèmes.
4. Dans son *Histoire de l'urbanisme* (t. III *(Epoque contemporaine)*, Paris, Laurens, 1952, p. 239), H. Lavedan critique le plan de Barcelone avec des arguments spécieux et ne consacre à la *Teoria* qu'une courte note que nous citons *in extenso* : « Cerdà publia plus tard un mémoire en deux volumes pour justifier son œuvre. Le tome I est une histoire très fantaisiste de l'urbanisme. Le tome II renferme d'utiles statistiques. »
5. Sa *Ciudad Lineal*, (Madrid, Est Tipographico, 1894) a, en revanche, connu une diffusion internationale. En France, notamment, G. Benoît-Lévy a fait une grande publicité à cet ouvrage auquel Le Corbusier, de son côté, a emprunté, sans jamais le citer, le concept de ville linéaire. Cf. G. R. Collins « Linear Planning throughout the World », *Journal of the Society of Architectural Historians* », XVIII, Philadelphie, oct. 1959.

avons néanmoins donné la précédence à la *Teoria* dont le découpage a été fait en premier, isolément. Ensuite, nous avons convoqué d'autres textes afin de confirmer l'identité de la figure qui les sous-tend.

La *Teoria* est, en dépit de ses dimensions, tout comme l'*Idea* de Scamozzi, un texte incomplet. Ses deux volumes comprennent seulement la première des quatre parties d'un ensemble dont Cerdà nous a laissé le plan [1] et dont, selon toute vraisemblance, les volets manquants auraient été effectivement rédigés [2]. La première partie se veut une étude synchronique et diachronique du phénomène urbain : selon la terminologie de Cerdà, elle présente l' « urbanisation comme fait concret ». Le premier volume en donne un exposé général, illustré dans le second par des données statistiques relatives à la ville de Barcelone [3]. Ce travail de « dissection » est, pour Cerdà, la condition préalable à l'élaboration des « principes de la science urbanisatrice [4] », autrement dit à l'établissement de la « théorie » qui « est l'objet de la deuxième partie [5] » (manquante). On voit que Cerdà utilise uniment le présent de l'indicatif pour décrire les différentes sections de son œuvre, qu'elles aient été effectivement imprimées ou non. « La troisième partie (également manquante) concerne les applications techniques [6] » et l'éventuel infléchissement des principes scientifiques par l'art, en vue d'élaborer des solutions de transition [7] qui tiennent compte des contingences existantes et ne traumatisent pas les populations La quatrième partie, enfin, « illustre les précédentes par l'exemple concret de Barcelone [8] » : il ne s'agit plus alors de l'étude statistique de la ville, mais des propositions de restructuration et d'extension, de la « réforme » et du Plan qui ont motivé l'entreprise

1. Dans l'avertissement (*Lop.*, p. 79, 80; *Est.*, p. 16, 17).
2. Cf. A. Lopez de Aberasturi, *op. cit.*
3. « [Nous allons montrer] à l'aide d'un exemple concret et de chiffres indiscutables que tout ce que nous avons dit en termes abstraits et généraux quant aux éléments constitutifs des *urbes*, à leur organisme, à leur fonctionnement [...] n'est pas une déclamation emphatique et vaine, mais un fait incontestable. Nous avons fait appel à la statistique pour les données relatives à l'*urbe* sur laquelle nous concentrons notre étude [Barcelone] » (*Lop.*, p. 179; *Est.*, p. 815). De l'aveu même de Cerdà, le deuxième volume est un « complément » du premier, dont le contenu, dans des conditions de moindre ignorance, aurait pu être relégué « à la fin de l'ouvrage, en annexe » *(ibid.)*.
4. *Lop.*, p. 79; *Est.*, p. 17.
5. *Lop.*, p. 179; *Est.*, p. 814.
6. *Ibid.*
7. *Lop.*, p. 80; *Est.*, p. 17; ainsi que *Lop.*, p. 179; *Est.*, p. 814.
8. *Lop.*, p. 179; *Est.*, p. 814.

théorique de Cerdà, et ne se trouvent pas formellement intégrés dans la *Teoria*

La première partie, seule publiée, du projet de Cerdà peut donc être traitée comme une entité autonome. Elle précise la méthode de la nouvelle discipline et dégage les lois de l' « urbanisation ». Elle prétend fonder une théorie de la construction des villes de valeur universelle, dont manque l'énoncé systématique. Les troisième et quatrième parties auraient été d'autant mieux dissociables de la première qu'elles devaient seulement en présenter l'application à des cas particuliers.

Le discours scientiste et scientifique.

Si l'entité textuelle qu'est la *Teoria*, en l'état où la laissa Cerdà, présente une synthèse structurale des figures du traité, de l'utopie et du discours scientifique, comme dans le cas de toutes les autres théories d'urbanisme, ce dernier est seul reconnu et assumé par l'auteur. Dès l'avant-propos et la préface méthodologique, Cerdà se présente comme le créateur d'une science nouvelle, dont on ne trouve pas trace avant la *Teoria* : « Rien, absolument rien n'avait été écrit sur un sujet d'une telle importance [1]. » Il ne cesse de l'affirmer au fil de l'ouvrage : « L'urbanisation [l'urbanisme] réunit toutes les conditions nécessaires pour occuper un lieu distinct parmi les sciences qui enseignent à l'homme le chemin de son perfectionnement [2] », elle est « une véritable science [3] ».

Pour l'ingénieur espagnol, cette science à part entière est à la fois rendue possible (aux plans du savoir et de la technique) et exigée (au plan pratique) par l'émergence d' « une nouvelle civilisation [4] ». Témoin et héraut du « monde nouveau », il lui donne « pour caractère distinctif [...] le mouvement et la communication [5] », fruit de la révolution scientifique qui, par la mise en œuvre de la vapeur et de l'électricité, a entraîné une mutation dans les transports et le mode de circulation des personnes, et donné naissance aux télécommunications [6]. En bon futurologue, Cerdà annonce l'ère de la « communication universelle ».

1. *Lop.*, p. 73; *Est.*, p. 8. —2. *Lop.*, p. 83; *Est.*, p. 31.
3. Prologue du t. II, *Lop.*, p. 183; *Est.* t. II, p. 1.
4. « Montée sur la vapeur et armée de l'électricité » (*Lop.*, p. 78; *Est.*, p. 15). Sur cette « nouvelle civilisation », cf. en particulier l'adresse au lecteur et l'introduction dans leur ensemble, dont elle constitue de leitmotiv.
5. *Lop.*, p. 73; *Est.*, p. 8.
6. « Hommes de l'époque de l'électricité et de la vapeur! N'ayez pas peur de le proclamer : nous sommes une nouvelle génération, nous disposons de nou-

Cette expérience de la modernité et le rôle attribué au mouvement et à la communication dans l'urbanisation de la seconde moitié du XIXᵉ siècle se répercutent sur la définition que Cerdà donne de l'objet de la « science urbanisatrice ». Car, se voulant un scientifique conséquent, il commence par déterminer l'objet que devra étudier sa discipline. Ce moment premier lui fait rejeter catégoriquement la notion de ville et ses acceptions reçues, en particulier celles qui se basent sur des critères numériques, administratifs ou culturels. L'urbanisation comme fait concret déborde l'idée limitée de la ville traditionnelle, pour englober toutes les agglomérations possibles, quelles qu'en soient l'étendue ou la dispersion. Cerdà en donne une définition fonctionnelle, la première du genre : l'urbanisation ne réside dans rien d'autre que dans l'association du repos et du mouvement, ou plutôt des espaces qui servent au repos et au mouvement des humains, c'est-à-dire les bâtiments et la voirie[1]. En réduisant ainsi le procès d'aménagement de l'espace à la combinaison d'abris destinés au séjour et de voies de communication, Cerdà donne leur première formulation aux deux concepts directeurs qui demeurent, aujourd'hui plus que jamais, les deux pôles opérationnels de l'urbanisme, le logement et la circulation.

Il annonce donc et prépare la grande réduction que la planification urbaine impose aux sociétés actuelles. Mais il découvre dans le mouvement une dimension de l'urbain ignorée jusqu'alors et dont notre époque commence seulement à pressentir quels instruments conceptuels permettraient de l'intégrer dans une description scientifique Cerdà dépasse le statisme de l'appréhension balzacienne de la ville,

---

veaux moyens infiniment plus puissants que ceux des générations précédentes; nous menons une vie nouvelle [...] nous bâtissons des villes nouvelles adaptées à nos besoins et nos aspirations » (*Lop.*, p. 164; *Est.*, p. 686).

« La locomotion perfectionnée [à vapeur] avance [...] à une rapidité stupéfiante. Elle s'est alliée à l'électricité qui, par le télégraphe, transmet instantanément la volonté impérative des hommes [...]. Ces transports rapides, économiques, commodes, démocratiques, ouvrent une ère nouvelle dans la marche progressive de l'humanité » (*Lop.*, p. 176-7; *Est.*, p. 809).

1. « Pour donner une idée de l'urbanisation dans le domaine de la science, nous dirons que ses éléments constitutifs sont les abris, son but la réciprocité des services et ses moyens les voies communes » (*Lop.*, p. 86; *Est.*, p. 44). Cf. aussi : « L'emplacement, la disposition particulière des constructions et les formes que prennent les voies de circulation en se développant constituent notre unique objet, la totalité de ce dont nous devons tenir compte » (*Lop.*, p. 98-99; *Est.*, p. 207); ou encore cette formule lapidaire : « Tout espace doit satisfaire deux besoins, le mouvement et le repos. Ces besoins sont les mêmes pour l'individu, la famille et les collectivités complexes » (*Lop.*, p. 137; *Est.*, p. 408).

étayée par les modèles de pensée de Laplace et de Cuvier. Sa ville est en mouvement : limites fluctuantes, jamais arrêtables, population interminablement errante. Il devance l'intuition, cependant presque toujours pionnière, des romanciers de son temps, tel Zola, mais il ne peut encore en appeler au modèle de la thermodynamique statistique dont il appartiendra plus tard à Musil de pressentir l'intérêt [1]. De plus, l'importance qu'il accorde à la circulation ne lui fait pas négliger l'habitation, qui pour lui ne se réduit pas, comme pour la plupart des urbanistes progressistes qui lui succèdent, au logement, mais reste l'exigence première et fondamentale, celle qui permet le développement de la personne humaine. « Le point de départ comme le point d'arrivée de toutes les voies est toujours l'habitation ou la demeure de l'homme [2]. »

Avec une acuité qui inspirera Soria, mais qu'on ne retrouvera plus ensuite avant M. Webber [3], il perçoit que les nouvelles techniques de communication vont complètement transformer les formes d'urbanisation, rendre anachroniques les anciennes villes, permettre des modes de groupement dispersés, ce qu'il appelle suggestivement une urbanisation ruralisée [4].

Un mot particulier, *urbe* [5] est forgé par Cerdà pour désigner l'agglomération, quelles que soient ses dimensions et sa forme. Procédant en scientifique, il examine et définit toutes les notions dont il est appelé à se servir. Il ne craint pas de préciser le contenu de termes en apparence aussi simples que ceux de contrée, faubourg, rue. En outre, il élabore un métalangage [6] pour désigner un ensemble d'éléments de

1. Cf. Michel Serres, *Feux et Signaux de brume, Zola*, Paris, Grasset, 1975, et conférence prononcée le 10 janv. 1979, au Centre Beaubourg.

2. *Lop.*, p. 125; *Est.*, p. 335. Cf. aussi le premier chapitre du liv. I, en particulier : « [Nous devons] considérer l'abri comme un tégument artificiel, comme un appendice indispensable, comme le complément de l'organisme humain. De ce fait, l'idée de l'homme est constamment liée à celle de son abri que, pour cette raison, on désigne par le terme le plus significatif [...] celui d'habitation *(vivienda)*, terme qui indique qu'elle est sa vie et le complément de son être » (*Lop.*, p. 85; *Est.*, p. 39). Cerdà indique, à la suite de ce même passage, que, pour désigner la maison, il n'utilisera précisément pas le terme *casa* qui ne dénote pas cette fonction vitale. Cf. encore : *Lop.*, p. 136, *Est.*, p. 405.

3. Cf. « The Urban Place and non Place Urban Realm », *Explorations in Structure*, Philadelphie, University of Pennsylvania Press, 1964.

4. Cf. spécialement *Lop.*, p. 170; *Est.*, p. 758.

5. « L'adoption [du mot *urbe*] a été nécessaire parce que notre langue ne possède pas de terme adéquat à mon propos » (*Lop.*, p. 82; *Est.*, p. 30).

6. Outre *urbe* et *urbanisation* (avec les composés « urbaniser », « urbanisatrice », « urbanisateur »), citons : *intervoies, voies transcendantes* et *particulaires, sur-sol*, et tous les opérateurs de son volume consacré à la « statistique de Barcelone » : *nœuds, tronçons, maille, nodations*.

l'urbain que le langage n'a pas su découper ou que les désignations courantes ont recouvert de connotations diverses et qu'il importe de pouvoir regarder avec l'œil non prévenu du savant.

Cerdà reste, malgré les apparences, fidèle à cette rigueur lexicologique lorsqu'il désigne d'un même vocable, *urbanizacion*, deux choses bien différentes, le processus d'urbanisation et l'urbanisme, que nous distinguons avec soin aujourd'hui. Car pour lui, la science urbanisatrice, l'urbanisme, selon la terminologie française actuelle, est constituée par un ensemble de propositions scientifiques déduites de l'analyse de l'urbanisation, qui les met nécessairement en œuvre, mais de façon encore non concertée et « cahotique », du fait de l'inertie que lui oppose l'histoire. L'urbanisation « théorique » est freinée par des facteurs multiples et imprévisibles : les notions de flux et d'inertie annoncent déjà, sans que Cerdà en ait été conscient, les modèles explicatifs de la physique. L'urbanisation est un phénomène spécifique certes, mais non privilégié, accessible au savoir comme n'importe quel autre, et donc, au même titre que les autres phénomènes du monde, soumis à des lois. Une rationalité est à découvrir sous la diversité des formations urbaines d'où, avec une fermeté remarquable, Cerdà exclut le hasard. « Le recours au hasard ne se justifie que par la paresse du chercheur [1] », affirme l'ingénieur espagnol qui semble viser, à l'avance, les dissertations corbusiennes sur le rôle du hasard dans la formation des villes anciennes.

Ainsi, l'urbanisme appliqué est le corollaire d'une science expérimentale et théorique dont Cerdà a largement questionné la démarche [2]. L'auteur de la *Teoria* ne s'est pas contenté d'une critique et d'une analyse de notions. Il a déterminé les méthodes d'observation et de traitement les mieux adaptées à son domaine d'étude, les disciplines auxquelles il pouvait demander assistance dans la collecte de l'information et mieux encore dans la détermination des lois qui régissent ce domaine.

Formellement, il traite son objet selon deux approches, quantitative et structurale. La quantification des données urbaines, sous forme de statistique, constitue une indispensable garantie de scienti-

---

1. *Lop.*, p. 100; *Est.*, p. 214. Cf. aussi « [l'urbanisation] dont on attribue généralement l'origine et le développement au hasard obéit cependant [...] à ces principes immuables » (*Lop.*, p. 83; *Est.*, p. 32).
2. « A mesure que j'approfondissais mes études et recherches, j'ai compris [...] le besoin de me renseigner, d'établir et de fixer les bases et principes sur lesquels on devait bâtir cette science » (prologue du t. II, *Lop.*, p. 183; *Est.*, t. II, p. 1).

ficité[1]. En outre, une attitude structurale est en quelque sorte dictée à Cerdà par les deux sciences indépendantes auxquelles il fait appel : l'histoire, ainsi que l'anatomie et la physiologie[2] lui servent à construire sa théorie de l' « urbanisation ».

L'histoire est, à ses yeux, la discipline qui permet de mettre en situation la science urbaine : ni fin en soi, ni supplément de savoir, elle est déjà, pour Cerdà ce chemin obligé dont notre époque a découvert qu'il traverse tous les domaines de l'anthropologie. Il est impossible selon Cerdà de comprendre la signification et le problème des villes contemporaines, sans référence à l'histoire dont elles sont le produit : « l'histoire de l'urbanisation est l'histoire de l'homme[3] ». Mais cette formule ne renvoie pas à une continuité événementielle. A la fois entraîné par l'idéologie positiviste de l'époque et structuraliste avant l'heure, l'auteur de la *Teoria* conçoit au contraire l'histoire comme succession discontinue de constellations de pratiques sociales; l'urbanisation symbolise chaque fois ces constellations, dont elle livre en quelque sorte le visage, l'identité la plus directement perceptible. La technique est le catalyseur qui détermine et accélère l'information et la transformation des autres pratiques sociales. L'établissement humain évolue donc au gré des mutations de la technique. Mieux que n'importe quel autre indicateur culturel, le mode de locomotion[4] qui y règne (pédestre, équestre, de traînage, à roues, perfectionnée) et, par voie de conséquence, la structure du système de circulation permettent d'établir une classification des villes. Le mode de locomotion donne sa signification au développement de l'urbanisation. Il fonctionne dans l'histoire cerdienne de la même façon que le mode de production dans l'histoire marxienne.

La *Teoria* et *le Capital* paraissent la même année. Dans l'un et l'autre cas, on est confronté à la même rupture par rapport aux démarches historiennes traditionnelles, à la même mise en histoire d'une « science sociale ». A condition de situer la comparaison au seul plan

1. « Par ce moyen tous les problèmes seront posés en termes mathématiques et il ne sera donc plus possible d'évoquer contre nous les caprices de l'imagination. Il faudra alors bien admettre que toutes les estimations sont fondées sur la logique irrécusable des chiffres » (préface du t. II, *Lop.*, p. 184; *Est.*, t. II, p. 3).

2. Également désigné par nous comme « médecine expérimentale », selon une terminologie utilisée à l'époque.

3. *Lop.*, p. 87; *Est.*, p. 50.

4. « La locomotion constituera, à chaque époque urbaine, le point de départ de nos recherches et le moyen de contrôle de nos observations. L'histoire de la locomotion peut être divisée en cinq périodes distinctes [...] » (*Lop.*, p. 164; *Est.*, p. 685).

où elle ait une signification, celui de leur relation avec le savoir, l'analogie des deux œuvres mérite d'être relevée et développée. L'histoire marxienne et l'histoire cerdienne valorisent semblablement la praxis technicienne, elles témoignent d'un même ethnocentrisme et sont l'une et l'autre orientées par une téléologie révolutionnaire. Comme Marx, Cerdà reconnaît la diversité des cultures antiques[1], puis confond ensuite l'histoire universelle avec celle de l'Occident[2]; et, pour lui aussi, la science de l'histoire intègre une révolution à accomplir. Mais une révolution paisible, celle du cadre bâti qui sera transformé par la mise en œuvre des nouvelles techniques de transports et de communication.

Après Cerdà, l'histoire sera convoquée par le discours véridictoire de toutes les théories d'urbanisme. Mais elle n'y jouera jamais plus le rôle que lui réservait la *Teoria*, où, empruntant, au passage, les voies de l'archéologie et de l'étymologie[3], elle permet tout à la fois de construire une nouvelle définition de l'urbanisation et de tester la validité de concepts opératoires empruntés aux sciences de la vie.

Car dans la *Teoria*, l'approche historique s'articule sur l'approche biologique. Sa mise en perspective n'empêche pas que l'objet étudié

1. Il connaît et utilise au maximum les travaux de l'archéologie de son époque.
2. Parti de l'hypothèse selon laquelle, à l'origine, « régnait une seule urbanisation puisqu'il n'y avait qu'un seul peuple, une seule civilisation et une seule humanité », il montre que dans la suite « les *urbes* étaient respectivement parvenues à acquérir un caractère propre et distinctif [... ne permettant] plus de considérer globalement l'urbanisation générale ». Mais « avec le temps, les diverses manifestations de l'urbanisation sont venues [...] se confondre. [...] *Si on a vu un grand centre d'urbanisation d'un pays quelconque, on a vu tous les autres* [...] la civilisation est aujourd'hui la même *dans tous les pays où ne règne pas la barbarie* » (*Lop.*, p. 96; *Est.*, p. 132. Cf. aussi *Lop.* p. 148; *Est.*, p. 483). [*Nous soulignons.*]
3. « Indicateur urbain » *(Lop.*, p. 146 sq.; *Est.*, p. 465 sq.). Cerdà a consacré plus de cent pages à une analyse étymologique des termes urbains, dont il pensait qu'elle lui permettrait de reconstituer le sens originel des composants de la ville. Cette hypothèse, issue d'une démarche qu'on trouve également à la même époque dans les travaux de Fustel de Coulanges sur la cité antique, ne pouvait cependant fournir à Cerdà les résultats escomptés, tant à cause des insuffisances du savoir contemporain que du fait de sa propre incompétence en la matière. Parmi d'autres exemples *(civis, villa, burgo)* aussi peu scientifiques, citons seulement le cas d'*urbs* que Cerdà fait dériver d'*urbum*.(soc de charrue). Il faut toutefois observer la sûreté d'intuition avec laquelle, à travers cette étymologie fantaisiste, Cerdà pointe le caractère originellement sacré de l'acte urbanisateur (*Lop.*, p. 81-82; *Est.*, p. 29-30). Depuis, les travaux d'E. Benvéniste sur *Le Vocabulaire des institutions indo-européennes* (Paris, Éditions de Minuit, 1969) ont montré la fécondité de cette voie.

ressortisse aux méthodologies propres aux organismes vivants, l'anatomie et la physiologie. Cerdà se réclame explicitement de ces deux disciplines, suivant et perfectionnant la voie ouverte quarante ans plus tôt par Balzac, lorsqu'il allait chercher enseignement auprès de Cuvier et de Geoffroy Saint-Hilaire pour apprendre à regarder scientifiquement les sociétés humaines.

Le terme de *dissection*[1] revient comme une profession de foi dans les trois premiers livres de la *Teoria*. Cerdà se veut le « froid anatomiste de l'organisme urbain[2] », du grand « corps » social, dont il découpe, puis désarticule en sous-ensembles les organes essentiels, autrement dit les éléments de base, qu'on retrouve dans toutes les villes et qui caractérisent la ville en général. C'est ainsi qu'il est conduit à définir le corps urbain par la combinaison des deux types d'éléments irréductibles, l'édifice et la voie de circulation, dont l'opposition et la combinaison peuvent rendre compte de toutes les échelles du cadre bâti, depuis le système des villes reliées entre elles par « la grande viabilité universelle » jusqu'à la maison, en passant par l'îlot. Aussi bien, « qu'est-ce que l'*urbe*? Un ensemble d'habitations reliées par un système de voies [...]. Qu'est-ce que la maison? Ni plus ni moins qu'un ensemble de voies et de pièces d'habitation, comme l'*urbe* [...]. La grande *urbe* et l'*urbe*-maison diffèrent seulement par leurs dimensions et les sociétés qu'elles abritent[3] ».

On croirait entendre l'écho du *De re aedificatoria*. Ici et là, le modèle du corps semble induire la même analyse structurale. Pourtant, la métaphore du corps et l'identification de la ville et de la maison n'ont pas la même valeur dans les deux textes. Leurs significations respectives sont séparées par toute la distance que créent des approches différentes du corps. Les sciences du vivant n'existaient pas à l'époque d'Alberti. Elles se sont constituées à partir du XVIIe siècle[4], connaissent déjà un grand développement et proposent leurs méthodes et leurs concepts aux sciences humaines au moment où écrit Cerdà.

Celui-ci ne parle plus en poète ou en artiste, ni seulement en anatomiste. Passés les trois premiers livres où il s'est borné « à inventorier les éléments constitutifs [de l'organisme urbain] comme s'il s'agissait de corps inertes », il en vient à l'étude de son fonctionnement, à sa

1. Cf. en particulier l'avant-propos, où Cerdà évoque son « travail de dissection » (*Lop.*, p. 79; *Est.*, p. 17).
2. *Lop.*, p. 149; *Est.*, p. 592.
3. *Lop.*, p. 137; *Est.*, p. 407. Cf. aussi *Lop.*, p. 114, 129, 132, 134; *Est.*, p. 268, 363-364, 379, 389.
4. Cf. F. Jacob, *La Logique du vivant, op. cit.*

physiologie, il « donne vie à ce corps inanimé[1] ». Le chapitre sur la « fonctionnomie urbaine » qui précède et introduit le livre IV montre comment Cerdà s'approprie, pour le traitement de son domaine propre, les méthodes et certains concepts opératoires de la biologie. Après les désignations générales de genre, espèce[2] et organisme, c'est délibérément qu'il utilise la notion de régulation et la saisit dans l'analyse des fonctions urbaines de circulation, d'alimentation, digestion, évacuation[3], qu'il joue avec les concepts de noyau[4] et de développement, qu'il emprunte à la théorie de Lamarck l'idée d'adaptation, qui contribue à dramatiser sa description de l'urbain.

Cependant, dans le temps même où il traite la ville en organisme vivant, Cerdà ne se réfère pas moins à elle comme à un objet inanimé, un contenant, un instrument[5]. Contradiction inassumée? Inconséquence? Tel sera effectivement, plus tard, le cas chez nombre de théoriciens de l'urbanisme qui, sans en éprouver de gêne apparente, et sans s'en expliquer, conféreront alternativement à la ville le statut de vivant et d'artefact. Ainsi de Le Corbusier, pour qui la ville est tantôt un « corps organisé[6] », support d'une « organisation biologique[7] », tantôt une machine[8], et qui, à l'occasion, ne recule même

1. *Lop.*, p. 149, *Est.*, p. 592. Sur le vitalisme cerdien, voir cependant *infra*, p. 296.
2. La ville est une espèce dont les représentants présentent, par définition, la même organisation spécifique, tout en possédant, comme les organismes vivants, leurs particularités individuelles. « Chaque *urbe*, génériquement identique aux autres, constitue, en réalité, une entité originale et particulière. A partir de ces deux seuls éléments, voies et intervoies, se forment et se formeront un nombre infini d'*urbes*, chacun avec une physionomie particulière » (*Lop.*, p. 163; *Est.*, p. 681-682).
3. *Lop.*, p. 156; *Est.*, p. 645-646. « Les organes correspondant à toutes les fonctions d'alimentation, de digestion et d'excrétion » de la ville se retrouvent dans la maison (*Lop.*, p. 139; *Est.*, p. 412).
4. Cf. les chapitres sur les faubourgs et les noyaux urbains, en particulier : *Lop.*, p. 106; *Est.*, p. 241 sq.
5. Par exemple : « La ville constitue un tout complexe, un *instrument* » (*Lop.*, p. 146; *Est.*, p. 465). [*Nous soulignons.*]
6. *La Ville radieuse*, Paris, Vincent-Fréal, 1933, 4e partie, p. 134. Par souci de simplification, dans la suite de ce chapitre, toutes les citations de Le Corbusier seront empruntées à cette quatrième partie qui constitue une œuvre autonome, synthèse de toutes les idées, et prototype, des livres de Le Corbusier. Cf. aussi : « La ville vivante, totale, fonctionnante avec ses organes qui sont ceux de la société machiniste » (*ibid.*, p. 140). La « Ville radieuse » est tout entière placée sous le signe de la vie : les termes « vie » et « vivre » (sans compter les formes verbales non infinitives de ce verbe et les adjectifs dérivés) reviennent 65 fois dans les 83 pages du texte, dont les formules de type « vivre, habiter! », « vivre, respirer! » ou « vivre, rire! » constituent la scansion rhétorique.
7. *Ibid.*, p. 139.
8. « La maison de l'homme moderne (et la ville), machine magnifiquement

pas devant des formulations antinomiques, dont une des plus lapidaires est la définition de la ville comme « biologie cimentée [1] ». Cerdà, lui, reconnaît explicitement la double appartenance de l'objet urbain et le problème qu'elle pose. Il résout l'apparente antinomie de l'organisme et de l'artefact par une conception hardie du corps (urbain) comme machine, qu'on pourrait aujourd'hui réactualiser à l'aide des modèles de la biologie cellulaire et moléculaire : ainsi, le sous-sol de la ville ressemble « à première vue » au « système veineux d'un être mystérieux »... Mais, en réalité, « cet ensemble de tubes ne constitue rien d'autre qu'un système d'appareils qui entretiennent le fonctionnement de la vie urbaine [2] ».

La façon dont Cerdà recourt aux méthodes et aux acquisitions de l'histoire et de la biologie doit-elle faire conclure qu'il a effectivement élaboré un discours scientifique? Ou bien s'est-il seulement contenté d'en produire des marques linguistiques, c'est-à-dire des énoncés sans référence situationnelle [3], et même cette « dénomination » dont E. Benvéniste fait « l'opération en même temps première et dernière d'une science [4] »? Des réserves s'imposent immédiatement. D'abord, l'ingénieur espagnol fait largement appel à un imaginaire préscientifique. Par exemple, sa conception du corps urbain n'est pas seulement novatrice : elle renvoie aussi à la « psychologie » aristotélicienne [5] et à la théorie cartésienne des animaux-machines. De même, loin de le cantonner dans le champ épistémologique tracé par Claude Bernard, Darwin et leurs contemporains, l'analogie organiciste conduit parfois Cerdà à retrouver devant l'être urbain certaines formes archaïques

---

disciplinée, apportera la liberté individuelle » *La Ville radieuse* (p. 143); ou encore, p. 130, la ville « machine à circuler ». *(Parenthèses de Le Corbusier.)*

1. *Ibid.*, p. 111. Entre beaucoup d'autres formules de même type, citons seulement pour mémoire, les « fatalités biologiques » et la « biologie mortelle» qui pèsent sur les « tracés erronés » du passé (p. 138-139); ou encore la « cellule humaine de 14 m² par habitant », « biologiquement bonne en soi (conforme à l'être) et susceptible de multiplication à l'infini (de par les ressources fournies par les techniques modernes) » [p. 143. *Parenthèses de Le Corbusier*].

2. *Lop.*, p. 119; *Est.*, p. 306.

3. Cf. J. Simonin-Grumbach, *op. cit.*, p. 110 *sq.* Cf. *infra*, p. 148, n. 5, et p. 159, n. 1.

4. *Problèmes de linguistique générale*, II, p. 247. Pour la dénomination dans la *Teoria*, cf. *supra*, p. 290-291.

5. « Jusqu'ici notre analyse s'est attachée exclusivement à la partie matérielle qui conforme en quelque sorte le corps de la ville, en faisant presque silence sur sa partie humaine qui constitue l'âme et la vie de la ville, c'est-à-dire sa population, alors qu'en réalité, la première n'est que l'instrument mis au service de la seconde » (*Lop.*, p. 183; *Est.*, II, p. 2).

du vitalisme ou de l'animisme antiques et renaissants [1], dont la survivance trahit la charge de mystère, sinon le poids magique ou religieux, dont la ville demeure lestée au fil du temps, et dit assez la difficulté de son approche objective. Ensuite, l'intention normative qui anime la *Teoria* fait dériver, comme on le verra plus loin, les énoncés de fait vers une axiologie.

Ces réserves émises, la *Teoria* nous met-elle en présence et d'une série d'énoncés scientifiques et d'une théorie qui les intègre? En ce qui concerne le premier point, et bien que ses emprunts aux sciences de la vie aient parfois conduit Cerdà à méconnaître la spécificité de son objet propre, la pensée de Darwin lui a permis de mieux cerner l'évolution de l'établissement humain, qu'il a décrit en pionnier de la géographie urbaine. En ce qui concerne le second point, en revanche, l'utilisation du mot ne doit pas faire illusion. La *Teoria* ne satisfait pas à une série d'exigences actuellement caractéristiques d'une théorie scientifique : la capacité explicative, la capacité prévisionnelle, la transitivité et surtout la réfutabilité [2]. Qu'elle s'appuie sur l'histoire et sur le rôle qu'y joue la technique, ou qu'elle emprunte à la biologie la métaphore organiciste, la construction de Cerdà se situe à un niveau de généralité qui lui fait manquer la complexité des phénomènes de culture. Sa marge d'adhésion aux faits est limitée. Les mêmes raisons, auxquelles il faut ajouter sa dimension normative, la privent de valeur prévisionnelle. Enfin, la « théorie » de Cerdà est présentée comme une vérité fixe et immuable, dans des termes qu'on peut imputer à un scientisme, mais qui ressortissent bien plutôt à une approche utopiste.

La part faite par la *Teoria* à un véritable discours scientifique apparaît donc finalement réelle, mais limitée : réduction que souligne à son tour la précarité des énoncés non situationnels, en permanence menacés par l'intervention en première personne de l'énonciateur.

Médicalisation et utopie.

La réduction de l'urbain au biologique a pour corrélatif sa médicalisation. On peut même penser que c'est un souci premier de thérapie qui a poussé Cerdà à traiter la ville selon des procédures empruntées aux sciences du vivant. Quoi qu'il en soit, la médecine clinique est

1. Cf., par exemple, le passage où Cerdà assimile les balcons et les fenêtres de la maison à des « organes correspondant aux yeux et à l'ouïe » (*Lop.*, p.139; *Est.*, p. 412).
2. Cf. K. R. Popper, *La Logique de la découverte scientifique*, trad. fr., Paris, Payot, 1978, p. 36 *sq.*

pour lui la fin de la médecine expérimentale et l'urbaniste est assimilé à la fois au physiologiste et au médecin. Avec Cerdà, l'urbaniste revêt, pour ne plus la quitter, la blouse blanche du thérapeute. La ville est malade. Au praticien de chercher les causes de la maladie, de faire un diagnostic, d'appliquer des remèdes. La terminologie médicale fonctionne d'un bout à l'autre de la *Teoria*[1]. Ainsi, selon la même démarche qui avait donné naissance au panoptisme et déjà marqué une partie des textes du pré-urbanisme, Cerdà transpose, sans inquiétude méthodologique, les notions de normal et de pathologique dans le champ du social, occulte la différence des normativités à l'œuvre en médecine et en anthropologie, ignore que l'aménagement de l'espace humain ressortit aux normes de la culture et de l'éthique. Bref, par la médiation de l'analogie médicale, il dédouble l'objet initial de la science urbanisatrice, qui se transforme en deux objets selon la démarche de l'utopie.

L'approche scientifique et scientiste du monde bâti par la théorie d'urbanisme se prête à un investissement par l'utopie dans la mesure même où l'une et l'autre forme textuelle posent d'entrée de jeu la ville comme objet. L'organicisme des trattatistes en offre la preuve *a contrario*. Si Filarète[2] et Scamozzi ont largement utilisé la métaphore du corps, et même la métaphore médicale, sans jamais verser dans l'utopie, c'est qu'ils se situaient dans une logique du projet : l'urbain était pour eux un processus à instaurer, à aucun moment un donné à partir duquel réagir. Ce n'est point qu'en faisant de la ville un objet de savoir scientifique on doive corrélativement la convertir en objet utopique. Mais on s'y expose effectivement dès lors que la science de référence a des applications correctives, dès lors, en particulier, qu'entre en jeu la médicalisation dont on a vu[3] qu'elle a contaminé, au départ, la plupart des sciences humaines.

Pour Cerdà, l'articulation d'une démarche « scientifique » avec un ensemble d'éléments utopistes est d'autant plus facile que l'ingénieur espagnol ne se pose pas seulement en praticien, mais en penseur social, qui aborde les problèmes de la société occidentale dans leur ensemble, et non pas sectoriellement. Aussi, la maladie urbaine n'est-elle pas pour lui, comme elle le sera pour nombre de théoriciens ultérieurs de l'urbanisme, une pathologie de l'espace : elle consiste dans une hypertrophie du système économique dominant, c'est-à-dire du capi-

---

1. Cf., pour les formules les plus frappantes, *Lop.*, p. 75, 78, 79, 152; *Est.*, p. 11, 12, 14, 16, 17, 606.
2. Cf. Filarète, *op. cit.*, p. 60, liv. I, f⁰ 75.
3. *Supra*, chap. v, p. 275 *sq.*

talisme. Au nom d'un libéralisme, Cerdà dénonce l'exploitation[1] de la classe ouvrière par la classe dominante. Il en signale en particulier deux aspects étroitement liés entre eux : la réduction des salaires au simple coût de la reproduction de la force de travail[2] et la spéculation foncière. « Le désir immodéré de spéculation des propriétaires fonciers urbains », la façon systématique dont ceux-ci exploitent l'espace pour « subvenir aux besoins du marché avec frénésie » sont décrits dans des pages remarquables[3].

Dans ce tableau clinique général, le dysfonctionnement de l'espace urbain constitue non seulement le symptôme le plus voyant de la maladie sociale, mais aussi son agent[4]. Plus exactement, l'espace urbain est le support de tous les enjeux sociaux. C'est à travers lui que le destin de la société se joue. Il est le *pharmakon* platonicien dont la face vénéneuse ou, ici, malade n'a jamais, avant la *Teoria*, été décrite avec un pareil esprit de système. Nouveau Raphaël Hythloday, dont il assume le rôle de voyageur et de voyeur-témoin, Cerdà, l' « observateur-philosophe », entraîne son lecteur dans une « visite imaginaire » à la faveur de laquelle il brossera le tableau des traits pathologiques de la ville contemporaine. La ville malade est appréhendée d'abord globalement, dans une sorte de vision lointaine et panoramique, qui livre « un immense chaos[5] », des « amalgames ridicules[6] » et, pêle-mêle, aberrations, contradictions, nuisances d'une urbanisation « vicieuse, corruptrice, antipolitique, immorale et ana-

1. Ce terme, qui revient fréquemment dans la *Teoria* (cf. particulièrement *Lop.*, p. 143 à 146; *Est.*, p. 456-465), finit par désigner une classe sociale : « L'exploitation a considéré la liberté domestique comme un luxe superflu » (*Lop*,. p. 143; *Est.*, p. 456).
2. L'argument est résumé au début de la *Monographie statistique de la classe ouvrière à Barcelone*, *Lop.*, p. 198-199; *Est.*, t. II, p. 560 : « Le logement constitue le premier besoin de l'homme social, quelle que soit la classe à laquelle il appartient; si la satisfaction de ce besoin absorbe l'essentiel de ses ressources, comment pourrait-il faire face aux autres besoins, physiques et moraux, de l'existence? »
3. En particulier : *Lop.*, p. 133 à 146; *Est.*, p. 388 à 464.
4. « J'ai vu clairement et distinctement que cet organisme [la ville] avec les défauts essentiels dont il souffre, incomplet dans ses moyens, mesquin dans ses formes, toujours contraignant et étouffant, emprisonne et maintient sous une constante torture toute l'humanité qui [...] lutte sans cesse pour casser définitivement la tyrannique chappe de pierre qui l'emprisonne » (*Lop.*, p. 76; *Est.*, p. 12-13). En comprenant ce rôle de la ville, Cerdà estime avoir « surpris *in fragranti* la cause primordiale de ce malaise profond que les sociétés modernes ressentent en leur sein, et qui menace leur existence » (*Lop.*, p. 76; *Est.*, p. 12).
5. *Est.*, p. 267 (non traduit).
6. *Lop.*, p. 169; *Est.*, p. 741.

chronique [1] ». Ensuite, la critique se détaille en une série de *close-up* successifs sur l'ensemble des éléments constitutifs de l'urbain [2] : depuis les faubourgs et les murailles « irrationnelles funestes, tyranniques [qui], après avoir comprimé les forces urbanisatrices du noyau urbain, ont converti en désert une grande étendue de terrains qui aurait pu être urbanisée avantageusement pour la grande masse des populations qui souffrent de la dure loi du monopole foncier [3] », jusqu'aux maisons, que la « logique de l'exploitation » a transformées en « taudis dégoûtants et malsains [4] », en passant par les voies qui font obstacle à la « communicabilité » par leurs tracés, leurs dimensions, leurs revêtements, et à l'hygiène par leur étroitesse et la hauteur des immeubles qui les bordent, sans omettre les îlots morcelés, surdensifiés par la spéculation et privés de soleil.

Ainsi, le premier, Cerdà a inscrit dans le bilan de la pathologie urbaine la rue-corridor et la cour-puits [5], futurs chevaux de bataille des Congrès d'habitation hygiénique, de Tony Garnier et des CIAM. Mais nos quelques citations montrent bien que ce tableau clinique, tracé de façon si peu sereine, est en réalité un tableau critique et que, loin de traduire, comme le voudrait et le prétend Cerdà, l'impassibilité du scientifique, il trahit le jugement de valeur du réformateur. En fait, le tableau clinique de la ville moderne résulte *à la fois* d'un discours factuel et d'un discours engagé. Il est cadré et organisé par la critique corrective [6], caractéristique de l'utopie, qui engendre l'image positive, opposée terme à terme à celle de l'objet mis en cause.

L'image positive de la ville saine et adaptée à ses fonctions ne

---

1. *Lop.*, p. 141; *Est.*, p. 446.

2. Chacun subit la focalisation critique à deux reprises, lors de l'examen anatomique, puis de l'examen physiologique traité sous la désignation de « fonctionnomie ».

3. *Lop.*, p. 111; *Est.*, p. 259.

4. *Lop.*, p. 141; *Est.*, p. 446. Les « carences et misères de la maison actuelle » qui, « traitée comme un article de commerce quelconque », a « cessé [d'être] le signe de la demeure de l'homme » et « plus qu'à une habitation ressemble à l'antre des bêtes fauves » (*Lop.*, p. 144 et 140; *Est.*, p. 459 et 422) sont dénoncées avec violence, tant du point de vue de leurs effets (logements comme « lieux de promiscuité et de conflits », *Lop.*, p. 136; *Est.*, p. 406,) que de leurs caractères spaciaux et physiques : exiguïté, mauvais plans, absence de soleil, absence d'isolement. On notera la parenté des deux premières formules générales avec celles de Marx dans les *Manuscrits de 1844*, trad. E. Botigelli, Paris, 1957, Éditions sociales, p. 101, 102.

5. Cf., entre autres passages, pour la rue, *Lop.*, p. 128-9; *Est.*, p. 355-356; pour la cour, *Lop.*, p. 143; *Est.*, p. 454 (« ces cours ressemblent à des puits profonds et sans lumière où s'accumulent toutes sortes d'immondices [...] »).

6. *Lop.*, p. 162; *Est.*, p. 678.

devrait pas avoir de place dans les deux volumes publiés de la *Teoria*, qui sont explicitement consacrés à l' « urbanisation comme fait concret ». Logiquement, cette image d'une ville qui n'a pas de réalité, et dont Cerdà dit lui-même qu'elle n'a pas encore d'existence [1], ne devrait apparaître que dans la deuxième partie (manquante), consacrée à la « théorie ». Pourtant elle est présente, dite au présent de l'indicatif, de part en part du texte publié. Cerdà ne peut s'empêcher de la capter, avant l'heure, dans le miroir de la critique, de l'invoquer dans son détail à mesure que se précise le tableau clinique dont elle est l'autre et la vérité. Vérité à la fois de la norme médicale et de l'idéal utopien : ce glissement qui permet la superposition et la coïncidence des deux genres textuels fait bénéficier l'abstraction qu'est l'organisme urbain théorique du même statut d'existant que la ville réelle. Autrement dit, la ville idéale, normale et normative, dont Cerdà reconnaît incidemment qu'il n'en connaît pas d'exemple, est cependant évoquée avec la même intensité, les mêmes moyens linguistiques que la ville actuelle.

La description au présent de l'indicatif de la ville contemporaine malade est renforcée par de nombreux *shifters* et le témoignage en première personne de l'auteur. Que, d'aventure, elle doive être complétée par une description de villes anciennes, le présent de l'indicatif s'empare aussitôt de celle-ci, reléguant les temps du passé qui l'eussent transformée en récit et eussent situé ces villes dans une histoire [2]. En fait, la présentation des types urbains du passé se superpose, dans la *Teoria*, à une histoire, proprement dite, de l'établissement humain. La première sert à préciser et embellir l'image de la ville modèle, la seconde à noircir celle de la ville réelle.

Il n'est pas jusqu'au lexique de Cerdà qui ne serve à l'articulation et au glissement l'une dans l'autre des deux figures du discours scientifique et de l'utopie. Sans en être conscient, l'auteur de la *Teoria* utilise un vocabulaire qui lui permet de si bien jouer sur les deux tableaux que le lecteur ne sait plus en quel lieu textuel il se trouve. Effectivement, comment l'égarer mieux qu'en détournant certains vocables de leur usage, par exemple en appliquant le concept de vérité aux composants idéaux de la ville, et celui de perfection à une norme urbaine jugée positive? Lorsqu'il se réfère à une « urbanisation

---

1. *Lop.*, p. 169; *Est.*, p. 741 : « Malheureusement aucune *urbe* existante ne réunit toutes ces conditions. »
2. La même superposition de deux villes anciennes, l'une paradigmatique, décrite au présent, l'autre, historique, décrite au passé, se retrouve chez Sitte (cf. *infra*, p. 321).

parfaite[1] » et invoque la « vérité » d'un logement type, Cerdà joue pour la première fois un jeu d'association et de brouillage que s'approprieront tous les théoriciens de l'urbanisme et dans lequel Le Corbusier passera maître lorsqu'il prêtera à sa ville radieuse des aménagements « parfaits[2] » et un plan « juste, vrai et exact[3] ».

Dans ce mouvement de va-et-vient qui confond l'énoncé scientifique et la description utopique, la vérité de la science est transformée en solution salvatrice radicale[4], en modèle. Cerdà condamne les solutions de compromis[5]. Il n'envisage des mesures de transition qu'à titre diplomatique et provisoire, essentiellement dans le cas d'agglomérations préexistantes. On reconnaît là l'intransigeance manichéenne de l'utopie, forte maintenant du garant de la science qui rend désormais inutile le personnage du héros, inventeur du modèle, et le remplace par celui du savant[6].

Dominance de la figure moréenne : les faux traits albertiens.

Mais s'agit-il vraiment d'un modèle utopien? Cerdà évoque bien une « ville modèle[7] ». Cependant, la notion de modèle urbain n'est pas univoque dans la *Teoria* : parfois elle désigne un objet, dans d'autres cas, elle renvoie à une méthode et à un système de règles.

Tantôt, conformément aux exigences du paradigme moréen, Cerdà décrit les constituants modèles (normaux et sains) d'une ville (ou organisme, normal et sain) point par point opposable aux agglomérations de la société industrielle; et à chacun des éléments critiqués de l'« urbanisation contemporaine », il fait correspondre des éléments modèles, voies, intervoies et logements, véritables objets dont il précise la morphologie et, le cas échéant, les dimensions.

Tantôt, au contraire, il semble regarder vers le paradigme albertien : la ville modèle n'a pas de nom propre, son image reste floue; en dépit de la netteté avec laquelle ses composants sont donnés à voir, elle est

1. *Lop.*, p. 80 et p. 97; *Est.*, p. 17 et 199.
2. *La Ville radieuse*, p. 146. Cf. aussi les croisements aux carrefours *parfaits*, p. 123.
3. *Ibid.*, p. 154. Cf. aussi p. 149 et 153.
4. « Destinée à régénérer l'urbanisation et par conséquent la société » (*Lop.*, p. 137; *Est.*, p. 407).
5. Auxquelles il oppose la solution qui « consiste à s'en remettre entièrement aux mains de la science, à lui obéir aveuglément, *en faisant abstraction de tout ce qui existe*, pour soumettre les réalisations à ses principes incontestés » (*Lop.*, p. 178; *Est.*, p. 814). [*Nous soulignons.*]
6. Cf. *infra*, p. 305, 308 et 325.
7. *Lop.*, p. 153; *Est.*, p. 610.

envisagée comme un problème méthodologique. Corrélativement, l'investissement de l'espace par le bâtir prend alors chez Cerdà la même valeur que chez les trattatistes. La ville doit s'étaler : « Nous regardons avec répugnance tout ce qui limite et oppose des obstacles à l'épanouissement d'une ville [1]. » Il en est de même du logement individuel dont la *Teoria* évoque avec émerveillement l' « extraordinaire extension [2] » lors des débuts de l'urbanisation. Attitude inverse de la démarche utopiste, que pourrait illustrer Le Corbusier lorsqu'il dénonce « la dénaturalisation même du phénomène urbain » par « l'étendue démesurée des surfaces occupées » et se donne pour objectif de « rassembler la ville sur elle-même [3] », d' « annuler la distance [4] ».

Quelle est la signification de cette ambivalence? Quand Cerdà annonce à ses lecteurs que « la ville *modèle* sera construite selon les principes [du Traité théorique [5]] », fait-il travailler ensemble deux systèmes normatifs incompatibles, ceux de la règle et du modèle, respectivement empruntés aux deux paradigmes instaurateurs? En fait, ce n'est pas de règles qu'il s'agit ici, mais de lois, l'usage, commun à Alberti et Cerdà, du terme « principe » laissant seulement pressentir certaines analogies de leurs démarches [6]. Cependant, quelles que soient la nature et l'importance de ces analogies, l'ensemble des principes et des lois cerdiens, partie intégrante d'une méthode de conception, n'ont, dans la *Teoria*, qu'une valeur sémantique et non sémiotique. A l'encontre des principes et des règles albertiens, non seulement ils ne détiennent pas le privilège exclusif de régir l'édification, mais surtout ils sont sans effet sur la morphologie du texte. L'architecture textuelle de la *Teoria* est tout entière sous-tendue et organisée par la relation duelle, propre à l'utopie, entre une critique de la mauvaise ville existante et un modèle de la bonne ville destinée à la remplacer.

On peut, toutefois, se demander si un récit d'origine de type trattatiste, situé dans la première partie de la *Teoria*, ne travaille pas effecti-

---

1. *Lop.*, p. 108; *Est.*, p. 251.
2. *Lop.*, p. 94; *Est.*, p. 114.
3. *La Ville radieuse*, p. 107.
4. *Ibid.*, p. 142. Dans la Ville radieuse, « tout est concentration rien n'est dispersion » (*ibid.*, p. 136). Inversement la ville actuelle est stigmatisée parce qu' « ouverte, répandue, ramifiée jusqu'aux lointains horizons » (*ibid.*, p. 91).
5. Désignation de la troisième partie, manquante, de la *Teoria* (*Lop.*, p. 153; *Est.*, p. 610). [*Nous soulignons.*]
6. Cf. *infra*, p. 332 *sq.*

vement le texte et ne permet pas à Cerdà d'opérer une suture, cette fois, fonctionnelle de la figure du traité avec celle de l'utopie. En effet, Cerdà présente, en amont de son propre modèle spatial engendré par une critique systématique de la ville contemporaine, une sorte d'arché-modèle, l'*urbanisation ruralisée*, qui aurait eu une existence réelle, mais dans un temps ahistorique. Le récit, dont les deux volets occupent respectivement dans la première partie de la *Teoria* tout le premier livre et un espace important du second, aurait pour fonction de fonder cet arché-modèle.

Dans le premier volet, Cerdà indique d'emblée que l'origine de l'urbanisation ne doit être cherchée ni dans l'histoire des nations ni dans celle d'un peuple quelconque, car « l'urbanisation existait avant que ce peuple n'existe ». On la trouvera « dans l'histoire de l'humanité [...] non pas dans cette histoire telle qu'elle a été écrite [mais] dans l'*histoire de l'homme primitif, de l'homme naturel, puisque le premier homme a dû nécessairement posséder un abri, un refuge* [1] ». Sur ces bases, Cerdà reconstitue un scénario originel, tout aussi peu embarrassé de fioritures ou de psychologie que celui du *De re aedificatoria*. « La première tâche [du premier homme...] a été de trouver un abri. Ensuite une nécessité innée l'a conduit à chercher l'aide et la compagnie de ses semblables; les abris ont été mis en communication, et c'est ce processus qui constitue l'urbanisation [2]. » Tout simpliste ou rudimentaire que soit ce schéma dualiste, Cerdà lui accorde une valeur capitale, et pour nous significative : « [...] origine insignifiante [...] origine de la plus haute importance pour la philosophie, origine qu'il importe à l'humanité de chercher et de connaître puisque c'est à partir de là qu'ont été formés les principes essentiels de la science urbanisatrice [3]. »

Aussi, malgré la plus grande complexité du récit d'origine albertien [4], ce premier volet de la *Teoria* lui est-il comparable. L'épisode cerdien est situé dans la même temporalité ahistorique dont la reconstitution est pareillement revendiquée par l'auteur; il occupe la même situation liminaire au seuil d'un ouvrage dont il contribue aussi à informer l'organisation, en fournissant les deux pôles — repos et mouvement, logement et voirie, pour la première fois désignés à une attention exclusive — autour de quoi, de chapitre en chapitre, systématique-

---

1. *Lop.*, p. 84; *Est.*, p. 35. *(Nous soulignons.)*
2. *Est.*, p. 41 (non traduit).
3. *Lop.*, p. 84; *Est.*, p. 35.
4. Dans le registre de la nécessité, il sert à fonder les six principes de base de l'édification, alors que le premier volet de la *Teoria* ne concerne que les deux principes généraux (repos et mouvement) de l'urbanisation.

ment, gravitent l'histoire, l'anatomie et la physiologie de la ville. Enfin, à lire, dès les premières lignes, la célébration de l'urbanisation [1], à voir celle-ci traitée en cause et non en conséquence de la civilisation et du développement de l'humanité [2], on a le sentiment que l'urbanisation s'est ici simplement substituée à l'édification, dans un récit moins élaboré, mais identique, au plan de la morphologie et du fonctionnement, à celui d'Alberti. Mais, à l'encontre de ce qui se passe dans le *De re aedificatoria*, les principes cerdiens n'ont pas besoin de fondation : on a vu qu'ils bénéficient de la caution de la science et qu'ils ne jouent pas de rôle dans la structuration du texte. Ce premier volet n'est donc pas fonctionnel, il ne peut avoir qu'une valeur de simulation.

Quant au second volet, suite du premier, il s'inscrit, non sans difficultés, et au mépris du plan et des intitulés explicites de Cerdà, dans la première partie du livre II, qui est supposé retracer le « développement de l'urbanisation » dans les temps préhistoriques et historiques. En effet, une fois muni de ses deux principes de repos et mouvement, et après avoir affirmé que « l'histoire de l'urbanisation est l'histoire de l'homme [3] », Cerdà diffère encore l'entrée dans l'histoire (il faut « renoncer à l'aide de l'histoire si l'on veut décrire depuis ses origines le développement de l'urbanisation [4] »), pour s'immerger dans l'entre-deux d'un temps imaginaire, qu'à nouveau il reconstitue, à partir de la notion de nature humaine. « Qui nous fournira les renseignements nécessaires [sur ces temps dont il ne subsiste pas de témoins]? Réponse : l'homme, sa nature, ses instincts innés, ses désirs [5]. »

L'analyse du propre de l'homme permet alors à Cerdà d'élaborer trois nouvelles séquences correspondant à l'apparition de trois nouvelles formes d'urbanisation. C'est, d'abord, dans le même temps imaginaire qu'au livre I, l' « urbanisation élémentaire primitive [6] » des sociétés qui n'ont qu'une seule activité. Ensuite, dans le temps,

---

1. « L'homme doit à l'urbanisation qui naquit avec lui et s'est développée avec lui tout ce qu'il est, tout ce qu'il peut être en ce monde » (*Lop.*, p. 86; *Est.*, p. 41).

2. « L'urbanisation a conduit [l'homme] à l'état de société, lui a enseigné la culture. Elle l'a civilisé » *(ibid.)*. Cf. aussi : « Nous verrons comment les éléments essentiels [de l'urbanisation] marchent au même pas que la civilisation, ou mieux, comment l'urbanisation la précède et prépare le chemin qu'elle aura ensuite à suivre » (*Lop.*, p. 87; *Est.*, p. 50).

3. *Lop.*, 87; *Est.*, p. 50.

4. *Est.*, p. 56 (non traduit).

5. *Est.*, p. 57 (non traduit).

6. Liv. II, chap. i. Elle comprend trois phases, troglodyte, cyclopéenne et tugurique (à cabanes).

qui est dit à la fois historique et innocent, où les humains sortent de leur forêt originelle, vient l' « urbanisation combinée simple [1] ». Enfin, émerge l'arché-modèle, *l'urbanisation ruralisée*. Il ne s'agit plus, alors, pour Cerdà, de définir, comme au livre I, des gestes primordiaux, mais bien un véritable objet modèle : consistant dans une maison unifamiliale, entourée d'un réseau de sentiers ou de voies publics, et indéfiniment multipliable, ce modèle s'avère être effet et cause de progrès, mais aussi point de départ d'une chute, origine du procès de dégradation qui ne cesse, depuis, d'entamer notre environnement bâti.

L'articulation des trois séquences du deuxième volet du schéma d'origine entre elles et avec le premier volet ne va pas sans des difficultés qui tiennent à l'imprécision et à l'hétérogénéité des chronies où se déroule le récit. La frontière n'est pas claire qui sépare un premier temps, mythique ou imaginaire, d'un temps second, réel et cependant encore innocent. L'urbanisation ruralisée elle-même est d'abord attribuée aux tribus « imaginaires » chez qui « l'*urbe* est tout le champ d'établissement des agriculteurs [2] ». Ensuite, « ce chef-d'œuvre de l'urbanisation le plus adéquat, le plus digne, le plus parfait qu'ait produit la sagesse humaine [3] » est présenté, sous une forme plus élaborée, comme l'œuvre d'une société « véritablement historique », qui a su combiner plusieurs activités, et dont Cerdà localise les vestiges autour de Babylone [4]. Mais il ne situe pas avec clarté le moment où se brise la belle ingénuité originelle. Il se borne à indiquer que le procès de dégradation commence dès lors que les peuples se mettent à croître et se multiplier. Il ne précise pas s'il faut l'attribuer à la différenciation des cultures ou à une perversion de l'instinct humain qui, sous la pression de l'esprit de lucre et de compétition, ferait se rassembler les villes sur elles-mêmes et construire en hauteur. Une explication par la croissance démographique aurait été compatible avec le positivisme de Cerdà. Celui-ci ne la tente jamais. Davantage, ce progressiste militant, ce champion de l'industrialisation, n'hésite pas, sans souci de se contredire, à décrire le destin de l'environnement bâti en disciple de Rousseau [5].

---

1. Liv. II, chap. II.
2. *Lop.*, p. 90; *Est.*, p. 96.
3. *Lop.*, p. 96; *Est.*, p. 122.
4. *Lop.*, p. 94; *Est.*, p. 114. Si la ville qu'il vient de décrire peut « sembler une entité purement idéale », Cerdà affirme cependant que les découvertes archéologiques confirment son hypothèse.
5. « A chaque progrès de l'humanité, l'urbanisation ruralisée, qui est la seule véritablement naturelle et adaptée à l'homme, [...] a toujours perdu quelque

Le deuxième volet du « récit d'origine » cerdien semble bien effectivement fonctionner comme garant d'un modèle spatial, réactionnel et artificiel, dont il présente la forme archétypale et « naturelle ». Il s'écarte donc du schéma canonique d'Alberti. Bien que chargé de réminiscences trattatistes, il ne parvient pas à se maintenir dans la continuité d'un temps abstrait. Il ne peut cautionner un modèle, et donc un choix axiologique, qu'à introduire un temps réel et raconter l'histoire d'une chute. Au récit fondateur, il substitue un récit eschatologique.

C'est en amont de cette eschatologie, en définitive aussi peu fonctionnelle que le premier volet du récit, qu'il faut aller chercher le garant effectif du modèle : la notion de nature humaine. C'est cette notion lourde de connotations scientistes, chargée aussi d'un héritage rousseauiste, qui articule les deux volets du récit cerdien, rend compte de l'activité originelle décrite dans le premier et légitimise le modèle présenté par le second. Par son ambivalence, elle permet le glissement du plan des faits au plan des valeurs, la confusion et l'assimilation de l'énoncé et de la norme.

La nature humaine, telle que Cerdà la pense tenir d'une démarche « scientifique », est entendue dans des termes substantialistes, mieux accordés et articulables à un texte utopique qu'à un traité. Qu'on se reporte à la description de l'édification que fait Alberti dans son récit d'origine du livre I du *De re aedificatoria*. Posée comme une séquence d'opérations, elle constitue ce que nous appellerions aujourd'hui un invariant culturel universel, imputable à la nature humaine. Bien entendu, cette notion n'apparaît pas dans le traité d'Alberti. Néanmoins, l'interprète actuel est justifié à voir dans l'activité édificatrice, ainsi saisie en son surgissement, une compétence dont le contenu est indéterminé. Il appartient précisément à (la nature de) l'homme de le remplir, au gré de ce qui lui est le plus consubstantiel, sa demande et son désir, que celui-ci se manifeste au plan de la commodité ou du plaisir. Ce qui tient ainsi lieu de nature humaine dans le *De re aedificatoria* pourrait être défini comme un potentiel de performances possibles dans une multiplicité de champs, tels ceux du bâtir ou du langage. Dans la *Teoria*, en revanche, l'activité originelle de l'édification renvoie, d'entrée de jeu, à un donné objectif, le corps humain : l'homme repose et l'homme bouge. La nature humaine est

---

chose de précieux. » Cerdà ajoute, au mépris de la cohérence de sa propre pensée : « Son sort est celui de la liberté individuelle qui, à mesure que la culture et la civilisation progressaient, a subi constamment de nouvelles réductions » (*Lop.*, p. 170; *Est.*, p. 758).

une substance qui pose sa marque sur le texte, en y marquant les zones interdites à la pénétration trattatiste.

Une fois de plus, la comparaison s'impose avec Le Corbusier. La nature humaine que celui-ci va chercher « au plus profond [1] », sous les strates d'artifices où nous l'avons enfouie, l' « homme de toujours », l' « homme standard », cette « nature éternelle [2] », cette constante [...] qui pratiquement ne change pas », est sans hésitation [3] définie comme un corps et dotée d'un statut ontologique que Rousseau lui-même n'attribua jamais à son « homme de la nature ». Et c'est au regard exclusif de cette entité corporelle que l'architecte entreprend un drastique inventaire des besoins humains de base [4].

Cerdà, lui, moins unidimensionnel [5], cherche à rendre compatible la dénaturalisation qu'appelle en lui le trattatiste, avec l'habitat naturel qu'exigent le rousseauiste et l'utopiste. Il refuse de faire entrer la nature humaine dans un corps trop précisément dessiné. Mais, en dépit de ce gommage, la nature humaine demeure, dans la *Teoria*, l'événement et le donné originels qui, à la fois, éclairent l'histoire et valident le modèle, en articulant un ensemble de traits utopistes et un énoncé qui se veut scientifique. Le travail de cette notion supprime la fonction d'un récit d'origine. Réduit à un faux semblant, souvenir inassimilable d'une tradition textuelle bien connue de Cerdà, le pseudo-récit d'origine de la *Teoria* s'avère aussi inutile que l'aurait été un récit héroïque utopien (fiction du motif) que Cerdà n'a pas écrit : d'abord parce qu'il n'assumait pas la dimension utopique de la *Teoria*, ensuite parce qu'à ses yeux, c'est à la science qu'il appartient de fonder le modèle spatial.

1. *Op. cit.*, p. 92.
2. *Ibid.*, p. 93, 142, 97, 126.
3. « Quel est l'homme moderne? C'est une entité immuable (le corps), munie d'une conscience nouvelle » (*ibid.*, p. 92). Dans « Le Corbusier's Concept of Human nature » (*Critique*, III, The Cooper Union School of Art and Architecture, New York, 1974), nous montrons comment Le Corbusier arrive, au cours de sa définition progressive de l'homme moderne, à éluder complètement la définition de la « conscience moderne », finalement vidée de tout contenu.
4. « Revenons au fond même de la nature. Inventorier ses besoins. Conclusion : y satisfaire et à ceux-là seulement » (Le Corbusier, *ibid.*, p. 151).
5. Dans « Le Corbusier's Concept of Human Nature », p. 150, nous avons cependant mis en évidence un bref et étrange passage ressemblant à un acte manqué, où Le Corbusier s'abandonne à la fascination de la dénaturalisation et de l'artifice, pour exalter « des villes où plus rien n'existe de ce qui était normal : le milieu naturel, mais où une autre norme règne, entraînant, utopique, sans limite, profondément humaine celle-ci : l'esprit » (*op. cit.*, p. 52). Curieusement, le mot « utopique » est là utilisé dans un des rares passages du livre qui ne porte pas la marque de l'utopie.

Le travail du je *trattatiste.*

Toute forme narrative fonctionnelle n'est cependant pas exclue de la *Teoria*. Les séquences descriptives et les « discours », comme les reconstitutions historiques qui les étayent, sont englobés dans un grand récit qui commence à la première ligne du livre pour se terminer à la dernière. Récit formulé à la première personne du singulier, mené au prétérit, ponctué de *shifters* multiples qui, comme dans le *De re aedificatoria*, impriment la marque du narrateur sur toutes les énonciations de l'ouvrage : il s'agit enfin là d'une forme trattatiste authentique qui travaille dans le texte et qui, à son tour, neutralise et convertit en citations les prises de parole du *je* utopiste. Car, aussi bien, la première personne utopiste de la fiction de la perspective a perdu sa fonction en même temps que disparaissait la fiction du motif qu'il lui appartient de sertir.

L'articulation des éléments de la figure trattatiste avec ceux des deux autres figures mises en jeu dans la *Teoria* trouve son lieu dans le récit du sujet-héros de Cerdà, le constructeur-écrivain, auteur du livre. Sujet capable d'assumer et de faire sienne la parole véridictoire de la science, et dans le même temps d'absorber les deux personnages de la fiction utopiste, celui de l'écrivain-voyeur et celui du héros-réalisateur dont il s'approprie la vocation mythique et salvatrice.

Par la grâce de ce récit trattatiste et des glissements que permet son articulation avec un ensemble de traits empruntés à la figure de l'utopie, la *Teoria* trahit, avec encore plus de netteté qu'aucun traité, ce dont elle se donne pour mission explicite de nier l'existence : la dimension sacrée et le poids des interdits traditionnels qui pèsent sur l'édification.

D'une part, en effet, Cerdà commence son livre par une adresse au lecteur, suivie d'un avant-propos, puis d'une préface à la première partie, au cours desquels, exactement comme Alberti dans le prologue du *De re aedificatoria*, il retrace son histoire intellectuelle dans les rapports qu'elle entretient avec son livre. Ce sont successivement le choc provoqué par la découverte des applications pratiques de la vapeur [1], la prise de conscience du caractère anachronique des villes

---

1. « Je me souviens encore de la profonde impression que j'ai ressentie lorsque, très jeune encore, je vis pour la première fois à Barcelone, l'application de la vapeur aux machines industrielles [...]. Peu de temps après [...] dans le midi de la France [...] je découvris l'application de la vapeur à la locomotion terrestre, et je ressentis une nouvelle fois la même impression. [...] Il fallait trouver le véritable objet [...] de ma surprise [...]. Ce qui avait frappé mon imagination, c'était la vision de ces longs convois charriant, dans les deux sens [...] des populations entières [...] » (« Au lecteur », *Lop.*, p. 71 ; *Est.*, p. 5-6).

par rapport aux progrès de la technique, le constat de la double carence du savoir et du pouvoir devant le problème urbain, la décision consécutive de se consacrer à l'étude de l' « urbanisme », les étapes de cette recherche personnelle, qui donnent son plan au livre. Et si d'aventure, la biographie semble incliner vers la contingence et faire, à la différence de celle d'Alberti, place au détail concret, au quotidien, il ne s'agit jamais là que de mieux éclairer l'histoire intellectuelle de l'auteur, en permettant de préciser, par la date de sa naissance, le contexte historique de sa problématique et par la nature de ses études, le champ de ses compétences. Ultérieurement, dans la suite du livre, Cerdà souligne les difficultés soulevées par son projet et l'immensité de la tâche à accomplir, interrompt une description pour la commenter, la mettre en perspective du point de vue de la situation d'énonciation [1]. Il réalise, sur ce point, une homologie entre le *De re aedificatoria* et la *Teoria* qui font semblablement coïncider les séquences de la découverte personnelle avec celles de la méthode proposée et avec le découpage du livre.

D'autre part, non seulement le grand ordonnateur de l'urbain se présente comme le héros-sauveur qui détient *une* solution, jusqu'alors vainement cherchée, au problème de la ville, mais il introduit dans son Adresse un thème étranger aux traités, celui du « sacrifice ». La constitution de la science urbanisatrice et les conséquences que l'humanité doit en tirer ne sont rendues possibles que parce que l'auteur a résolu de les payer au prix de sa carrière, de son repos, de sa vie privée, de sa fortune. Qu'en moins d'une page le mot revienne quatre fois [2] n'est pas insignifiant et traduit autre chose que les états d'âme d'un bourgeois du XIXᵉ siècle confronté aux perspectives que lui offre l'ère de la technique. Le sacrifice du héros lui est imposé par la gravité des transgressions auxquelles il invite ses lecteurs, il sert à conjurer la violence faite à la terre, qu'axiomatise la *Teoria*.

Dans l'histoire des textes instaurateurs, Cerdà est le premier à

1. « J'examinai alors les catalogues de toutes les bibliothèques nationales et étrangères, décidé à réunir une collection de tous les livres traitant de ce sujet. Mais quelle ne fut pas ma surprise de constater que rien, absolument rien, n'avait été écrit sur un sujet d'une telle importance » (*ibid.*, *Lop.*, p. 73; *Est.*, p. 8).

2. « Je pris ainsi [en 1849] la décision de faire ce *sacrifice* en hommage à l'idée urbanisatrice [...]. Je confesse que le *sacrifice* qui me parut être le plus coûteux de tous [...] fut celui de ma carrière acquise au prix de tant d'efforts et où j'avais mis tant d'espoirs. Cependant je la *sacrifiai* sans hésiter [...] tous ces *sacrifices* me semblent bien petits comparés à la grandeur de l'objectif [...] » (*Lop.*, p. 73-4; *Est.*, p. 9-10).

prononcer ce mot, pour nous aujourd'hui éclairant[1] : sacrifice que n'ont ouvertement accompli ni l'architecte-héros Alberti, ni le héros légendaire Utopus, sacrifice qui proclame ce que taisaient les mots mais que disait la structure mythisante des deux paradigmes, la violence de l'édification.

II. AUTRES THÉORIES : DE SITTE A ALEXANDER

L'analyse qui précède nous autorise-t-elle à parler d'une nouvelle figure textuelle? L'organisation que nous avons vu se dessiner ne présente plus la même netteté que celles du traité et de l'utopie. Pourtant, le paradigme cerdien nous paraît bien mériter ce nom dans la mesure où il expose un projet instaurateur et l'exprime dans une forme originale : puisqu'aussi bien il tronque le fonctionnement d'un énoncé d'intention scientifique en y enchâssant deux ensembles articulés de traits, empruntés aux deux configurations instauratrices.

Mais cette figure, découverte dans un texte sans postérité directe, ne prendra signification que si elle s'avère organiser également les autres théories d'urbanisme. Ne pouvant en faire l'épreuve individuelle et détaillée sur la totalité de celles-ci, j'ai pris le parti de m'en tenir à un échantillonnage restreint de textes significatifs et de les convoquer ensemble, pour y vérifier la présence et l'articulation de traits appartenant respectivement à chacun des trois ensembles discriminatifs qui travaillent dans la *Teoria*. Pour mieux faire apparaître écarts ou variations, j'ai volontairement choisi des œuvres échelonnées dans le temps, très différentes, et je n'en ai retenu qu'une par auteur.

A quelques exceptions près, ma démonstration utilise seulement Camillo Sitte, Le Corbusier et Ch. Alexander. Le premier s'imposait parce que son *Städtebau*[2] est la première théorie d'urbanisme significative parue après la *Teoria*, à laquelle elle s'oppose à la fois par le retentissement considérable qu'elle a connu dès le vivant de l'auteur et par sa démarche, qui écarte les problèmes de la commodité pour se situer au seul niveau de la beauté. Le Corbusier, représenté par *la Ville radieuse*[3], me semblait devoir être retenu, d'abord, parce qu'il illustre la tendance opposée à celle de Sitte, ensuite parce que,

1. Cf. R. Girard, *La Violence et le Sacré*, Paris, Grasset, 1972.
2. *Der Städtebau nach seinen künstlerischen Grundsätzen*, Vienne, 1889.
3. Cf. *supra*, p. 295, n. 6.

bien qu'elle n'ait eu aucun rôle inaugural et se soit inscrite dans un courant (progressiste) déjà constitué[1], son œuvre écrite — la plus abondante, la plus répandue, la plus lue de la littérature urbanistique — est devenue une sorte de symbole. Alexander, avec l'un de ses derniers ouvrages, *Une expérience d'urbanisme démocratique*[2], représente des tendances nouvelles : il manifeste une volonté de rupture à l'égard de ses prédécesseurs et revendique une différence dont il importait de savoir si elle demeure ou non captive d'une figure commune aux théories d'urbanisme.

Le discours scientifique : simulations et réalités.

Tous les auteurs de théories d'urbanisme, à l'exception de Sitte, se réclament, comme Cerdà, d'un discours scientifique. Mais, dans la presque totalité des cas, ils se bornent à affirmer de façon incantatoire et sans preuve la scientificité de l'urbanisme en général, et de leurs propres propositions en particulier, et à produire seulement les indices linguistiques de ce qui serait un discours scientifique. Il n'est donc pas étonnant que ces textes mimétiques ne contiennent aucune autocritique, ne fassent l'objet d'aucun questionnement épistémologique. Le Corbusier manie exemplairement ce terrorisme verbal : « Une doctrine architecturale s'esquisse déjà, internationale, fondée sur la science et sur la technique. [...] Les preuves de laboratoire existent[3]. » « Tout est expérimenté par les sciences. Il y a par le monde des calculs, des tracés, des graphiques, des échantillons, des preuves[4]. »

Au regard de ces affirmations aussi péremptoires que gratuites, la façon dont Sitte, près d'un siècle plus tôt, maintient son *Städtebau* au plus près d'un discours scientifique, apparaît d'autant plus remarquable que, paradoxalement, à aucun moment, il n'invoque, de façon explicite, la caution de la science. Mais la rigueur de sa démarche n'a pas retenu l'attention des historiens et des critiques, aux yeux desquels

1. Dont font partie la *Ciudad Lineal*, cité *supra; Die Stadt der Zukunft*, de Th. Fritsch, Leipzig, 1896; *To Morrow, a Peaceful Path to social Reform*, de E. Howard, Londres, Swan, Sonnenschein & Co, 1896; *Une cité industrielle* de Tony Garnier, Paris, Vincent, 1917.
2. *Op. cit., supra*, p. 129, n. 2.
3. *Op. cit.*, p. 93.
4. *Ibid.*, p. 105. Cf. aussi les p. 130-131, typiques pour l'invocation de la formule chiffrée et de l'expérience de laboratoire, et surtout la brève introduction aux planches de *la Ville radieuse* (*ibid.*, p. 156), présentées comme « produits théoriques [ayant] permis de fixer le principe même des choses », et de « sortir du cadre de l'utopie », grâce à la « théorie ».

il est, au mieux, passé pour un esthète doté de bon sens et ayant intégré quelques vérités premières dans une méthode de conception de
l'environnement à échelle réduite [1].

Il est vrai que les apparences sont trompeuses et qu'à l'encontre des
autres théoriciens de l'urbanisme, Sitte traite la ville seulement dans
une perspective esthétique, « du pur point de vue de la technique artistique [2] », qui passe pour subjective. Choix délibéré : architecte formé
à la tradition des traités, il repère que l'urbanisme naissant ne s'intéresse qu'au deuxième niveau albertien, celui de la commodité où nous
avons vu que s'inscrit effectivement l'œuvre entière de Cerdà. Sitte
reconnaît l'importance de ce niveau et salue au passage l'apport des
ingénieurs et de leurs méthodes [3], notamment dans le domaine de
l'hygiène. Il envisage même d'aborder dans un livre ultérieur [4] les
problèmes de la *commoditas*, dont quelques brèves remarques [5] du
Städtebau montrent qu'il était parfaitement averti. Mais la première
urgence, à ses yeux, est de faire intégrer par la nouvelle discipline le
registre suprême du plaisir et de la beauté, qu'elle n'a pas su reconnaître.

Le *Städtebau* se donne donc pour fin de découvrir les lois de construction du bel objet urbain. Il s'agit, pour Sitte, de définir les struc-

1. G. R. et Ch. Collins, volume de notes critiques accompagnant leur traduction du *Städtebau*, *City Planning according to Artistic Principles*, New York,
1965, et G.R. Collins, « Camillo Sitte reappraised », communication inédite à
la *First International Conference on the History of Urban Planning*, Londres, 1977.
2. *S.*, p. 2; *W.*, p. 4-5. Nos références et citations renvoient d'une part à la
douzième édition en langue allemande (Vienne 1972), publiée par l'Institut für
Städtebau, Raumplanung und Raumordnung, Technische Hoschschule, sous
la direction du professeur R. Wurzer. Assortie d'une introduction de R. Wurzer,
cette édition reprend en *fac-simile* la troisième édition revue par Sitte (1903) et
offre également le *fac-simile* de son manuscrit original. D'autre part, à la récente
et excellente traduction publiée sous le titre *L'Art de bâtir les villes*, *L'Urbanisme et ses fondements artistiques* (Paris, l'Equerre et Vincent, 1980), par
D. Wieczorek. Les deux textes sont respectivement désignés par *S.* et *W.*.
Nous profitons de cette occasion pour remercier D. Wieczorek de la contribution qu'il a apportée à notre interprétation de la démarche de Sitte au cours
de nos discussions sur sa thèse de troisième cycle, *C. Sitte et les Débuts de
l'urbanisme moderne* (inédit).
3. « Il faudrait être frappé du plus complet aveuglement pour ne pas reconnaître les conquêtes grandioses de l'urbanisme moderne dans le domaine de
l'hygiène. Là nos ingénieurs ont accompli de véritables miracles [...] » (*S.*, p. 117;
W., p. 119; cf. aussi *S.*, p. 2, 83, 90; *W.*, p. 2, 22, 85).
4. Sitte projetait un deuxième volet de son œuvre, qu'il aurait intitulé *Der
Städtebau nach seinen wirtschaftlichen und sozialen Grundsätze* (L'Urbanisme et
ses fondements économiques et sociaux).
5. En particulier, sur la question du logement (*S.*, 108; *W.*, 109) et sur le
problème foncier (*S.*, 110, 114, 135-139; *W.*, 111, 117, 139-143).

tures spécifiques qui confèrent à un paysage bâti tridimensionnel ses qualités visuelles et cénesthésiques. La diachronie est la dimension obligée de l'analyse : c'est seulement en confrontant systématiquement des ensembles urbains d'époques différentes qu'il sera possible de faire apparaître des constantes et des variables.

L'histoire est aussi consubstantielle au *Städtebau* qu'elle l'était à la *Teoria*. Sous l'espèce d'une histoire morphologique de l'art urbain, elle permet d'abord, comme dans la *Teoria*, de marquer la différence structurale et la coupure irrémédiable qui séparent les villes du présent de celles du passé. Ce qui les oppose est détaillé avec méthode et objectivité. Car, contrairement à ce qu'a prétendu l'interprétation simpliste de cette œuvre par S. Giedion et Le Corbusier, le contraste souligné par l'architecte viennois ne doit pas être versé au seul compte d'une attitude nostalgique. Sitte refuse de se consumer en regrets stériles. « Nous n'y pouvons rien changer [1] » est le leitmotiv qui, tout au long du chapitre x du *Städtebau* accompagne la description de la ville contemporaine. Ses différences, en regard des cités du passé, tiennent à un changement de culture [2], à une transformation irréversible des mentalités.

De plus, l'histoire seule permet de donner un sens, et surtout un fondement objectif, aux différents principes d'organisation à l'œuvre dans les dizaines d'ensembles urbains que Sitte analyse et dont il compare les plans et les effets perspectifs.

Deux tendances, parfois contradictoires, orientent sa recherche. D'une part, il s'attache à préciser la spécificité respective des espaces antique, médiéval, renaissant, baroque et contemporain. Et, pour désigner ce qui fait l'originalité de chacune de ces structures spatiales, il utilise le concept de *künstlerische Grundidee* [3] (« idée artistique de base »). D'autre part, sous la succession des différents types de paysages urbains *(Stadtbilde)* qui scandent l'histoire esthétique des villes, il cherche, de surcroît, à découvrir des structures constantes. L'invariant, qui doit permettre de formuler des principes et des lois universels utilisables pour l'élaboration du bâti, est alors situé dans le domaine de la psychologie. Ainsi, le « sens artistique non conscient et naturel [4] » qui, depuis le début des temps historiques, a organisé les

---

1. « *Wir können es nicht andern* » (*S.*, p. 12; *W.*, p. 14). Sitte indique qu' « il faut accepter ces transformations comme des *forces données* et [que] l'urbaniste devra en tenir compte, comme l'architecte tient compte de la *résistance des matériaux* » (*S.*, p. 114; *W.*, p. 116). [*Nous soulignons.*]

2. *S.*, p. 118; *W.*, p. 120.

3. *S.*, p. 118; *W.*, p. 118.

4. *S.*, p. 22; *W.*, p. 23.

espaces urbains, est pour Sitte, déterminé à la fois par les normes changeantes des cultures historiques et par une organisation psychique stable. Sensible à la crise des valeurs esthétiques de la société industrielle, il la constate et l'analyse, sans tomber dans le piège qui a conduit les néo-gothicistes anglais à vouloir faire revivre des mentalités et des formes désormais privées de signification. Mais ce constat n'entraîne pas pour autant Sitte à privilégier les lois de la perception esthétique qu'il découvre à l'œuvre, en permanence, sous la diversité des structures culturelles spécifiques. Le *Städtebau* doit être replacé dans ce contexte viennois où, pour la première fois, au cours du dernier quart du XIXe siècle, a été formulée l'hypothèse d'une science de l'art *(Kunstwissenchaft)*. L'« idée artistique de base » de Sitte participe de la même problématique que le *Kunstwollen* de Riegl[1]. Quant à ses organisations spatiales invariantes, elles renvoient aux recherches de Fechner[2], et surtout aux travaux d'Ehrenfels[3] et à la psychologie de la forme, alors en gestation.

Il est permis de penser qu'en explorant à la fois ces deux voies, Sitte désigne deux axes complémentaires, jusqu'ici généralement dissociés au profit exclusif de l'un ou de l'autre, que toute science de l'art à venir devra investir et s'approprier parallèlement. Ainsi, non seulement Sitte se comporte en scientifique, mais, dans son domaine propre, celui de l'art urbain, il apporte sa participation à une discipline en cours d'élaboration, la science de l'art.

Trois quarts de siècle plus tard, Ch. Alexander se veut l'épistémologue de l'urbanisme. Reprochant à ses prédécesseurs d'avoir laissé leur critique dériver entièrement sur l'espace urbain, au détriment des démarches qui président à son édification, il entreprend de passer au crible leurs méthodes de conception et de production du cadre bâti. Inaugurée par les *Notes sur la synthèse de la forme*, cette critique, poursuivie dans *Une expérience d'urbanisme démocratique*, est, pour Alexander, la condition préalable à la formulation de toute théorie.

1. Cf. E. Panofsky, *La Perspective comme forme symbolique*, « le concept de Kunstwollen », p. 197 *sq.*, et A. Riegl, *Grammaire historique des arts plastiques* (traduction par E. Kaufholz de *Historische Grammatik der bildenden Künste*), Paris, Klincksieck, 1978.
2. G. T. Fechner, *Vorschule der Aesthetik*, Leipzig, Breitkopf und Härtel, 1876.
3. Ch. von Ehrenfels, « Über Gestaltqualitäten », *Vierteljahresschrift für wissenschaftliche Philosophie*, XIV, 3, 1890. Sur les rapports du *Städtebau* avec ces ouvrages et ceux d'autres auteurs comme Fiedler et Wölfflin, cf. D. Wieczorek, *Sitte et les Débuts de l'urbanisme moderne*, chap. II, excursus.

La sienne est ensuite construite à l'aide de méthodes et de concepts empruntés essentiellement à deux disciplines, l'histoire et la biologie, qui, depuis Cerdà, ont continué à régner, de façon plus ou moins superficielle et/ou formelle, sur le discours véridictoire des théories d'urbanisme.

Il serait, en effet, préférable de parler de dimension historique plutôt que d'histoire, pour qualifier cette intervention nécessaire et souvent dérisoire de la temporalité qui, selon qu'elle est convoquée par une idéologie progressiste ou culturaliste, porte sur le présent et le passé immédiat ou sur le passé préindustriel. Dans le premier cas, où il s'agit de faire apparaître les carences du présent et la nécessité d'une transformation radicale du cadre bâti contemporain, non seulement le passé est traité avec désinvolture, comme une totalité homogène, mais le présent lui-même ne peut, de ce fait, être appréhendé dans son épaisseur : il n'est saisi qu'à travers ses aspects les plus superficiels. Dans le second cas, chez les théoriciens culturalistes, attachés à la tradition, c'est, au contraire, la spécificité des problématiques contemporaines qui est méconnue.

Alexander n'évite pas cette dernière erreur à laquelle les culturalistes ne sont cependant pas condamnés : sans revenir à l'approche de Sitte, on peut mentionner l'usage fait par P. Geddes [1] d'une histoire événementielle, localisée, qui permet à l'urbaniste de comprendre la spécificité de chaque cas étudié, de revivre et, en termes bergsoniens, de prolonger l'élan créateur qui modela à chaque ville un visage pareil à nul autre. Alexander, au contraire, demande à l'histoire de lui livrer des lois générales, applicables à tous les cas et concernant essentiellement les relations entre les réalisateurs et les utilisateurs de l'espace édifié. Mais, au lieu de se servir de cette structure pour découper l'histoire de l'urbanisation en phases originales et irréductibles, gommant ses modulations ainsi que les différences culturelles et épistémiques corrélatives, il l'utilise pour opposer brutalement deux procédures : celle du dialogue (participation), étalée sur des millénaires [2], et celle du monologue technocratique, caractéristique de la société industrielle.

Quant aux lois concernant la production de l'objet urbain (et non plus ses producteurs), Alexander prétend les découvrir à l'aide d'instruments empruntés aux sciences de la vie. A l'encontre d'auteurs

1. *Cities in Evolution*, Londres, Williams and Norgate, 1915.
2. « L'histoire récente de l'architecture et de l'aménagement a engendré la fausse impression que seuls les architectes et les urbanistes sont capables d'aménager l'espace bâti. Le témoignage de deux ou trois millénaires prouve exactement le contraire » (*Une expérience d'urbanisme démocratique*, p. 51; cf. aussi p. 147).

comme le Corbusier, il a pris soin de s'informer des recherches contemporaines en matière de biologie. Il se trouve ainsi disposer d'un savoir beaucoup plus élaboré que celui que la science de son époque offrait à Cerdà. Il connaît la cybernétique, il est averti des démarches de la biologie moléculaire et des contributions que lui a apportées la linguistique structurale. Il utilise les notions de système (vivant), de croissance, de contrôle et les transpose à l'objet urbain dont il énonce des principes de « développement organique », de « croissance fragmentée ». Cependant, Alexander continue de buter sur le problème de la ville-artefact. Il traite l'urbain alternativement comme un organisme [1] et comme un langage, et cette attitude ambivalente l'empêche d'utiliser avec rigueur aucune de ces deux analogies [2], lui inspire l'usage de la métaphore médicale et l'entraîne finalement à glisser des énoncés de faits à des propositions thérapeutiques.

Prédominance des marques de l'utopie.

De fait, on va le voir, aucune théorie d'urbanisme n'échappe à ce glissement qui, à la faveur d'analogies médicales, et par l'annexion des valeurs duelles de normal et de pathologique, de santé et de maladie, articule un discours d'intention scientifique, et parfois même de vrais énoncés scientifiques, avec un ensemble de traits utopistes.

L'utilisation utopiste de la métaphore médicale est d'autant plus fréquente et insistante que l'auteur est plus éloigné d'une véritable démarche scientifique. Le Corbusier dénonce un « monde malade », « une ville [Paris] crispée qui devient impotente... [sans] chirurgien pour opérer. Pas même de diagnostic »; il affirme : « Toutes les villes du monde sont malades », et pourtant « un diagnostic est possible : on sait où, comment, avec quoi il faut agir [3]. » Cette imagerie n'est cependant pas l'apanage des urbanistes progressistes : F. L. Wright,

---

1. *Ibid.*, p. 138 et 139. A propos de la translation dans le champ urbain de la notion de contrôle, qui spécifie les êtres vivants, Alexander indique : « Il s'agit d'adopter une solution presque parfaitement identique à celle qu'adopte la nature dans le cas des organismes vivants. »

2. Cf. notamment les difficultés qu'il rencontre pour donner un statut linguistique à ses *patterns*. Sur les antinomies à quoi confronte l'analogisme vitaliste, cf. aussi, par exemple, le texte produit à l'occasion de la conception de la ville nouvelle du Vaudreuil (*Cahiers de l'IAURP, numéro spécial sur Le Vaudreuil*, printemps 1971). Ses rédacteurs utilisent à la fois la notion de germe de ville, à connotation embryologique, et les méthodes de productions optimales d'un objet technique, empruntées à la théorie du *design*.

3. *La Ville radieuse*, p. 99, 101, 102.

dont l'organicisme renvoie d'abord au monde de la culture [1] et à une philosophie naturaliste plutôt qu'à la pathologie, n'en compare pas moins les villes contemporaines à un bourgeonnement cancéreux qu'il s'agit de guérir progressivement, et affirme que « toute section de n'importe quel plan de grande ville » évoque « la coupe d'une tumeur cancéreuse [2] ».

La force d'attraction de la figure utopique est telle que, malgré ses précautions épistémologiques et l'étendue de ses connaissances scientifiques, Alexander est, on l'a vu [3], conduit aux mêmes transpositions. Se poser en libérateur des usagers à la faveur de principes *(patterns)* qui ont pour objet de leur permettre d'exprimer leurs désirs dans le procès d'élaboration du cadre bâti ne l'empêche pas d'imposer à ces désirs des normes de salubrité. De là, il n'est qu'un pas, aisément franchi, pour transférer le concept de santé à l'environnement même. L'auteur parle d'espaces vivants ou morts, bien ou mal portants [4] et exige que l'espace bâti soit, à intervalles réguliers, soumis à un *diagnostic*, dûment formalisé.

Le fait d'avoir borné son propos au niveau de l'esthétique a aidé Sitte à ne pas tomber directement dans les pièges de la médicalisation, mais ne l'a pas pour autant assuré contre une dérive vers le normatif et l'axiologie dualiste qui mène à l'image spéculaire utopienne. Car, dans le temps même où l'architecte viennois décrit les règles de création du bel objet urbain, il ne peut se retenir de l'apprécier : la norme gnoséologique de la *Kunstwissenschaft* est alors confondue avec la norme axiologique de l'esthétique. On assiste à la même confusion des regards que dans la *Teoria*. Mais, dans le *Städtebau*, c'est l'artiste et non le médecin qui se substitue à l'homme de science, la ville laide et la belle ville qui remplacent la ville malade et la ville saine. Toutefois, le regard médical s'introduit subrepticement dans le texte par l'intermédiaire de la psychologie qui joue, chez Sitte, le rôle tenu par la biologie chez les autres théoriciens et sur laquelle repose la partie naturaliste ou « gestaltiste » de son esthétique. Sitte attribue la « bonne forme », c'est-à-dire la beauté naturelle des villes anciennes, à un ins-

1. Son concept clé d'architecture et d'environnement *organiques* est directement issu de la pensée de Carlyle et de celle des historiens romantiques. Outre sa valeur éthique, l'organique est chez Wright, d'entrée de jeu, esthétique.
2. *The Living City*, New York, Horizon Press, 1958, p. 61 et 31.
3. *Op. cit.*, p. 98.
4. *Ibid.*, p. 102, 144 *sq.*

tinct d'art *(Kunsttrieb[1])* dont la morphologie des villes modernes révèle la dégradation ou même la disparition : dans ces conditions, la beauté (urbaine) devient une forme naturelle, et son absence une anomalie, l'effet d'une perversion, d'une maladie mentale[2].

On voit que, quelles que soient la tenue, la teneur et l'importance du discours scientifique effectivement émis par l'auteur d'une théorie d'urbanisme, l'articulation de ce discours avec une figure utopique est toujours opérée par l'emboîtement d'un énoncé de faits dans un jugement de valeur; elle passe chaque fois par le lieu où une critique utopique peut se glisser à la place d'un constat objectif et générer la structure en miroir de l'utopie. Et c'est alors, chaque fois, l'opposition irréductible de deux images antagoniques, enchaînées par la même relation qui, pour l'urbaniste, exclut la possibilité de solutions inter-médiaires. Le Corbusier réclame qu'on fasse « nappe blanche[3] », et F. L. Wright demande l' « élimination radicale[4] » du cadre bâti actuel. Alexander, qui pourtant dénonce avec pertinence l'idéologie de l'édification *ex nihilo* et de la *tabula rasa*, confronte néanmoins, lui aussi, son lecteur à un choix sans alternative entre une solution vraie et une solution fausse, entre son système de *patterns* et l'usage conventionnel de schémas directeurs[5].

Ces traits communs ne signifient pas qu'il faille nier les écarts qui séparent les différentes théories d'urbanisme. Selon les auteurs, on voit varier considérablement les proportions relatives de la descrip-tion « scientifique » et de la critique, la richesse et la précision du modèle spatial, le rôle joué par l'opérateur mythisant.

Le Corbusier est sans doute l'auteur chez qui la figure de l'utopie a trouvé son ancrage le plus solide. L'image clinique, systématique et complaisante, donnée à voir par des photographies ou des dessins, concerne essentiellement les traits physiques de la ville contemporaine. Malgré certaines formules emphatiques, on cherche vainement, dans *la Ville radieuse* (ou quelque autre ouvrage du même architecte), une vision globale de la société[6]. Corrélativement, le modèle spatial

1. *S.*, p. 23; *W.*, p. 25.
2. « C'est une *maladie* formelle à la mode que cette manie de tout dégager » (*S.*, p. 34; *W.*, p. 32). [*Nous soulignons.*]
3. *Op. cit.*, p. 97.
4. *Ibid.*, p. 221.
5. *Ibid.*, p. 16.
6. C'est pourquoi, d'ailleurs, Le Corbusier a pu proposer ses solutions de sauvetage aux Soviétiques dans les années trente, au maréchal Pétain après l'armistice de 1940, et au gouvernement du général de Gaulle après la Libération.

absorbe l'image modèle. Élaboré dans le détail, illustré par des schémas, il porte, comme Amaurote, un nom propre, Ville radieuse. Celle-ci est dotée de la même présence que la cité moréenne : « Dans la ville, le piéton ne *rencontre* jamais de véhicule [...], le sol entier *appartient* au piéton. [...] Le sport, multiple, *est* au pied des maisons, au milieu de parcs. [...] La ville *est* entièrement verte. [...] Pas une chambre d'habitation n'*est* sans soleil [1] », « les poids lourds *roulent* sur les autoroutes [2] ». La Ville radieuse est soudain plus réelle que le Paris dont elle est l'image inversée [3]. Mieux encore, elle a, comme Amaurote, un statut de *pharmakon*. Le Corbusier accuse bien ce caractère surnaturel lorsqu'il déclare qu'avec ses « agencements quelque peu sorciers et miraculeux », il donne « un réseau magique [4] ».

Les mêmes traits se retrouvent, plus ou moins marqués, chez les urbanistes progressistes, comme chez les culturalistes. De part et d'autre, on constate la même indigence quant à une critique multi-dimensionnelle et à un projet corrélatif de société : en dépit des liens qu'entretenait Tony Garnier avec la municipalité radicale de Lyon, sa Cité industrielle corrige des défauts essentiellement physiques et ne répond qu'à quelques objectifs élémentaires concernant l'hygiène et le rendement des agents sociaux. Cas exceptionnel, explicable par un engagement politique antérieur, Ebenezer Howard est l'un des seuls théoriciens de l'urbanisme dont le modèle spatial soit destiné à instaurer, diffuser et faire fonctionner un véritable modèle de société. Pour le reste, en tant que modèle spatial, Garden-City est comparable à la Cité industrielle, comme à la Broadacre-City de F.L. Wright ou à la Mesa-City de P. Soleri [5]. Tous ces établissements font, à l'instar de la Cité radieuse, l'objet de descriptions méticuleuses, chiffrées, rendues plus crédibles encore par l'illustration figurée [6] et travaillées par le présent de l'utopie accompagné de ses *shifters* : à Broadacre-

1. *Op. cit.*, p. 93-94; Cf. aussi le même thème du piéton, p. 103 : « *Jamais le piéton ne* rencontre *une voiture, jamais.* » *(Nous soulignons.)*
2. *Ibid.*, p. 133. Cf. aussi, p. 113 : « L'habitant qui *possède* une auto la *trouve* garée au pied de son ascenseur. Celui qui *veut* un taxi n'*a* jamais plus de cent mètres à faire [...] les rues de la ville *sont* réduites d'une manière saisissante [...]. Par une porte de maison *entrent* 2 700 personnes [...] » etc., jusqu'aux pages 117, 124-126, 131-132. *(Nous soulignons.)*
3. « Vous êtes dans le jardin du Luxembourg : rue d'Assas passent des camions [...] Cela ne vous gêne pas [...] Le sol entier de la Ville radieuse est comme ce jardin du Luxembourg. Les poids lourds roulent donc sous les autostrades [...] » *(ibid.*, p. 125).
4. *Op. cit.*, p. 143 et 153.
5. *Archeology*, Cambridge, Mass., MIT Press, 1969.
6. Broadacre-City est dessinée en plan et en élévation, à des échelles variées. Wright en a fait construire une maquette géante de 12 × 12 pieds.

City, on circule « dans des zones cultivées ou habitées rendues charmantes par un traitement paysager, libérées des affreux poteaux télégraphiques ou téléphoniques, comme des fils électriques, débarrassées des panneaux publicitaires criards [...], [où] les routes géantes *sont maintenant* de la grande architecture, [où] les stations-service *ne sont plus* des offenses pour les yeux et *proposent* au voyageur toutes sortes de marchandises [...], [où se succèdent] sans fin, des séries d'unités diversifiées, fermes, marchés routiers, écoles-jardins [...] chacune sur son propre terrain [...] [1] ».

Chez Sitte, ces traits utopiens ont une présence plus discrète. Certes, il dit, en toute ingénuité, la nature utopienne de sa critique lorsqu'il en souligne la valeur positive [2] et indique qu'elle a pour fin « la conversion de toutes nos normes [d'aménagement] en leur *exact contraire* » (*um* « *die Verkehrung aller gegenwärtig üblichen Normen in ihr* gerades Gegentheil [3] »). Mais, bien que la ville du passé soit opposée à la ville moderne, comme son autre et comme un modèle, elle n'est pas appréhendée en tant qu'objet unique et totalitaire. Plus exactement, la première moitié du livre ne présente que *des* villes ou des ensembles anciens à quoi Sitte oppose *la* ville moderne. *La* ville ancienne, comme entité, n'apparaît que dans la deuxième partie, où Sitte procède à une critique approfondie de la ville moderne qui, à son tour, éclate en pluralité de cas et de fragments urbains. Ainsi la ville modèle utopique est une abstraction aux contours relativement flous, alors que la diversité des ensembles urbains anciens analysés et le soin avec lequel Sitte en établit, le plus souvent *in situ*, les relevés signent une démarche scientifique, animée par la volonté de prouver la coïncidence des faits et de la théorie.

Cette discrétion des traits utopiques dans le *Städtebau* a pour corrélatif l'effacement de certaines marques linguistiques : à quelques

---

1. *The Living City*, p. 116-118. *(Nous soulignons.)* Dans sa description de Broadacre, Wright ne succombe cependant pas entièrement au mirage du présent utopique. Il emploie souvent le conditionnel ou le futur, rétablit parfois la distance de la fiction par l'impératif « imaginez », ou encore fait précéder le tableau d'un « je vois ».

2. « Nous n'avons pas l'intention [...] d'entonner une fois de plus des lamentations sur l'ennui, déjà proverbial, des villes modernes [...]. Une telle approche, *purement négative*, doit être abandonnée à ces critiques que rien ne peut satisfaire » (*S.*, p. 2; *W.*, p. 4). [*Nous soulignons.*]

3. *S.*, p. 145; *W.*, p. 147. Dans la même page, Sitte précise encore que le « bloc moderne » offre l' « exact contraire » de ce qu'exige la perspective naturelle.

pronoms (première personne du pluriel) et quelques *shifters* près, l'énonciateur est presque absent de la description de la ville modèle; celle-ci ne possède pas de nom propre; le présent de l'indicatif qui la donne à voir [1] n'est pas univoque et sert plus souvent l'analyse morphologique du théoricien de l'art urbain qu'il ne garantit le témoignage du voyageur utopiste.

De faux traits albertiens.

Sitte n'a pas seulement réhabilité le registre de la beauté dont les trattatistes faisaient la fin et le couronnement de l'édification. Son analyse scientifique des beaux ensembles urbains du passé a pour objet de dégager les principes instaurateurs utilisés. A la différence d'un W. Morris, par exemple, il propose effectivement de véritables règles concernant la clôture, la diversification, l'ornementation des espaces urbains. Cependant ces règles, beaucoup plus précises que celles de Cerdà, ne servent pas davantage à structurer le texte. Comme dans la *Teoria*, elles sont prises dans la grande structure binaire de l'utopie : aux bonnes règles que permet de découvrir l'étude du passé s'opposent les mauvaises règles aujourd'hui en vigueur.

Quoiqu'il affirme combattre la modélisation dans sa critique des schémas directeurs et autres procédures de l'urbanisme régnant; quoiqu'il prétende remplacer cette démarche « totalitariste » par un « processus » fondé sur un système de *patterns*, définis comme les règles d'une sorte de langage, Alexander subit, plus encore que Sitte, l'emprise insidieuse de la figure de l'utopie. Ses *patterns* se présentent comme des « contre-règles », ils sont déduits, par inversion, de pratiques méthodologiques erronées. De plus, ils n'ont pas tous le même statut opératoire et s'avèrent tantôt de véritables règles, tantôt des modèles authentiques, illustrant ainsi l'ambiguïté sémantique de leur désignation [2]. L'emprise de la structure utopique sur les *patterns* d'Alexander est, en outre, marquée par leur formulation au présent

---

1. La ville du passé est parfois simplement mise en situation historique. Elle est alors évoquée, avec les temps du lointain.

2. *Une expérience* [...], p. 14, note du traducteur, et p. 97. La modélisation des principes chez Alexander apparaît de façon particulièrement claire dans la contribution qu'il a apportée à une recherche effectuée par nous-même sur la production du logement social. Dans le chapitre rédigé par lui, Alexander met en évidence dix-sept « principes erronés » qui, selon lui, sous-tendent actuellement la production du logement social en France. Il leur oppose dix-sept principes « vrais », au moyen desquels seulement peut être opérée une conversion (*Logement social et Modélisation, de la politique des modèles à la participation*, cité *supra*, chap. I).

de l'indicatif : présent utopique agressif, qui ne veut laisser de doute ni sur leur « vérité » ni sur la réalité de leur fonctionnement.

Le fait d'avoir demandé un appui plus considérable à la tradition des traités d'architecture n'a donc permis ni à Sitte ni à Alexander de faire, plus que Cerdà, travailler des principes à la construction de leurs textes respectifs. Des principes d'édification, qu'on chercherait en vain dans les théories d'urbanisme progressistes [1], sont effectivement formulés dans les deux œuvres, mais ils n'y remplissent pas de fonction, leur emplacement et leur ordre sont commandés par l'opposition en miroir qui structure pareillement les deux textes.

On a vu que, dans la *Teoria*, Cerdà a construit un récit d'origine qui ne fonctionne pas davantage. Par la suite, cet élément fondamental de la figure des traités a, le plus souvent, été oublié par les auteurs de théories d'urbanisme. Deux récits, de portée différente, méritent cependant d'être cités. L'un ressemble à une parodie. Accueillant sans ambages la logique de l'utopie, il livre une sorte d'épure du schéma cerdien. L'autre, en revanche, constitue une transformation du paradigme d'Alberti et devient un opérateur original du texte.

Le premier récit se trouve au début de *The Living City* [2]. Pour Wright l'origine de l'édification est duelle. Elle doit être attribuée aux deux branches d'une préhumanité encore simiesque, dont l'une, sédentaire, s'abritait dans des trous, et l'autre, nomade, vivait dans les arbres. La première a donné naissance aux hommes des cavernes qui élevèrent leurs petits « à l'ombre du mur » (« *in the shadow of the wall* »). On leur doit toutes les formes de conservatisme, et en particulier l'urbanisation qui a conduit aux villes du XXe siècle, noyées dans l'ombre des gratte-ciel. De la seconde branche sont issus des aventuriers qui vécurent dans des tentes et élevèrent leurs petits « sous la voûte des étoiles » : ils furent les premiers pionniers de la démocratie, les ancêtres de la primitive Usonie qui préfigure et annonce Broadacre City. Si le modèle de l'Usonie appelle une comparaison avec l' « urbanisation ruralisée » de Cerdà, la duplicité du schéma primitif de Wright l'oppose, avec plus d'évidence que celui de Cerdà, au schéma trattatiste. D'entrée de jeu, le récit poétique de Wright est placé sous le signe d'une axiologie qui dit sa non-appartenance à la figure d'un traité : une bonne et une mauvaise édification sont à l'œuvre depuis

---

1. Sur Le Corbusier et la tradition trattatiste, cf. *supra*, p. 308, n. 5.
2. Cf. p. 21 *sq*.

la nuit des temps, encore aujourd'hui imputables à un instinct naturel ou à sa perversion.

Le second récit se trouve, bien dissimulé, dans le *Städtebau*. Il est destiné à fonder la notion de ville naturelle et l'arché-modèle qu'en propose Sitte. Car, pour celui-ci, les villes anciennes, qu'elles soient envisagées au singulier en tant que type idéal ou au pluriel en tant que cas particuliers, sont des villes naturelles [1], conformes aux exigences de la nature humaine. Il en définit un arché-modèle, comparable à la fois à l' « urbanisation ruralisée » de Cerdà et à la légendaire Usonie de Wright. Par métonymie, concluant de la partie au tout, c'est le forum romain [2] qu'il désigne ainsi comme la structure originelle sur laquelle se fonde le modèle — et les règles esthétiques d'édification — non seulement de la place (médiévale, renaissante ou baroque), mais de la ville ancienne. Car le forum a beau appartenir à des temps moins lointains que la préhistoire où est situé l' « urbanisme ruralisé », son choix est dicté par la même recherche de pureté. Il est privilégié, parmi les formes urbaines historiques connues de l'auteur [3], parce que la plus lointaine, et donc celle qui, au regard du premier modèle fourni par la nature, présentera le moins d'altérations et de perversions.

Mais, à l'encontre de Cerdà ou de Wright, Sitte n'a pas cherché à rattacher cet arché-modèle historique à l'activité des premiers hommes. Il n'a pas tenté de reconstituer leurs premiers gestes édificateurs ou leurs premiers établissements. Chassant les réminiscences trattatistes et renonçant aux récits d'origine sans fonction, c'est à la psychologie de l'enfant qu'il demande de lui révéler la structure d'une édification non point originelle mais naturelle. Dans une page anticipatrice [4], ignorée par ses historiographes et ses critiques, il décrit

1. Sur la « ville naturelle » chez Marx, cf. *supra*, chap. I, p. 82.

2. « Le forum est à la ville ce que l'atrium est à la maison : la pièce principale ordonnée avec soin et richement meublée. » (*S.*, p. 10; *W.*, p. 6). On peut penser que la métaphore du cœur et les homologies ville-maison, forum-atrium sont un souvenir du *De re aedificatoria* (cf. *infra*, p. 114).

3. Sitte aurait logiquement dû prendre comme paradigmes des types de places antérieures à celui du forum, ne serait-ce que l'agora qu'il décrit aussi. La préférence qu'il accorde au forum s'explique par sa connaissance directe des sites romains (il n'a fait le voyage de Grèce qu'après la parution de *Der Städtebau*) et par l'influence du *De architectura*.

4. « Il est remarquable que lorsqu'en jouant les enfants donnent libre cours à leurs instincts artistiques innés, dans leurs dessins et leurs modelages, ce qu'ils produisent ressemble toujours à l'art encore fruste des peuples primitifs. La même remarque s'impose quant à la façon de disposer des monuments. Le jeu hivernal tant apprécié des bonshommes de neige permet d'esquisser ce parallèle. Les bonshommes se dressent aux endroits précis, où dans d'autres

l'activité des enfants qui, l'hiver, pour dresser leurs bonshommes de neige sur la grand-place de leur ville ou village, adoptent exactement la même disposition latérale que les Romains de l'Antiquité ou les artistes médiévaux pour placer les sculptures ou monuments divers dont ils ornaient leurs forums et leurs places.

Il s'agit bien là d'un récit, introduit brutalement par un prétérit : « Comment cette implantation *fut*-elle adoptée? » Le présent qui suit est un présent de narration. L'enfant bâtisseur qui incarne l'humanité dans sa virginité, tout entière adonnée à son instinct d'art, associe par son comportement un jeu et un agencement artistique. La structure qu'il met en place permet de donner leur fondement naturel [1] à deux disciplines en cours d'instauration, une science de l'art comme forme culturelle symbolique et une psychologie de la forme. Ainsi, le récit de Sitte anticipe une transformation à venir de l'ancien récit d'origine trattatiste et son appropriation par le discours scientifique qui, ne se cantonnant plus au niveau de l'esthétique, exhume, des plus anciens sites préhistoriques, la maison et l'établissement des premiers hominiens. De plus, en faisant appel à un héros enfant, il induit une moralisation de son récit qui peut devenir un opérateur du *Städtebau* et contribuer à y articuler discours scientifique et traits utopiques.

Variantes du je *trattatiste.*

Sitte lui-même, qu'on aurait pu croire l'héritier des auteurs de traités d'architecture, n'est donc pas allé plus loin que Cerdà dans l'appropriation des traits du paradigme albertien. La prise de parole par le héros bâtisseur demeure le seul élément de la figure du traité qui ait une fonction dans les théories d'urbanisme. Mais, encore une fois, selon des modalités variables.

---

circonstances, la méthode des anciens laisserait attendre des monuments et des fontaines. Comment cette implantation *fut-elle adoptée (Wie* kam man *nun die Aufstellung zustande)?* Très simplement : qu'on imagine la place dégagée d'un bourg de province, couverte d'une neige épaisse et, çà et là, les différents chemins que s'y sont forgés passants et véhicules. Ce sont là les voies de communication naturelles créées par le trafic, et entre lesquelles subsistent des parties irrégulièrement distribuées et non perturbées par le trafic. C'est là que *se dressent* nos bonshommes de neige, parce que c'est là seulement qu'on a trouvé l'indispensable neige vierge » (*S.,* p. 23-24; *W.,* p. 22-23). [*Nous soulignons.*] En ce qui concerne la phrase citée en allemand, nous avons modifié la traduction de D. Wieczorek (« comment expliquer cette implantation ») qui ne tient pas compte du prétérit.

1. Sur la problématique de la nature humaine, cf. *L'Unité de l'homme, invariants biologiques et universaux culturels,* Paris, Seuil, 1974.

Sitte se caractérise par sa discrétion. Jamais il n'emploie la première personne du singulier. D'un bout à l'autre du *Städtebau*, l'utilisation des pronoms semble celle d'un discours théorique. En fait l'architecte-héros s'abrite derrière la première personne du pluriel[1] ou même derrière le pronom « il » et le pronom indéfini. On s'en aperçoit dès la première page de l'introduction, dans le passage sur Pompéi. Sous l'apparence d'un constat, d'une remarque de portée générale, se dissimule la relation d'une expérience dans laquelle on peut lire l'origine du livre de Sitte[2]. D'autres auteurs ont, au contraire, un *je* envahissant. Tel Le Corbusier qui multiplie les *shifters* à chaque page de *la Ville radieuse*. Certains (Sitte, Alexander) relatent surtout leur expérience intellectuelle, retracent leur démarche mentale, d'autres se peignent en philanthrope (Howard) ou en « voyant » (Wright[3]), d'autres (Le Corbusier[4]) font appel aux événements de leur vie de praticien.

1. Dans *Der Städtebau*, « nous » est parfois mis aussi pour la deuxième personne.

2. « Les souvenirs de voyage offrent à *notre* fantaisie la matière la plus plaisante. Si seulement *nous* pouvions revenir plus souvent sur ces lieux qu'*on* ne se lasse pas de contempler [...]. *Quiconque* a lui-même goûté dans sa plénitude la beauté d'une ville antique contestera difficilement la puissante emprise qu'exerce le cadre extérieur sur la sensibilité des hommes. Les ruines de Pompéi nous en donnent sans doute la meilleure preuve. *Celui qui (der)*, à la tombée de la nuit, traverse, après une journée de fatigues, l'espace dégagé du forum, se sent irrésistiblement attiré sur les degrés du Temple de Jupiter, pour contempler, une fois encore, du haut de la plate-forme, la splendide ordonnance d'où monte vers *lui* un flot d'harmonies [...] » (*S.*, p. 1; *W.*, p. 3). [*Nous soulignons.*] La précision des détails, en particulier chronologiques, signe ici le souvenir personnel.

3. Les occurrences de la première personne dans *The Living City* sont peu nombreuses et liées à la fonction de voyance de l'architecte (cf. *op. cit.*, p. 22, 125 sq., 206). En revanche, le lecteur est constamment pris à partie, soit par des apostrophes, soit par l'utilisation de la première personne du pluriel, complétée par celle de *shifters* qui renvoient à la dimension éthico-politique de la situation d'énonciation.

4. Les indications biographiques ponctuent *la Ville radieuse* sur toute son étendue, mais sans la rigueur chronologique à l'œuvre dans le *De re aedificatoria*. L'auteur n'en commence pas moins par livrer l'origine contingente de son livre : « Un questionnaire m'avait été envoyé par les autorités de Moscou. [...] Après avoir dicté ma réponse [...] j'entrepris l'exécution d'une vingtaine de planches » (*op. cit.*, p. 90); puis c'est le cheminement mental qui a suivi la première réaction : « En tournant et retournant dans mon laboratoire les éléments fondamentaux constitutifs d'une ville moderne, je touchais à des réalités présentes qui ne sont pas plus russes que françaises ou américaines [...] je continuais ma marche dans [...] la forêt vierge [...] je faisais de nouvelles percées, je découvrais des vérités [...] fondamentales. [...] Mais un beau jour, ce titre *Réponse à Moscou* est submergé par quelque chose [...] de plus profond [...] il s'intitule alors *la Ville radieuse* » (*ibid.*, p. 90-91).

Sous ces modalités diverses, modeste ou triomphant, le *je* de l'auteur-bâtisseur affirme entre les lignes que la science n'est pas seule en question dans ces textes. Il pointe l'angoisse ancestrale que fait naître l'acte instaurateur d'espace, surmontable seulement par le double héroïsme de l'inventeur et du sauveur [1]. Héros trattatiste de l'esprit et héros utopiste du pouvoir, le sujet des théories d'urbanisme tient à la fois ces deux rôles. En dépit de sa réserve, Sitte apparaît comme l'archéologue d'un art perdu dont la découverte permet d'opérer un sauvetage partiel de la ville moderne. Wright se présente à la fois comme l'incarnation de l'architecte-artiste-créateur et comme l'annonciateur et le médiateur d'une nouvelle démocratie, son « interprète prophétique [2] ». Le Corbusier, nouvel Utopus, avant tout guide, berger et père [3], n'en magnifie pas moins sa propre créativité [4].

Ponctuelles par choix délibéré, ces analyses confirment tout à la fois l'autonomie et l'ambivalence de la figure des théories d'urbanisme : figure qui confond vision critique et approche clinique, normes biologiques et normes éthiques, sujet trattatiste et héros utopien, et dont les règles génératives se figent en modèles, les modèles se dissolvent en processus, en normes, ou en exemples. Peu importe que Cerdà soit plus proche des auteurs de traités d'architecture par la caution qu'il demande à l'histoire, par la valeur qu'il accorde à une temporalité créatrice, par la confiance qu'il met dans la spatialisation. Peu importe que cinquante ans plus tard, Le Corbusier soit plus proche des auteurs d'utopies par sa défiance à l'égard de l'extension spatiale, son usage exclusif de la modélisation et son superbe dédain de la temporalité. Dans ces deux cas, comme dans les autres théories d'urbanisme, une même structure textuelle travaille. A l'insu des intéressés,

1. Les formules de Le Corbusier sont révélatrices. Le héros du livre mène la lutte contre le démon (*ibid.*, p. 122) : « La rue devint un démon déchaîné. » Cf. aussi, p. 120, le curieux passage où Le Corbusier projette (sans le moindre humour) un monument dédié aux trois « héros » et « surhommes » de l'urbanisme Louis XIV, Napoléon Ier et Napoléon III. « Derrière, en demi-teinte, Colbert et Haussmann se tendent également la main, sourient du sourire que donne la satisfaction de la tâche accomplie. » Cette vision surprenante constitue le meilleur commentaire des citations empruntées à Pétain (*ibid.*, p. 154) et de l'autoprojection de l'urbaniste en *chef* militaire.
2. *The Living City*, p. 77. Cf. aussi p. 87 et 131, où l'architecte apparaît comme « le guide et le conseiller de la grande famille américaine en même temps que le gardien des récoltes et des troupeaux ».
3. *Ibid.*, p. 138, 145, 146, 152, 154.
4. *Ibid.*, par exemple, p. 100, 102, 103, ainsi que le commentaire des planches illustratives.

elle témoigne d'une même impuissance à assumer la situation qu'ils appellent et d'une même angoisse que tente de conjurer une démarche qui allie, invraisemblablement, les vieilles armes des premiers livres instaurateurs d'espaces et les armes neuves de la science moderne.

Ouverture : des mots aux choses

De la lecture qui précède se dégagent des résultats paradoxaux.

D'abord, cette lecture, qui refusait les cadres de l'histoire, se prête à une opération historique [1] et ouvre sur une nouvelle structuration de l'histoire de la théorie de l'édification. Le concept de texte instaurateur a permis de transformer le paysage traditionnel qu'avaient fixé l'analyse des contenus et le postulat continuiste des filiations, d'y découper de nouvelles unités territoriales, de le marquer d'une nouvelle hiérarchie de monuments, remplaçant les anciens repères.

Ainsi, le *De re aedificatoria* a acquis des dimensions qui ne lui avaient jamais été reconnues. Il date désormais une coupure décisive et un moment inaugural à partir duquel une improbable et nouvelle exigence de rationalité a pu donner naissance au projet instaurateur et l'inscrire dans trois ensembles textuels discontinus des traités d'architecture, des utopies et des théories d'urbanisme.

Le *De architectura*, que les historiens ont coutume de situer à l'origine de la démarche trattatiste occidentale, a été déplacé en amont de la coupure albertienne, rétabli en son site propre et originel, d'où, indicateur de distance, il continue cependant de nous faire signe. Dans la mesure où il constitue la tentative la plus accomplie qui ait été réalisée avant le *De re aedificatoria* en vue de rassembler et d'ordonner un savoir, l'ouvrage de Vitruve permet d'évaluer l'écart qui sépare le traité d'Alberti de toute la littérature antérieure consacrée à l'acte d'édifier. Et, dans la mesure où il a fasciné Serlio, Palladio, du Cerceau, les Blondel... qui lui demandaient une caution archéologique et y découvraient les bases d'une stylistique universelle, le *De architectura* témoigne de la dérive et de la régression de ces auteurs par rapport à la visée instauratrice d'Alberti.

Dès lors, sur l'horizon monotone des traités vitruvisants, se détachent des ouvrages négligés. L'*Idea* de Scamozzi, dénaturée par la lecture réductrice qu'en a faite le XVIIe siècle, prend, pour la première

1. M. de Certeau, « L'opération historique » in *Faire de l'histoire*, ouvrage collectif sous la direction de J. Le Goff et P. Nora, t. I, Paris, Gallimard, 1974.

fois, sa valeur de traité canonique; l'*Abrégé* de Perrault se voit restituer une volonté de subversion et une puissance libératoire que masquait son statut de réplique et de commentaire; le *Discours* de Patte est appelé à borner le précaire destin des traités d'architecture et devient l'annonciateur des transformations qui aboutiront à l'émergence des théories d'urbanisme.

Dans le champ clos des textes instaurateurs, l'*Utopie* de Thomas More, rendue à son ambivalence et à son ambivalente vocation symbolique et réalisatrice, marque, elle aussi, un commencement. Elle règne sur un territoire bien circonscrit, dont ont été éliminées les annexions abusives dues aux modes de notre époque. A l'extérieur de ses frontières, mais dans leur voisinage immédiat, sont maintenant localisés et les écrits panoptiques, dont la parenté avec les écrits utopiques n'avait pas été envisagée, et l'œuvre de Fourier, qui, à l'inverse, fut, sans réserves, trop vite classée parmi eux.

De même, tandis que la *Teoria* de Cerdà, arrachée à l'oubli, constitue désormais l'acte de naissance et l'archétype des théories d'urbanisme, les textes produits dans le cadre du mouvement international des années 1920, en particulier les ouvrages de Le Corbusier, perdent la signification inaugurale que leur ont unanimement accordée leurs historiographes. Ils s'avèrent ressortir à la figure discursive élaborée au cours du XIXe siècle, à laquelle ils n'apportent aucune innovation structurale. En revanche, le *Städtebau* de Sitte, que les CIAM disqualifièrent aux yeux de deux générations en le taxant de passéisme et de pusillanimité, apparaît comme le texte, aujourd'hui encore, le plus proche d'une mise en question de cette figure des théories d'urbanisme à laquelle il ressortit pourtant lui aussi.

D'une façon plus générale, selon le nouveau découpage historique proposé, les théories d'urbanisme actuelles ne sauraient plus être entendues sans référence à Alberti et à More dont les œuvres inaugurales les déterminent, en amont de la figure dont Cerdà produisit la première version. Et la prolifération de versions ultérieures et indépendantes de la *Teoria* constitue un indice supplémentaire de la nature mythisante de la « théorie » d'urbanisme.

Ensuite, ma lecture sémiologique, qui s'était délibérément affranchie de toute allégeance à l'épistémologie, ouvre cependant à une critique des textes instaurateurs. Elle révèle leur véritable statut discursif et permet de préciser les rapports qu'ils sont susceptibles d'entretenir avec les sciences de la nature et de l'homme.

En premier lieu, j'ai en effet montré que tous les textes instaurateurs sont structurés par une figure mythisante — on pourrait dire méta-mythique — qui sert à résoudre symboliquement les problèmes théoriques, mais aussi pratiques, posés par l'émancipation de l'acte d'édifier. Demeurée en fonction dans les théories d'urbanisme actuelles, cette figure mythisante n'aurait pu y être déchiffrée sans l'étude préalable du *De re aedificatoria* et de l'*Utopie*. Je l'ai mise en évidence dans ces deux ouvrages paradigmatiques, sous deux formes qu'il ne peut être question de confondre et dont la différence éclaire, au contraire, le destin différent que l'histoire a réservé au traité d'architecture et à l'utopie. Le récit incantatoire qui, dans le *De re aedificatoria*, parodie un mythe de fondation, garde un caractère ludique. A la manière d'une situation, il rappelle la transgression accomplie par l'architecte-héros et rend aux mémoires légères son oubli impossible. Mais il ne la conjure pas vraiment. Il laisse l'entreprise albertienne exposée, sans écrans ni médiations, aux exigences de sa propre audace et aux menaces de la déréliction : j'ai montré la précarité de la forme textuelle créée par Alberti. L'*Utopie*, au contraire, est organisée autour d'un noyau mythique propre; elle fonctionne sans distanciation et manifeste, à travers ses versions successives, une productivité comparable à celle des mythes. La théorie d'urbanisme a allié ces deux formes. Non contente de faire parler en première personne l'architecte-héros d'Alberti, auquel elle prête maintenant l'autorité du scientifique, elle confère à ce sujet les pouvoirs du héros-architecte de More. Ainsi les urbanistes, et tous ceux qui aujourd'hui prétendent organiser scientifiquement l'espace bâti, ne sont pas seulement empêtrés dans le scientisme, aux prises avec les difficultés d'un savoir non constitué, mais aussi abusés par le mirage de pouvoirs symboliques, ces mêmes pouvoirs mythiques dont More avait doté Utopus.

En second lieu, j'ai montré que chacune des figures instauratrices est fondamentalement caractérisée par un choix concernant la valeur de l'espace édifié et son mode d'engendrement. Le traité d'architecture exalte l'édification et un investissement de l'espace qui permet aux hommes de se réaliser en construisant le monde; il formule à cette fin des règles accueillantes au désir et à la recherche du plaisir. L'utopie voit, au contraire, dans la dissémination des édifices une cause de désordre. L'espace bâti ne vaut pour elle que contrôlé et, plus encore, contrôlant. La procédure totalitaire du modèle, étrangère au désir comme au plaisir, constitue alors, à l'égard de sociétés considérées comme perverties et malades, un instrument, indéfiniment reproductible, de conversion et de guérison : instrument destiné à résoudre les contradictions sociales par un simple jeu d'espace, et qui porte donc en soi la dissolution du politique. Enfin, la théorie d'urbanisme a, en partie, annexé les valeurs de l'utopie dont elle prétend réaliser le rêve de normalisation et de médicalisation sous l'autorité sans appel de lois scientifiques.

La démarche initiale du *De re aedificatoria* nous propose, encore aujourd'hui, le meilleur fil conducteur pour dresser un bilan des certitudes auxquelles peut prétendre une discipline spécifique de l'édification. Le génie d'Alberti consiste à avoir croisé les principes, postulats et règles du niveau de la nécessité avec la demande des interlocuteurs de l'architecte. Il fait ainsi de son traité une matrice à double entrée qui donne à l'édification un fondement rigoureux tout en l'ouvrant à l'imprévisibilité de l'imagination et du désir des hommes. D'entrée de jeu place est donc laissée et désignée aux choix et aux valeurs. Le piège est évité, que j'ai assez dénoncé ailleurs pour n'y point revenir ici, et dans lequel sont tombés tous les théoriciens de l'urbanisme, de croire à la possibilité d'une science normative de l'édification. Quant aux éléments fixes de sa matrice, sans pouvoir disposer des connaissances et des concepts qui nous permettent aujourd'hui de les appréhender, Alberti les a, encore une fois, magistralement distribués au regard des différents champs du savoir que l'acte de bâtir met en jeu.

En effet, ses principes, condition de tout bâtir possible, constituent ce que nous pouvons aujourd'hui appeler les règles génératives du bâti : règles jamais plus évoquées par aucun théoricien et dont l'étude mériterait cependant d'être approfondie par la recherche contemporaine. Toutefois, si j'utilise à dessein le qualificatif de génératif pour comparer implicitement le projet d'Alberti à celui qu'a élaboré N. Chomsky pour le langage, l'intérêt de ce rapprochement ne doit pas masquer la différence des deux cas. Compétence linguistique et compétence édificatrice ne permettent pas des performances de même type. En particulier, l'acte d'édifier est solitaire d'un matériau et d'un milieu dont la résistance et l'opacité sont réglés par des lois propres, autrement contraignantes que celles de la substance phonique, ce milieu aérien que la parole laisse inentamé. De plus, ayant d'autres fins que la seule communication, l'acte de bâtir doit tenir compte d'un certain nombre d'exigences pratiques.

Alberti a bien reconnu la lourdeur de ces contraintes qui pèsent sur l'édification. Il les répartissait en trois catégories de règles fixes concernant les matériaux, les besoins humains de base et la beauté : trois domaines qu'il désignait à une science à venir et que celle-ci a, depuis, effectivement investis avec plus ou moins de succès. Dans les deux premiers cas, en leur assignant le niveau de la nécessité, il marquait l'inéluctabilité de ces règles que nous appelons aujourd'hui des lois.

Appellation légitime dans le cas de la mécanique et de la physique des matériaux qui, succédant au savoir albertien empirique et fortement teinté d'aristotélisme, sont devenues des disciplines scientifiques. Appellation hypothétique en ce qui concerne les besoins élémentaires de l'homme, dont Alberti, bien avant la science moderne, découvrait la dialectique qui les lie à la demande et au désir et rend si complexe la tâche de les cerner. Si, à l'heure actuelle, l'écologie, l'éthologie, la paléobiologie et la biochimie sont, en même temps que la thermodynamique, mises à contribution pour tenter de découvrir certaines de ces lois élémentaires de groupement et d'organisation spatiale des sociétés humaines dont l'auteur du *De re aedificatoria* fut le premier à postuler l'existence, ces lois demeurent indéterminées : par rapport aux intuitions d'Alberti, notre acquisition essentielle est d'avoir reconnu le problème de la complexité, de savoir que la nature humaine dont la définition semblait si simple aux utopistes et encore après eux aux théoriciens de l'urbanisme, est quasiment insaisissable entre les mailles enchevêtrées de l'inné et de l'acquis, dans la dialectique du naturel et du culturel par laquelle elle se constitue.

Dans le dernier cas enfin, celui de la beauté, si Alberti ne fait plus intervenir la notion de nécessité, c'est qu'il n'a pas à sa disposition le concept scientifique de loi : corrélativement, il ne peut attribuer à un même type de législation et subsumer sous une même désignation des règles également rigoureuses, mais dont l'application est, pour le bâtisseur, nécessaire dans un cas comme celui de la physique des matériaux, non nécessaire dans l'autre cas, celui de la beauté. Il n'en spécifie pas moins que, pour pouvoir procurer le plaisir esthétique, le monde édifié doit obéir à un ensemble de règles fixes, dont j'ai souligné la parenté avec celles de la « nécessité », et qui sont imposées par le corps humain. Ici encore, et malgré les glissements que j'ai signalés, Alberti anticipe la démarche d'une science de l'art dont le projet a été formulé au XIXe siècle par les théoriciens viennois et commencé à être développé, pour ce qui est du monde édifié, par C. Sitte. Aujourd'hui le partage n'est toujours pas fait entre les lois de la bonne forme et les normes culturelles, et la difficulté demeure non résolue qui conduisait Alberti à donner une valeur absolue au système de proportions élaboré par les architectes de l'Antiquité.

Dernier paradoxe, le parti pris des mots, qui ouvre à une vision nouvelle des choses, ne concerne pas seulement le monde protégé du savoir. Cette lecture de textes pour la plupart distants de plusieurs siècles pose des questions brûlantes qui, pour peu que le lecteur le souhaite, appellent l'action.

Dès lors, en effet, qu'est découverte l'imposture de la construction métamythique où la théorie d'urbanisme s'est enfermée à son insu; dès lors que sont évaluées les limites des certitudes scientifiques à quoi elle peut prétendre, que nous reste-t-il, pour édifier nos espaces, du fabuleux héritage théorique des textes instaurateurs? Essentiellement les deux procédures antithétiques de la règle et du modèle, qui acculent à un choix redoutable entre deux conceptions de l'édification, l'une hédoniste, égotique, permissive, l'autre corrective, disciplinaire, médicale.

Pour l'heure, l'urbanisme progressiste dominant semble presque partout préconiser ou imposer la procédure du modèle. Nous la voyons partie intégrante des plans d'aménagement des territoires, dénaturant et déshumanisant à la fois l'espace de la planète par la projection abstraite du même bâti. Elle est au fondement de notre politique du logement dans nos villes comme dans nos anciennes campagnes, désormais ponctuées d'objets trop réels et irréels, arbitrairement implantés au mépris des sites et des lieux. Après avoir sous-tendu la politique colonialiste de l'Occident depuis le XVIᵉ siècle, elle donne aujourd'hui son assise à la nouvelle colonisation du monde non européen dont l'industrialisation passe par la modélisation de ses espaces. J'ai assez expliqué pourquoi cette faveur et cette résistance à l'usure du temps; j'ai assez montré le garde-fou qu'est le modèle et la double sécurité qu'il assure dans l'usage de la liberté moderne, permettant une réification narcissique des groupes sociaux dont l'identité est menacée, leur faisant retrouver — vide de contenu — le confort du procès de réplication de l'espace propre aux sociétés traditionnelles. J'ai aussi souligné la valeur thérapeutique attribuée depuis le XVIIIᵉ siècle, avec une insistance croissante, à ce *pharmakon* qu'est l'espace.

Cette procédure privilégiée par la théorie d'urbanisme pourrait bien être rendue inéluctable par la conjoncture actuelle. La modélisation n'offre-t-elle pas, en ce qui concerne le domaine bâti, le seul moyen pour aborder les problèmes du logement dans les pays à croissance démographique rapide, la seule réponse à la mondialisation du « développement » et de l'urbanisation? N'avait-elle pas reçu pour l'une de ses fins de faire obstacle à une expansion sans frein du bâtir? Et ne vient-elle pas à point nommé assurer le conditionnement des conduites dans des sociétés où le sacré a perdu son pouvoir et les institutions sociales leur autorité traditionnelle, où tous les ordres deviennent soudain possibles et convocables pour l'arbitraire de l'individu; contrôler le déploiement d'une liberté dont aucune puissance transcendante ne peut plus tempérer les exigences, devant un horizon infini de possibles? La modélisation spatiale n'est-elle pas un remède aux crises présentes, ne donne-t-elle pas le moyen de guérir des sociétés malades ou qui se pensent malades? Le meilleur indice pourrait en être l'engouement dont font l'objet l'utopie et les utopies : redécouverte inconsciente du lien qui unit le projet occidental, porteur de poisons dont nous commençons de ressentir certains effets, et l'utopie, son fallacieux antidote.

En outre, dans la mesure où, pour les sociétés occidentalisées, l'espace bâti a perdu sa « valeur symbolique[1] » et ne peut conserver, des espaces toujours déjà contrôlants des sociétés traditionnelles, que la fonction de contrôle, dans la mesure où la seule signification qui semble désormais pouvoir s'y loger est celle d'instruments à produire, à exploiter, à consommer et où, comme s'en réjouissait sans humour Le Corbusier, nos bâtisses deviennent des machines, la logique de cette tendance ne réclame-t-elle pas les procédures de modélisation?

Cependant, l'analyse du paradigme moréen auquel la théorie d'urbanisme a emprunté ses procédures aura fait mesurer le prix payé pour ces sécurités et ces remèdes : conditionnement totalitaire des conduites publiques et privées au détriment de la *polis* et du politique, stéréotypie des environnements, destruction des lieux, ce tribut ne compromet-il pas la bienfaisance d'une modélisation dont il n'est pas impossible de montrer que, malgré les apparences, elle est loin de satisfaire la logique de l'efficacité et du rendement? Pertinente en ce qui concerne l'économie de temps et la standardisation des comportements de production et de consommation, elle est finalement coûteuse en espace, en énergie et financièrement. Mais c'est encore au plan humain qu'elle s'avère le plus dispendieuse. J'ai montré le sens et le rôle qu'a eus, dans le développement des sociétés occidentales, ce « stade de l'utopie » qui pourrait aussi être appelé stade de la modélisation spatiale. Mais comme le stade du miroir pour la genèse du moi, son nom même indique une fonction transitoire. Utile, peut-être même nécessaire, aux temps matinaux de crise et de transformation, ce stade, dès lors qu'il s'éternise, engendre la répétition et finit par inhiber le pouvoir de création dont il devait servir à mieux promouvoir le déploiement, à l'échelle de la collectivité comme à celle de l'individu. Puisque aussi bien la médicalisation de et par l'espace, cas particulier de la médicalisation générale du champ social, est l'un des mécanismes au moyen desquels se constitue pro-

1. Cf. J. Baudrillard, *L'Economie politique du signe*, Paris, Gallimard, 1972.

gressivement sous nos yeux cette « société sans père [1] » qui prend en charge les individus, les materne et les confine dans des comportements réduits et normalisés. Mais, ce prix démesuré, identiquement consenti aujourd'hui sous tous les régimes qui ont opté pour le développement, la lecture de More nous aura, en outre, appris qu'il serait plus élevé encore dans l'hypothèse d'une application intégrale, et non plus seulement partielle, de l'utopie, que l'ignorance ou l'inconscience de certains a parfois présentée comme la seule solution aux crises actuelles.

Est-ce à dire qu'il faille faire retour aux modes d'engendrement de l'espace bâti proposés par Alberti, à cette conception et ces procédures auxquelles l'histoire a réservé un destin fragile et dont l'impact sur le monde édifié a, jusqu'à ce jour, été limité à des cas privilégiés? Le chapitre II n'a-t-il pas montré, en particulier, que la démarche albertienne tient compte de trois variables que la démarche moréenne ignore et que la théorie d'urbanisme ne reconnaît pas davantage : la réalité des sites, la demande des utilisateurs et leur sensibilité esthétique? On a vu avec quel soin amoureux les règles du *De re aedificatoria* épousent les exigences du terrain au mépris desquelles se pose la grille des espaces modèles. On a constaté que le deuxième niveau de ce traité est tout entier consacré à la demande et au désir de l'utilisateur : Filarète a donné une formulation magistrale et lyrique de cette reconnaissance que, depuis quelques années, les critiques de la théorie d'urbanisme croient redécouvrir sous le nom de participation. Enfin, on a vu que la grande délaissée, dont le nom n'est plus prononcé dans les écoles et devient synonyme de scandale à l'oreille des spécialistes, la beauté, avec le plaisir qu'elle procure et sa façon d'impliquer le corps entier, est jugée comme la fin suprême de l'édification.

Cependant, le respect du site ne représente qu'un aspect ponctuel du *De re aedificatoria*. Et l'exaltation du bâtir comme processus créateur aussi bien que l'accueil de la demande et du désir humains, qui, face au triomphe de la modélisation spatiale, symbolisent aujourd'hui la capacité contestataire du système albertien comme ils symbolisèrent autrefois sa force révolutionnaire face à la tradition, ne peuvent être admis et appliqués sans condition. Dans sa rigueur, la démarche albertienne ne comporte pas moins de dangers que les attitudes et les procédures léguées à la théorie d'urbanisme par le paradigme moréen.

Ces dangers — éventuellement mortels — sont autres et mieux per-

1. Cf. A. Mitscherlich in *Vers la société sans père*, Paris, Gallimard, 1969.

ceptibles à notre époque qu'à celle d'Alberti. Les uns sont inhérents à la lourdeur du bâti en tant que substance sémiologique. La prolifération incontrôlée du monde édifié a pour horizon la suppression léthale de l'espace naturel. Par ailleurs, l'accélération de l'histoire périme toujours plus vite l'information transmise par le système bâti. Non seulement nous ne sommes plus dans la situation d'abondance du xvᵉ siècle où l'espace vierge semblait inépuisable qui s'offrait aux expériences du bâtisseur mais, une fois atteint par l'obsolescence, le bâti lui-même tend à n'être plus que vain encombrement. Les temps sont révolus où Alberti pouvait penser que l'édificateur œuvre en accumulant pour les sociétés un trésor indéfiniment augmentable sur quoi ancrer leur mémoire et qu'il trouvera toujours des espaces libres où inscrire des demandes et des désirs nouveaux. En prenant des dimensions planétaires, le monde édifié cesse de servir la mémoire. Même dans la meilleure hypothèse d'une édification exemplaire qui respecterait les règles des trois albertiens, il menace de l'encombrer. Il devient un obstacle à l'expression de demandes neuves et à une ouverture sur le présent et l'avenir que permettrait seule une démolition systématique du bâti périmé. Mais cette démolition, organisée par la loi dans le cas privilégié de certains secteurs de grandes villes des États-Unis, est généralement interdite par la raison économique. Il est surprenant que la science-fiction et la futurologie, si fertiles en images de villes étincelantes, impeccablement accordées — pour le salut ou la damnation de leurs habitants — au progrès de la technique, n'ait pas développé la vision, autrement dramatique et plus vraisemblable, d'un monde entièrement envahi par une lèpre urbaine et devenu une formidable poubelle de constructions obsolètes et de déchets de béton.

Un autre danger tient au fait que l'introduction libre et sans réserve de la demande dans la matrice du système de l'édification tend à lui faire produire du désordre, au sens classique de la thermodynamique. Dans l'esprit d'Alberti, la prise en compte de ce paramètre permettait de promouvoir ce que nous considérerions aujourd'hui comme un désordre positif, générateur d'ordre[1] : intégrer dans le procès d'édification la demande et le désir imprévisibles des utilisateurs était le moyen de désarticuler des ordres anachroniques et sclérosants au profit d'une apparente confusion, prégnante de structures nouvelles et non encore perceptibles. Sans doute aussi, Alberti tempérait-il inconsciemment la liberté ou l'arbitraire de la demande par la reconnaissance tacite d'un fonds d'institutions et de valeurs dont il n'était

1. Cf. I. Prigogine.

pas question de contester l'autorité et le pouvoir de contrôle. Toutefois la logique qui érige la demande et le désir en loi ne souffre pas ce type de restrictions et conduit inéluctablement à la production d'espaces non ordonnés. En termes économiques de demande solvable, la procédure albertienne apparaît spécifiquement accordée à l'expression du capitalisme dans un champ dont la loi économique finit alors par être le seul, et paradoxal, régulateur. En termes de linguistique, chaque individu ou groupe d'individus s'exprime dans un idiolecte, inintelligible aux autres et peu à peu la signification du texte du bâti se brouille. Autrement dit encore, l'information que pouvait laisser sourdre le désordre se dissout dans une pure cacophonie. La dimension égotique du système albertien menace une des fonctions essentielles du bâti, celle qui contribue à la stabilisation et à la structuration des sociétés. C'est bien contre cette exposition du monde édifié à la destructuration et au bruit que réagit la théorie d'urbanisme en imposant au bâtir un ordre dont on a vu que la rigidité est aussi dangereuse dans la mesure où elle bloque l'information et inhibe la création.

Vouloir intégrer à l'édification la demande de beauté, là où aujourd'hui elle peut encore être entendue et prise en considération, expose aux mêmes dangers. De quelle beauté s'agit-il, en effet, dans nos sociétés acculturées, éclatées, ne disposant d'aucun langage ou fond esthétique de base qui puisse leur servir de référence? Au *Quattrocento* où commençait de s'opérer le partage inique, l' « échange inégal » des valeurs esthétiques qui a fait de l'art occidental un art savant, les Médicis et Alberti, le prince de Sforzinda et son architecte, étaient liés par un système de valeurs esthétiques communes, ils parlaient le même langage formel. Et, entre ces interlocuteurs privilégiés, le « troisième niveau » venait effectivement réguler l'expression de la demande de commodité. Mais depuis la révolution industrielle, où le bâtir a pris une dimension sociétale, et en l'absence d'une science de l'art, toujours à venir, qui pourrait au moins livrer quelques principes de base, le troisième niveau ne peut plus être régi que par l'arbitraire individuel : idéologies, goûts et plaisir particuliers des administrations, des urbanistes, des architectes « artistes » et, parfois, de certains utilisateurs. D'où la coexistence, dans la conception esthétique de l'actuel cadre bâti, de tendances futuristes ou surréalistes avec des tendances dominantes au « rétro », mettant au pillage, avec ruse ou naïveté, sous forme de citations ou au gré d'une appropriation sauvage, tous les styles du passé, jusqu'aux plus récents maniérismes, puisant également aux sources savantes ou vernaculaires, urbaines ou rurales, internationales ou locales. D'où le double terrorisme de stéréotypes destinés à flatter le goût « populaire[1] » et d'une pseudo-culture des architectes, associés pour une production de laideur fabuleuse et unique dans l'histoire.

Qu'il s'agisse d'aménager un territoire ou des demeures, qu'il s'agisse de commodité ou de beauté, accueillir librement la demande et le désir des utilisateurs ne peut, du moment que ceux-ci ne disposent ni d'un langage commun avec l'édificateur, ni d'un fond ou d'un système fixe de valeurs régulatrices, qu'aboutir à l'absurde. C'est pourquoi la fameuse participation ne peut être, à présent, qu'un leurre ou, au mieux, un jeu, une simulation qui s'appuie sur des conventions passées et périmées.

Le repérage de ces écueils, dont une partie sont inhérents au destin historique de la culture occidentale, tendrait à laisser croire que l'édification ouverte, elle que la théorisait Alberti dans une éthique de la création, n'est plus envisageable à l'échelle de la société. Conformément à l'individualisme qui l'inspira, elle ne pourrait plus désormais être que l'apanage d'individus. Il lui faudrait alors subir l'épreuve de la miniaturisation et s'accomplir dans l'intimité des espaces privés, par la médiation du bricolage, de la sculpture, du jardinage.

Aurais-je donc eu tort de prétendre que ma lecture peut inciter à l'action? Ne ferait-elle finalement qu'installer dans la désespérance en butant sur une alternative dont les deux branches sont, l'une et l'autre, inacceptables? Je pense, au contraire, qu'entre ces deux grandes voies, entre les procédures permissives épousant le désir et servant le plaisir, mais qui conduisent à l'encombrement et au chaos, et les procédures correctives et médicalisantes qui promeuvent un ordre rigide et totalitaire, elle ouvre des chemins.

Soyons précis. Je ne préconise ici ni la nostalgie, ni le cynisme. Il ne s'agit pas de vouloir faire retour aux procédures silencieuses ou concertantes qui furent le privilège des belles totalités urbaines d'un passé révolu. Il ne s'agit pas davantage d'avaliser l'urbanisation sauvage, sous la diversité des formes qu'elle emprunte, depuis la mainmise de l'économie dominante sur les meilleurs terrains urbains ou sur les rivages encore déserts, jusqu'à la « bidonvillisation » telle que des théoriciens occidentaux ont pu l'ériger en modèle[2].

1. Cf. S. Ostrowetski, S. Bordeuil, Y. Ronchi, *La Reproduction des styles régionaux en architecture*, Département d'ethnologie et de sociologie, université d'Aix-en-Provence, CORDA, 1978.

2. Cf. J. Turner, *Report to the United Nations on Housing in Developing Countries*, New York, 1967.

Les modestes chemins dont j'imagine qu'ils pourraient être frayés devraient faire place à deux exigences, en apparence contradictoires : promouvoir une certaine planification de l'espace, dont on a vu qu'elle est aujourd'hui une condition de survie des sociétés; rendre l'édification à nouveau porteuse d'imprévisibilité et de plaisir. Hors des voies royales ou totalitaires qui passent par l'application de règles ou la reproduction de modèles; hors des voies marginales de la nostalgie ou de la jungle du laisser-faire, ces humbles chemins pourraient conduire vers d'autres méthodologies, ailleurs.

Un ailleurs vers lequel commence d'orienter la découverte de la forme métamythique des textes instaurateurs. Certes, dans une perspective critique, des traits mythisants ne sont pas compatibles avec une théorie rationnelle de la conception de l'espace bâti. Sitôt détectés, il convient donc de les éliminer, mais sans pour autant céder à un positivisme ou même à un rationalisme éclairé qui, limités à un simple refus et n'acceptant pas de reconnaître leur fonction et leur signification, s'exposeraient à en ignorer les enseignements et se priveraient ainsi d'une information capitale. En effet, la présence, au fondement des théories d'urbanisme, de cette structure inentamée par la traversée des siècles vient nous remémorer, ou plutôt, puisque nous n'en gardons plus aujourd'hui le souvenir, nous dire la gravité de l'acte édificateur ancestralement accompli sous la double tutelle des dieux et de la communauté sociale. A sa manière, mais aussi sûrement que la parole philosophique, elle pointe le privilège ontologique du bâtir énoncé par Heidegger[1]. Et dans le même temps, elle sollicite la réflexion de faire retour sur les conséquences de la coupure opérée par Alberti. Sa référence à des conduites oubliées ou occultées doit être interprétée comme un avertissement nous rappelant que la dédication de la société européenne à l'efficace et sa vocation pour une histoire chaude passent par ce rapport singulier avec l'espace, qui a contribué à la mort des dieux et à l'avènement d'une liberté dont nous ne nous lassons pas de dénoncer les menaces qui pèsent sur elle, mais dont nous oublions l'énormité des pouvoirs qu'elle nous délivre, tels ceux d'investir et de dénaturer l'espace naturel ou de détruire les espaces culturels.

L'écoute de la parole mythisante des textes instaurateurs pourrait donc inciter à redonner à l'édification le sérieux et le poids de ses origines. A en refaire un acte non banal, un privilège patrimonial. A y consacrer, quelle que soit l'échelle où elle se déploie, l'attention et le soin qu'exige une entière conscience de la puissance ambivalente

---

1. *Essais et Conférences*, Paris, Gallimard, 1958.

du monde bâti. Monde dont la pesanteur, réelle et symbolique, retrouvée ne doit empêcher de prendre en compte ni la mobilité des hommes dont Cerdà montra la valeur de façon décisive, ni cette légèreté et cette précarité de l'architecture qui peuvent seules, aujourd'hui, témoigner d'un nouveau rapport avec la mort.

Mais cette vigilance nouvelle ne peut aujourd'hui s'exercer sans le support explicite du langage et de la réflexion. Tel est le prix de la transgression perpétrée par Alberti. Aussi bien, l'hymne à la création du *De re aedificatoria* sonne-t-il aussi le glas de la spontanéité dans le domaine de l'édification. Il fut un temps où l'acte de bâtir était accompli par les hommes avec la même compétence spontanée [1] que l'acte de parler. Mais, dans les sociétés urbaines contemporaines, la pratique de cette activité a cessé d'être fondamentale, ses procédures nous sont devenues étrangères, inintelligibles, par manque d'expérience et du fait des écrans culturels montés par les spécialistes. Or, tels que les a dégagés la lecture du *De re aedificatoria*, les opérateurs albertiens permettent de retrouver les fondements et la dynamique de l'édification. Ils donnent aux clercs comme aux profanes les clés pour la compréhension du monde édifié, simultanément ouvert à la jouissance et à une critique pertinente. Davantage, ces opérateurs constituent le paradigme d'un nécessaire métalangage et fournissent la base d'une méthode de conception. Base qui appelle toutefois de nouvelles investigations, une réélaboration, et devrait être provisoire.

En effet, le *De re aedificatoria* comporte une part de relativité. Il concerne un espace bâti organisé par des conventions établies à la Renaissance. Or il convient de ne pas oublier que nous sommes toujours immergés dans cet espace, dont la théorie d'urbanisme n'a fait que confirmer l'impérialisme [2]. Les sciences historiques et anthropologiques comme l'art contemporain nous permettent aujourd'hui de prendre nos distances par rapport à cet espace perspectif qui informe notre perception et nos constructions. Nous connaissons le travail d'abstraction et de systématisation dont il est le résultat. Nous savons, en particulier, le privilège qu'il accorde à la vision au détriment des autres sens. La tâche semble s'indiquer aujourd'hui de déconstruire le médium élaboré au *Quattrocento*. En contrepartie, il nous appartiendrait alors de développer une appropriation corporelle [3]

1. Sous réserve des apprentissages qu'elle implique dans l'un et l'autre cas.
2. A. Chastel parle de « souveraineté de l'espace » renaissant, *Le Mythe de la Renaissance*, *op. cit.*, p. 71. Cf. *ibid.*, p. 7, 8, 72.
3. Certaine page de Freud peut en suggérer l'importance. N'indique-t-il pas qu'« à l'origine [...] la maison d'habitation [était] le substitut du corps maternel, cette toute première demeure dont la nostalgie persiste probablement

et une « expérience émotionnelle de l'espace[1] » qui passent aussi sans doute par une réappropriation émotionnelle du temps. C'est à ce prix seulement que sera peut-être redonné un contenu, puis un référent, aux concepts de lieu, paysage, patrimoine, concepts usés dont la mode s'est emparée et qu'elle manipule en vain sans s'apercevoir de leur présente vacuité.

Mais s'il importe de se désengager des structures d'espace de la Renaissance dont Alberti contribua à établir la théorie et à affirmer l'emprise, il n'importe pas moins de se libérer du primat de l'espace qui règne depuis lors, c'est-à-dire d'apprendre à penser autrement la valeur et le pouvoir que nous lui attribuons. Changer le statut de l'espace bâti exige alors une série de réévaluations et de réajustements locaux. Le pas vers un espace différent — emblème d'une société différente — requiert l'intégration laborieuse et subversive de paramètres qui s'appellent, en particulier, le corps, la nature, la technique : corps à réapproprier et à réintégrer dans l'espace de ses parcours; nature à réinvestir et à réapprendre, par le corps précisément; technique à démystifier, à affranchir des idéologies qui l'encensent ou la condamnent sans nuance ni alternative, alors que, instrument fondamental d'un nouveau bâti, ses innovations doivent être exposées à toutes les modulations et, en particulier, ouvertes aux acquis de la tradition comme au travail prospectif de la science.

Révoquer l'ancien primat de l'espace ne serait donc pas méconnaître la complexité du bâtir que doit continuer de figurer, afin que l'idée ne s'en puisse effacer de nos mémoires, l'image redécouverte et puissamment utilisée par Filarète pour scander l'illustration de son traité[2], l'image du labyrinthe, symbole de la complexité particulière que l'acte d'édifier a le privilège de réaliser.

Les chemins qu'aura ainsi indiqués le déchiffrement des textes instaurateurs ne sont ni rectilignes, ni simples, ni détachés du passé. S'y engager pourrait avoir pour résultat une édification encore jamais avenue, démythifiée et échappant désormais à l'hégémonie de la règle comme au totalitarisme du modèle. Ainsi serait assurée la relève légitime des anciens mythes de fondation.

---

toujours, où l'on était en sécurité et où l'on se sentait si bien », *Malaise dans la civilisation*, Paris, PUF, 1971, p. 39.

1. P. Kaufmann, *L'Expérience émotionnelle de l'espace*, Paris, Vrin, 1967 : avec plus de dix ans d'avance, ce livre philosophique ouvrait la voie à ceux qui aujourd'hui cherchent des alternatives aux méthodes et théories de la planification urbaine et de l'urbanisation concertée.

2. F. Choay, communication inédite au séminaire de R. Barthes, sur le labyrinthe, Collège de France, mars 1979.

Bibliographie

La bibliographie est divisée en deux sections.

La première présente le corpus des textes instaurateurs. Les titres sont précédés de sigles ayant la signification suivante : T = traité; U = utopie; Th = théorie d'urbanisme. * désigne les ouvrages analysés dans le texte.

Pour tous ces ouvrages figurent : la première édition; l'édition utilisée lorsqu'il ne s'agit pas de la première; le cas échéant, pour les ouvrages en latin ou en langue étrangère, la première traduction française et l'édition critique récente lorsqu'elle diffère de l'édition utilisée. Pour les traités du XVe siècle, on a, en outre, indiqué la date approximative de la mise en circulation de la version manuscrite et, dans le cas des textes de Filarète et Francesco di Giorgio Martini qui n'ont été édités, fragmentairement, qu'au XIXe siècle, seulement les éditions critiques récentes.

Faute de place nous avons dû renoncer à faire état des différents manuscrits des traités du *Quattrocento*. Nous n'avons pas davantage pu donner la liste exhaustive des diverses éditions et traductions du *De re aedificatoria* et d'*Utopia*, qui font cependant partie de l'histoire de ces textes. Pour ces références d'archives et ces bibliographies, nous renvoyons aux éditions critiques (citées *infra*) des traités d'Alberti, Filarète, Francesco di Giorgio Martini et de l'*Utopia* de Thomas More.

La deuxième section rassemble tous les autres ouvrages cités. Elle n'offre pas une bibliographie systématique des auteurs et des problèmes traités mais renvoie seulement à l'approche méthodologique et aux thèses développées dans ce livre. Pour ce qui est de la littérature critique, on ne s'étonnera donc pas de l'absence de certains ouvrages de base dont nous ne nous sommes pas servi dans notre travail. Par ailleurs, on a signalé par des sigles les ouvrages ne figurant pas dans le corpus, mais cependant proches des textes instaurateurs, faux traités (t), fausses utopies (u), écrits du pré-urbanisme (p).

I. CORPUS DES TEXTES INSTAURATEURS

XVe siècle.

T*   ALBERTI L. B., *De re aedificatoria*, Rome, 1452; 1re édition, Florence, 1485; édition critique et traduction en italien par G. Orlandi, avec introduction et notes de P. Portoghesi, Milan, Il Polifilo, 1966; *L'Architecture et Art de bien bastir*[...] *divisée en dix livres, traducts de latin en françois par deffunct, Jan Martin*, Paris, 1553 (première et unique traduction française).

T* AVERLINO A. di P., dit Filarète, *Trattato d'architettura*, Milan, entre 1451 et 1465; *fac-simile* du manuscrit, traduction en anglais et notes par J. Spencer, Yale University Press, 1965; *fac-simile* et traduction en italien, avec introduction et notes par A. M. Finoli et L. Grassi, Milan, Il Polifilo, 1972.

T* GIORGIO MARTINI F. di, *Trattato d'architettura civile e militare*, entre 1481 et 1492; t. II de *Trattati di architettura ingegneria e militare*, édition avec introduction et notes par C. et L. Maltese, Milan, Il Polifilo, 1967.

XVIe siècle.

T* ANDROUET DU CERCEAU J., *Livre d'architecture de Jacques Androuet du Cerceau, auquel sont contenues diverses ordonnances de plants et élévations de bastimens pour seigneurs, gentilhommes et autres qui voudront bastir aux champs*, Paris, 1559.

T CATANEO P., *I Quattro primi libri di architettura*, Venise, 1554.

U* DONI A. F., *Mondi celesti, terrestri, e infernali degli academici pelligrini*, Venise, 1552.

T* DE L'ORME Ph., *Premier Tome de l'Architecture*, Paris, 1568.

U* MORE Th., *Libellus vere aureus nec minus salutaris quam festivus de optimo reip. statu deque nova insula Utopia*, Louvain, 1516; T. Sturtz et J. Hexter (éd.), *Complete works*, t. IV, New Haven-Londres, Yale University Press, 1965; *La Description de l'Isle d'Utopie où est comprins le miroer des republicques du monde* [...], traduction par J. Leblond, Paris 1550; traduction par Marie Delcourt, Paris, Renaissance du Livre, 1936.

T* PALLADIO A., *I Quattro Libri dell'architettura*, Venise, 1570.

T SAGREDO D. de, *Medidas del Romano*, Tolède, 1526.

T* SERLIO S., *Regole generale di architettura sopra la cinque maniere degli edifici* [...], liv. IV, Venise, 1537; liv. III, Venise, 1540.
Reigles generales de l'architecture, sur les cinq manières d'édifices, Anvers, 1542.
Il primo libro d'architettura, liv. I et II, Paris, 1545.
Il quinto libro d'architettura, Paris, 1547.
Il settimo libro d'architettura, Francfort-sur-le-Main, 1575.
Première édition groupée des *Libri*, Venise, 1566.
Traduction des livres I et II. *L'Architecture de M.S.* [...] *traictant de l'art de bien raisonnablement bastir aussi de la geometrie perspective* [...] *mise en françois par Jean Martin*, Paris, 1587.

U STIBLIN G., *De Eudaemonensium Republica commentariolus*, Bâle, 1555.

BIBLIOGRAPHIE

XVIIe siècle.

U* Andreae V., *Rei Publicae Christianopolitanae descriptio*, Strasbourg, 1619.

T* Blondel F., *Cours d'architecture enseigné dans l'académie royale d'architecture*, Paris, 1675-1683.

U Campanella T., *Civitas solis, idea platonicae reipublicae philosophicae* in *Realis philosophiae epilogisticae quatuor partes*, Francfort, 1623, p. 417-560; *La Cité du soleil*, trad. fr. par Villegardelle, Paris, 1854; *idem* avec introd. et notes de L. Firpo, trad. fr. par A. Tripet, Genève-Paris, Droz, 1972.

T Fray Lorenzo de san Nicolas, *Arte y uso de arcquitectura*, Université d'Alcade, 1664.

T* Perrault Cl., *Abrégé des Dix Livres d'architecture de Vitruve*, Paris, 1674.

T Rusconi G. A., *Dell'architettura*, Venise, 1660.

T* Scamozzi V., *Idea dell'architettura universale*, Venise, 1615; traduction française, *Œuvres d'architecture*, Leyde, 1713.

T Wotton H., *The Elements of Architecture* [...] *from the best authors and examples*, Londres, 1624.

XVIIIe siècle.

T* Blondel J. F., *Cours d'architecture ou traité de la décoration, distribution et construction des bâtiments, contenant les leçons données en 1750 et les années suivantes*, Paris, 1771-1777.

T Cordemoy J.-L. de, *Nouveau Traité de toute l'architecture*, Paris, 1706.

U* Campomanes comte de (auteur présumé), *Sinapia, una utopia española del Siglo de las Luces*, manuscrit du 3e tiers du XVIIIe siècle, édition présentée par M. Aviles Fernandez, Madrid, Editora nacional, 1976.

T Valzania F., *Instituciones de architectura*, Valladolid, 1792.

T Ware I., *A Complete Body of Architecture, adorned with plans and elevations from original designs*, Londres, 1767-1769.

XIXe siècle.

U Bellamy E., *Looking backward (2000-1887), or Life in the Year 2000*, Ticknor & C°, Boston, 1888; traduction française, *Cent ans après l'an 2000*, Paris, E. Dentu, 1891.

U Buckingham J. S., *National and Practical Remedies, With the Plan of a Model Town*, Londres, Peter Jackson, 1849.

U Cabet E., *Voyages et aventures de Lord William Carisdall en Icarie*, Paris, H. Souverain, 1840.

Th* Cerdà I., *Teoria general de la urbanizacion*, Madrid, Imprenta Española, 1867; *fac-similé* de l'édition originale, publié avec une étude

347

critique de F. Estapé, Barcelone, Ediciones Ariel y Editorial Vives, 1968; traduction française partielle, *La Théorie générale de l'urbanisation*, présentée et adaptée par A. Lopez de Aberasturi, Paris, Seuil, 1979.

Th FRITSCH Th., *Die Stadt der Zukunft*, Leipzig, 1896.

Th* HOWARD E., *To Morrow, a Peaceful Path to social Reform*, Londres, Swan, Sonnenschein et Co, 1898.

U MORRIS W., *News from Nowhere*, Londres, 1891; *Collected Works*, t. XVI, Londres, Longmans, Green and Co., 1912; *Nouvelles de Nulle Part*, traduction par P. G. La Chesnais, Paris, 1902.

U RICHARDSON B. W., *Hygeia, a City of Health*, Londres, Macmillan, 1876.

Th SORIA Y MATTA A., *La Ciudad Lineal*, Madrid, Est Tipographico, 1894.

Th* SITTE C., *Der Städtebau nach seinen Künstlerischen Grundsätzen*, Vienne, Carl Graeser, 1889; *fac-simile* de la 3e édition de 1901 et du manuscrit original avec une introduction de R. Wurzer, Vienne, Institut für Städtebau, Technische Hoschschule, 1972; *L'Art de bâtir les villes*, traduction française par C. Martin; *L'Urbanisme et ses Fondements artistiques*, nouvelle traduction de D. Wieczorek, Paris, Vincent, 1979.

XXe siècle.

Th* ALEXANDER Ch., *The Oregon Experiment*, The Center for Environmental Structure, Berkeley, 1975; traduction française, *Une expérience d'urbanisme démocratique*, Paris, Seuil, 1976.

Th ALEXANDER Ch., *Notes on the Synthesis of Form*, Cambridge, Mass., Harvard University Press, 1964 (traduction française, Paris, Dunod, 1971).

Th GARNIER T., *Une cité industrielle, étude pour la construction des villes*, Paris, Vincent, 1917.

Th* LE CORBUSIER, *La Ville radieuse*, Paris, Vincent-Fréal, 1933, réédité en 1967.

Th SOLERI P., *Archology*, Cambridge, Mass., MIT Press, 1969.

Th* WRIGHT F. L., *The Living City*, New York, Horizon Press, 1958.

II. OUVRAGES CITÉS HORS DU CORPUS

ĀCHĀRYA P. K., *Indian Architecture according to Mānasāra*, Londres, Oxford University Press, 1928.

ĀCHĀRYA P. K., *The Architecture of Mānasāra*, Londres, Oxford University Press, 1933.

ACOSTA J., *Historia natural de las Indias*, 1590; traduction française, *Histoire naturelle et morale des Indes*, Paris, 1598.

(u) Agostini L., *L'Infinito* ou *Republica Immaginaria*, édition critique par L. Firpo, Turin, Ramella, 1937.

Alberti L. B., *Descriptio Urbis Romae* in *Opera Inedita*, H. Mancini (éd.), Florence, Sansoni, 1890.

Alberti L. B., *Della Famiglia, Opera Volgari*, édition critique par C. Grayson, Bari, G. Laterza, 1960.

Alberti L. B., *Della Pittura*, édition critique par L. Mallé, Florence, Sansoni, 1950.

Alberti L. B., *Momus o del Principe*, édition critique avec texte et traduction italienne par G. Martini, Bologne, Zanichelli 1942.

Alberti L. B., *De equo animante* [...] *libellus*, Bâle, 1558.

Alberti L. B., *De iciarchia, opere vulgari*, Grayson (éd.), t. II, Bari, Laterza, 1966.

(u) Alfarabi, *Idée des hommes de la cité vertueuse*, traduction française par R. P. Jaussen, J. Karam, J. Chlala, Le Caire, Institut français d'archéologie, 1949.

(u) Ammanati B., *La città, appunti per un trattato*, Rome, Officina Edizioni, 1970.

Arciniegas G., *Amerigo and the New World*, New York, Knopf, 1955, traduction américaine par H. de Onis.

Ariès Ph., *Essais sur l'histoire de la mort en Occident*, Paris, Seuil, 1975.

Aristote, *Politique*, texte établi et traduit par J. Aubonnet, Paris, Les Belles Lettres, 1960.

Atkinson G., *Littérature géographique française de la Renaissance*, Paris, Picard, 1927.

Augustin (saint), *La Cité de Dieu, Œuvres de saint Augustin*, t. XXXVI et XXXVII, Desclée de Brouwer, Paris, 1960, traduction française par G. Combès.

Axelos K., *Marx penseur de la technique*, Paris, Éditions de Minuit, 1961.

Bachmann F., *Die alten Städtebilder*, Leipzig, K. W. Hiersemann, 1939.

(u) Bacon F., *Nova Atlantis*, 1re édition in *Sylva Sylvarum*, Londres, 1627; *The Works of Francis Bacon, Nova Atlantis*, t. III, Londres, A. Millar, 1740.

Bakhtine M., *L'Œuvre de François Rabelais et la Culture populaire, au Moyen Age et sous la Renaissance*, Paris, Gallimard, 1970.

Balestracci D., Piccini G., *Siena nel Trecento, assetto urbano e struttura edilizie*, Sienne, CLUSF, 1977.

Balzac H. de, *Un début dans la vie, Œuvres complètes*, t. I, Paris, Gallimard, « Bibl. de la Pléiade », 1962.

Balzac H. de, *Béatrix, Œuvres complètes*, t. II, Paris, Gallimard, « Bibl. de la Pléiade », 1962.

Barbieri F., *Vicenzo Scamozzi*, La Cassa di Risparmio di Verona, Vicenza, Belluno, 1952.

Barbieri F., cf. V. Scamozzi.

BARON H., *From Petrarch to Leonardo Bruni, Studies in Humanistic and Political Literature*, University of Chicago Press, 1968.

(t) BARROZIO ou BAROZZI DA VIGNOLA J., *Regole delle cinque ordinid' architettura*, Venise, 1562; *Règles de cinq ordres d'architecture de Vignolle. Revues, augmentées et réduites de grand en petit par Le Muet*, Paris, 1632.

BAUDRILLARD J. *Pour une critique de l'économie politique du signe*, Paris, Gallimard, 1969.

BEAUJOUAN G., « L'interdépendance entre la science scolastique et les techniques utilitaires (XIIe, XIIIe, XIVe siècle) » *Conférences du Palais de la Découverte*, Paris, 5 janv. 1957, no 46.

(u) BENTHAM J., *Panopticum*, Londres, 1791; traduction française, *Panoptique, mémoire sur un nouveau principe pour construire des Maisons d'Inspection ou des Maisons de Force*, Paris, 1791.

BENVÉNISTE E., *Problèmes de linguistique générale*, I, Paris, Gallimard, 1968.

BENVÉNISTE E., *Vocabulaire des institutions indo-européennes*, Paris, Éditions de Minuit, 1969.

BENVÉNISTE E., *Problèmes de linguistique générale*, II, Paris, Gallimard, 1974.

BERGER L., « Thomas More und Plato : ein Beitrag zur Geschichte des Humanismus », *Zeitschrift für die Gesammte Staatswissenschaft*, no 35, Tübingen, 1879.

(u) BÉTHUNE, chevalier de, *La Relation du Monde de Mercure*, Genève, 1750.

(t) BOFFRAND G., *De architectura liber* [...] *Livre d'architecture concernant les principes généraux de cet art, et les plans* [...] *ouvrage françois et latin*, 1745.

BORDEUIL S., cf. OSTROVETSKI S.

BORSI F., *Leon Battista Alberti*, Milan, Electra Editrice, 1975.

BOUDON F., « Tissu urbain et architecture », *Annales*, juil.-août 1976.

BOUDON F., CHASTEL A., COUZY H., HAMON F., *Système de l'architecture urbaine*, Paris, Éditions du CNRS, 1977.

(t) BOULLÉE, *Architecture, Essai sur l'art*, présenté par J.-M. Pérouse de Montclos, Paris, Hermann, 1938.

BRISEUX C. E., *L'Architecture moderne, ou l'art de bien bâtir pour toutes sortes de personnes*, 1728.

BRUNI L., *Laudatio florentinae urbis*, 1403, édité par G. de Toffol, Florence, la Nuova Italia Editrice, 1974.

(u) BRUNNER J., *La Ville est un échiquier* (*The Squares of the City*, 1964), Paris, Calmann-Lévy, 1973.

BRUNSCHVICG R., « Urbanisme médiéval et droit musulman », *Revue des études islamiques*, 1947.

BRUYNE E. de, *Études d'esthétique médiévale*, Bruges, « De Tempel », 1946.

(u) BUCKINGHAM J. S., *National and Practical Remedies. With the Plan of the Model Town*, Londres, Peter Jackson, 1848.

BUFFIER R. P., *Cours de Sciences sur des principes nouveaux et simples pour former le langage, l'esprit et le cœur, dans l'usage ordinaire de la vie*, Paris, 1732.

(t) BULLANT J., *Reigle générale d'architecture des cinq manières de colonnes*, Paris, 1564.

(t) BULLET P., *L'Architecture pratique*, 1691.

(u) BUTLER S., *Erewhon*, Londres, Trübner, 1872; traduction française par Valéry Larbaud, Paris, Gallimard, 1920.

CABET E., *Une colonie icarienne aux États-Unis*, Paris, 1856.

Cahiers de l'IAURP, spécial sur Le Vaudreuil, nº 30, Paris, 1973.

CAILLOIS R., « Balzac et le Mythe de Paris », accompagnant le *Père Goriot*, Paris, Club français du Livre, 1962.

(t) CARAMUEL de LOBKOWITZ J. *Architectura civil recta y obliqua, considerada y dibuxada en el Temple de Jerusalem* [...], Vigevano, 1678.

CASSIRER E., *Das Problem Jean-Jacques Rousseau;* traduction anglaise, *The question of Jean-Jacques Rousseau*, Indiana University Press, 1963.

CERTEAU M. de, « L'opération historique », in *Faire de l'histoire*, t. I, *Nouveaux Problèmes*, ouvrage collectif publié sous la direction de J. Le Goff et P. Nora, Paris, Gallimard, 1974.

CERTEAU M. de, « Une culture très ordinaire », *Esprit*, oct. 1978.

CHASTEL A., *Marsile Ficin et l'Art*, Genève, Droz, 1954.

CHASTEL A., *Art et Humanisme à Florence au temps de Laurent le Magnifique*, Paris, PUF, 1959; 2e édition, 1961.

CHASTEL A., *Le Mythe de la Renaissance*, Genève, Skira, 1969.

CHEVALLIER D. et alii, *L'Espace social de la ville arabe*, Paris, Maisonneuve et Larose, 1979.

CHINARD G., *L'Exotisme américain dans la littérature française au XVIe siècle*, Paris, Hachette, 1911.

CHINARD G., *L'Amérique et le Rêve exotique dans la littérature française au XVIIe et au XVIIIe siècle*, Paris, Hachette, 1913.

CHOAY F., *L'Urbanisme, utopies et réalités*, Paris, Seuil, 1965.

CHOAY F., *City Planning in the XIXth Century*, New York, Braziller, 1970.

CHOAY F., « Urbanisme, théories et réalisations », Paris, *Encyclopedia Universalis*, 1973.

CHOAY F., « Figures d'un discours méconnu », *Critique*, avr. 1973.

CHOAY F., « Le Corbusier's Concept of Human nature », *Critique*, III, New York, The Cooper Union School of Art and Architecture, 1974.

CHOAY F., « Haussmann et le système des espaces verts parisiens », *La Revue de l'art*, nº 29, Paris, Éditions du CNRS, 1975.

CHOAY F., « Le Corbusier », *Encyclopedia Britannica*.

CHOAY F., et alii, *La Politique des modèles*, recherche ronéotypée, Paris, 1975.

351

CHUECA GOITIA F., TORRES BALBAS L., *Planos da Ciudades ibero-americanas y Filipinas existentes en el archives de Indias*, Instituto de estudios administraciani local, Seminario de Urbanismo, 1951.

COLLINS Ch. et G. R., volume de notes critiques accompagnant leur traduction du *Städtebau*, *City Planning according to Artistic Principles*, New York, 1965.

COLLINS G. R., « Planning throughout the World », *Journal of the Society of Architectural Historians*, Philadelphie, 1959.

CORROZET G., *Les Antiquités, histoires et singularités de la ville de Paris*, 1re édition, Paris, 1532; 2e édition, 1550.

CURCIO C., *Utopisti a riformatori sociali del Cinquecento*, Bologne, Zanichelli, 1941.

(u) CYRANO DE BERGERAC, *Histoire comique des États et Empires de la Lune et du Soleil*, Paris, 1657.

DAINVILLE F. de, *La Géographie des humanistes*, Paris, Beauchesne, 1940.

DAVILER A. C. (ou D'AVILER), *Cours d'architecture qui comprend les ordres de Vignole, avec des commentaires*, Paris, 1641.

DELUMEAU J. (sous la direction de), *La Mort des pays de Cocagne*, comportements collectifs de la Renaissance à l'âge classique, Publication de la Sorbonne, Paris, 1976.

DERRIDA J., *La Dissémination*, Paris, Seuil, 1972.

(t) DESGODETS M., *Lois des bâtiments suivant la coutume de Paris*, Paris, 1748.

DUMÉZIL G., *La Naissance de Rome*, Paris, Gallimard, 1944.

DUMEZIL G., *Mythe et Épopée*, Paris, Gallimard, t. I, 1968.

(t) DUPUIS Ch., *Nouveau Traité d'architecture*, Paris, 1762.

(t) DURAND J. N. L., *Précis des leçons d'architecture données à l'École Polytechnique*, Paris, an X-an XIII (1802-1805).

(u) DÜRER A., *Etliche underricht zu Befestigung der Stett, Schloss und*
et *Flecker*, Nuremberg, 1527; traduction française par A. Ratheau, *Instruction pour la fortification des villes, bourgs et châteaux*, avec introduction historique et critique, Paris, Tanera, 1870.

ECO U., *La Structure absente*, Paris, Mercure de France, 1972.

EDEN W. A., « St Thomas Aquinas and Vitruvius » in *Mediaeval and Renaissance Studies*, Warburg Institute, University of London, vol. I, 1950.

EHRENFELS Ch. von, « Über Gestaltäqualitäten », *Vierteljahresschrift fur wissenschaftliche Philosophie*, XIV, 3, 1890.

ENGELS F., *La Situation de la classe laborieuse en Angleterre*, Paris, Éditions sociales, 1960.

ENGELS F., *La Question du logement*, Paris, Éditions sociales, 1947.

ENGELS F., MARX K., *L Idéologie allemande*, Paris, A. Costes, 1937.

ENGELS F., MARX K., *Manifeste du parti communiste*, Paris, Éditions sociales, 1947.

EVANS R., « Bentham's Panopticon, an Incident in the social History os Architecture », *Riba Journal*.

FALKE R., « Versuch einer Bibliographie der Utopien », *Romanistisches Jahrbuch*, VI (1953-1954).

FECHNER G. T., *Vorschule der Aesthetik*, Leipzig, Breitkopf und Härtel, 1876.

(u) FÉNELON, *Les Aventures de Télémaque*, présenté par J.-L. Goré, Garnier-Flammarion, Paris, 1968.

FINLEY M., « Technical Innovation and Economic Progress in the Ancient World », *Economic History Review*, nᵒ 18, 2ᵉ semestre 1965.

FINLEY M., *L Économie antique*, traduction française par M. P. Higgs, Paris, Éditions de Minuit, 1973.

FIRPO L., *Prime Relationi di navigatori italiani sulla scoperta dell' America*, Turin, Unione tipografico editrice Torinese, 1966.

FIRPO L., « La Città ideale del Filarete », in *Studii in memoria di Gioele Solari*, Turin, 1954.

(u) FOIGNY G. de, cf. SADEUR.

FONTENELLE B. de, *République des Philosophes ou Histoire des Ajaoiens*, Genève, 1778.

(t) FOREST DE BELIDOR B., *Sommaire d'un cours d'architecture militaire, civile, hydraulique [...]*, Paris, 1720.

FORTIER B. et alii, *La Politique de l'espace parisien*, Paris, CORDA, 1975.

FORTIER B. et alii, *Les Machines à guérir*, Paris, Institut de l'environnement, 1976.

FOUCAULT M., *Naissance de la clinique*, Paris, PUF, 1963.

FOUCAULT M., *Les Mots et les Choses*, Paris, Gallimard, 1966.

FOUCAULT M., *Surveiller et Punir*, Paris, Gallimard, 1975.

(u) FOURIER Ch., *Théorie de l'unité universelle* (1825), *Œuvres complètes*, t. II-V, 2ᵉ édition, Paris, Bureau de la Phalange, 1841-1845.

(u) FOURIER Ch., *Nouveau Monde industriel et sociétaire*, *Œuvres complètes*, t. VI.

(u) FOURIER Ch., *Théorie des quatre mouvements*, *Œuvres complètes*, t. I.

FOURIER Ch., *Manuscrits de Fourier*, Paris, Librairie phalanstérienne, années 1857-1858.

(t) FRÉART DE CHAMBRAY P., *Parallèle de l'architecture ancienne et de la moderne*, Paris, 1650.

FREUD S., *Trois Essais sur la théorie de la sexualité*, Paris, Gallimard, 1962.

FREUD S., *Malaise dans la civilisation*, Paris, PUF, 1971.

FRONTIN, *Sur les aqueducs de la ville de Rome*, Paris, Les Belles Lettres, 1944.

GAIGNEBET C., *Carnaval*, Paris, Payot, 1974.

(u) GARCILASO DE LA VEGA, *Commentaires royaux*, traduction française, Paris, 1633.

(u) GARCILASO DE LA VEGA, *Commentaires royaux*, traduction française, Paris, 1633.

GARDET L., *La Cité musulmane, vie sociale et politique*, Paris, Vrin, 1954.

GARIN E., *Scienza e vita civile nel rinascimento italiano*, Bari, Laterza, 1965.

GARIN E., *L'Education de l'homme moderne*, Paris, Fayard, 1968.

GARIN E., *Moyen Age et Renaissance*, Paris, Gallimard, 1969.

GARIN E., « La città in Leonardo », *Lettura Vinciana XI*, Florence, G. Barbera, 1973.

(th) GEDDES P., *Cities in Evolution*, Londres, Williams and Norgate, 1915.

GERBER R., « The English Island Myth: remarks on the Englishness of utopian Fiction », *Critical Quarterly I*, 1954.

GIEDION S., *Space, Time, Architecture*, Cambridge, Mass., Harvard University Press, 1959.

GIEDION S., *Naissance de l'architecture*, Bruxelles, La Connaissance, 1966.

(u) GILBERT Cl., *Histoire de Calevaja*, 1700 (sans lieu de publication).

GILSON E., *Les Métamorphoses de la Cité de Dieu*, Louvain, Imprimerie universitaire, Paris, Vrin, 1952.

(t) GIORGIO MARTINI F. di, *Trattati di architettuta ingegneria e militare*, édition critique par C. et L. Maltese, Il Polifilo, Milan, 1967.

GIRARD R., *La Violence et le Sacré*, Paris, Grasset, 1972.

GLUCKSMANN A., *Les Maîtres penseurs*, Paris, Grasset, 1977.

(u) GODWIN S., *The Man in the Moone, or a Discourse of a Voyage thither*, Londres, 1648.

GOITIA F. C. et TORRES BALBAS L., *Planos de Ciudades iberoamericanas y filipinas existentes en el archivo de Indias*, Instituto de estudios administracioni local, Seminario de Urbanismo, 1951.

GOLDSCHMIDT V., *La Religion de Platon*, Paris, PUF, 1949; republié in *Platonisme et Pensée contemporaine*, Paris, Aubier, 1970.

GRANET M., *La Pensée chinoise*, Paris, Albin Michel, 1934.

GRAYSON C., cf. ALBERTI L. B., *Della famiglia*.

HABERMANN C. G., *The Cosmographiae Introductio of Martin Waldseemüller, in fac simile, followed by the Four Voyages of A. Vespuce with their translation into English*, New York, The United States Catholic Historical Society, 1907.

(u) HALL J., *Mundus alter et idem Sive Terra australis antehac semper incognita* [...], Hanovre, 1607.

(u) HARRINGTON J., *The Commonwealth of Oceana*, Londres, 1656.

HAUSSMANN G., *Mémoires*, Paris, Havard, 1890-1893.

HEGEL G.W.F., *Esthétique*, trad. fr. Paris, Aubier, 1944.

HEIDEGGER M., *Essais et Conférences*, Paris, Gallimard, 1958.

HEINIMANN F., *Nomos und Physis*, Bâle, F. Reinhardt, 1945.

HERRMANN W., *The Theory of Claude Perrault*, Londres, A. Zwemmer, 1973.

HEXTER J., *More's Utopia. The Biography of an Idea*, Princeton, Princeton University Press, 1952.

HIPPOCRATE, *Œuvres complètes*, édité et traduit par E. Littré, Paris, 1839-1861.

(u) HOLBERG L., *Nicolaï Klimii iter subterraneum*, Copenhague, 1741.

BIBLIOGRAPHIE

HOMO L., *Rome impériale et l'Urbanisme dans l'Antiquité*, Paris, Albin Michel, 1951.

HUMBOLDT A., *Examen critique de l'histoire et de la géographie du nouveau continent*, Paris, de Gide, 1839.

(u) HUXLEY A., *Brave New World*, Londres, Chatto et Windus, 1923.

JACOB F., *La Logique du vivant*, Paris, Gallimard, 1970.

JEAN L'ÉVANGELISTE (saint), *Apocalypse*, édition critique Osty, Paris, Éditions Siloë, 1961.

(t) JOUSSE M., *Le Secret d'architecture découvrant fidèlement les traits géométriques, couppes et dérobemens nécessaires dans les bastimens*, La Flèche, 1642.

KAUFMANN E., « *Die Stadt des Architekten Ledoux zur Erkenntnis des autonomen Architektur* », *Kunstwissenschaftlichen Forschungen*. Berlin Frankfürter Verlags Anstalt, 1933.

KAUFMANN E., *Three Revolutionnary Architects*, Philadelphie, The American philosophical Society, 1952.

KAUFMANN P., *L'expérience émotionnelle de l'espace*, Paris, Vrin, 1967.

KHALDOUN I., *The Muqaddimah*, Londres, Routledge & Kegan Paul, 1958, traduction par E. Rosenthal.

KLEIN M., *Essais de psychanalyse* (1921-1924), Paris, Payot, 1967, traduction française par M. Derrida.

KLEIN R., « L'urbanisme utopique de Filarète à Valentin Andreae », *Les Utopies à la Renaissance*, Paris, PUF, 1963.

KLEIN R., *La Forme et l'Intelligible*, Paris, Gallimard, 1970.

KOYRÉ A., « Du monde de l'à-peu-près à l'univers de la précision », *Critique*, Paris, 1948.

KRAUTHEIMER R., et T. HESS-KRAUTHEIMER, *Lorenzo Ghiberti*, Princeton, Princeton University Press, 1956.

KRAUTHEIMER R., « Alberti and Vitruvius », *The Renaissance and Mannerism, Studies in Western Art, Acts of the twentieth International Congress of History of Art*, Princeton, Princeton University Press, 1963.

KRINSKY, « Seventy-eight Vitruvius Manuscripts », *Jahrbuch für Wirtschafsgeschichte*, Berlin, 1967.

KUHN T. S., *La Structure des révolutions scientifiques*, traduction française, Paris, Flammarion, 1972.

LACAN J., *Ecrits*, Paris, Seuil, 1965.

LAFITAU R. P., *Mœurs des sauvages américains comparées aux mœurs de notre temps*, Paris, 1724.

LAMARE E. N. de, *Traité de la Police*, Paris, 1705-1738.

LANG S., « De Lineamentis », *Journal of the Warburg Institute*, t. XXVIII, 1965.

(t) LANTERI G., *Due dialoghi [...] del modo di designare le piante delle forterezze secondo Euclide*, Venise, 1557.

LAPOUGE G., *Utopies et Civilisations*, Paris, Weber, 1973.

LASSUS J. B. A., cf. VILLARD de HONNECOURT.

(t) LAUGIER abbé, *Essai sur l'architecture*, Paris, 1753.

LAVEDAN P., *Histoire de l'urbanisme*, t. III, Paris, Laurens, 1952.

LAVEDAN P., *Qu'est-ce que l'urbanisme?*, Paris, Laurens, 1926.

(t) LECLERC S., *Traité d'architecture*, Paris, 1714.

(u) LECSINSKY S., *Entretien d'un European avec un insulaire du Royaume de Dumocala*, 1754 (sans lieu de publication).

LEDOUX Cl. N., *L'Architecture considérée sous le rapport de l'art, des mœurs et de la législation*, Paris, 1804.

LEFEBVRE H., *Le Droit à la ville*, Paris, Anthropos, 1968.

LEFORT Cl., *Le Travail de l'œuvre. Machiavel*, Paris, Gallimard, 1972.

LEJEUNE, *Relation de ce qui s'est passé en la Nouvelle France en l'année 1634, envoyée au père provincial de la Compagnie de Jésus en la Province de France*, Paris, 1635.

(t) LE MUET P., *Manière de bastir pour toutes sortes de personnes*, Paris, 1623.

LEROUX DE LINCY, *Paris et ses Historiens au XIVe et au XVe siècle, documents écrits et originaux, recueillis et commentés*, Paris, 1867.

LÉVÊQUE P. et VIDAL-NAQUET P., *Clisthène l'Athénien*, Paris, Les Belles Lettres, 1964.

LÉVI-STRAUSS Cl., *Anthropologie structurale*, I, Paris, Plon, 1958.

LÉVI-STRAUSS Cl., *Anthropologie structurale*, II, Paris, Plon, 1973.

LÉVI-STRAUSS Cl., *Le Cru et le Cuit*, Paris, Plon, 1964.

(u) LISTONAI M. de, *Le Voyageur philosophe*, Amsterdam, 1761.

LLINARES A., *Raymond Lulle philosophe de l'action*, Paris, PUF, 1963.

LOTMAN I., *La Structure du texte artistique*, Paris, Gallimard, 1973.

LÜCKE H. K., *Alberti Index*, Munich, Prestel Verlag, t. I et II, 1975-1976.

(u) LULLE R., *Libre de Blanquerna*, in *Obras originals del Illuminat Doctor Mestre Ramon Lull*, t. IX, Palma de Majorque, Commissio editora lulliana, 1914.

MANNHEIM K., *Idéologie et Utopie*, Paris, Marcel Rivière, 1956, traduction française par P. Rollet.

(u) MANTEGAZA P., *L'anno 3000*, Milan, Fratelli Treves, 1897.

MARIN L., *Utopiques Jeux d'espace*, Paris, Editions de Minuit, 1973.

MARTIN R., *L'Urbanisme dans la Grèce antique*, Paris, Picard, 1956.

MARX K., *Le Capital*, Paris, Gallimard, « Bibl. de la Pléiade », 1963.

MARX K., *La Guerre civile en France*, Paris, Éditions Sociales, 1968.

MARX K., *Economie politique et Philosophie*, Paris, Alfred Costes, 1937.

MASSIGNON M., *La Passion d'al-Hallàj*, Paris, Geuthner, 1922.

MATHIEU M., *Pierre Patte, sa vie, son œuvre*, Paris, PUF, 1940.

(u) MERCIER S., *L'An 2 440*, Paris, 1770.

MERCIER S., *Tableau de Paris*, Paris, 1781.

MERLIN P., *Méthodes quantitatives et Espace urbain*, Paris, Masson, 1973.

MICHEL P. H., *La Pensée de L. B. Alberti*, Paris, Les Belles Lettres, 1930.

MILANESI G., *Documenti per la Storia dell'arte Senese*, Sienne, 1854.

MILLER J.-A., « Le Panoptique de Bentham », *Ornicar* nº 3, Paris, mai 1975.

MITSCHERLICH A., *Vers une société sans père*, Paris, Gallimard, 1969.

MONETARIUS, *Description des villes de Flandre*, 1495.

(u) MORELLY, *Le Code de la nature*, 1755, édition avec introduction et notes de G. Chinard, Paris, Clavreuil, 1950.

(u) MORELLY, *Naufrage des îles flottantes ou Basiliade du célèbre Pilpaï*, publié sans nom d'auteur, Paris, 1753.

MORTON D., *The English Utopia*, Londres, Lawrence et Wishart, 1952; traduction française, *L'Utopie anglaise*, Paris, Maspero, 1964.

MUNSTER S., *Cosmographiae universalis*, Lib. VI, 2ᵉ édition, Bâle 1550; traduction française, 1556.

MURATORI L. A., *Rerum italicarum Scriptores*, Milan, 1723-1751.

(t) NATIVELLE P., *Traité d'architecture contenant les cinq ordres [...]*, Paris, 1729.

NEEDHAM J., « Building Science in Chinese Literature », *Science and Civilisation in China*, Cambridge, 1971, vol. IV, chap. XXVIII.

ONG W., « System, space and intellect in Renaissance symbolism », *Bibliothèque d'humanisme et Renaissance*, 1956.

ONIANS J., « Alberti and Filarete, a study in their sources », *Journal of the Warburg and Courtault Institute*, t. XXIV, Londres, 1971.

OSTROWETSKI S., BORDEUIL S., RONCHI Y., *La Reproduction des styles régionaux en architecture*, Département d'ethnologie et de sociologie, Université d'Aix-en-Provence, CORDA, 1978.

OTTOKAR N., Article « Comuni », in *Encyclopedia Italiana*, vol. XI.

(u) OWEN R., *An Address delivered to the Inhabitants of New Lanark*, Londres, 1816.

(u) OWEN R., *A Supplementary Appendix to the first Volume of the Life of Robert Owen, containing a Series of Reports [...]*, Londres, 1857.

PALLADIO A., *L'antichita di Roma*, Rome, 1575.

PANOFSKY E., *La Perspective comme forme symbolique*, Paris, Éditions de Minuit, 1975.

PANOFSKY E., *La Renaissance et ses avant-courriers*, Paris, Flammarion, 1976.

PANOFSKY E., *L'œuvre d'art et ses significations*, Paris, Gallimard, 1969, traduction française par M. et B. Teyssèdre.

(u) PATRIZI F., *La città felice*, Venise, 1553.

PATTE P., *De la translation des cimetières hors de Paris avec le moyen de l'effectuer de façon à relever l'honneur de la sépulture et à rendre ces établissements une source abondante de secours pour les pauvres et les malheureux*, 1799.

PATTE P., *Monuments élevés à la gloire de Louis XV*, Paris, 1765.

PATTE P., *Observations sur le mauvais état du lit de la Seine*, Paris, 1779.

(t) PATTE P., *Discours sur l'Architecture, où l'on fait voir combien il*

357

serait important que l'Étude de cet Art fît partie de l'éducation des personnes de naissance; à la suite duquel on propose une manière de l'enseigner en peu de temps, Paris, 1754.

(t) PATTE P., *Mémoires sur les objets les plus importants de l'architecture*, Paris, 1769.

PATTE P., *De la manière la plus avantageuse d'éclairer les rues d'une ville pendant la nuit en combinant ensemble la clarté, l'économie et la facilité de service*, Paris, 1766.

PATTE P., *Fragment d'un ouvrage très important qui sera mis sous presse incessamment, intitulé l'Home tel qu'il devrait être ou la nécessité de le rendre constitutionnel pour son bonheur*, Paris, 1804.

(t) PERRAULT Cl., *Ordonnance des cinq espèces de colonnes*, Paris, 1683.

(t) PERRAULT Cl., *Les Dix Livres d'Architecture de Vitruve, corrigés et traduits en François avec des notes et des figures*, Paris, 1684.

PEETERS F., Le « Codex bruxellensis » 5253 (b) de Vitruve et la tradition manuscrite du *De architectura*, *Mélanges F. Grat*, t. II, Paris, 1949.

PLATON, *La République, Œuvres complètes*, t. I, Paris, Gallimard, « Bibl. de la Pléiade », 1940.

PLATON, *Critias, Lois, Timée, Œuvres complètes*, t. II, Paris, Gallimard, « Bibl. de la Pléiade », 1942.

PIGANIOL DE LA FORCE J.-A., *Description de Paris, de Versailles, de Marly*, Paris, 1742.

POGGIO BRACCIOLINI, *Ruinarum Romae descriptio, de fortunae varietate urbis Romae et de ruina ejusdem descriptio*, 1513.

POPPER K. R., *La Logique de la découverte scientifique*, Paris, Payot, 1978.

PRADO J., cf. VILLALPANDA J. B.

PRIGOGINE I., « La thermodynamique de la vie », in *La Recherche en biologie moléculaire*, Paris, Seuil, 1675.

PROPP W., *Morphologie du conte*, Seuil, Paris, 1965.

PUPPI L., *Andrea Palladio*, Londres, Plaidon, 1975.

RABELAIS F., *Gargantua, Œuvres complètes*, Paris, Seuil, 1973.

RABELAIS F., *Pantagruel, Œuvres complètes*, Paris, Seuil, 1973.

(u) RÉTIF DE LA BRETONNE N. E., *L'Andrographe*, La Haye Paris, 1782.

(u) RÉTIF DE LA BRETONNE N. E., *La Découverte australe par un homme volant*, Paris, 1781.

RICHÉ P., *Education et Culture dans l'Occident barbare*, Paris, Seuil, 1962.

RIEGL A., *Grammaire historique des arts plastiques*, Paris, Klincksieck, 1978.

RIO Y., *Science-fiction et Urbanisme*, thèse de doctorat, 3e cycle, EPHE, 1978, inédit.

RITTER, *The Corrupting Influence of Power*, Essex, Hadleigh, 1952, traduction anglaise par R. W. Rick.

ROMILLY J. de, *Problèmes de la démocratie grecque*, Paris, Hermann, 1975.

BIBLIOGRAPHIE

RONCHI Y., cf. OSTROWETSKI.

ROUSSEAU J.-J., *Émile*, édition E. et P. Richard, Paris, Garnier, 1961.

ROUSSEAU J.-J., *La Nouvelle Heloïse*, Paris, 1761.

ROUSSEAU J.-J., *Les Confessions*, Paris, Garnier-Flammarion, 1967.

RUSKIN J., *The Poetry of Architecture*, Londres, 1837.

RUSKIN J., *The Seven Lamps of Architecture*, Londres, 1849.

RUSKIN J., *The Stones of Venice*, Londres, 1851-1853.

RUSKIN J., *Lectures on Architecture and Painting, delivered at Edimburgh in November 1853*, Londres, 1854.

RYKWERT J., *La Maison d'Adam au Paradis*, Paris, Seuil, 1976.

(u) SADEUR G., *La Terre australe connue, c'est-à-dire la description de ce pays inconnu jusqu'ici, de ses mœurs et de ses coutumes*, Vannes, 1676.

SAINT-VALÉRY SÉHEULT A., *Le Génie et les Grands Secrets de l'architecture historique*. Paris, 1813.

SAULNIER V. L., « L'Utopie en France : Morus et Rabelais », in *Les Utopies à la Renaissance*, Coll. internationale de l'Université libre de Bruxelles, 1961; Paris, PUF, 1963.

SCAMOZZI V., *Taccuino di viaggio da Parigi a Venezia* (14 marzo-11 maggio 1600), édité et commenté par F. Barbieri, Venise-Rome, Istituto per la collaborazione culturale, 1959.

SCHEDEL H., *Liber chronicarum*, Nuremberg, 1493.

SCHNORE L. F. (éd.), *The New Urban History, quantitative explorations by American Historians*, Princeton, Princeton University Press, 1975.

SCHUHL P. M., *Machinisme et Philosophie*, Paris, PUF, 1947.

SERRES M., « Discours et parcours », in *L'Identité*, séminaire dirigé par Cl. Lévi-Strauss, Paris, Grasset, 1977.

SERRES M., *Feux et Signaux de brume*, Paris, Grasset, 1975.

SFEZ L., *Critique de la décision*, Paris, Bibliothèque de l'Institut des sciences politiques, 1973.

SIMONIN-GRUMBACH J., « Pour une typologie du discours », in *Langue, Discours, Société*, ouvrage collectif publié pour Emile Benvéniste, Paris, Seuil, 1975.

SPENGLER O., *Le Déclin de l'Occident*, Paris, Gallimard, 1948.

STAROBINSKI J., *La Transparence et l'Obstacle*, Paris, Plon, 1967.

STÜBBEN J., *Der Städtebau*, Darmstadt, Bergstrasser, 1890.

TEMANZA T., *Vita di Vicenzo Scamozzi*, Venise, 1770.

TENON J. R., *Mémoire sur les hôpitaux de Paris*, Paris, 1788.

TORRES BALBAS L., cf. GOITIA C.

L'Unité de l'homme, invariants biologiques et universaux culturels, Colloque organisé par le Centre de Royaumont pour une science de l'homme, Paris, Seuil, 1974.

TRACY Th., *Physiological Theory and the Doctrine of the Mean in Plato and Aristote*, La Haye-Paris, Mouton, 1969.

(t) VASARI G. il giovane, *La Città ideale*, Rome, Officino Edizioni, 1970.

(t) VAUBAN, *De l'attaque et de la défense des places*, La Haye, 1737-1742.

359

(u) VEGA G. de la, *Primera Parte de los Commentarios reales* [...], Madrid, 1608; traduction française, *Les Commentaires royaux*, Paris, 1633.

VERNANT J.-P., *Mythe et Pensée chez les Grecs*, Paris, Maspero, 1965.

VESPUCE A., *Lettre Mondus Novus à L. di Pier Francesco di Medici*, Florence, 1503; Vienne, 1504; cf. L. Firpo.

VIDAL-NAQUET P., cf. LÉVÊQUE P.

VIDLER A., « The Architecture of the Lodges [...] », *Oppositions*, New York, 1976.

VIGNOLE, cf. BARROZIO J.

(t) VILLALPANDA J. B. et PRADO J., [...] *In Ezechielem explanationes et apparatus urbis ac templi hierosolymitani. Commentariis et imaginibus illustratus* [...], Rome, 1596-1604.

(t) VILLARD DE HONNECOURT, *Album de Villard de Honnecourt, architecte du XIIIe siècle*, manuscrit publié en *fac-similé*, annoté par J.R.A. Lassus Paris, Laget, 1868.

(t) VITRUVE, *De architectura*, texte et traduction, de A. Choisy, Paris, de Nobèle, réédition, 1971.

VITRUVE, cf. Perrault.

WALDSEEMULLER M., *Cosmographiae introductio*, 1507, cf. G. Habermann.

WALEY D., *Les Républiques médiévales italiennes*, Paris, Hachette, 1969.

WALEY D., *Studi communali e fiorentini*, Florence, 1948.

WALEY D., *Mediaeval Orvieto*, Cambridge, Cambridge University Press, 1952.

WEBBER M., « The Urban Place and non Place Urban Realm », *Explorations in Urban Structure*, Philadelphie, University of Pennsylvania Press, 1964.

WHEATLY P., *The Pivot of the Four Quarters*, Edimburgh University Press, 1971.

WHITE H. B., *Peace among the Willows, the Political Philosophy of F. Bacon*, La Haye, Martinus Nighoff, 1968.

WIECZOREK D., *C. Sitte et les Débuts de l'urbanisme moderne*, thèse de 3e cycle, inédit, Paris, 1979.

WILLIAMS R., *The Country and the City*, Chatto et Windus, Londres, 1973.

WITTKOWER R., *Architectural Principles in the Age of Humanism*, Londres, Tiranti, 1962.

YETTS P. W., « A Chinese Treatise of Architecture », *Bulletin of the School of Oriental Studies*, vol. IV, 3e partie, Londres, 1928.

(t) ZANCHI G. de, *Del modo di Fortificar le città*, Venise, 1554.

ZOUBOV A. V., « Leon Battista Alberti et les auteurs du Moyen Age », in *Mediaeval and Renaissance Studies*, Londres, Warburg Institute, 1958.

Index

On n'a pas fait figurer dans cet index un ensemble de notions utilisées de bout en bout du livre, en particulier : règle et modèle, traité d'architecture, utopie, théorie d'urbanisme, édification.

Index des notions

ARCHÉOLOGIE,
rôle de l'— dans la genèse des traités :
70 *sq*, 218, 221-222;
utilisation de l'— par la théorie d'urbanisme : 293.

ARCHITECTE,
éloge de l'— : 88, 127;
formation de l'— : 128, 138, 221 et
n. 4;
statut de l'— : 11, 127, 144-146;
232-234, 234 n. 4;
artiste : 219, 229, 233, 338;
héros : 128-129, 144, 161-162, 209, 217,
219, 229, 232, 246-247, 309, 310, 325,
327, 331.

ARCHITECTURE,
éloge de l'— : 83, 88, 219;
fantastique : 51, 56-57, 61;
histoire de l'— : 219-220;
origine de l'— : cf. récit.

ARGUMENTATEUR (texte) : 37 *sq*.

ARISTOTÉLISME : 108;
influence de l'— sur Alberti : 90, 124,
135;
influence de l'— sur Scamozzi : 237-239, 247.

AUTOBIOGRAPHIE,
dans les traités : 17, 89, 93, 115-116,
142, 159-160, 208, 219;
dans les théories d'urbanisme : 309-310, 326 *sq*.

BEAUTÉ,
absolue chez Alberti : 123-126, 135;
artificielle chez Alberti : 116, 124,
229;
adaptative ou organique chez Alberti : 116, 118, 121-122, 123, 124,
125, 134-135;
niveau de la — : 94, 115-127, 132, 212,
225, 258, 264, 313-314, 318, 336,
338.

BESOINS DE BASE : 98, 101, 333.

BIOLOGIE : cf. sciences du vivant.

CIRCULATION (voies de) : 104, 121-122, 228, 289.

CITÉ,
idéale : 52 *sq.*, 107, 193-194;
de Dieu : 47.

COLONISATION (et utopie) : 79, 257-258.

COLONNE : 95, 119.

COMMENTATEUR (texte) : 23, 63 *sq.*

commoditas : 88, 94, 100-115, 130,
154, 175, 225-229, 243, 245.

COMMUNES ITALIENNES : 13, 34 *sq.*

COMMUNICATION,
immédiate : 58, 81, 177; et n. 3,
178;
dans la société moderne : 80, 82,
288.

concinnitas (cf. beauté organique) :
21, 116, 124-125, 134-135.

CONTRÔLE PAR L'ESPACE (cf. aussi
conversion) : 57, 168-174, 175, 178,
194, 233, 273-274, 276-279, 280,
331, 334-335.

CONVERSION SOCIALE PAR L'ESPACE :
48, 164, 178, 181, 182, 190, 256,
281-282, 321.

CORPS,
postulat-métaphore du — : 21, 89-90,

363

INDEX DES NOTIONS

Index des noms de personnes

ABÛ-L-FIDÂ, 30.
ACHARYA, P., 39 n.
ACOSTA, J., 76 n., 77 n., 78 n.
AGATURIUS, 150.
AGOSTINI, L., 54 et n.
ALBERT LE GRAND, 239 n.
ALBERTI, L. B., 11 et n., 12, 13, 14, 17, 18, 19, 21, 24, 27, 38, 43, 46, 72, 84, 86-162, 176, 193, 208 et n., 209 et n., 211, 212 et n., 213, 214 et n., 218 et n., 219, 220 et n., 221, 223, 227 et n., 228 et n., 232, 233 n., 234, 237, 238, 239 et n., 240 et n., 242, 244, 286, 294, 303, 305, 307, 310, 311, 323, 329, 331, 332, 333, 336, 337, 338, 339, 340, 341.
ALEXANDER, Ch., 40 n., 129 n., 311, 312, 315-317, 319, 322 et n., 323.
ALEXANDRE LE GRAND, 25, 28, 86 n., 149, 213 n.
ALFARABI, 47.
AMMANATI, B., 53 et n.
ANDREAE, V., 50 n., 250 n., 251.
ANDRONICUS, 150.
ANDROUET DU CERCEAU, J., 329.
ARCINIEGAS, G., 74 n., 75 n.
ARIÈS, Ph., 122 n.
ARISTIPPE, 149 et n.
ARISTOPHANE, 149.
ARISTOTE, 25, 26 et n., 27, 47, 86 n., 108, 124, 134, 202, 237 et n., 239 n., 245.
ASTORKIA, J., 285 n.
ATKINSON, G., 75 n.
AUBONNET, J., 25 n.
AUGUSTE (empereur), 28.

AUGUSTIN (saint), 47 et n.
AVICENNE, 239 n.
AVILER, C. d', 42 n., 226 n., 244.
AVILES FERNANDEZ, M., 251 n., 252 n., 253 n., 257 n., 258 n.
AXELOS, K., 83 n.

BACHMANN, F., 69 n.
BACON, F., 45 n., 59.
BACON, R., 48.
BAEDECKER, K., 73 n.
BAKHTINE, M., 49 et n.
BALESTRACCI, D., 35 n., 36 n., 37 n.
BALZAC, H. de, 64, 294.
BARBARO, D., 222, 223 n.
BARBIERI, F., 236 n., 242 n.
BARON, H., 68 n., 204 n.
BARTHES, R., 18.
BAUDELAIRE, 64 et n.
BAUDRILLARD, J., 335.
BEAUJOUAN, G., 33 n.
BEAUVAIS, V. de, 33 et n.
BEGUIN, F., 276 n.
BELIDOR, B. Forest de, 43 n.
BENOIT-LEVY, G., 286 et n.
BENTHAM, J., 275, 277 et n., 278 et n., 282.
BENVÉNISTE, E., 18, 26 n., 131 n., 147 et n., 148 n., 229 n., 293 n., 296.
BERGER, L., 193 n.
BERNARD, Cl., 295.
BERNINI, G. L., 264 n.
BÉTHUNE, chevalier de, 57 n., 59.
BLOCH, E., 45.
BLONDEL, F., 221, 223 n., 225 et n., 227, 228, 230 n., 234 n., 329.

INDEX DES NOMS DE PERSONNES

Table

FIRMIN-DIDOT S.A. PARIS-MESNIL
D.L. 1er TR. 1980. No 5463 (5723)

COLLECTION « ESPACEMENTS »
DIRIGÉE PAR FRANÇOISE CHOAY

Christopher Alexander
Une expérience d'urbanisme démocratique

Joseph Rykwert
La Maison d'Adam au paradis

Gérard Bauer et Jean-Michel Roux
La Rurbanisation

Jean-François Augoyard
Pas à pas

Ildefonso Cerdà
La Théorie générale de l'urbanisation
présentée et adaptée
par A. Lopez de Aberasturi

A paraître

L. B. Alberti
Traité de l'édification

P. Cervellati
*La Nouvelle Culture urbaine :
l'expérience de Bologne*

E. Pognon
Histoire et Iconologie du plan de ville